LA PIERRE DE VIE

Edith Pargeter
(Ellis Peters)

LA PIERRE
DE VIE

Traduction d'Annick Le Goyat

Roman

PRESSES
DE LA CITÉ

Titre original : *The Heaven Tree*

© Edith Pargeter, 1960.
© Presses de la Cité, 1999, pour la traduction française.
ISBN 2-258-05072-3

PREMIÈRE PARTIE

Les marches galloises
1200

1

L'ange, à tout jamais surpris à l'instant où il touchait terre, ses pieds délicats étendus, les ailes cambrées, les paumes ouvertes vers le ciel, inclinait avec une humble solennité sa tête fine et juvénile, aux longs cheveux blonds encore tout dressés et frémissants de son vol. La bruissante vibration de ses grandes ailes flottait dans l'air étonné, pour toujours apaisante et jamais apaisée. Ses yeux, à demi détournés de l'insupportable éclat, dégageaient eux-mêmes une intensité insoutenable, et son visage était empreint d'une tension et d'une ardeur égales à celles de son corps, arrêté à la seconde où il touchait le sol, toutes ses forces concentrées pour atterrir, du torse aux reins, aux cuisses, au cou-de-pied, ses muscles d'argent bandés et frémissants sous le désordre figé de la robe dorée. Il effleurait la terre de ses longs pieds fins et nus et la terre poussait un cri strident et l'air vibrait, telle une corde sur l'arc de sa descente du ciel.

Dans les limbes, au-dessus de lui, le créateur inclina la tête pour examiner son œuvre, et il la jugea bonne.

Ebrard vint les chercher à Shrewsbury par un matin frais, quelques jours après Pâques, tout reluisant de son récent titre de chevalier qui l'engonçait comme un habit neuf, et escorté de trois pages pour l'entretenir dans sa vanité. Ils attendirent près du portail afin de le saluer respectueusement quand il mit pied à terre, Harry par un baiser fraternel, Adam par une révérence appuyée. De son côté, l'abbé Hugh de Lacy traversa en boitant l'effervescence de la grande cour pour bénir leur départ. Il traînait la jambe depuis une partie de chasse, dans sa jeunesse, au cours de laquelle un sanglier blessé les avait jetés à terre, lui et son cheval, et l'humidité du printemps le tenaillait toujours à l'endroit où ses os s'étaient ressoudés de guingois. En son temps Hugh de Lacy avait chassé le sanglier, le loup, le daim, et pas toujours avec autorisation, mais c'était avant qu'il ne coiffe le capuchon de moine et n'ambitionne la mitre.

L'abbé les tint devant lui par les épaules et dit :

— Eh bien, mes garçons, vous êtes en bonne voie pour devenir des hommes. Demeurez fidèles à ce que vous avez appris parmi nous et faites-en bon usage dans le rang qui sera le vôtre. Ainsi vous agirez bien. Vous connaissez tous deux le latin et le français, n'est-ce pas ?

— Oui, mon père.

— Vous possédez quelques connaissances et talents en musique ?

— Oui, mon père.

— Et nous avons de bonnes raisons d'être fiers de vos dons pour la taille du bois et de la pierre, puisqu'ils ont enrichi notre maison.

Mieux valait peut-être ne pas s'appesantir sur ce point. Harry allait regretter ses ciseaux et ses poinçons assez amèrement sans qu'il soit besoin de le lui rappeler. Néanmoins Hugh de Lacy ne pouvait s'empêcher de sourire de plaisir à la pensée du petit ange de bois sculpté sur l'autel de la Vierge, doté du même front que son créateur, des mêmes sourcils très arqués, des mêmes yeux à l'éclat en partie masqué, du même visage étroit et ardent. Tout artiste, lorsqu'il se mesure à sa première œuvre, reproduit une copie de lui-même, qu'il le veuille ou non. Dieu n'a-t-il pas créé l'homme à son image ? Harry était en bonne compagnie. Tourmenté par cette ressemblance, mais sans deviner la source de son malaise, le prieur n'avait jamais aimé l'ange de Harry. Pour cet esprit discipliné, seuls les démons, et non les envoyés de la grâce, pouvaient être aussi abrupts et terribles.

— Ce sont des dons de Dieu, et en cela ils doivent être loyalement utilisés et appréciés. Je sais que vous possédez aussi des lumières dans le domaine de l'esprit, et je vous fais confiance pour les conserver envers et contre tout.

— Oui, mon père, répondirent d'une voix chantante le brun et le blond.

Ils ne l'écoutaient que d'une oreille, et l'abbé le savait. Quel garçon de quinze ans serait capable de prêter attention à un sermon le jour où il est délivré de l'école?

Ils se tenaient devant lui côte à côte. Harry, sombre, maigre, petit, le menton effronté, les os saillants, le pli de la bouche droit et audacieux; Adam, blond et enjoué, dépassant son seigneur d'une demi-tête, l'œil bleu et gai dans un visage épanoui comme une fleur. L'abbé remarqua leurs mains enlacées, derrière leur dos, et les regards rapides qu'ils échangeaient, tellement éloquents qu'ils avaient à peine besoin de se parler. Séparer ces deux-là, ne fût-ce qu'une heure, revenait à déchirer une même chair. Pourtant l'un était le fils d'un artisan non libre, et l'autre le parent éloigné du grand comte en personne, fondateur de l'abbaye, qui gisait sous sa lourde pierre dans la chapelle de la Vierge, et tombait en poussière dans la tunique de saint Hugh.

Les Talvace de Sleapford descendaient d'un demi-frère naturel de la première épouse du comte Roger, à qui ce demi-frère avait lié son sort lors de l'invasion de l'Angleterre. Il s'était ensuite établi dans un confortable manoir sur la seigneurie de Montgomery, avec le titre de chevalier, un droit de chasse sur la forêt, et une épouse saxonne qui disposait de deux villages et lui offrait ainsi une marge de sécurité. La famille était encore fière de perpétuer le visage du glorieux ancêtre à chaque génération, autant que son nom, et avait soin d'établir tous les maillons de sa parenté avec les seigneurs de Belesme, Ponthieu et Alençon.

Ebrard avait le nom, Harry le visage. Seul son regard, si souvent voilé par le rideau épais de ses cils, et si lumineux lorsqu'il les levait, le singularisait. Les cils et les sourcils étaient presque noirs, mais les yeux étaient bleu-vert, comme la pleine mer, tachetés de points lumineux gris et or, remuants et changeants. C'étaient les yeux de la fille sans dot venue de Bretagne, qui avait enfanté le fondateur de sa lignée.

— Obéis à ton aîné comme il se doit, Harry. Travaille loyalement pour lui lorsque tu tiendras ton office, et tu agiras bien.

— Oui, mon père.

Le printemps et le siècle étaient neufs, et le matin étincelant semblait fait pour de nouveaux commencements. Harry, sensible à la circonstance, avait brossé sa meilleure cotte et s'était si bien peigné et lavé qu'Ebrard avait failli ne pas reconnaître le garnement rétif envoyé à l'abbaye de Shrewsbury cinq ans plus tôt, le derrière cuisant de coups de fouet, et tenant par la main son frère de lait. Eudo avait été bien sot de le laisser agir à sa guise, mais bien des hommes plus avisés avaient commis la même erreur, à bout d'arguments.

— Et toi, Adam, travaille avec assiduité. Dieu apprécie l'honnête maçon tout comme il apprécie le preux chevalier et le clerc savant, car ses offices sont légion.

Il eût mieux valu n'avoir point marqué autant la distinction entre les deux garçons ; cela ne faisait que renforcer l'attachement de Harry envers son frère de lait. L'abbé caressa sa joue maigre et patricienne, regrettant que Harry se fût un jour égaré dans la cour de Boteler et eût découvert l'habileté de ses mains et l'audace de son imagination. Désormais, le jeune homme était voué à tenir les rôles[1] de la seigneurie de Sleapford, à lever les redevances des tenanciers libres de son père, à imposer aux serfs leurs trois jours de corvée hebdomadaire et les cinq jours pour la moisson, à surveiller le paiement des taxes de formariage[2], de mainmorte[3] et de taille. Que pouvait-on offrir de mieux à un fils cadet, né sur un domaine trop circonscrit pour être partagé ? Au moins avait-il profité d'une éducation jugée inutile pour le fils héritier, lequel pouvait à peine écrire son nom aristocratique. Si le titre de chevalier ne devait pas échoir à Harry, Ebrard, lui, se passerait du latin.

— Voilà, j'en ai terminé ! Je sais que vous avez du bon sens. Gardez à l'esprit que vous avez ici un ami à qui vous pouvez vous adresser en cas de besoin, quel que soit le moment. Et vous, Ebrard, soyez bon et patient avec ceux dont vous avez la charge. L'autorité a aussi ses obligations.

Ebrard inclina sur la main tendue sa tête blonde comme le lin. A dix-neuf ans il mesurait déjà six pieds, et il avait hérité le teint florissant et l'ossature mince et longue de sa mère. Son adoubement ne datait que de quelques mois et le gênait encore. Hugh de Lacy gardait le souvenir des fêtes solennelles dans la grande salle du château de Shrewsbury à Noël, et du formidable éclat de rire qui avait jailli des rangs du fond où se tenaient les jeunes gens de la suite, au moment où Ebrard, pâle et exalté, avait marché sur l'ourlet de sa tunique en se relevant, et failli choir à plat ventre

---

1. Recueils d'actes et registres de comptes, sous forme de feuilles de parchemin collées ou cousues bout à bout et conservées en rouleaux. *(N.d.T.)*
2. Taxe levée sur le serf en cas de mariage en dehors de la seigneurie dont il dépend. *(N.d.T.)*
3. Taxe perçue par le seigneur lors du décès du serf. *(N.d.T.)*

devant le châtelain. Sir Eudo Talvace, par chance, n'avait pas identifié la voix de son fils cadet, mais l'abbé l'avait reconnue aussitôt, ainsi que le pauvre Ebrard, qui s'était retiré de la grande salle rouge comme une pivoine. La rumeur disait que son premier acte de chevalier avait été de rosser copieusement son frère. Ces deux-là étaient en désaccord perpétuel. L'abbé n'avait pas manqué de remarquer le regard glacial d'Ebrard qui avait enveloppé Harry de la tête aux pieds lors de leurs retrouvailles, dans l'attente d'une bravade, ni le mouvement de menton agressif de l'adolescent envers son aîné. Il se demandait ce qui avait précédé, la bravade ou l'attente de la bravade. Il n'y avait là aucune inimitié : l'un et l'autre auraient été fort étonnés si quelqu'un avait émis un doute sur leur affection fraternelle. L'huile et l'eau n'ont pas de rancune l'une envers l'autre. Néanmoins, leurs chances étaient faibles d'atteindre Sleapford sans en venir aux coups.

— Que Dieu soit avec vous, mes enfants. Je vous souhaite le plus plaisant des voyages. A votre prochaine visite à Shrewsbury, je vous convierai à ma table.

Harry montait à cheval sans la grâce de son frère, mais son aisance relâchée et distraite était plus résistante que l'élégance raide et recherchée d'Ebrard. L'abbé songea que cela venait du fait que Harry n'avait pas appris le métier des armes. Pour Harry, le cheval était un moyen commode de se déplacer d'un lieu à un autre, qui ne lui procurait aucune exaltation, et il n'éprouvait pas plus de déshonneur à tomber de sa selle qu'un ouvrier itinérant. Pour Ebrard, le cheval était le symbole de son rang. Tomber de sa monture était déchoir à ses propres yeux, et cette chute-là était fort périlleuse.

L'abbé les regarda franchir le portail, Ebrard en tête, devant Harry et Adam qui chahutaient et riaient déjà. Le fils du serf était le plus beau des trois, avec son sourire facile, ses cheveux jaune paille et sa robuste nuque brune que découvrait sa capuche rejetée. Sans compter une nature aussi enjouée que son visage. L'attachement de Harry pour lui n'avait rien d'étonnant.

Le temps remettra tout en ordre, se dit l'abbé. Toutefois il n'était pas rassuré. Le temps avait eu tout le loisir de séparer les deux garçons sans douleur, mais il n'avait réussi qu'à les rapprocher plus étroitement. Pourquoi l'épouse de sir Eudo n'avait-elle été aussi vigoureuse que celle de Boteler, capable d'allaiter son propre enfant ? songea-t-il avec exaspération en revenant vers le cloître. Pourquoi Eudo avait-il ensuite été si sot ? Le moment de les séparer en douceur, dès qu'ils avaient commencé à monter à cheval ou à courir, était passé depuis longtemps, et ce vieillard gâteux était bien trop absorbé par son héritier pour voir que le cadet avait besoin d'attention. S'il avait jeté à temps un seul regard paternel sur Harry, et envoyé avec lui un autre valet à la place d'Adam, en dépit de ses pleurs et de ses colères, il se serait épargné à lui-même et à ce garçon Dieu savait quels soucis à venir.

Ou encore pourquoi, puisqu'ils étaient à ce point faits pour s'aimer hors de toute raison, ces deux jeunes êtres n'étaient-ils pas nés frères de sang, prédestinés l'un comme l'autre à l'établi de maçon ? Serfs l'un comme l'autre ?

Qu'est-ce que la liberté ? méditait l'abbé en se retournant pour jeter un dernier regard à ces jumeaux qui n'en étaient pas. Que l'on me dise, si on le sait, lequel est asservi et lequel est libre ?

Ils passèrent devant le moulin, où le déversoir du bassin de l'abbaye tombait dans le ruisseau. Ensuite le cours d'eau formait un méandre et franchissait d'un bond les derniers pas jusqu'à la rivière. Les lourds chariots allaient et venaient pesamment du moulin à la ville, sur le pont de pierre. Les meules de l'abbaye détenaient le monopole des redevances sur le moulin pour toute la ville, et le prieur veillait à ce que l'on n'enfreignît pas ces droits, car ils rapportaient plus que tous les fermages de ce côté de la rivière.

Les eaux de la Severn étaient hautes mais placides, d'un bleu pâle et argenté sous le ciel, gris-brun sous les berges broussailleuses. La veille, son niveau était tombé de trois pieds, et la crue de printemps était déjà en cours. Après le pont s'élevait la colline de Shrewsbury, doublement ceinturée par l'eau qui dévalait et par la muraille imposante. Sur la droite, à l'endroit où la rivière laissait un isthme de terre non protégée, la large silhouette trapue du château du comte Roger enfourchait le promontoire, ses tours crénelées grignotant le ciel. Entre le château et le pont, la pente à l'extérieur des remparts accueillait le vignoble de l'abbé. Noueuses et noires, à peine bourgeonnantes, les vignes ressemblaient à des épines.

— Toi et ton ange ! s'exclama joyeusement Adam, alors qu'ils piquaient vers le sud et franchissaient le cours d'eau sur le pont de pierre. Qu'a-t-il de si merveilleux ? Je suis sûr que tu le volerais si tu pouvais. Tout pour l'ange, et pas un mot sur le reste du travail. Tu n'aimes donc pas les chapiteaux que tu as sculptés ?

— Ils sont plaisants, je suppose, mais ce ne sont que des copies. Enfin, pas exactement des copies. Te souviens-tu des dessins de maître Robert, à Canterbury? Je les avais en tête quand j'ai fait mes tracés. Je n'ai pas copié à proprement parler, mais je n'ai rien créé de nouveau. Je ne m'en suis rendu compte que lorsqu'on les a hissés en place. N'importe qui aurait pu les faire.

— Tu es trop bon! Ne crois-tu pas que n'importe quel tailleur sur pierre se sert de ce que d'autres ont sculpté avant lui? Toutes tes œuvres doivent-elles absolument être premières de leur genre? Il est vrai que tu as trouvé un nouvel exercice avec la quintaine [1], au dernier Mardi gras. Mon vieux, ça, c'était unique! Je n'ai jamais vu un gars aussi malmené sur le terrain de jeu! ajouta Adam malicieusement.

Ce n'était pas la première, et ce ne serait pas la dernière des défaillances de Harry dans le domaine des activités viriles. Il n'en éprouvait aucun ressentiment, mais il se sentit obligé de réagir. Il se pencha vers Adam pour l'empoigner par le cou et le tira de côté. Adam s'accrocha d'une main au pommeau de sa selle pour garder son assiette et de l'autre il saisit Harry à bras-le-corps. Ils luttèrent ainsi en équilibre, haletant et riant. Les chevaux, habitués à ces pitreries, s'arrêtèrent flanc à flanc en se poussant gentiment des naseaux. Comme Adam, ils acceptaient sans comprendre. Adam ramena son poids sur sa selle et essaya de soulever son adversaire, plus léger, mais Harry enfonça les doigts de sa main libre dans la tunique marron, fouillant ses côtes, et il chatouilla Adam jusqu'à ce que celui-ci se mette à gigoter, à bout de forces et de rires.

— Non, Harry! Arrête! Tu vas me faire tomber!

— Oui, je vais te faire tomber. Pas de merci. Demande-moi pardon! Tu demandes pardon? Oui ou non?

Ebrard, qui s'était retourné sur sa selle, leur cria d'un ton péremptoire d'avancer et de cesser leurs bouffonneries. Le mécontentement sonna si durement dans sa voix qu'il les sépara aussitôt. Même à cette distance, sa colère était visible. Ils se rajustèrent à la hâte et éperonnèrent leurs montures pour le rattraper, tout en continuant d'échanger des menaces à voix basse et de rire sous cape.

Ebrard les attendait, l'œil irascible et la moue courroucée.

— Juste ciel, faut-il toujours que vous plaisantiez? N'avez-

---

1. Sorte de mannequin servant de cible, contre lequel s'escrime le chevalier. *(N.d.T.)*

vous pas eu suffisamment de temps pour vous amuser ? Avant d'avoir quinze ans, je faisais déjà ma deuxième année de service comme page auprès de FitzAlan, et on attendait de moi que je me comporte comme un homme, non comme un morveux de sept ou huit ans. Tu ferais bien d'en prendre de la graine, jeune Harry, car tes tendres années parmi les bons frères sont finies. Je me demande pourquoi père t'a laissé là-bas si longtemps, à gaspiller ton temps pour si peu de profit. J'ai entendu parler de tes sculptures sur pierre et sur bois, de tes gargouilles, et même de tes vers, mais guère de talents utiles. Crois-tu que père t'a mis à l'école en t'épargnant les rigueurs d'une vie d'homme pour que tu te bagarres comme un chiot et t'amuses à tailler le bois ?

— Voilà bien un sermon pour quelques instants de chahut ! dit Harry, le visage neutre et la voix conciliante, en s'inclinant humblement. Je te promets que mon latin en remontrera au vieil Edric, et je sais compter assez bien pour tenir à l'œil tous nos débiteurs Je n'ai pas perdu mon temps.

— Il est difficile de croire que tu aies amassé toutes ces connaissances, sinon tu te serais défait de ces manières puériles. Cela ne parle ni en ta faveur ni en celle de tes maîtres de voir un Talvace batifoler sur la grand-route comme un paysan. Et toi, jeune Adam, ne l'encourage pas, je te le conseille. Tu prends trop de libertés avec tes mains.

Tout en parlant, il fit siffler sa petite badine, dont l'extrémité fouetta la main d'Adam. C'était un geste plutôt qu'un coup, et seule la surprise fit porter à Adam son autre main sur la légère douleur. Ce fut Harry qui réagit et retint son souffle, Harry qui blanchit de rage et plongea en avant sur sa selle comme s'il voulait se jeter à la gorge de son frère. Ebrard se trouvant entre eux, Adam ne pouvait même pas le retenir par la manche, ni lui donner un coup de pied dans le tibia pour le ramener à la raison. Il se pencha en avant, les sourcils froncés, secouant la tête avec véhémence pour éviter l'éclat imminent. Pendant un instant, ils restèrent ainsi soudés tous les trois, dans une tension qui fit s'ébrouer et frémir les chevaux. Puis tout fut fini.

Harry laissa retomber ses mains et se remit droit sur sa selle. Le pourtour de sa bouche et ses narines étaient livides, sa mâchoire saillait, et pendant un instant il n'osa pas desserrer les dents, par crainte de ce qui pouvait s'en échapper. Puis il ravala sa colère et dit avec un calme laborieux :

— C'est injuste ! C'est moi qui ai le premier porté la main sur lui. Il s'est seulement raccroché à moi pour ne pas perdre l'équilibre.

— Je crois volontiers que c'est toi qui as commencé. Mais il est grand temps qu'il fasse preuve d'un peu de bon sens, puisque tu n'en as aucun. Tu lui permets trop de familiarités et il se croit autorisé à tout. Je te conseille de ne pas montrer à père en quelle piètre estime tu te tiens toi-même, en jouant ainsi avec Adam.

Ebrard éperonna son cheval et s'élança, avant de jeter par-dessus son épaule :

— Et maintenant, en avant ! Nous perdons du temps.

Adam, qui avait depuis longtemps appris à plier devant ces tempêtes passagères, attendait avec résignation que Harry provoquât le destin en poussant un dernier cri de fureur à l'adresse de son aîné, et s'émerveilla de ne rien entendre. Voilà qui était nouveau. Ils se rapprochèrent en silence pour se réconforter et chevauchèrent côte à côte, leur vivacité éteinte par une humiliation qui leur semblait dépasser le motif. Adam sentait la colère rentrée de Harry lui peser lourdement sur le cœur.

Un an plus tôt, Adam l'aurait secoué par l'épaule sans hésiter en lui disant carrément de ne pas se comporter comme un idiot. A présent, contraint par une timidité qui ne lui était pas coutumière, il tendit la main vers le bras de Harry, puis, saisi d'une hésitation, les yeux fixés sur le dos d'Ebrard, la retira misérablement avant que ses doigts n'effleurent la manche d'étoffe grossière. On venait déjà de l'avertir qu'il prenait trop de libertés, il n'aurait voulu pour rien au monde donner à Ebrard la plus infime raison de développer ses accusations.

Harry aperçut du coin de l'œil le geste ébauché par Adam et, pivotant d'un mouvement brusque mais silencieux, il saisit la main qui se retirait et la tint fermement, encore plus fermement lorsque Adam, avec un hochement de tête d'avertissement en direction d'Ebrard, chercha à se libérer de sa poigne. La marque de la cravache, une simple langue rouge de serpent, s'estompait déjà, mais Harry la contemplait comme il l'eût fait d'une blessure mortelle, et refusait de lâcher Adam.

Vers le milieu de l'après-midi, près de la carrière de Rotesay, un fardier tiré par un attelage sortait lentement de la tranchée vers la route, chargé de pierres grises. Enfoncé presque jusqu'à l'essieu dans la boue qui se décollait des jantes en fer, de la même couleur grise que la pierre, le fardier suivit le virage difficile en grinçant, aidé par un coup d'épaule à chaque tour de roue, et parvint jusqu'à un sol plus ferme en émettant un grand bruit de succion. Ebrard ralentit l'allure pour le dépasser et, au moment où les garçons arrivaient à sa hauteur, le fardier sortit de l'ombre des arbres. La pierre s'embrasa sous le soleil et étincela d'un or pâle et crémeux, comme un halo autour de sa masse gris tendre.

Le visage de Harry s'enflamma en même temps. Il tira la manche d'Adam, oubliant toutes ses résolutions de discrétion.

— Regarde! As-tu jamais vu une couleur si belle? C'est avec cela que je voudrais bâtir! Imagine une église construite dans cette pierre, imagine-la un jour de printemps, mi-ensoleillé mi-nuageux, sa face changeante comme celle d'une femme, à chaque instant différente. Tous les matins elle s'éveillerait à nouveau à la vie.

— C'est une bonne pierre, reconnut Adam en l'étudiant avec l'œil du maçon, comme l'aurait fait son père. Et elle se travaille bien. Pas trop difficile à tailler, mais dure quand même. Il paraît qu'elle résiste aux intempéries, comme le granit. Il existe une autre carrière avec une pierre similaire, et plus libre d'accès, mais elle se trouve trop près de la frontière galloise pour être sûre. J'y suis allé une fois avec mon père, je me souviens du jeu de la lumière sur les coupes. On aurait dit une mine de soleil.

— Aussi grande que celle-ci?

— Trois fois plus!

— Garde-la en mémoire pour le jour où nous bâtirons notre église. J'aurai besoin d'approvisionnement, dit Harry en serrant le bras d'Adam et en le secouant fébrilement. Je le sais maintenant. Du moins je commence à savoir quelle forme je voudrais donner à une église.

Pas celle de l'abbatiale, songea-t-il, rejetant consciemment pour la première fois cette splendeur pesante, ces grands arcs en plein cintre qui attiraient le regard vers le haut pour le rabattre aussitôt, suivant la trajectoire d'une pierre. Une église ne devait pas donner l'impression d'un tombeau scellé, ni ressembler à un paysage immobile et alourdi par une gelée perpétuelle.

— Sais-tu, Adam, à quoi je pensais, ce matin, dans la chapelle de la Vierge? Je me disais que s'il ne tenait qu'à moi, j'ôterais la tombe du comte Roger. Sa présence m'indispose. Elle s'étend à un endroit où l'espace devrait être ouvert, de telle façon que le bas-côté mène le visiteur droit à l'autel...

— Et à ton ange, coupa Adam d'un ton enjoué.

— Oublie mon ange. Je suis sérieux! Les courbes des voûtes pourraient enclore une nef de lumière. Au lieu de cela, cette horrible chose brise toutes les lignes et encombre un espace qui devrait être libre. Tout est sombre là où devrait régner la lumière. Je jetterais cette tombe dehors sans la moindre hésitation.

— Heureusement que tu ne l'as pas dit. Le père Hugh lui-même aurait été choqué.

Adam dépassa l'attelage qui progressait lentement et continua de parler à voix basse car Ebrard, beaucoup plus susceptible encore que l'abbé, n'était qu'à quelques pas.

— Tu te souviens d'avoir dit la même chose au prieur, à propos du crucifix au-dessus du jubé? Tu affirmais qu'il abîmait les courbes du plafond et qu'il fallait l'abaisser. Eh bien c'est à toi que le prieur a essayé d'abîmer les courbes!

— J'ai été trop franc, mais j'avais raison. Et je ne me suis jamais ravisé.

Harry jeta un coup d'œil amoureux et caressant par-dessus son épaule sur les facettes lisses de la pierre couleur de miel, puis ajouta:

— Crois-moi, Adam, ce qu'il me faut, c'est de la pierre. Le bois est beau, mais la pierre plus encore. La pierre est le matériau parfait!

2

Après l'interminable et brûlante journée dans les champs moissonnés, l'air était tiède et engourdissant dans ce coin du château,
près de l'escalier. La tête de Harry dodelinait au-dessus des rôles
de la seigneurie.

«Le village de Sleapford compte 28 serfs, le hameau de Teyne
13, chacun détenant trente acres. Sleapford compte 12 vilains
demi-libres, Teyne 5, chacun détenant une quinzaine d'acres. Les
serfs doivent 3 jours de travail hebdomadaire jusqu'à la Saint-
Pierre, puis 5 jours jusqu'à la Saint-Michel, les demi-libres à proportion de leur tenure. Sleapford a 14 fermiers, Teyne 5.»

Harry connaissait tout cela presque par cœur, jusqu'au nombre
des cochons, moutons et bêtes de trait vivant sur le domaine, et
aux plus petits terrages des collines surplombant Teyne, défrichés
par des fils cadets entreprenants qui, comme lui, ne pouvaient
espérer le moindre héritage. Recopier tout cela lui apparaissait
comme une perte de temps, car ces listes dataient de quelques
années et il aurait pu tout aussi aisément établir un nouveau relevé
plus actuel. Mais il était de mauvaise politique de dévoiler sa
connaissance des affaires de son père, de ses tenanciers et de ses
serfs. Aussi se contenta-t-il de tout retranscrire, laborieusement
mais avec bonne humeur, afin de les laisser se féliciter mutuellement des progrès qu'il accomplissait dans son office. Bientôt le
soir tomberait et il recouvrerait sa liberté. La journée avait été
magnifique. Il lui suffisait de fermer les yeux pour revoir les ban-
deaux dorés et étincelants du blé encore sur pied s'incurver doucement sur l'immense champ baigné de soleil, séparés par les talus
verts et poussiéreux, et la brosse hérissée du chaume, là où le grain

avait déjà été moissonné et charroyé. Il revoyait Adam effectuer la corvée pour son père, hâlé et rouge, jambes nues, maniant la faucille, riant et sifflant. Il sentait encore le picotement sec du jeune chaume à ses chevilles, il revoyait le vol langoureux des papillons au-dessus de la paille, et, sur les talus rôtis par le soleil, les minuscules papillons des moissons, noir et rouge, qui voletaient par bandes comme des fleurs dans la brise fraîche, et les vesces et les mourons rouges, ternis par la poussière d'or de l'été. Il avait encore dans la bouche le goût de la bière des champs, et dans les narines la subtile odeur du grain tiède.

Le vieil Edric, qui officiait depuis trente ans comme clerc au service du père de Harry, fit la grimace et secoua la tête devant l'écriture ronde et enfantine de son élève. Harry achevait seulement sa première semaine aux rôles de la seigneurie, et ce serait au maître, non à l'élève, de répondre devant son seigneur de l'exactitude des chiffres.

— Il y a une erreur, Harry. Vous avez compté Lambert parmi les paysans ayant travaillé aujourd'hui sur le champ de la pointe, près des prairies. Or il n'y était pas. J'ai noté son absence.

Diable d'homme! songea Harry, qui savait parfaitement que Lambert avait passé la journée avec ses deux lévriers et son arc, tandis que tous les autres hommes du comté s'affairaient à la moisson. Il n'était pas de meilleur mois pour braconner que le mois d'août.

— Mais si, voyons, il était là! Ne l'a-t-on pas croisé avec la charrette à foin à son retour des champs? Vous vous en souvenez sûrement.

— C'était Leofric qui menait les bœufs, affirma Edric, néanmoins ébranlé par la conviction du jeune garçon.

— Ils étaient deux. Lambert marchait derrière, avec l'aiguillon. Il chantait. Vous n'avez pas pu oublier!

Il s'aperçut non sans étonnement de l'ascendant qu'il prenait sur Edric. Etait-il possible que le vieil imbécile doutât de sa propre mémoire?

— Laissons cela, reprit vivement Harry en voyant la silhouette massive de son père descendre pesamment l'escalier. Demain matin je demanderai à l'intendant de confirmer ce que j'ai écrit, et de corriger s'il y a lieu. Mais vous verrez que je ne me suis pas trompé.

Il eut honte de ce faux-fuyant, mais il ne pouvait dénoncer Lambert aux forestiers. Demain matin, il sortirait de bonne heure pour dire à Lambert et à l'intendant de s'en tenir à la même histoire, tout en exigeant du coupable la promesse d'accomplir honnêtement sa corvée jusqu'à la fin de la moisson. Si celui-ci avait pu mettre de côté ne serait-ce qu'une venaison, c'était la moindre des choses.

— Bien, bien, laissons cela. Mais veillez à vérifier demain. Vous avez commis très peu d'erreurs, mon garçon, j'en conviens.

Et, Dieu merci, Edric roula le rôle au moment où messire Eudo descendait lentement les dernières marches et avançait vers eux d'un pas loud. Ebrard l'accompagnait, empourpré par un hâle tout neuf jusqu'à la marque de sa coiffe, au milieu du front, ses cheveux blonds blanchis par le soleil. Il avait passé l'après-midi dehors à faire voler un petit faucon pas encore assuré, au bout d'une créance, qu'il tenait encore roulée dans sa main gantée. Il apportait avec lui une chaude atmosphère de contentement, une odeur d'étable et d'écurie.

Messire Eudo tira un tabouret de son pied botté et s'assit avec le soupir ample et satisfait d'un homme lourd, vieillissant mais plein de santé.

— Alors, comment se comporte notre clerc?

— Il a fait des progrès, messire Eudo, de grands progrès. Cette semaine, il a tenu seul les rôles sans aide, et j'ai très peu d'erreurs à lui reprocher, sinon son écriture, que le temps et la pratique amélioreront.

Messire Eudo frotta de ses doigts durs sa barbe dense et grisonnante. Ce grattement évoqua à Harry le bruissement du chaume sous les semelles dans les champs moissonnés.

— Ainsi il tient bien ses comptes, dit-il d'un ton bourru. Peu m'importe qu'il écrive de la plume la plus illisible qui ait jamais écorché le vélin.

Par-dessus les poils hirsutes qui lui couvraient les joues, il toisa son fils cadet de ses yeux bruns pétillants, un peu rougis par la bière et le vin, un peu rétrécis par l'embonpoint et l'âge, mais vifs et sagaces.

— Parle, Harry. Y a-t-il une chose qui requière mon attention? Walter Wace m'a-t-il encore envoyé son idiot de rejeton pour faire sa corvée à sa place? Je lui tannerai le cuir s'il essaie encore, même une fois, alors qu'il a quatre fils en pleine santé.

— Non, père. Il s'est fait remplacer par Michael. Vous avez le meilleur des quatre. De toute façon, il ne pouvait vous envoyer

Nicholas, car le pauvre bougre est malade. Il a toujours été fragile...

— Je sais qu'il ne travaillerait pas, coupa vivement messire Eudo. Il n'y a pas d'intendant capable de lui faire remuer ses abattis.

— Nicholas est souffrant depuis sa naissance et, à mon avis, père, c'est une honte que Walter l'ait envoyé aux champs.

Harry ouvrit les rôles devant lui pour se donner le temps de réprimer le tremblement de sa voix, à la pensée du gentil idiot qui jamais ne se plaignait. Sa mort aurait réjoui Wace, ainsi soulagé d'une bouche à nourrir et de deux bras inutiles. Mais c'était de cette bouche que Harry, quand il avait quatre ans et jouait avec Adam dans les prairies, avait appris le nom des fleurs qui poussaient dans l'herbe, et c'étaient ces bras qui l'avaient tendrement écarté du ruisseau et du trou de marne. Harry fronça les sourcils sur les redevances et, d'une voix lente, parce que c'était une occasion et qu'il devait très vite décider de la façon d'en profiter au mieux, il dit :

— Peu de questions requièrent votre attention, père. La première concerne le cens de Thomas Harnett, qu'il n'a pas payé. Vous vous souvenez qu'il a eu un accident et s'est trouvé dans l'incapacité d'exercer son métier. Vous lui avez accordé du temps pour s'acquitter de sa dette. Il ne l'a pas encore fait, mais si...

— Mais si... répéta mollement Ebrard. A quoi bon ces «mais si»? S'il ne paie pas, il a un joli cheval qui réglera fort bien son dû. Que peut faire un charron d'un tel animal?

— Si vous permettez, père... mieux vaudrait ne pas saisir son bien. Si vous lui accordez deux mois de plus, je pense que vous y gagnerez, car sa femme et sa fille ont manqué se tuer en labourant, semant et hersant ses quelques acres, et lui ont rapporté sa meilleure récolte depuis des années. Elle est encore sur pied. Si vous le saisissez... poursuivit Harry en s'efforçant de ne pas sembler triompher trop vite, elles ralentiront la cadence pour moissonner, et qui sait combien de jours va durer ce beau temps? Eux risquent de tout perdre, et vous sa redevance, car il sera un tenancier moins rentable s'il n'a plus de cheval.

Son père lui jeta un regard aiguisé, mais il continua de fixer les comptes, le visage neutre. Messire Eudo grogna et retroussa la manche de sa cotte sur son bras épais.

— Bien, bien. Je ne lui serrerai pas la bride tant que la moisson ne sera pas rentrée. Laissons-lui ses deux mois. Ensuite?

— Il reste une dette en souffrance de Giles, de Teyne, qui n'a pas versé son quota d'œufs pour Pâques, cette année, ni ses deux shillings de la Saint-Pierre.

— Et il ne les versera jamais, intervint Ebrard. Il passe son temps à boire et à pêcher. Son arpent ne produirait pas un seul penny si c'était lui qui le travaillait. C'est son garçon qui se débrouille pour en tirer quelque chose. S'est-il présenté pour la moisson?

— Giles? Pas lui, non! Il a envoyé Wat à sa place. Le pauvre tombait de fatigue car il avait travaillé jusqu'à la nuit sur la terre de son père, sitôt après avoir quitté les nôtres. Et il recommencera ce soir, je le sais. Père, puis-je parler au bailli pour qu'il renvoie ce garçon chez lui, s'il revient demain? Il n'a pas encore quatorze ans. Nous avons une raison légale de le refuser pour non-respect des conditions, puisqu'il n'a pas l'âge.

— Et faire grâce à Giles de son dû? Certainement pas, mon fils! Quelles balivernes me contes-tu là?

— Ce n'est pas ce que je voulais dire, père. Giles serait alors légalement responsable de ses propres manquements. C'est lui qui est redevable. Payez-vous sur ses biens...

— Il ne possède aucun bien de valeur, et tu le sais. C'est un croquant sans ressources. Jamais je ne retrouverais ce qu'il me doit.

— Il est costaud et il a un sourire de coquin, remarqua Ebrard. Des arguments convaincants. Vendez-le. Ou donnez-le à l'Oratoire, s'il n'y a pas preneur. Vous gagneriez à vous débarrasser de lui.

— Et de sa terre? Sans elle, ils ne me remercieraient pas, tu peux me croire.

— Si je puis me permettre, messire Eudo, intervint le vieil Edric, je vous conseillerais plutôt de vendre le jeune Wat. C'est un garçon intelligent, de bonne constitution, et l'abbé de Shrewsbury serait ravi de le former pour sa compagnie d'archers, sans qu'il soit question de terre puisqu'il n'en possède pas. La vente peut se faire dès qu'il aura quatorze ans. Vous en tirerez une jolie somme, et l'abbé fera une bonne acquisition. Quant au garçon, cela lui formera le caractère. Ensuite vous pourrez contraindre Giles à travailler. Et s'il continue de se dérober aux corvées, il vous sera aisé de vous faire justice car il ne pourra plus envoyer personne à sa place.

Messire Eudo rejeta en arrière sa tête grisonnante, ronde

comme une châtaigne, et lâcha un rire tonitruant vers le plafond taché de fumée.

— Bien pensé, vieux gredin! Je vais suivre votre conseil. Prends note, Harry. Prends note!

Harry le regarda, effaré.

— Le vendre? Vendre Wat? Mais... sa mère? Voyons, père, vous ne pouvez pas faire cela. Elle aurait le cœur brisé.

Harry, qui avait cru agir pour le mieux, voyait l'affaire prendre vilaine tournure. Il lui importait peu que le père de Wat fût jeté en prison. Or voilà que le vieil Edric suggérait une autre solution, bien plus épouvantable! Vendre Wat...! Le mot lui resta dans la gorge. Harry revoyait le jeune garçon endormi se frotter les yeux du dos de la main qui tenait une faucille, et il se revit lui-même lui prendre la lame par-dessus son épaule nue. « Trouve-toi un coin tranquille dans la meule de foin et dors un peu. Tu m'entends, Wat? Je t'appellerai à midi pour le repas, ne t'inquiète pas. » Le foin offrait une couche plus confortable que la paillasse que Wat avait chez lui, et celui-ci se régalait rarement d'autant de pain, de porc et de bière. Vendre Wat! Combien de fois Harry avait-il entendu dire que de telles choses arrivaient, sans y prêter attention!

— Par Dieu, mon garçon, qu'as-tu encore à jargonner? Si je veux vendre un de mes serfs à l'abbaye, pourquoi ne le ferais-je point? Est-ce mon droit, oui ou non?

— Oui, père. C'est votre droit et je sais que vous pensez aussi agir pour le bien de Wat. Mais...

Mais le *vendre*! Comme un rouleau d'étoffe, un boisseau de farine, une pièce de viande dans l'échoppe d'un boucher. La transaction était similaire : un échange de marchandise contre de l'argent.

Le teint de messire Eudo s'empourprait et il commençait à brailler.

— Mais, mais, mais...! Qu'est-ce qui te tracasse, Harry? Le gamin sera mieux ailleurs, oui ou non? Est-ce qu'il mangera mieux et plus à sa faim? Aura-t-il un manteau sur le dos? Sera-t-on plus gentil avec lui que sous son propre toit? Réponds-moi!

— Oui, père, c'est exact. Mais que fera sa mère sans lui?

— Si elle l'aime, elle remerciera Dieu, et moi, de l'avoir éloigné de son père.

C'était probablement vrai, car elle aimait tendrement Wat. Elle penserait en priorité à la vie promise à son fils, qui serait plus en sécurité, mieux employé, bien nourri, bien vêtu, et le mot «vendu» ne lui resterait pas en travers de la gorge. Harry, lui, ne pouvait le ravaler, bien que totalement incapable de savoir pourquoi ce terme l'offensait et le répugnait aussi soudainement. Il n'ajouta rien. Il avait conscience de se conduire comme un imbécile. Il regarda ses mains, crispées sur le parchemin. La droite avait tenu la faucille du jeune Wat. Leurs deux mains avaient reposé sur la poignée, côte à côte, comme deux brins d'herbe, brunies par le soleil, frémissantes de vie, car la vie n'est jamais inerte même dans l'immobilité. Une main pouvait être vendue, l'autre pas. Libre et non libre. Adam!

— Vous avez sans doute raison, père, reprit-il à voix basse. Je suis novice en la matière, veuillez me pardonner.

Peu importent votre nourriture, vos draps propres, vos habits, votre gentillesse, il ne voudra jamais partir, protesta-t-il en son for intérieur. Il pleurera toute la nuit. Sottement, direz-vous, mais n'a-t-on pas le droit d'être sot sous prétexte qu'on est serf?

— Tu as beaucoup à apprendre, Harry, dit messire Eudo d'un ton bourru, presque aussi vite calmé qu'il s'était emporté. L'affaire est réglée. Quoi d'autre?

— Arnulf veut marier sa fille.

C'était là la question la plus délicate de toutes, mais Harry était maintenant trop bouleversé pour faire preuve de subtilité, et il ne put que lancer ces mots de façon abrupte en espérant une solution heureuse.

— Ah oui? Grand bien lui fasse, s'il peut payer la redevance de formariage.

— Arnulf traverse une mauvaise passe, père, et il vous prie de différer une partie du paiement après la moisson. Et comme c'est à vous qu'il revient d'en fixer le montant et qu'il vous a toujours bien servi, je me permets de vous demander de baisser la somme autant que possible, en restant équitable.

— Tu es bien prompt à marchander en sa faveur. J'espère que tu seras aussi diligent pour les affaires de ton frère quand tu le serviras. Mais Arnulf est un brave homme, je te l'accorde. Laquelle de ses filles veut-il marier?

— L'aînée, père. Hawis.

— Comment! s'exclama Ebrard en écartant du pied deux jeunes lévriers qui jouaient et roulaient par terre. Celle qui tisse les vêtements de notre mère? Vous feriez bien de lui donner satisfaction, père. Elle remboursera sa dette en bons lainages, et mère sera bien aise de la contenter.

Harry lui jeta un regard surpris, saisi d'une gratitude soudaine qu'il ne chercha pas à approfondir.

— Oui, Hawis est fileuse. C'est elle qui tisse les vêtements que vous portez, père.

— Dans ce cas, pour une fille si utile... pas de précipitation ! Voyons un peu. Qui est le promis ? Est-ce un homme à nous ?

Cette fois, c'était sans issue. S'il voulait continuer à feindre l'innocence et le détachement, Harry n'avait d'autre choix que de répondre rapidement à la question qu'il avait souhaité éviter. Il prit son ton le plus neutre.

— Non, père, il est de Hunyate. Il se nomme Stephen Mortmain. Selon Arnulf, c'est un homme sobre et travailleur, qui fera un bon mari pour Hawis.

— Hunyate ? répéta messire Eudo, avec une lueur calculatrice dans ses petits yeux. Alors il appartient à Tourneur ?

Harry fronça les sourcils, les yeux baissés sur les comptes, et retint son souffle. Tais-toi, laisse-le dans son erreur, et il ne contrariera pas leurs projets. Il privera même sa femme de vêtements si cela lui permet d'offrir une tisserande expérimentée à sir Roger le Tourneur. La serve suit son mari. Il imagina la dame de sir Roger, amadouée par les habits de Hawis, pressant son époux de s'entendre avec son voisin et de nouer avec lui des liens d'amitié.

Sir Eudo avait passé deux ans à courtiser son vieux rival et ennemi afin qu'ils joignent leurs forces pour dresser une palissade autour de leurs deux domaines, contre les empiétements croissants des Gallois de Powis, et pendant deux ans sir Roger l'avait éconduit sèchement, évitant d'aborder le sujet. Sa forêt était située sur un terrain plus élevé et moins vulnérable que la douce vallée de Sleapford, raison pour laquelle Eudo Talvace avait tant besoin de son concours. Le transfert de Hawis, serve de valeur, pouvait renverser la situation. Harry feignit de s'absorber dans ses chiffres, silencieux, trempé d'une sueur froide, guettant les grognements de son père.

— Es-tu sourd, fils ? gronda l'irascible vieux chevalier. Réponds à ma question ! Est-il un homme de Tourneur ?

— Pardon, père, j'ai été négligent. J'ai omis de noter ce détail et je ne suis pas sûr...

— Allons, Harry, intervint Edric en se penchant par-dessus la table pour lui secouer doucement le bras, avez-vous oublié ? Nous en avons discuté.

Edric leva un regard apaisant sur son seigneur et ajouta avec bonté :

— Harry a eu une longue journée, messire Eudo, et il ne se rend pas justice car il a bel et bien pris note de ce point.

S'il avait pu, Harry lui aurait volontiers décoché un coup de pied sous la table, mais il était trop tard. Le vieux sot avait lâché la vérité :

— Stephen Mortmain est un homme libre.

Sir Eudo se mit pesamment debout en poussant un rugissement tonitruant, et saisit le menton de Harry pour lui relever brutalement la tête.

— Libre ? Il est libre ? Qu'est-ce que tu mijotes, gredin ? Tu oses essayer de me duper ? Tu savais mieux que quiconque que c'est un homme libre, n'est-ce pas ?

Il lui lâcha brutalement le menton et lui assena, en guise d'avertissement, une gifle sur l'oreille qui faillit le jeter hors de son siège.

— Essaie encore de me tromper et il t'en cuira ! hurla-t-il.

— Père, je ne voulais pas... J'ai encore les idées confuses... Ce travail est nouveau pour moi...

— Bon, laissons cela. Mais écoute-moi bien, Harry, ne joue pas au plus fin avec moi, ou tu t'en repentiras. Pour l'amour du ciel, dans l'intérêt de qui crois-tu que je t'ai assigné aux comptes de la seigneurie ? Le mien, ou le leur ?

— Selon moi, père, objecta Harry d'un air renfrogné, il ne devrait pas y avoir de conflit entre les deux. Le seigneur et ses hommes devraient ne faire qu'un et n'avoir qu'un seul et même intérêt. Quand les hommes ont leur content, ils sont d'une plus grande valeur pour vous et vous servent de meilleur gré.

— Tu parles à la fois comme un prêtre et comme un sot. Tiens-toi coi pendant quelques années encore, le temps de prendre de la graine. Et fie-toi à mon jugement. Tout ce que j'attends de toi, ce sont des comptes exacts. Exacts, dis-je ! Et non des jongleries entre vérité et mensonge. Bien, maintenant nous savons où nous en sommes ! Ce Stephen est un homme libre, n'est-ce pas ? Et il veut me voler un de mes biens les plus précieux, car neuf juges sur dix seront prêts à jurer qu'un homme libre affranchit une femme en l'épousant, ainsi que sa descendance ! Et Arnulf veut que j'encourage le vol de ma servante en abaissant le prix de son formariage ! C'est bien cela ? Par Dieu, il n'en est pas question !

Je l'aurais volontiers cédée à Tourneur. Mais qu'elle nous fausse compagnie à tous deux, certes non! A moins qu'Arnulf ne m'en donne une jolie somme. Mon prix est de trente shillings, et qu'il se réjouisse que je ne demande pas davantage. Tu le lui diras!

— Mais, père, il a seulement les deux tiers d'un lopin, soit une vingtaine d'acres! Il n'a pas de fils, mais deux filles et leur grand-mère à nourrir! Où trouverait-il trente shillings, ou même vingt? Il ne réunirait même pas cette somme en vendant tout ce qu'il possède.

— Dans ce cas, que sa fille renonce à se marier. J'ai établi mon prix, à lui de s'en acquitter. J'ai dit.

— Père, permettez-moi d'insister... et ne soyez pas fâché, dit Harry.

La rage l'étouffait au point qu'il pouvait à peine parler, il avait la voix haletante, assourdie par la bile qui lui obstruait la gorge. Si seulement je pouvais le cajoler, l'implorer, songeait-il avec désespoir, je réussirais à le convaincre. Il n'est pas si dur, ni même volontairement injuste.

— Père, si vous saviez quelle immense tendresse ils éprouvent l'un pour l'autre...

Ebrard écarta les pieds et poussa un grand éclat de rire. Quant au beuglement qu'émit alors le vieux chevalier — hilarité ou fureur, ou les deux mêlées —, il fit sursauter les deux jeunes lévriers, qui décampèrent vers la porte. Harry sentit faiblir son courage, mais il parvint à tenir, pâle, mortifié, fervent.

— Une immense tendresse! Jeune nigaud, que diable vient faire la tendresse dans le mariage? Le devoir de la fille est de prendre le mari que son père et son seigneur veulent bien lui donner, voilà tout. Maintenant je ne veux plus entendre ces sornettes.

— Pourtant, père, il y a autre chose...

— Il suffit, j'ai dit!

— Hawis attend un enfant! cria Harry, rouge et tremblant.

Au moins avait-il réussi à mettre un terme à leur hilarité. Ils tournèrent la tête et, bouche ouverte, le dévisagèrent avec un ahurissement ridicule.

— Seigneur Dieu! hoqueta sir Eudo. Où es-tu allé chercher ces racontars? A t'entendre, on pourrait croire qu'ils t'ont convié dans leur lit! Aucun rapport aussi détaillé sur ce qui se passe dans ma propre seigneurie ne m'est jamais parvenu. Comment sais-tu cela?

— Harry prend ses informations chez Boteler, dit Ebrard avec mépris. Il est toujours fourré là-bas avec toute la famille et leurs alliés. Le saviez-vous, père ? Harry passe plus de temps avec eux qu'avec nous, et sa main tient plus souvent un poinçon qu'une plume. Il s'y trouvait ce matin, avant même que la rosée ait séché.

— Est-ce la vérité, Harry ?

— Je n'y suis resté qu'une demi-heure, et pour vos affaires, messire. Le mur et le montant de la grande grange ont besoin de réparations. Je vous l'ai signalé il y a une semaine. J'y suis allé pour en discuter avec eux.

Harry avait sa réponse toute prête, et lorsqu'il lui faudrait une autre excuse il en sortirait une de sa manche et la leur servirait avec la même aisance. La nécessité l'avait contraint à une duplicité dont il n'avait même pas conscience.

— C'est Arnulf qui m'a parlé de Hawis. Il est dans un grand désarroi. S'ils ont fait ce qu'ils ont fait, c'est parce qu'ils savaient qu'Arnulf avait peur de vous demander la permission de la marier. Ne pouvant pas payer, il essayait de les dissuader.

— Alors ils ont cherché à me forcer la main. Ils pensaient attendrir le vieux gâteux, croyant qu'il donnerait la fille par pitié. Eh bien, ils ont commis une lourde erreur !

— Non, père, ils voulaient seulement convaincre Arnulf de vous présenter sa requête. Ils avaient confiance en votre générosité.

— Je traite mes affaires avec justice. J'ai dit mon prix, Arnulf doit payer ou renoncer. Je ne change rien. Tout est dit.

— Mais Hawis va donner naissance à son bébé et tout le monde la calomniera...

— Elle aurait dû y penser avant. Est-ce à moi de retirer les marrons du feu ? Non. Je ne veux rien entendre à ce sujet. Plus un mot !

— Père, vous ne pouvez pas la traiter aussi durement...

— Plus un mot, dis-je ! rugit son père en abattant son poing sur la table.

Harry recula et se tut. Le vieil homme le toisa jusqu'à ce qu'il eût baissé les yeux, silencieux mais non soumis, ses longs cils noirs ombrant ses joues.

— Voilà qui est mieux !

Sir Eudo resta un long moment penché au-dessus de son fils, l'étudiant avec une irritation décroissante et une perplexité croissante, voire avec une tendresse déconcertée dont Harry n'avait pas conscience. Sir Eudo avait contracté un second mariage à l'âge mur, dans le dessein d'avoir un héritier, et, une fois son but atteint, satisfait, il avait concentré toutes ses pensées et son affection sur Ebrard. Son deuxième fils était venu au monde subrepticement, presque inaperçu si l'on excepte la longue fièvre de sa mère, consécutive à l'accouchement. Ensuite, on l'avait placé en nourrice. Souvent étonné de se trouver face à lui, sir Eudo se surprenait à contempler ce visage ardent et cet esprit entêté qui lui étaient à la fois étrangement familiers et méconnus.

— Il est resté enfermé trop longtemps, Edric. Laissez-le s'envoler! bougonna-t-il dans un grognement affaibli à l'intention du clerc, par-dessus la tête du jeune homme.

Il ajouta d'un ton bourru à l'adresse de Harry :

— File, petit! Va voir ta mère.

Dans l'embrasure de la fenêtre de la galerie, la lumière déclinante du soir, que les derniers reflets teintaient de vert pâle, éclairait le visage rond et juvénile de lady Talvace, sur lequel elle ne révélait aucune ride et ne laissait aucune ombre. Lady Talvace posa de côté la broderie à laquelle elle s'adonnait parfois, quand il n'y avait pas d'autres divertissements. La visite d'un fils à l'affection démonstrative la distrayait plus agréablement.

— Mère, vous, il vous écoutera. Chère mère, nous devons faire quelque chose pour les aider. Stephen ne veut nulle autre femme que Hawis, et Hawis le veut pour mari. J'ai parlé avec elle, mère. Je la connais bien. Elle veillait sur Adam et moi quand nous étions petits. Si vous saviez comme elle est malheureuse !

Harry s'assit aux pieds de sa mère sur un tabouret, sa main entre les siennes, et il déversa toute l'histoire sur ses genoux. De sa main libre, blanche et douce, qui commençait à s'épaissir, elle caressait ses cheveux, son front, sa joue palpitante.

— Harry, ton père est un homme juste. Il n'exige rien de plus que son dû. Tu ne dois pas te croire plus avisé que lui. Pourquoi t'opposes-tu ainsi à sa volonté ? Tu es un enfant récalcitrant !

Sa voix, mélodieuse et diffuse dans la brise du soir, passa de la réprimande à la caresse, mais, telle la brise, elle soufflait de la douceur sur Harry et pourtant lui glissait entre les doigts. Il pivota et lui enlaça la taille de ses deux bras, niché contre sa poitrine. Le plaisir sensuel que lui inspiraient ces marques de tendresse délivrait toujours Harry de sa timidité. Il n'était expansif qu'avec elle.

— Ce n'est pas volontaire, dit-il d'une voix étouffée par le brocart vert de son bliaud. J'essaie de ne pas l'être.

— Alors pourquoi le contraries-tu ? N'es-tu pas rétif quand tu cherches à le convaincre de la façon dont il doit agir avec ses gens ? Sincèrement, je suis désolée pour cette fille, mais comme on fait son lit on se couche. Messire Eudo ne lui cause aucun tort sur ce point. Si le prix est acquitté, elle pourra se marier.

— Mais ils ne sont pas en mesure de payer ! Père a sciemment fixé un montant trop élevé.

— Harry, surveille tes paroles ! Tu as vraiment l'esprit rebelle. Oses-tu accuser ton père de transactions inéquitables ?

— Je n'ai jamais parlé d'iniquité, mère. Je sais que c'est son droit, mais c'est si cruel pour eux… pour Hawis et Stephen.

— N'est-ce pas conforme à la loi ?

— Si. Je le sais.

Harry ne pouvait lui montrer le gouffre qui, à ses yeux, s'ouvrait entre la loi et la justice, et il se rendait compte de l'impuissance de ses arguments. Il eut recours aux flatteries charnelles, frotta sa joue contre la poitrine de sa mère, baisa le creux dans son cou, là où le bliaud se terminait par un point serré de fil d'or.

— Je vous en prie, mère, intercédez en leur faveur ! Songez combien la vie sera terrible pour Hawis si elle accouche sans qu'ils puissent se marier ! Si elle n'avait pas les talents qu'elle a, père l'aurait laissée partir pour quelques shillings. Dix, tout au plus. Ils auraient pu les payer. Mais trente ! Oh, mère, vous devez lui parler ! Je ne peux supporter cela !

— Quel nigaud tu fais ! Evidemment il a haussé son prix, puisque Hawis a de la valeur. Comment penses-tu que se conduisent les transactions courantes ? Baisse-t-on le prix quand la marchandise est convoitée ? Vraiment, mon pauvre Harry, tu as des notions bien puériles sur le négoce.

— Ce n'est pas une marchandise, objecta Harry, furieux, en jetant à sa mère un regard noir. C'est une femme. C'est Hawis. Elle rit, pleure et chante tout comme vous. Si je lui faisais cela, elle aurait mal, comme vous avez mal…

Il lui pinça le bras dans un brusque accès de dépit, plus violemment qu'il n'en avait l'intention. Lady Talvace poussa un petit cri de surprise et le gifla durement.

— Comment oses-tu ! Misérable petit vicieux ! Tu vas trop loin !

Ses gifles occasionnelles aussi avaient quelque chose de sensuel, aussi excitantes et émouvantes que ses caresses. Tremblant et bredouillant, Harry lui saisit la main.

— Mère, pardonnez-moi! Je ne voulais pas... Je suis désolé... Désolé!

Il cacha sa tête dans ses genoux et versa quelques larmes de remords et d'égarement, conscient de son échec. Elle lui enlaça les épaules et le berça paisiblement, réjouie à la fois par sa cruauté et ses remords, satisfaite comme un chat ronronnant.

— Là, Harry... Là... Pourquoi te soucier autant de Hawis? Qu'est-elle donc pour toi, pour que tu t'inquiètes ainsi et tourmentes tout le monde à son sujet?

En sentant Harry trembler dans ses bras, lady Talvace fut soudain ébranlée par la crainte de n'être pas la véritable cause de l'émotion qui le bouleversait. Elle le saisit aux épaules et le redressa afin de scruter son visage.

— Harry, pourquoi es-tu si impatient de la voir mariée? En quoi cela te concerne-t-il que son enfant ait un père? Regarde-moi!

Il la regardait déjà, les yeux écarquillés, hébété, incapable de comprendre où elle voulait en venir.

— Dis-moi la vérité, Harry! reprit-elle. Tu n'as pas à craindre mon courroux. Ces choses-là peuvent trouver un arrangement. Mais je dois connaître la vérité.

— Je ne comprends pas, répondit Harry, la bouche ouverte, sincèrement effrayé. Vous connaissez la vérité. Je vous ai dit tout ce que je sais.

— Absolument tout? Je ne crois pas. Tu as frayé avec cette fille, n'est-ce pas? Est-ce toi qui lui as fait cet enfant? Est-ce la raison pour laquelle tu es si pressant?

— Mais non! s'écria Harry dans un éclat de rire.

Soudainement, son visage s'enflamma et il recula pour échapper aux mains de sa mère, offensé.

— Non! répéta-t-il. Comment pouvez-vous avoir une telle pensée?

Hawis avait vingt ans, et elle lui apparaissait déjà comme une adulte à l'époque où elle s'occupait des jeunes enfants d'Alison Boteler. D'ailleurs, en ce temps-là, Harry ne l'aimait guère car elle accomplissait son devoir avec un sérieux qu'il jugeait tyrannique. Mais il avait vécu si près d'elle que la suggestion de sa mère l'outrageait profondément.

— Je n'ai jamais... Ni Hawis, ni personne, dit-il sèchement.

— Pauvre chéri, tu es vexé! s'exclama-t-elle, riant de le voir rougir jusqu'à la racine des cheveux. Ne sois pas en colère contre moi si je t'ai mal jugé. Je me réjouis sincèrement que tu n'aies pas cela sur la conscience mais, crois-moi, ces choses-là peuvent arriver un jour, même à un modeste seigneur comme toi. Cela dit, si je suis si loin de la vérité, pourquoi est-il si important pour toi que Hawis épouse ce Stephen?

— Simplement parce que, s'ils sont assez courageux pour nous braver, il me semble qu'ils ont des droits, le droit de se marier, le droit d'avoir un enfant...

— Ton père ne privera jamais quiconque de ses droits devant la loi.

— Oh, la loi! soupira Harry en posant sa joue, brûlante de la gifle, sur les genoux de sa mère. Aidez-les, mère! Si vous le demandez à père, il la laissera partir.

— Non, Harry. Je ne puis intervenir. C'est à ton père d'agir comme il le croit juste. Et il est inconvenant de ta part de douter de lui, insista lady Talvace en repoussant ses cheveux noirs de son front, découvrant ses paupières lourdes de fatigue. Ils t'ont trop fait travailler. Je ne m'étonne pas que tu sois aussi nerveux. Tu devrais aller te coucher.

— Oui, mère, dit Harry d'une voix neutre, en se redressant lentement.

— N'as-tu pas accordé à cette affaire une importance inconsidérée? ajouta-t-elle avec émotion, en tendant le front à son baiser. De plus, si Hawis nous quittait, qui tisserait mes vêtements de laine et couperait mes robes?

Le manoir de Sleapford possédait un donjon de pierres bas et carré, érigé quarante ans après la grande salle, et surmonté d'une tour de guet percée d'ouvertures. La pièce du haut, sous le toit crénelé, avait servi de chambre aux deux frères jusqu'au départ d'Ebrard comme page au service de FitzAlan. A son retour, presque chevalier et très sensible à sa dignité naissante, il avait demandé et obtenu la permission d'occuper l'une des petites pièces qui donnaient sur la galerie. Sans identifier la source de sa joie, ou du moins sans l'admettre, ce jour restait gravé dans la mémoire de Harry comme l'un des moments décisifs et les plus radieux de sa vie.

Seul dans la pièce hexagonale aux murs de pierre percés de

meurtrières, investissant tous les recoins de sa couche de paille bruissante, il était maître en son royaume, qu'il peuplait au gré de son imagination. La nuit, il contemplait les collines galloises, il songeait aux alertes et aux incursions passées et à venir de Gwenwynwyn, dévastant la frontière comme un feu de broussailles d'un bout à l'autre de Powis, il songeait au jeune prince de Gwynedd, Llewellyn, qui se dressait dans le nord comme s'élève une comète flamboyante, jusqu'à ce qu'il embrase le château de Mold et attire l'attention de Chester.

Ces difficiles voisins imposaient la présence permanente d'un guetteur dans la tourelle au sommet du donjon. Bien que la vallée s'étendît sous ses yeux telle une vaste coupe d'argent, cette sentinelle passait le plus clair de son temps à observer le Pays de Galles. Il n'avait fallu que quelques semaines à Harry pour découvrir à quel point il était simple de descendre l'escalier, ses chaussures à la main, de passer par l'ancienne poterne, à l'abri du mur, et de sortir du côté anglais, tandis que le guetteur surveillait consciencieusement les collines galloises. La tour disposait d'un escalier extérieur, si bien qu'il avait peu de chances d'être aperçu ou entendu par quiconque, et le risque que le garde choisisse le mauvais moment pour se tourner de son côté et le surprenne à l'instant où il soulevait la barrière de bois ne faisait qu'ajouter un peu de sel à ces excursions nocturnes. Cela ne s'était jamais produit, et Harry s'était montré économe dans l'usage de sa liberté, afin de ne pas forcer sa chance.

Dans le village endormi, ici ou là un chien s'agitait et aboyait, mais Harry les connaissait tous par leur nom et ils se calmaient en reconnaissant sa voix. L'atelier du tailleur de pierre se trouvait à une extrémité de la rue sinueuse, masquée à l'arrière par un boqueteau de bouleaux. La maison était constituée en tout et pour tout d'un soubassement surmonté d'une pièce, et d'une mansarde dotée d'une fenêtre dans le pignon, close par un volet. Les trois garçons de la famille dormaient là, dans leurs lits de fougère et de paille séchées. Harry n'eut qu'à siffler sous le pignon de la masure pour qu'Adam passe la tête par la fenêtre, dont le volet restait ouvert pendant les nuits d'été. En un éclair il se suspendit au-dessus du vide et sauta sur le gazon.

Ils allèrent se terrer dans le boqueteau et s'allongèrent à plat ventre dans l'herbe tiède à l'odeur douceâtre.

— Adam, je ne travaille pas demain. Peux-tu demander à

Ranald de te remplacer à la moisson, pour venir avec moi? J'ai quelque chose à faire.

— Je viendrai, répondit Adam sans hésiter. Où allons-nous?

— A Hunyate. Mais en faisant un détour, car personne ne doit savoir que j'y suis allé. Nous prendrons nos arcs et traverserons les bois pour rejoindre les champs en pointe derrière le moulin. Ils auront coupé les chaumes et il y aura plein de lièvres et de lapins débusqués. Nous en prendrons quelques-uns et nous les cacherons dans le bois pour les récupérer au retour. Tout le monde s'attend à ce que nous chassions quand nous prenons un jour de congé.

— Pour gagner Hunyate en partant de là-bas, nous devrons traverser le domaine de Tourneur, remarqua Adam.

Il n'avait encore jamais chassé le cerf, mais comme tous les garçons du village, il se sentait assimilé à ceux qui jouaient à ce jeu dangereux, et n'approchait la chasse privée du forestier du roi qu'avec fébrilité.

— Ce n'est pas un crime, nous n'en voulons pas à son gibier. Et nous nous tiendrons à couvert. Mais nous devons passer par là car je ne dois pas être vu sur la route de Hunyate.

— Pourquoi? Qu'as-tu en tête, Harry?

Harry se rapprocha dans l'herbe pour le lui expliquer. Adam, le menton calé dans son poing, l'écoutait en ouvrant des yeux ronds.

— Quelle est ton intention?

— Révéler à Stephen Mortmain les projets de mon père avant qu'Arnulf ne soit mis au courant. Je ne peux faire plus. C'est mon père et il m'est impossible d'agir contre lui, mais Stephen a le droit de savoir. Ensuite ce sera à lui d'aviser, et vite.

— Mais que peut-il faire, s'il n'est pas en mesure d'aider Arnulf à rassembler la redevance de formariage? D'ailleurs, comment s'y prendrait-il?

— Stephen a un métier qu'il peut exercer partout, et aucune terre à quitter puisqu'il vit encore chez son père. Moi, je sais bien ce que je ferais à sa place. J'irais chercher Hawis de nuit, je l'emmènerais dans une ville franche, où un bon savetier peut trouver du travail plus que son soûl et se louer comme compagnon chez un honnête patron, et j'épouserais ma bien-aimée. Je le crois assez courageux pour prendre le risque, et sa femme assez brave pour le suivre. Nul ne peut le pourchasser car c'est un homme libre. Et mon père ne poussera pas les mêmes hauts cris pour une serve que pour un homme. S'ils parviennent à quitter Sleapford sans encombre, ils pourront s'installer où ils voudront. Et s'ils ont du mal à fuir assez loin, eh bien… les Gallois aussi portent des chaussures.

— Pas tous, objecta Adam. Andrew Miller dit que lors de leur dernier raid, il y a deux ans…

— Qui écoute Andrew Miller ? A l'entendre, il a assisté à toutes les attaques de frontière dans six comtés, ces deux dernières années, et chacun sait que le moindre jappement de chien le fait fuir. Je dois y aller, Adam. Je viendrai te chercher demain matin vers huit heures, mais nous laisserons les chevaux à Wilfred, au moulin, et continuerons à pied. Pas de chiens non plus. Je n'emmène pas un chien sur la chasse du forestier du roi, pas même en laisse. Mais n'oublie pas ton arc. On va bien s'amuser.

Adam se remit debout et brossa les brins d'herbe sèche de son caleçon en grosse toile, qui était son unique vêtement. La charrette de son père, posée à la verticale, bras en l'air, contre la porte du soubassement, lui servait d'échelle jusqu'à l'étroit linteau, et de là ses frères se tenaient prêts pour le hisser dans la mansarde. C'était un service qu'ils se rendaient souvent mutuellement. Adam était déjà juché sur le haut de la charrette lorsqu'il se ravisa et redescendit.

— Harry…

— Quoi ? dit Harry en se retournant.

— Si ton père découvre que c'est toi qui as mis cette idée dans la tête de Stephen…

— Qui a dit que je lui mettrai cette idée en tête ? Il fera ce qu'il pense être le mieux.

— Tu me prends pour un idiot ? Je te connais trop bien pour être dupe. Si ton père s'en aperçoit, il te tuera.

— Il ne s'apercevra de rien. Il ne saura pas que je suis allé à Hunyate.

— Ça, tu l'ignores. La chose peut mal tourner. Toi, tu iras dans les champs de blé tuer des lièvres, moi j'irai à Hunyate.

— Non ! jeta Harry d'un ton sec. Je fais mes propres courses. J'hésitais même à te proposer de m'accompagner. Si cela tourne mal, je t'ai entraîné à chasser le lapin, n'oublie pas. Si quelqu'un t'interroge, tu ne sais rien de Stephen ni de Hunyate. Je ne t'en ai jamais parlé.

— Si tu montes sur tes grands chevaux, je ne dis plus rien.

Mais as-tu au moins pensé... Tu ne crois pas que ta mère pourrait intervenir?

Les sourcils des Talvace se rejoignirent dans un froncement terrible, et le nez des Talvace huma l'air de ses narines frémissantes.

— Ma mère a ses sympathies personnelles, mais elle n'a d'autre choix que de soutenir mon père. C'est son devoir.

Là-dessus, Harry tourna les talons et s'éloigna à grands pas à travers les bouleaux, les jambes tremblantes, sans laisser Adam émettre un seul mot de protestation ou d'excuse. Cela pouvait être l'une ou l'autre, mais la honte empêcha Harry de s'attarder pour l'entendre. Dans les deux cas il aurait perdu contenance et cédé aux larmes.

Il se détestait pour ce qu'il avait dit. Il avait envie de revenir sur ses pas pour se jeter dans les bras d'Adam et crier : «Je suis un menteur! J'ai imploré ma mère. Mais elle ne veut pas m'aider, elle s'en moque.» Au lieu de cela, Harry pressa l'allure pour fuir sa honte, et quand il eut atteint la route, il se mit à courir. Mais il ne pouvait fuir sa propre désolation.

3

La chasse privée de sir Roger le Tourneur, doyen des quatre verdiers royaux du comté, était enclose et strictement gardée, mais plusieurs chemins vicinaux la traversaient et les villageois des environs avaient donc l'autorisation de s'y déplacer à volonté, dès lors qu'ils ne commettaient aucune infraction contre les lois de la forêt. Les Talvace jouissaient d'un droit de chasse sur les renards, loups, lièvres, lapins, blaireaux et chats, mais ils ne pouvaient tuer le cerf sans une dispense spéciale. Tourneur, quant à lui, bénéficiait d'un droit plein et entier sur sa parcelle de la forêt royale. Dans ces fourrés épais, le daim et le chevreuil n'appartenaient pas au roi mais à son verdier, lequel disposait à l'encontre des braconniers des mêmes pouvoirs que le roi partout ailleurs. Le poids de sa charge pesait si lourd sur ses épaules qu'il renonçait à exercer ses prérogatives de juge quand il s'agissait de défendre sa propre cause, et préférait s'en remettre aux décisions du tribunal des affaires forestières plutôt que de procéder à des châtiments sommaires dans sa propre cour manoriale. Cela ne l'empêchait pas toutefois d'exiger la totale application des peines. Respecté mais haï, Roger le Tourneur aurait presque pu être apprécié s'il n'avait été verdier. Mais qui aurait pu éprouver de la sympathie pour un officier des eaux et forêts?

Adam enfonçait gaiement ses talons dans les couches de feuilles tendres et bruissantes, accumulées depuis de nombreux étés.

— Pour ça, s'exclama-t-il, il tient ses bois en état! Ces fourrés abondent en gibier. Tu as vu le cerf détaler devant nous au milieu des hêtres? Lambert en a rapporté un, hier, à la nuit. Il jure aussi avoir blessé une biche, qu'il a ensuite perdue.

Adam remonta la lanière de l'arbalète suspendue à son épaule, et leva la main pour écarter une branche de son visage.

Cette escapade lui rappelait les jours d'été de leur enfance. Ils étaient montés jusqu'au fanal, sur la colline de Hunyate, où les petits moutons à toison rase paissaient au milieu des touffes d'herbe, de la bruyère et des dernières campanules qui frémissaient sur leurs tiges frêles. Après avoir mangé du pain, du lard et des petites pommes d'été, allongés sur la mousse tiède qui exhalait des odeurs de mise bas et de four à pain, ils s'étaient baignés dans l'étang creusé à l'abri de la colline, puis s'étaient couchés, nus, au soleil, sur la rive tapissée de gazon, jusqu'à ce que le soleil éclatant de l'après-midi se fût adouci dans la sérénité dorée du soir. Rassasiés d'été, d'oisiveté et de bien-être, ils avaient repris le chemin de la maison sans hâte, afin de récupérer leurs chevaux et leurs lapins auprès du fils du meunier de Teyne.

— Tu crois qu'ils vont partir? demanda Adam tout à coup.

— Ils partiront.

Harry était sûr de lui. Le visage large et réfléchi de Stephen s'était illuminé par magie lorsque la graine était tombée dans son esprit, et Harry l'avait sentie germer, s'épanouir.

— Ce soir, à ton avis?

— Je ne sais pas. Mieux vaut que nous l'ignorions. Nous aurons moins à nier. Prends bien garde, Adam, nous ne devons en aucun cas dire où nous sommes allés, sinon ils seraient interceptés.

— Inutile de me le rappeler, dit Adam en regardant le sentier verdoyant, tacheté par le soleil qui brillait en filigrane à travers le feuillage.

Ils avaient quitté la voie la plus fréquentée pour atteindre la clôture, Sleapford et leur souper par le chemin le plus rapide. Là, le sous-bois était dense et profond, le silence et l'obscurité se refermaient sur eux, verts et sombres, tirant vers la nuit. La forêt était pleine de bruits, de battements d'ailes, de débandades, et pourtant la somme de ces sons variés donnait le silence. Adam se mit à siffloter, mais les notes se perdirent dans l'étouffante quiétude.

Soudain s'éleva un bruit plus doux que tous les autres, qui ne fut pas englouti. Il parvint à leurs oreilles, tout juste audible, mais avec une vibration tellement lugubre qu'ils s'arrêtèrent aussitôt, cramponnés l'un à l'autre.

— Par le Christ, qu'est-ce que c'était? Tu as entendu? Un animal blessé... ou un homme? Ecoute!

Imperceptible, lointain, indiciblement triste et désespéré, tenant à la fois d'un gémissement humain et de l'ultime mugissement presque aphone d'une bête trop faible pour se lever ou crier, cela venait de la profondeur des fourrés, sur leur gauche. Adam s'élança dans sa direction à travers les buissons avant même que le râle se fût éteint, et, par-dessus son épaule, souffla à Harry d'une voix haletante :

— Une bête blessée... une biche, je pense. Tu crois que Lambert est venu par ici ? Jamais il ne dirait où il a tué son cerf.

— N'y va pas ! s'écria Harry en essayant de le retenir, en proie à une vive agitation. N'y touche pas !

Adam ne l'entendit même pas. Il avança à l'aveuglette en direction du gémissement déchirant, sans prendre garde au bruit qu'ils faisaient.

Ils débouchèrent dans une petite clairière, tapissée d'un gazon très serré et de buissons encore courts mais denses. Un mur vert palpitait faiblement, le reste était immobile. Adam s'en approcha d'un pas doux et précautionneux, plongea les bras dans le buisson en écartant les branchages. Il s'enfonça dans les ténèbres. Une masse pâle et tachetée comme le tapis d'herbe de la clairière se soulevait et soupirait faiblement. Une tête d'un blanc argenté, avec de grands yeux emplis de terreur et de désespoir, se dressa vers eux. Plus bas, dans la courbe du flanc, vers le ventre argenté, une tête d'arbalète pointait comme un clou. Des rubans de sang laçaient ses flancs délicats et ses pattes repliées. L'odeur du sang et le bourdonnement agaçant des mouches donnèrent un haut-le-cœur à Harry.

— La biche de Lambert ! murmura Adam d'une voix qui tremblait. Mon Dieu ! Elle s'est fait attaquer, peut-être par un renard, et elle était trop faible pour...

Il tendit la main derrière lui sans regarder et ajouta :

— Donne-moi ta dague. Vite ! Ta dague !

Harry tâtonna d'une main tremblante pour extraire son couteau de chasse du fourreau, et mit le manche dans la main tendue. Adam posa doucement et lentement sa main gauche sur le museau taché de sang, et remonta pour couvrir les yeux terrifiés. La pointe de la lame chercha l'emplacement adéquat. C'était une chose nouvelle pour Adam, mais il devait l'exécuter parfaitement. Il ne vit que le léger frisson qui traversa le pelage tacheté, il ne sentit que le sursaut convulsif du corps déchiqueté, et enfin sa totale immobilité; il n'entendit rien. Harry, penché au-dessus de son épaule, était aussi aveugle et sourd que lui.

Des branchages s'abattirent brusquement, comme si le vent s'était levé tout autour d'eux. Une voix dans les fourrés tonna :

— Debout! Sortez! Montrez-vous! Vous êtes cernés!

Une autre voix, toute proche, juste au-dessus d'eux :

— Pris sur le fait, par Dieu! La main dans le sac! Emparez-vous d'eux!

Harry sentit le sol trembler sous des sabots de chevaux. Il pivota sur lui-même, saisi de panique, les bras levés pour se protéger. Le fouet s'enroula autour de sa tête et de ses mains, le jeta en arrière contre Adam. Il chercha à tâtons le bras de son ami et cria :

— Cours!

Le visage d'Adam lui apparut brièvement, masque pâle, empreint d'incrédulité, pas même effrayé. Adam avait encore le couteau à la main. Le sang avait dégouliné le long de son poignet et s'égouttait de sa manche.

— Saisi sur le fait! brailla le cavalier, le fouet à la main, en sautant de son cheval.

Les sergents forestiers à pied — deux, trois, une demi-douzaine — jaillirent du sous-bois et envahirent la clairière. De grosses poignes soulevèrent brutalement Harry et lui plaquèrent les bras dans le dos. Sans réfléchir, dans un sursaut de rage et de terreur, il se débattit et leur échappa. Un reste de lucidité lui souffla qu'ils ne pourraient s'enfuir tous les deux, et il devinait trop bien lequel se trouvait dans la situation la plus désespérée.

— Fuis! Rentre chez toi! hurla-t-il à Adam, interloqué.

Puis il se jeta sur le grand cavalier, les poings en avant, ne distinguant de son visage qu'une image floue, sans identité : peau claire, barbe et sourcils noirs. Malgré ses efforts, il n'atteignit ni la tête ni la gorge. L'homme esquissa un rapide pas de côté, lui saisit un bras, le jeta dans l'herbe, face contre terre, et l'y épingla d'un pied botté entre les omoplates. Le fouet claqua en travers des jambes de Harry.

— Tu as osé! Cela va te coûter cher!

Harry mit un bras sur son visage et serra les dents, s'efforçant de tourner la tête pour s'assurer qu'Adam avait saisi sa chance. Le coup suivant lui laissa une zébrure rouge sur le menton et le cou, et lui arracha un gémissement de douleur.

Ce fut ce coup qui tira Adam de son hébétude. Il vit Harry cloué à terre et gigotant pour échapper au fouet. Alors, avec un cri de rage, il échappa aux mains qui l'agrippaient et se jeta comme un fauve sur le cavalier. Bien qu'il l'eût oublié, le couteau de chasse était toujours dans sa main. Il percuta l'homme de tout son poids, à l'épaule et au côté, et le déséquilibra. Ils roulèrent ensemble sur l'herbe, Adam frappant la face barbue à coups redoublés. La lame du couteau traversa le surcot, la manche, et pénétra dans le bras. Deux sergents forestiers saisirent Adam sous les aisselles et le relevèrent. Deux autres remirent Harry debout et le maintinrent entre eux, pantelant et sanglotant.

Le silence tomba aussi soudainement que le chaos avait explosé. Le grand cavalier se remit sur pieds, serrant les lambeaux de sa manche sur l'entaille de son bras, et secoua un mince filet de sang du bout de ses doigts, avec une maîtrise glacée. Le visage qu'il tourna vers les jeunes gens, un visage long, buriné, hérissé d'un nez crochu semblable au bec d'un faucon, était trop reconnaissable maintenant qu'ils étaient contraints de se tenir debout et de le regarder. Il ne s'agissait pas, comme ils l'avaient d'abord supposé, d'un sergent forestier à cheval — c'eût été déjà bien assez grave — mais du verdier royal en personne, messire Roger le Tourneur, dans la terrible magnificence de son office.

Celui-ci resserra les lèvres de sa blessure, écarta d'une grimace impatiente le forestier qui lui offrait son aide, et désigna le fourré.

— Qu'attendez-vous ? Sortez la bête de là, que je voie quelle pièce ils m'ont tuée.

Deux hommes tirèrent la carcasse déchiquetée de la biche, laissant des taches de sang frais sur l'herbe piétinée.

— Elle a un carreau d'arbalète fiché dans le corps, et elle s'est fait dévorer. Je jurerais avoir entendu un animal s'enfuir d'ici, quand les garçons se sont approchés. Et elle a la gorge tranchée. Inutile de chercher bien loin la lame qui a fait ça.

— Il est plein de sang, dit l'un des deux hommes qui tenaient Adam, tremblant, en montrant le couteau qu'il lui avait arraché des mains.

Harry s'humecta les lèvres d'une langue presque sèche, et dit d'une voix rauque :

— On ne l'a pas chassée.

— Voyez-vous ça ! Vous ne lui avez pas non plus coupé la gorge, je suppose ? Vous avez son sang sur vous, et le couteau est dans la main de ton ami, mais vous ne lui avez rien fait !

— Nous l'avons achevée...

— Je l'ai achevée, corrigea Adam d'une voix frémissante.

— Mais nous ne l'avons pas chassée. Nous l'avons entendue gémir et trouvée à moitié dévorée. Que pouvions-nous faire, sinon abréger ses souffrances ?

— C'est ce que disent tous les braconniers pris sur le fait. Et je suppose que, dans le même esprit de charité, vous me réserviez un sort similaire ? Ce n'est pas une mince affaire que de s'attaquer au verdier du roi. Vous l'apprendrez bientôt. Vous regretterez d'avoir plus qu'une biche à vous reprocher.

— Nous ne savions pas ! s'exclama Harry en laissant errer son regard du visage figé d'Adam, gris comme de la chaux, aux gouttes de sang qui séchaient lentement entre les doigts de sir Roger. C'est à cause de moi. Il voulait seulement m'aider.

— Avec un couteau ! Vous pourrez présenter vos plaids devant la cour.

— J'ai oublié que je tenais le couteau, murmura Adam. Je vous demande pardon, messire, je ne vous connaissais pas...

— Qu'importe ! Je ne laisserai maltraiter aucun de mes sergents, le plus humble soit-il, plus que moi. Vos noms !

Le désespoir et le malheur les laissèrent muets, incapables d'affronter les conséquences de leurs paroles.

— Vos noms ! répéta sir Roger. Parlez !

Le verdier avait tiré un mouchoir du plastron de sa cotte et le noua d'une main autour de son bras, au-dessus de la blessure. Cela fait, il baissa la tête et tira sur le nœud en serrant le tissu entre ses grandes dents blanches. A nouveau attentif, et voyant que sa question demeurait sans réponse, il fit osciller avec ostentation le manche du fouet dans sa paume.

— Vous allez parler, ou dois-je vous arracher les mots de force ?

— Avec votre permission, messire Roger, intervint l'un des sergents forestiers en traînant Harry devant son maître, je crois que ce jeunot est le fils de sir Eudo Talvace, de Sleapford. Le cadet, celui qui est rentré de Shrewsbury à Pâques.

— Quoi ! Un Talvace ? s'écria messire Roger, ses noirs sourcils noués au-dessus d'un regard terrifiant. Avance un peu, mon garçon. Montre-toi !

Les gardes le poussèrent en avant et messire Roger lui tourna la tête face à la lumière.

— Que Dieu lui vienne en aide si tu as raison ! tonna-t-il en levant le visage de Harry vers lui. Réponds, jeune homme. Es-tu un Talvace, oui ou non ?

Harry avoua son lignage, tel un félon confessant un vol ou une offense.

— Tu es d'autant plus coupable. Que dit ton père de tes extravagances ?

— Mon père ne sait rien de tout cela, messire. Il...

— Je ne pensais pas un Talvace capable d'envoyer son propre rejeton braconner en plein jour sur la chasse de son voisin.

— Nous ne braconnions pas, messire, je vous le jure. Nous marchions simplement dans la forêt, et nous avons entendu la biche gémir...

— Et ceci, tu le portes pour le plaisir de le porter ? ironisa messire Roger en tirant sur l'arbalète suspendue derrière l'épaule de Harry pour la lui fourrer sous le nez. Et ça, c'est pour te curer les dents ? ajouta-t-il en brandissant le carquois. Tu te promènes toujours ainsi armé ?

— Nous avons passé la matinée dans les champs de blé, à chasser le lièvre et...

— Et l'après-midi dans mes bois, à traquer mon gibier.

— Non, messire, je vous jure que non ! Regardez, la biche a perdu son sang pendant des heures et elle est restée tapie dans ce fourré si longtemps que le sang, en séchant, est devenu noir. Sur ma tête, je vous jure que nous ne sommes entrés dans la forêt qu'il y a une heure.

— Où étiez-vous, dans ce cas ? Parle ! Justifie-toi ! Si vous ne rôdiez pas sur mes terres, que faisiez-vous jusqu'alors ? Si vous étiez occupés à quelque affaire honnête, un témoin sera en mesure de le confirmer.

Harry contemplait le gouffre qu'il venait lui-même de creuser sous ses pieds, et l'abîme lui semblait d'une noirceur insondable. Comment avouer où ils avaient passé la journée sans éveiller la curiosité de sir Eudo Talvace, dès que le nom de Hunyate lui viendrait aux oreilles, c'est-à-dire probablement avant la nuit ? Stephen pourrait alors dire adieu à ses chances de fuir Sleapford avec Hawis. Non, impossible d'envisager pareille trahison. A supposer même qu'ils aient pu lâcher une parcelle de vérité sans courir ce risque, qui pourrait corroborer leurs dires, sinon Stephen lui-même, que nul ne serait en mesure d'interroger ? Sur la colline, au milieu des terrassements, parmi les moutons et la bruyère, ils n'avaient croisé personne et personne ne les avait vus. Depuis leur départ du moulin, ils avaient pris maintes précautions pour passer inaperçus. Harry ouvrit la bouche, cherchant désespérément un nom de lieu qu'il aurait pu révéler sans trahir personne, une destination propre à attirer deux garçons en promenade.

— Si tu n'es pas plus prompt à mentir, inutile d'essayer, maugréa Roger le Tourneur. Vous avez passé l'essentiel de la journée ici, vous avez pourchassé la biche, vous l'avez perdue pendant quelques heures, et vous l'avez retrouvée au pire moment pour vous. Admettez-le ! Devant Dieu, j'aurais meilleure opinion de vous deux si vous assumiez vos responsabilités. C'est une attitude bien vile pour un Talvace. Je suppose que, ensuite, tu me diras qui a chassé la pauvre bête, puisque tu nies avec tant d'acharnement y être pour quoi que ce soit?

Encore une question à laquelle ils ne pouvaient répondre, bien qu'ils connussent la réponse. Mieux valait subir le fouet que dénoncer Lambert. De tous côtés, ils se heurtaient à un mur, ils ne pouvaient que se taire et subir leur sort.

— Conduisez-les au château, ordonna sir Roger d'un ton abrupt, en saisissant la bride de son cheval de sa main valide. Je pars en avant soigner cette blessure. Et, par ma foi, je dois réfléchir à l'attitude qu'il convient d'adopter entre voisins pour régler cette déplorable affaire. J'eusse préféré avoir devant moi n'importe qui plutôt qu'un fils Talvace.

Roger le Tourneur se hissa sur sa selle et glissa son avant-bras gauche dans le plastron de sa cotte.

— Tenez-les à l'écart l'un de l'autre pendant le trajet, sinon ils se concerteront pour échafauder une histoire sans faille avant que vous me les ameniez.

Sur ces mots, il piqua son cheval et, baissant la tête pour esquiver les branches basses, il se faufila dans l'obscurité verte et disparut. Bientôt ils entendirent le martèlement sourd des sabots : il avait atteint le sentier et s'élançait au petit galop. Trop abattus pour échanger même un regard, Harry et Adam le suivirent, encadrés par leurs gardes, muets de désespoir.

Au début de la soirée, à l'heure du calme d'or pâle, juste avant le coucher du soleil, la triste petite troupe pénétra dans la cour du château de Sleapford. Le garde posté à la porte, hébété de voir le fils cadet de son seigneur rentrer sous escorte, penaud, la tête basse, la nuque et les joues marquées de traces de fouet, envoya au pas de course un archer prévenir son maître, tandis que lui-même laissait prudemment entrer les visiteurs dans la basse cour.

46

Circonspect, il les fit patienter jusqu'à ce que sir Eudo, abandonnant hâtivement son souper, surgisse sur le seuil de la grande salle en rajustant sa cotte. Ebrard arriva sur ses talons, brûlant de curiosité et tout prêt à se hérisser pour défendre son nom. La moitié des occupants du château perçurent la tension qui flottait dans l'air et sortirent discrètement du garde-manger, des écuries, de la cuisine, de l'armurerie pour voir le sergent forestier descendre de cheval et se faire connaître.

Derrière lui, deux de ses subordonnés, eux aussi à cheval, qui transportaient les deux garçons sur le pommeau de leur selle, mirent pied à terre et les aidèrent à descendre, sans brusquerie. Les captifs avaient été assez malmenés lors de la première rencontre, et avaient depuis lors suffisamment enduré les tourments de l'attente et de l'angoisse, pour susciter une légère pointe de sympathie chez leurs ravisseurs. Ils avaient passé deux heures dans la prison jouxtant la salle de garde de Roger le Tourneur, séparés et surveillés en permanence. Pendant ce temps, sir Roger débattait pour trouver une solution à l'affaire et dictait à son clerc une lettre adressée à son voisin, lettre que le sergent s'apprêtait à remettre en mains propres. Nul ne leur avait dit ce qu'elle contenait, nul ne leur avait offert le moindre réconfort quant au sort qui les attendait, et nul ne les avait nourris, ce qui, dans l'état de résignation auquel ils étaient réduits, aurait dû compter très peu, mais était devenu graduellement la plus grande torture de toutes car, félons ou pas, ils n'avaient que quinze ans et étaient restés à jeun depuis midi. Le courage et la dignité leur auraient été plus faciles s'ils n'avaient été si affamés. Ils se tenaient côte à côte et suivaient en silence la lettre du verdier qui changeait de mains.

Le fait même d'être renvoyés chez eux, à leur père et seigneur, les encourageait et les déprimait tout à la fois. Cela signifiait assurément que sir Roger n'avait pas l'intention d'entamer des poursuites — non par amitié pour Eudo mais par solidarité de classe, par répugnance à les exposer tous deux au mépris du commun.

Si le litige pouvait être réglé en privé, sir Eudo se montrerait moins implacable et la tempête s'apaiserait en peu de temps. C'est en tout cas ce qu'ils furent tentés de penser, jusqu'à ce qu'ils se rappellent les autres motifs de colère et de soupçon. Dans le meilleur des cas, les prochaines heures s'annonçaient d'un extrême inconfort.

Ils observèrent les sergents forestiers déposer les arbalètes et les carreaux, ainsi que le couteau et son étui. Une fois, juste une fois,

Harry et Adam échangèrent un regard affligé, se promettant mutuellement silence et endurance. Sir Eudo, lettré mais non érudit, déchiffrait laborieusement la missive de Roger le Tourneur.

Harry ne se croyait pas capable de perdre davantage courage, et pourtant il sentit son cœur s'emballer lorsque son père fondit sur lui, le visage empourpré, la lettre ouverte à la main.

— Ainsi donc, jeune Harry, tu t'es conduit de manière admirable ! Pour toi, pour moi, et pire encore pour ton compagnon. J'espère que tu sais que tu as gâché deux années de travail, et je te souhaite le courage de payer pour tes fautes. Jeter ainsi mon nom à l'opprobre public ! Braconner le gibier de mon voisin, à mon détriment et au sien, et entraîner ce malheureux idiot à sa perte ! Tu paieras pour ton erreur, entends-tu ? Et sans barguigner !

Harry ne connaissait que trop bien les signes : les pommettes rouges, les yeux enfoncés sous les paupières boursouflées, telles deux étincelles dans un feu endormi, le gros poing tellement crispé sur le vélin que les veines gonflées palpitaient. Harry s'attendait à être jeté à terre. Pendant un bref instant de terreur, il ferma les yeux. Il ne redoutait pas la douleur ni la violence — pas plus que tout homme sensé — mais il craignait plus que tout la colère de son père. Elle voisinait de trop près ses propres émotions, s'attaquait trop profondément et trop brutalement aux racines mêmes de son existence. Un jour, elle les trancherait net.

— Père, je vous jure que nous n'avons pas chassé cette biche, chevrota Harry. Je vous le jure sur mon honneur. Si nous avons commis une folie — dictée par la peur — je le regrette sincèrement. Mais nous n'avons ni chassé ni blessé la biche.

Il fut entendu jusqu'au bout, peut-être parce que sir Eudo ne put ravaler sa fureur à temps pour lui couper la parole. En vérité il ne l'écouta pas. Il ne l'écoutait jamais.

— Vous ne l'avez pas chassée ! Tiens donc ! Pourtant une demi-douzaine de sergents forestiers et le verdier du roi en personne ont vu ton ami lui couper la gorge ! Est-ce du sang sur ton couteau, oui ou non ? Me dis-tu que je suis aveugle, que je n'ai pas d'odorat ? Que faisiez-vous avec vos arbalètes ? Vous ne chassiez pas ! Ignores-tu qu'il pourrait t'inculper pour le simple fait d'être armé ? Deux années passées à construire la paix, et tu ruines tous mes efforts avec cette prodigieuse folie ! Vous ne chassiez pas ! Lis donc, lis ce qu'il m'écrit ! Tu parles de cette biche comme si elle seule donnait la mesure de ta malhonnêteté. Je suppose que tu n'as pas porté la main sur le verdier du roi? Sais-tu qu'il pourrait te priver de ta liberté pour cette offense, s'il décidait de t'arrêter? Lis, et vois quel dommage irréparable tu as commis!

Harry, l'esprit confus, se surprit à lire bêtement, saisissant à peine les mots et leur signification. Pourtant la lettre était des plus précises.

«A messire le chevalier Eudo Talvace, seigneur de Sleapford.

«Je remets entre vos mains ces hommes à vous, surpris ce jour, armés et occupés à tuer une biche de ma chasse, en ma présence et celle de six de mes sergents forestiers, tous témoins de l'abattage de ladite biche, précédemment blessée par un carreau d'arbalète. Par courtoisie, l'offense ayant été commise sur du gibier m'appartenant en propre et non au roi, je vous fais reconduire les coupables et souhaite que vous les traitiez comme je juge qu'il est juste et clément. Si vous y consentez, par considération envers le noble titre de chevalier qui nous tient à cœur, je me propose de ne pas engager de poursuites auprès de la cour chargée des affaires forestières pour les accusations auxquelles votre fils et votre serf se sont ouvertement exposés, et contre lesquelles, considérant la nature des faits, ils n'ont aucune défense.

«Concernant le gibier, puisque l'acte a été commis à mon préjudice, et non au préjudice du roi, je peux et veux atténuer la sévérité de la loi, qui eût conduit votre fils à une amende ruineuse, et son complice à la mort par flagellation, ainsi que vous le savez. Vous me donnerez satisfaction en leur inculquant par la force un peu de bon sens et le respect de la propriété d'autrui, choses qu'ils auraient dû apprendre depuis longtemps entre des mains plus capables.

«Concernant les agressions contre ma personne, par l'un et par l'autre, dont peuvent attester six témoins, et que les coupables, je pense, ne nieront pas, je consens à les excuser en tant qu'affronts personnels, mais non pas en tant qu'affronts à l'encontre de ma charge. Par devoir envers mes pairs officiers des eaux et forêts du roi, je n'ai d'autre choix que d'exiger pleine justice. L'assaut dont s'est rendu coupable votre fils, sans arme et sous le coup de la surprise, trouvera réparation dans la sévérité du châtiment qui lui sera infligé pour le gibier tué. Mais l'attaque du dénommé Boteler, perpétrée avec un couteau et au péril de ma vie, bien que la blessure, par la grâce de Dieu, n'ait atteint que le bras, ne peut être confondue dans un seul et même châtiment. Si vous me faites porter votre acceptation par le sergent qui vous a remis la présente missive, mes hommes viendront vous assister demain pour exécuter la sentence requise par la loi, à savoir, le garçon étant serf et en âge, lui couper la main droite. Jusqu'alors, je vous tiens pour responsable de sa détention.

« Si mon jugement ne vous sied point, j'engagerai les poursuites en bonne et due forme, et veillerai à ce que vous mettiez les deux accusés à la disposition de la cour... »

Le ton employé à l'égard de son père emplit Harry de honte, avant même qu'il eût saisi la portée de la menace qui pesait sur Adam. Harry, libre et noble, aurait pu, devant une cour, se sortir de cette affaire contre une amende, au pire contre une privation de liberté. Adam, quant à lui, n'ayant pas de liberté à perdre, serait privé d'une chose que même les serfs possèdent. Harry connaissait depuis toujours ces articles théoriques de la loi, ces nuances entre coupable et coupable. Comment aurait-il pu deviner la terreur qui allait le submerger dès qu'ils cesseraient d'être théoriques ?

Il leva les yeux sur son père, au-dessus de la lettre roulée qu'il tenait entre ses mains tremblantes, et s'écria :

— Non, père ! Vous ne pouvez pas ! Vous ne devez pas ! Laissons-le aller devant la cour ! Laissons-le porter ses accusations ! Nous avons tué la biche, mais seulement parce qu'elle était mortellement blessée, et pas par nous. Nous leur expliquerons, ils nous croiront, il le faut. Père, c'est la vérité ! Portez cette affaire devant la cour, je vous en conjure !

— Aller devant la cour et laisser traîner mon nom dans la boue ? Quel insensé es-tu donc ? Payer une amende pour toi et risquer la vie d'Adam autant que sa main ? Sais-tu lire ? Ne vois-tu pas qu'il s'en tire sans trop de mal, et toi beaucoup mieux que tu ne le mérites ?

— Ma main ? murmura Adam, blanc comme de la craie, en posant sur eux ses yeux fixes et terrifiés.

Le pauvre garçon jeta autour de lui un regard traqué, et le sergent forestier lui empoigna solidement le bras.

— Moi aussi, je l'ai frappé ! protesta Harry. Je l'ai frappé le premier ! Adam ne l'a attaqué ensuite que pour me défendre.

— Avec un couteau !

— C'est pure malchance s'il tenait encore le couteau. Il n'avait pas l'intention de s'en servir. Et nous ne savions pas qu'il s'agissait de Roger le Tourneur. C'est moi qui l'ai assailli le premier, et je...

— En quoi cela aidera-t-il Adam si, pour être son égal, tu te fais couper la main ? Brisons là. Tu nous as tous mis dans une belle mélasse. Et nous devrions nous réjouir de nous en tirer à si bon compte.

Sire Eudo tourna les talons et marcha à grands pas vers les sergents forestiers qui attendaient.

— Remerciez votre seigneur de sa courtoisie. Dites-lui que j'approuve son jugement et que je veillerai à ce qu'il soit dûment appliqué. Que ses officiers viennent demain, à leur convenance.

Après quoi, d'un signe de la main, il confia Adam à ses archers qui chuchotaient entre eux. Le visage figé, le regard vide, ils l'entourèrent et se saisirent de lui presque avec douceur. Adam réagit à leur contact et commença à se débattre vainement, roulant des yeux terrifiés, mais sans émettre un seul son. Les archers le maintinrent fermement tandis que les sergents forestiers de Roger le Tourneur se retiraient. Ils tenaient Adam comme s'il allait se briser entre leurs mains.

— Ligotez-le, ordonna messire Eudo. Et, pour l'amour de Dieu, qu'on en finisse !

Ils avaient déchiré le dos de la tunique d'Adam et attaché ses poignets aux anneaux en fer de la potence avant même que Harry eût le temps de remuer ses jambes engourdies. Ses mains brunies — demain il n'en aurait plus qu'une — était accrochées assez haut, car les entraves étaient prévues pour un adulte, et malgré sa belle taille Adam n'était pas encore un homme. Il ne se débattait plus. A quoi bon ? Là aussi il y avait des différences, une hiérarchie dans le châtiment. Harry avait le droit de souffrir en privé, sans cérémonial, alors qu'Adam devait subir la violence faite à sa beauté et à son intégrité d'homme en public, et avec pompe.

Harry s'élança, les yeux aveuglés par les larmes, se jeta à genoux devant son père et lui saisit la main en sanglotant :

— Non, père, je vous en supplie ! Je vous implore ! Je ferai amende honorable, je ferai n'importe quoi, n'importe quoi, mais ne les laissez pas couper la main d'Adam. Battez-moi, châtiez-moi comme bon vous semble, mais ne le mutilez pas ! Père, pour l'amour de Dieu, qu'on nous traite en égaux. Nous sommes coupables de la même faute. La même ! C'est injuste !

— Fou que tu es ! Veux-tu que les serfs soient traités comme les hommes libres ? Son audace n'est-elle pas plus monstrueuse que la tienne ? C'est la loi, rugit sir Eudo en le repoussant. Lève-toi, tu me fais honte. Rentre, m'entends-tu ? Disparais !

— C'est une loi vile ! hurla Harry, cédant à une incontrôlable crise de larmes. Cela ne devrait pas être la loi ! Elle est inique !

Le vieil homme le frappa brutalement sur la tempe mais Harry s'accrocha à lui, et lorsque son père se fut libéré, il se jeta face contre terre, secoué de sanglots, les mains autour de ses chevilles, hoquetant des supplications et des reproches inarticulés. Avec un rugissement de fureur, Eudo Talvace l'empoigna par le col et le remit sur ses pieds.

— Que le diable t'emporte ! Vas-tu enfin te taire ! Tu me fais honte. Ebrard ! Emmène cet idiot hors de ma vue, il me donne la nausée. Enferme-le dans les écuries jusqu'à ce que nous en ayons terminé avec l'autre.

Ebrard ne se fit pas prier et entraîna son frère, avec le même soulagement vaguement apitoyé, infiniment méprisant et impatient, que celui de leur père quand il les regarda s'éloigner. Tout ce tapage inconvenant pour un manant ! Et, qui plus est, un manant qui méritait son sort ! La brusquerie d'Ebrard envers son frère reflétait le degré de son embarras et de sa honte. Jamais un Talvace ne s'était livré à des débordements aussi dégradants. D'où lui venait ce mauvais sang, de quel obscur et lointain ancêtre ? Il plia habilement le bras de son cadet derrière son dos et le poussa dans les écuries, où les faucons s'agitaient et glapissaient sur leurs perchoirs. A peine l'eut-il lâché que Harry voulut se ruer sur la porte. Ebrard eut fort à faire pour refermer le battant et mettre la barre en place, et Harry n'en continua pas moins à tambouriner contre le panneau de bois, de ses deux poings, en réclamant qu'on le libère, avec des hurlements de fille hystérique.

Epuisé, il finit par se laisser glisser à genoux contre la porte et demeura ainsi un long moment, les mains plaquées sur les oreilles. Malgré cela, les cris de douleur d'Adam lui parvinrent.

Avec le premier cri, il lui sembla que quelque chose, en lui, qui l'avait toujours retenu, se rompait, et qu'il en était délivré à jamais. Toutefois il ignorait encore si cette rupture le conduirait à la liberté ou à l'exil. Quoi qu'il en soit, cela lui inspira un sentiment de désolation plus fort que tous les froids glaciaires et les ténèbres. Toutes les choses familières lui devenaient ennemies. Il aurait aimé détruire tout ce qui était à portée de son regard ou de sa main, tout ce qui l'avait trahi et rejeté. L'émerillon d'Ebrard, ce jeune faucon non encore dressé, crachait comme un chat sur son perchoir, et tournait sa tête à plumet chaperonnée, aveugle. Harry caressa l'idée de le tuer, mais en son for intérieur il s'en savait incapable. Au contraire, les chaperons et les créances, les perchoirs et les filières, la cage élégante qu'Ebrard fabriquait pour les linottes de sa mère, tous ces objets qui, en un sens, lui avaient appartenu, il pouvait les détruire.

Dans un calme plus frénétique que la frénésie même, il fit de son mieux pour écraser, tordre, déchirer tout ce qui lui tombait sous la main. Les oiseaux criaillaient, crachaient, mais il ne les toucha pas. Lorsque, enfin, Ebrard revint ouvrir la porte pour le sortir de sa prison, le sol était jonché de gants en lambeaux, de harnais tailladés, et Harry, sa dague à la main, découpait en menus morceaux les créances de cuir ouvragé. Aveuglé par la pénombre, Ebrard ne distingua pas tout de suite les détails du chaos et il piétina sans s'en rendre compte l'entrelacs de lanières de cuir et de créances effilochées. Puis il poussa un cri de rage et empoigna son frère par l'épaule. Harry fit volte-face pour répondre à l'assaut, et se jeta au visage furibond qui le dominait. Adam s'était servi du couteau involontairement. Harry frappa intentionnellement, pesant de tout son poids, sans se soucier des conséquences.

— Ah! Tu oses? s'emporta Ebrard en interceptant le poignet brandi, qu'il tordit impitoyablement. Tu oses lever ta dague sur moi, espèce de petit démon! Attaquer ton propre frère! Je vais te donner une leçon et t'apprendre les bonnes manières.

La dague tomba à terre. Harry la rejoignit, terrassé par un coup sur l'oreille. Mais la leçon d'Ebrard fut sans effet : Harry était au-delà de ce genre d'apprentissage. Pourtant l'aîné des Talvace s'efforça de son mieux, en le rossant, de lui faire mesurer l'outrage qui consistait à déclarer la guerre aux siens. Harry finit par renoncer à l'inégal combat, recroquevillé et inerte. Les coups cessèrent aussitôt. En vérité, si offensé fût-il, Ebrard avait pitié de cette créature qu'il ne comprenait pas. Il se pencha sur Harry, grimaça devant son corps souillé, fripé, maintenant minuscule et inoffensif, et qui cependant conservait une intimidante réserve d'obstination et de défi.

— Lève-toi! Je ne te toucherai pas. Lève-toi! Père veut te voir.

S'il te reste un peu de bon sens, hâte-toi et conduis-toi avec humilité. Point n'est besoin d'envenimer les choses.

Harry se remit debout, les membres raides, et s'épousseta sans un mot. Il irait voir son père, mais il n'avait plus rien à lui dire, rien à lui demander. Tout était fini.

Des murmures de curiosité, de sympathie mêlée d'une sorte d'excitation le suivirent à travers la grande salle. Les hommes d'armes interrompirent leurs jeux de dés lorsqu'il se fraya un chemin au milieu des chiens qui s'ébattaient, et gravit l'escalier menant à la galerie. Harry ne regardait personne. Peu de temps auparavant, leur compassion l'aurait ulcéré, désormais c'était sans importance.

— Essuie-toi la figure, lui souffla Ebrard devant la porte. Tu n'es pas présentable devant notre mère.

Ebrard lui fourra un mouchoir dans la main et attendit qu'il eût fini de nettoyer la crasse et les larmes sur ses joues, brièvement tourmenté par un élan soudain d'affection et de regrets.

Messire Eudo arpentait la galerie déserte, les mains nouées dans les amples manches de son surcot. Discrète, lady Talvace était assise dans un fauteuil à dossier droit, à un mètre en retrait, de façon à pouvoir lui effleurer le bras si jamais il avait besoin d'être réfréné.

— Le voici, annonça Ebrard en refermant la porte.

Il poussa Harry devant son père et jeta la dague sur la table en ajoutant :

— Il a levé son couteau sur moi, et mis les écuries à sac. J'aurais dû le surveiller.

Ces paroles soulagèrent le cœur de Harry d'un reste de regret. Il se dressa et affronta ses juges du regard, le visage encore veiné de larmes, pauvre chose misérable, mais d'un calme glacial.

— Il a levé son couteau sur toi? Son frère? Il en sera tenu compte, promit sombrement le vieil homme, fixant ses yeux injectés de sang sur son fils cadet. Toi, approche! Plus près! Tu t'es calmé, dirait-on. As-tu recouvré la raison? As-tu vraiment assailli ton frère? Même un sauvage ne ferait pas cela. Tu vas lui demander son pardon immédiatement, ici, avant de subir ton châtiment. A genoux! Obéis!

Harry ne bougea pas.

— Je t'ordonne de demander pardon à ton frère. Tout de suite!

Harry secoua imperceptiblement la tête, sans ciller, sans même jeter un regard dans la direction d'Ebrard. Le coup que lui assena son père l'étendit à terre, puis il fut traîné et mis de force à genoux devant son frère, qui avait assisté à cet accès de violence avec une moue embarrassée et affligée. Harry leva les yeux sur lui, à travers ses cheveux emmêlés, tenant fermement serrées ses lèvres meurtries sur un silence obstiné.

— Il a agi sous le coup de la mauvaise humeur, intervint brièvement Ebrard. Il ne savait pas ce qu'il faisait. Laissez-le, père.

Sir Eudo le rejeta au sol dans un élan de rage impuissante, et s'écarta à grands pas furieux. Lady Talvace s'approcha et posa ses mains potelées sur les épaules du jeune homme.

— Allons, Harry, ce n'est pas raisonnable, souffla la voix douce et caressante dans son oreille. C'est humain de commettre une faute, mais sot de persister dans son erreur. Je connais ton caractère, je sais que tu nous crois tous ligués contre toi, mais tu te trompes. Il te suffit de te soumettre en fils obéissant, de supporter ta punition et d'expier ta rébellion, après quoi tout sera pardonné.

Elle le releva tendrement et, l'enlaçant d'un bras, repoussa les mèches de son front en essuyant quelques gouttes de sang à une écorchure qu'il avait sous l'œil. Sa requête, selon toute apparence, était la même que celle de son père, à cette différence qu'elle avait une manière plus insidieuse de la lui présenter. Harry l'écouta et en éprouva un plaisir vague, en même temps qu'une douleur aiguë et déchirante, mais il ne fut pas ému au point de se soumettre.

— Là, sois mon fils chéri et demande pardon de ton propre gré. Tu nous as tous beaucoup peinés et inquiétés. Tu es en disgrâce. Mais il te suffit d'un mot et tu seras excusé. Viens. Parle à ton père, que tu as lourdement offensé. Va, Harry. Dis-lui que tu regrettes tes fautes et que tu demandes son pardon, murmura-t-elle d'un ton cajoleur. Ce n'est pas si difficile. Je t'aiderai. Quelques mots et tu seras en paix.

En vérité c'était bien tentant. Harry était épuisé, affamé, endolori, et il devait encore payer son dû pour la mort de la biche. Il eût été simple de céder à la volonté de sa famille, de prononcer les mots magiques qui lui permettraient de réintégrer son rang parmi eux — après la punition dont il connaissait d'avance la teneur —, de se contenter d'obéir et de ne plus réfléchir.

— Fais-le, Harry. De bon gré. Ensuite on te servira à souper. Qui sait, peut-être pourras-tu échapper à ta punition si tu promets de t'amender ?

Harry dut s'arracher violemment à elle, de crainte de se laisser persuader. Il aurait tout perdu, son honneur, son intégrité, et même cette austère et nouvelle liberté.

— Je ne peux pas ! cria-t-il en se raidissant avec une expression de défi. Je ne regrette rien ! Je n'ai rien à me reprocher, sinon de n'avoir pas le courage de me faire également couper la main droite. Je ne regrette pas d'avoir traité la loi de vile et inique, car elle l'est.

— Vous voyez, ma mie, bougonna messire Eudo, vous gaspillez vos peines. On ne peut rien contre un garçon qui refuse de plier, sinon le briser. Et sur ma foi, c'est ce que nous ferons. Nous en avons le temps.

— Eudo, ne soyez pas trop dur avec lui !

— Trop dur ? N'avons-nous point été trop tendres assez longtemps ? Et avec quel résultat ! Je jure que je ne reconnais pas ce garçon pour mon fils. Mais nous allons corriger cela, déclara-t-il d'un ton lugubre en s'arrêtant devant Harry pour le foudroyer du regard. Nous verrons lequel de nous est le maître, et qui commande. Tu ne paraîtras plus parmi nous, ni ici ni dans la grande salle, tu n'y prendras pas non plus tes repas, jusqu'à ce que tu aies recouvré la raison et sois prêt à implorer grâce à genoux. Va dans ta chambre, et attends-moi. File ! Hors de ma vue ! Et déshabille-toi !

Sur quoi il le poussa brutalement, sans appel, vers la porte.

Lady Talvace vint, répondant à ses prières et à ses espérances. Harry ne la craignait plus, elle ne pouvait plus le ramener en arrière, il s'était trop éloigné d'eux, même d'elle. Certes elle pouvait encore le blesser, le ravir, mais sans l'influencer ni modifier ses projets. S'il avait besoin d'elle maintenant, c'était dans un dessein bien différent : elle était la seule d'entre tous qu'il pouvait espérer fléchir.

Harry gisait nu sur son lit lorsqu'elle tira le loquet de la porte et l'ouvrit doucement. Il reconnut ses gestes, son pas, et souleva la tête d'entre ses bras pour l'observer. Il se tourna, se redressa, chacun de ses mouvements lui arrachant une grimace de douleur, et tira sur ses reins le couvre-lit en peau de bête.

— Mère !

— Harry ! Mon malheureux, mon entêté, mon méchant garçon ! Comment te toucher sans te faire mal ? Harry, pourquoi t'es-tu exposé à cela ? J'ai essayé de t'aider, j'ai vraiment essayé. Mais tu refusais tout secours! Tenais-tu donc à être fouetté? On aurait pu le croire, à te voir ainsi t'offrir au châtiment et pousser ton père à bout. Pourtant il t'aime, Harry. Si seulement tu ne le mettais pas tellement en colère! J'ai apporté un onguent pour te soigner. Laisse-moi t'examiner. Etends-toi... Mon Dieu... Je vais t'aider à te tourner!

— Ce n'est pas si terrible, mère, dit Harry en sentant sur sa joue ses larmes faciles, scintillantes, qui jaillissaient et séchaient comme une pluie de printemps.

— Oh, comme il a été cruel! Pauvre Harry, pauvre enfant! Ne bouge pas, c'est un simple onguent à base d'herbes qui apaisera la douleur. Il te suffisait de quelques mots pour t'épargner ces souffrances. Je pourrais te battre de mes propres mains pour avoir été aussi stupide! Cela te fait-il du bien?

— C'est merveilleux, mère, répondit Harry en accueillant avec plaisir sur ses épaules brûlantes la fraîcheur parfumée de l'onguent, dont le picotement même était agréable. Mère?

— Oui?

— L'état d'Adam est-il pire que le mien?

Elle garda le silence, abaissa la couverture sur ses hanches et continua d'oindre ses blessures avec douceur.

— Je ne sais pas, je n'étais pas là, répondit-elle enfin. Ensuite je veux que tu manges et essaies de dormir. Je t'ai apporté des gâteaux d'orge et du pain. Mais surtout que ton père ne l'apprenne pas.

— Ont-ils donné à manger à Adam? Il n'a rien avalé depuis midi.

— Oui, répondit-elle après une brève hésitation. J'ai envoyé un domestique lui porter un peu de pain et de viande.

Elle ne précisa pas qu'Adam n'y avait pas encore touché lorsque le garde était allé jeter un coup d'œil sur lui. Adam gisait face contre terre, dans la paille, à demi inconscient.

— Maintenant, je suppose que tu ne refuseras pas de te nourrir! Oh, Harry, pourquoi tant d'obstination? Est-ce ta faute si la loi est plus sévère à son égard qu'au tien?

— Ce qu'il a fait, je l'ai fait, et le premier. Mère, si vous l'aviez vu voler à mon secours et...

— Je ferai mon possible pour l'aider, promit-elle sans grande affliction. Il aura un toit, et un travail simple, adapté...

Elle n'acheva pas sa phrase, mais Harry devina la suite : adapté à un manchot.

— A-t-il au moins un lit?

— Il suffit, Harry! coupa-t-elle, fâchée. Je refuse de jouer à ce jeu avec toi plus longtemps. Veux-tu que je descende à l'écurie le soigner, lui, plutôt que toi? Tu voudrais peut-être que je traverse toute la haute cour dans l'obscurité pour lui apporter du vin!

— Ils l'ont mis dans l'écurie vide, au coin de la cour? questionna Harry, le visage enfoui dans l'oreiller pour masquer le tremblement de sa voix.

Les indices qu'elle avait laissés échapper, Harry les avait fébrilement assemblés : écurie, haute cour, obscurité.

— Père ne craint donc pas de le laisser dans une stalle sans verrou? Quoi, avec une simple barre de bois de six pouces entre lui et la liberté? Adam doit pourtant pouvoir ramper, s'il ne peut marcher. A moins que père n'ait posté une demi-douzaine d'hommes en armes pour garder ce dangereux félon!

— Harry, je pars si tu continues de parler avec tant d'amertume de ton père. Je commence à comprendre comment tu l'as conduit à te traiter ainsi. Non, bien sûr que ce garçon n'est pas gardé. Personne n'irait lui ouvrir la porte. Et même si quelqu'un le faisait, il ne pourrait aller loin. Il n'est pas en état de...

Elle se mordit les lèvres, confuse, en sentant Harry tressaillir et retenir un cri.

— Pardon, je t'ai fait mal!

Elle lui avait fait mal, en effet, mais pas physiquement. Harry s'enfouit le visage dans l'oreiller et ravala les larmes qui auraient désarmé son père s'il les avait versées pour lui-même. Sa mère se pencha et lui déposa un baiser sur l'oreille. Il se tourna, lui passa un bras derrière la nuque et l'attira vers lui.

— Là... là..., Harry. Cela va passer. Au matin tu te sentiras mieux.

Harry roula sur le côté et l'enlaça étroitement.

— Oui, j'irai mieux. Oh oui, mère, beaucoup mieux, dit-il en s'efforçant de retenir ses larmes. Je crois que je vais dormir, maintenant.

— Veux-tu que je reste encore un peu?

— Non, mère, allez vous reposer, vous aussi. Je vais dormir, je vous le promets.

— Et demain, tu ne provoqueras plus ton père?

— Je ne dirai pas un mot de travers, mère. Je vous en supplie, ne pensez pas de mal de moi!

Harry pleurait. Il souhaitait qu'elle parte mais il ne supportait pas de la laisser aller. Il embrassa sa joue tiède et la lâcha presque avec brusquerie, retombant sur l'oreiller avec un gros soupir. Lorsqu'elle se pencha pour le scruter avec attention, il garda les paupières mi-closes, réglant sa respiration comme s'il glissait déjà dans le sommeil. Satisfaite, elle lui baisa le front, se retira avec la chandelle, et ferma doucement la porte derrière elle.

Dès qu'elle fut partie, Harry rouvrit les yeux. Ils étaient secs, brillants et bien éveillés. Il patienta quelques minutes sans bouger, pour le cas où elle reviendrait. Puis il se glissa hors de son lit, les gestes raides et maladroits, et commença à enfiler ses vêtements.

La fiche de fer qui soulevait la clenche de la porte avait été retirée par son père, si bien que le battant ne pouvait être ouvert que de l'extérieur. Mais ce n'était pas la première fois que Harry se voyait ainsi séquestré, et il avait paré depuis longtemps à cette éventualité. Le ferronnier du village lui avait façonné une autre fiche, plus petite et plus légère, que l'on pouvait tirer d'un côté ou de l'autre. Une fois habillé, opération qui lui prit plus longtemps que d'habitude car chaque mouvement et chaque frôlement de tissu lui étaient douloureux, il exhuma le précieux outil de sa cachette, dans la paille du matelas, et l'inséra dans le trou de la porte. La lourde clenche se souleva. Harry ouvrit avec précaution et tendit l'oreille. Rien. Les pas du garde de la tour de guet ne portaient pas si loin, et, en bas, rien d'autre ne bougeait. Harry n'emportait que les vêtements qu'il avait sur le dos, plus une cape, et tout l'argent qui lui appartenait en propre, c'est-à-dire assez peu. Les chevaux étaient restés au moulin, et il bénissait cette chance. C'étaient les siens, non ceux de son père, aussi bien le gris qu'il montait que le cob qu'il prêtait à Adam, et les deux montures seraient fraîches et disposes.

Il ferma la porte et remit la clenche en place, sans bruit. Quant à la fiche — Matthew Smith, le ferronnier, n'avait jamais soupçonné quel instrument illicite il lui fournissait —, il l'ôta et l'empocha, car sa présence pouvait suffire à lancer la meute à ses trousses, et il ignorait si le guetteur n'avait pas reçu l'ordre de surveiller sa chambre. Au matin, son père serait le premier à lui rendre visite dans sa retraite, Harry en avait la certitude. Sir Eudo serait mal à l'aise après avoir dormi sur sa colère, enclin à regretter d'avoir poussé les choses aussi loin, fermement résolu à se montrer clément et patient envers ce fils impénitent mais incapable de ne pas le frapper à nouveau. Seulement voilà, le fils impénitent ne serait pas là, ni pour les cajoleries ni pour les coups, ni ce matin-là ni aucun autre.

Harry ignorait l'heure, mais il estima qu'il était minuit passé. Jamais sa mère ne se serait aventurée jusqu'à sa chambre si son père n'avait été profondément endormi. La lune, à son premier quartier, déclinait déjà, et il n'eut plus à craindre que la clarté des étoiles quand il se faufila par l'escalier extérieur et posa le pied sur le sol tiède et sec de la haute cour. L'ombre du mur le protégea jusqu'à ce qu'il eût atteint l'angle le plus éloigné de la grande salle. Ensuite il lui fallait marcher à découvert jusqu'au petit groupe de remises, armureries, écuries et magasins, construits à l'abri de la muraille. Il s'arma de courage, traversa en courant, et se laissa tomber sous l'appentis de l'atelier du fléchier. La nuit s'écoulait, lente, indifférente. Au bout d'un temps, satisfait, Harry se releva et poursuivit son chemin, se faufilant d'un abri à l'autre, jusqu'au coin le plus éloigné, à proximité de la poterne.

La prison d'Adam se situait non loin de là, dans l'obscurité. Le silence total qui y régnait l'encouragea à croire que sa mère avait dit juste et que le captif n'était pas gardé. Personne, et moins encore Adam lui-même, n'avait envisagé l'éventualité d'une aide extérieure.

Il cala son épaule sous la lourde barre de bois qui condamnait la porte, et la tira avec précaution dans la mortaise. Le battant s'ouvrait vers l'intérieur. Il entra et le repoussa derrière lui.

— Adam ! souffla-t-il.

Il se tint immobile jusqu'à ce que ses yeux se fussent accoutumés aux ténèbres.

Un bruissement de paille lui répondit. Harry tâtonna du bout des pieds, pouce par pouce, prudemment, ébranlé à chaque pas par le martèlement tumultueux de son cœur.

— Adam ! C'est moi. C'est Harry !

Sur le sol, une masse blanchâtre remua légèrement, avec un nouveau bruissement de paille. Il posa à terre ses chaussures et sa cape roulée, et continua sa progression à genoux, se frayant un chemin sur les bords du monceau de paille qui occupait la moitié de l'écurie. Ses doigts rencontrèrent un pied qui, instantanément, dans un mouvement de recul violent, le repoussa et battit en retraite. Harry le suivit, murmurant des paroles de réconfort et des promesses, sans comprendre lui-même ce qu'il disait. Puis il rencontra un bras nu, la partie supérieure d'un corps, une tête qui se détournait résolument. Quelqu'un, probablement un archer compatissant, avait étendu sur le dos du jeune garçon un linge imbibé d'eau fraîche, mais quand Harry le toucha par mégarde, le linge était tiède. Au travers, il sentit le contact de la chair, brûlante de fièvre.

— Adam! répéta-t-il en se couchant dans la paille.

Il secoua doucement le bras d'Adam, à un endroit qu'il ne craignait pas de toucher, et approcha sa joue de la tête qui se détournait.

— C'est moi. Harry. Tu ne veux pas me parler? Comment te sens-tu? Es-tu en mesure de te lever et de marcher, si je t'aide? Oh, Adam, regarde-moi! Tu me fais peur. Ne me reconnais-tu pas?

Harry se mit à trembler, à pleurer, tout en continuant d'ânonner des mots à travers des sanglots convulsifs, jusqu'à ce qu'Adam, tournant enfin la tête de son côté, le frappât méchamment de son poing fermé.

— Eloigne-toi de moi! bredouilla-t-il faiblement. Jamais je n'aurais dû me fier à l'amitié d'un Talvace!

— Adam, je suis venu dès que j'ai pu...

— Pourquoi? coupa Adam d'une voix dure. Je ne suis ni de ta famille ni de ton rang. Retourne auprès des tiens!

Harry se rapprocha et saisit le poing brandi entre ses mains, le pressa contre son cœur et l'inonda de ses larmes.

— Je *suis* auprès des miens. Ne me chasse pas! Je ne retournerai plus là-bas. Je pars avec toi, loin d'ici. Nous devons nous hâter. Peux-tu te mettre debout? Appuie-toi sur moi. Essaie! Mets ton bras autour de mon cou.

Adam redressa la tête et scruta l'obscurité avec méfiance avant de répondre.

— Que veux-tu dire? C'est vrai? Tu me laisses partir?

— Je viens avec toi. Nous partons ensemble. Personne ne te privera de ta main, Adam. Et celui qui le voudrait n'est pas de ma parentèle. Appuie-toi sur moi. Voyons si tu peux marcher. Juste quelques pas, juste pour sortir d'ici et te mettre à l'abri. Ensuite tu te reposeras pendant que j'irai chercher les chevaux. Dieu merci, nous les avons laissés au moulin. Sinon jamais je n'aurais pu les emmener hors du château sans être découvert, et à pied nous ne serions pas allés bien loin.

— Ma pauvre mère! murmura Adam avec des larmes où se mêlaient à la fois le soulagement, l'espoir et le remords. Quel chagrin elle aura...

— D'ici un jour ou deux elle apprendra que nous avons fui et que nous sommes ensemble. Allons, mets un bras autour de mon cou, appuie-toi de tout ton poids. Elle saura aussi que tu as encore ta main. Elle comprendra pourquoi nous sommes partis et que nous resterons toujours ensemble. Là, tu vois ? Tu y arrives, dit Harry, le visage toujours ruisselant de larmes et bafouillant d'impatience, en aidant Adam à se lever et à se tenir debout. Ta cotte est là ? Je vais rouler ta cape dans la mienne, tu n'en as pas besoin pour l'instant. Tu peux supporter ta cotte ?

Le linge était collé sur les zébrures sanguinolentes. Harry lui passa sa chemise et sa cotte par-dessus, tressaillant chaque fois qu'Adam tressaillait. Mais son ami reprenait vie, recommençait à croire. Il fit un pas sans le soutien de ses bras secourables et parvint à tenir debout seul.

— Où allons-nous ? demanda-t-il. Où pouvons-nous aller ?

— A Shrewsbury, chez le père Hugh, répondit Adam. Il ne nous dénoncera pas. Nous serons à l'abri jusqu'à ce que tu sois en état de voyager. Penses-tu pouvoir aller jusque là-bas à cheval cette nuit ?

— Mais, Harry, tes parents ? objecta Adam, tremblant.

— Quels parents ? Mon père est tailleur de pierre et ma mère...

Harry s'interrompit. C'était là un sujet trop périlleux, dont il se détourna farouchement.

— A mes yeux, tu as toujours été mon frère. Aujourd'hui, toi et les tiens êtes la seule famille que j'aie jamais eue. Je ne reviendrai pas. Même sans toi je serais parti. Viens, reste près de moi, prends appui sur moi si tu le désires. Il n'y a pas loin à marcher jusqu'à la poterne. On nous verrait si nous prenions la barque. Dommage.

— Harry, pardonne-moi de t'avoir frappé. Je suis sincèrement désolé, je...

— N'y pense plus. Ce n'est rien. Je sais ce que tu as enduré. Allons-y doucement...

Harry ouvrit la porte et se glissa dehors, dans l'espace exigu, une main tendue en arrière, prête à soutenir Adam.

— Tiens-toi plus près, mets tes bras sur mes épaules, appuie-toi contre mon dos.

— Je peux marcher, je t'assure. Chut.

Adam était pleinement conscient désormais, malgré sa faiblesse et sa douleur. Il avança avidement dans la fraîcheur de la nuit, et sa démarche s'affermit à chaque pas. L'obscurité se refermait derrière eux. La profonde voûte de la poterne les protégeait des regards. Harry ôta la barre du portillon et ils foulèrent l'herbe de la prairie. De là jusqu'au boqueteau qui bordait la rivière, il n'y avait pas loin, et le mur de la cour les dissimulait. Ils respirèrent leur première bouffée de liberté avec prudence, sachant combien elle était précaire. Brûlant d'impatience, bras dessus bras dessous, ils commencèrent à clopiner vers l'abri des arbres.

4

Vers sept heures le matin, lorsque la cloche sonna prime, le portier du corps de garde de l'abbaye entendit des martèlements de sabots qui approchaient sur la route poussiéreuse et remarqua l'étrangeté du pas des chevaux, qui tantôt marchaient de biais, tantôt faisaient halte, comme égarés. Enfin ils s'arrêtèrent devant la porte. Le frère lai sortit voir à quel genre de cavaliers il avait affaire et découvrit deux jeunes garçons, l'un affaissé sur sa selle, au bord de l'évanouissement, l'autre le retenant d'une main. Leurs chevaux, fidèles et familiers compagnons de route, contraints de compenser et de stabiliser leur chargement précaire à chaque déséquilibre de poids, avançaient flanc à flanc, à une allure prudente et patiente. Le second cavalier n'était guère en meilleur état que son ami. Il semblait avoir mené son convoi là où il espérait mais, au moment de mettre pied à terre, les forces lui manquaient pour soutenir son compagnon.

Sans poser de questions, le portier contourna les chevaux un peu nerveux, fit doucement glisser le cavalier inconscient de sa selle, et le prit dans ses bras comme un bébé. A travers la tunique et la compresse raidie, il sentit et devina les croûtes dures de sang séché.

— Un instant, dit-il au deuxième garçon, qui essayait avec des gestes gourds et douloureux de libérer ses pieds des étriers. Je vais vous aider. Ne bougez pas.

Lorsqu'il eut déposé son fardeau sur sa propre couche, dans le corps de garde, il revint prendre Harry sous les aisselles pour le descendre de cheval. Les jambes ankylosées se dérobèrent et le jeune homme dut s'agripper au bras solide du portier. Celui-ci reconnut le visage levé vers lui.

— Messire Talvace ? Que s'est-il passé ? Que faites-vous ici, et dans pareil état ? Prenez mon bras et entrons.

Le frère lai n'avait plus besoin d'examiner l'autre adolescent pour savoir qui il était.

— Quel malheur vous est-il arrivé ? Avez-vous été attaqués ? Quelle folie vous a pris de chevaucher de nuit, avec tous les voleurs de grand chemin qui rôdent le long de la frontière, par les temps qui courent ?

— Il n'y avait aucun voleur de grand chemin, répondit Harry avec un sourire contraint. C'est ailleurs que nous avons récolté nos coups. Edmund, je dois voir l'abbé. Dès qu'il pourra me recevoir.

— Vous le verrez mais ce ne sera pas, au plus tôt, avant la fin du chapitre. De toute façon, vu votre mine à tous les deux, vous avez bien besoin de repos. Est-ce que le jeune Adam est plus gravement blessé que ce qu'il semble, ou bien est-il seulement évanoui ?

Il guetta la respiration d'Adam, moins haletante, plus régulière, et sourit, rassuré.

— Ce que c'est que la jeunesse ! En un instant, au simple contact d'un lit, sa pâmoison se transforme en sommeil ! C'est parfait. On ne pouvait rien lui souhaiter de mieux.

— Adam s'est vaillamment tenu en selle jusqu'au gué, expliqua Harry, la voix tremblante d'épuisement. Ensuite il a commencé à faiblir et nous avons ralenti l'allure. Il avait moins mal en allant au pas. Mais, pendant le dernier mile, je ne sais comment j'ai réussi à le maintenir en selle. Ni à ne pas tomber moi-même, d'ailleurs. Edmund, faites panser les chevaux, voulez-vous ? Je serais incapable de les desseller tant j'ai le corps gourd. Sans vous, j'aurais dû me laisser choir, c'était le seul moyen.

— On va s'occuper de vos chevaux. Mais je vais d'abord envoyer quérir le frère hospitalier, qui vous fera transporter tous les deux dans un bon lit. Une fois que aurez dormi, il sera toujours temps de vous demander ce qui vous a poussés à errer sur la route en pleine nuit et dans pareil état. Restez auprès de lui jusqu'à mon retour.

Rien n'aurait pu éloigner Harry du chevet d'Adam. Il était résolu à ne pas le quitter des yeux tant qu'il ne se trouverait pas en lieu sûr, ou à des miles et des miles hors de portée du verdier du roi. Il s'assit, luttant pour tenir levées ses paupières lourdes, les yeux fixés sur le visage sali et tiré de son ami que le sommeil détendait peu à peu.

Bientôt le frère hospitalier arriva en courant, escorté de deux de ses infirmiers, et fit transporter les jeunes garçons dans les alcôves exiguës, fraîches et propres de l'hôpital. Harry se lança dans d'ardentes explications auxquelles nul ne prêtait attention, et qui se fondirent bientôt en un marmottement incohérent, puis en un silence docile. Il capitula avec gratitude et s'autorisa à se laisser dévêtir, baigner et nourrir de pain et de lait chaud comme un petit enfant. Et comme on l'installait doucement sur le ventre, dans un lit dur mais parfumé, sa dernière pensée semi-consciente fut qu'Adam dormait, grâce à Dieu, d'un sommeil trop profond pour sentir la douleur quand les frères infirmiers coupèrent et détrempèrent patiemment ses compresses de lin avant de panser ses plaies. Lorsqu'il s'éveillerait, ce serait avec un certain bien-être, dans une enclave de sécurité. Les yeux emplis de larmes de gratitude, Harry sombra à son tour dans le sommeil, laissant derrière lui sa propre souffrance, telle une dépouille de son ancienne vie.

Le frère hospitalier porta la nouvelle à l'abbé dans le parloir de ses appartements privés. Hugh de Lacy repoussa sa plume et l'encrier sur la table cirée, et demeura un long moment le regard perdu vers son jardin clos, humide et étincelant dans la fraîcheur matinale.

— Déjà! s'exclama-t-il, avant d'ajouter au bout d'un instant, avec un soupir : Pauvre Harry!

Puis il écarta sa chaise et se leva.

— Je vous accompagne pour voir ces jeunes fugueurs, frère Denis.

— Ils dorment, mon père. C'est ce dont ils avaient le plus besoin. On les a cruellement battus.

Le frère hospitalier, homme vieux et bon, désapprouvait toute violence, y compris les effets de la discipline exercée par le supérieur sur ses novices et élèves.

— Nous ne les dérangerons pas, promit ce dernier. Mais je dois les examiner de mes propres yeux.

Si une médiation difficile devait lui échoir, il lui fallait préparer son argumentation. Hugh de Lacy minimisait l'indignation de frère Denis, mais la réalité pouvait s'avérer déplaisante. Harry ne savait que trop bien provoquer la colère, défaut caractéristique et déplorable des jeunes gens, pourtant démunis de moyens de défense.

L'abbé traversa la grande cour en boitillant à côté du frère hospitalier, et entra dans la cellule où les deux adolescents reposaient, endormis, dans deux lits étroits tirés bord à bord.

— C'est Harry qui a voulu qu'on les place ainsi, expliqua frère Denis. C'était la seule façon de le convaincre de lâcher Adam pendant que nous pansions ses plaies. J'ai trouvé plus judicieux de le contenter. S'il ne sent pas son ami à portée de main, il ne peut dormir, et le pauvre enfant a terriblement besoin de repos.

Les joues rouges, les lèvres humides, Harry était allongé, son bras nu étendu vers le lit d'Adam, les doigts repliés près du poignet bruni de son frère de lait. Frère Denis souleva le couvre-lit et lui découvrit un instant le dos jusqu'aux cuisses.

— L'autre est pire encore, dit-il à l'abbé.

Le dos d'Adam était recouvert d'une compresse trempée dans une décoction de bistorte et de centaurée, destinée à rafraîchir et à soigner les plaies ouvertes. Il reposait inconfortablement, de biais, sur le ventre, la respiration profonde et lourde. Le frère hospitalier souleva un coin du linge pour montrer la chair rongée, zébrée de pourpre.

— J'ignore comment ils ont réussi à venir d'aussi loin dans un tel état. Les mouvements, l'épuisement et le frottement des vêtements ont aggravé leurs maux, mais, grâce à Dieu, ce sont des garçons solides. Quelques jours de soins appropriés les remettront sur pied.

— Quoi qu'il en soit, remarqua l'abbé en fronçant les sourcils, cela dénote chez eux un degré certain de désespoir. Puisque ce n'est pas le fouet qui les a fait fuir, alors quoi?

Le frère hospitalier remit la compresse en place avec précaution et secoua la tête, assailli par un mauvais pressentiment.

— Ils n'auraient pas été plus durement traités s'ils avaient été reconnus coupables de félonie. Quel délit si grave peut-on reprocher à de si jeunes garçons? Nous ne les avons pas questionnés, bien sûr, mais il paraît évident que le seigneur de Sleapford ignore qu'ils sont venus se réfugier ici. Je n'ai pris encore aucune disposition pour le prévenir. Puisque Harry a demandé audience auprès de vous, mon père, j'ai cru bon d'attendre que vous ayez mûrement réfléchi avant d'entreprendre quoi que ce soit.

— C'est très sage de votre part, frère Denis. Nous pouvons considérer, je suppose, que les recherches s'effectueront dans les alentours de Sleapford pendant un jour un deux. Car Eudo ne peut ignorer qu'ils ne sont pas en état de voyager loin !

— Lorsqu'ils élargiront leurs recherches, nous serons le premier refuge auquel ils songeront, remarqua frère Denis. Mais ils ne viendront pas ici avant d'avoir ratissé la vallée et les bois. Cela nous laisse deux ou trois jours de répit.

— Tant mieux ! Ainsi j'aurai le temps d'apprendre ce que cache cette escapade. Lorsque Harry sera réveillé, rassasié et dispos, envoyez-le-moi. S'il doit dormir jusqu'à demain, qu'il dorme. Nous sommes tranquilles jusque-là, je ne suis pas censé donner une information que je ne détiens pas moi-même.

Une mouche se posa un instant sur la joue enfiévrée de Harry, et Hugh de Lacy se pencha pour la chasser. Le jeune homme frissonna et poussa un petit cri effrayé dans son sommeil. Sa main tâtonna pitoyablement pendant un instant et ne trouva que le matelas frais et bruissant. Ses cils battirent, ses lèvres formèrent le nom d'Adam mais n'émirent qu'un gémissement animal. Alors Hugh de Lacy prit cette main dans la sienne et referma les doigts tremblants sur le poignet d'Adam. Ils s'y accrochèrent aussitôt, et s'apaisèrent. Adam poussa un soupir tranquille.

L'abbé regagna ses appartements, le cœur lourd. Sur la peau tendre du poignet, si affectueusement encerclé, il avait aperçu un bracelet bleu qui commençait à s'estomper, la marque laissée par l'anneau de fer de la potence de flagellation.

Harry frappa à la porte du parloir de l'abbé pendant la première messe, le lendemain matin, alors que les domestiques, les manouvriers et les frères lais étaient rassemblés dans l'église. Le parvis était silencieux. Harry n'avait pas peur de l'abbe, pourtant il ressentait une sorte de fébrilité, réminiscence des jours où on l'envoyait ici recevoir une réprimande plus solennelle qu'à l'accoutumée pour ses péchés véniels. Eprouver la même émotion à présent le déconcertait puisqu'il se jugeait innocent de toute faute. Autrefois, il lui arrivait d'entrer dans ce lieu avec la même conviction, et d'en ressortir soumis, au bord des larmes, repentant des péchés qu'il venait d'admettre. Résultat auquel le père Hugh de Lacy parvenait sans avoir à élever la voix.

Prié d'entrer, Harry obéit presque avec timidité. L'abbé se détourna de sa table de travail, devant la fenêtre, et lui sourit, mais son front était assombri d'une anxiété diffuse.

— Entre, Harry ! As-tu déjeuné ?

— Oui, mon père, merci, répondit Harry en s'avançant pour baiser la main que Hugh de Lacy lui tendait. Je voulais vous rendre visite dès mon réveil, hier soir, mais frère Denis m'a dit qu'il était trop tard et que vous étiez occupé. C'est très négligent de ma part d'avoir profité de vos bienfaits un jour entier sans venir vous présenter mes respects, mais...

— N'en dis pas davantage, Harry. Je sais que tu étais très fatigué et je suis heureux que tu aies dormi. Et Adam, comment va-t-il, ce matin ? Il n'est pas levé, je suppose ?

— Pas encore. Mais frère Denis pense qu'il pourra peut-être se lever un peu dans le courant de la matinée. Il s'est merveilleusement remis, dit-il en observant avec hésitation le visage calme de l'abbé, avant d'ajouter avec un certain embarras : Je ne sais si vous savez, mon père...

— Je suis allé vous voir pendant que vous dormiez, le rassura l'abbé. Je sais. Viens t'asseoir près de moi et explique-moi ce qui t'a conduit dans pareille situation.

Harry tira la chaise basse que Hugh de Lacy lui indiquait et s'assit à portée de la main longue, fine et musclée qui reposait sur les genoux croisés.

— Père Hugh, Adam et moi sommes venus nous mettre sous votre protection. Lorsque je vous ai quitté, vous m'avez dit que je pourrais venir vous trouver en cas de besoin, à n'importe quel moment, et que vous étiez mon ami. Nous avons grand besoin de votre amitié aujourd'hui.

— Je m'en doutais, mon enfant. Conte-moi ton histoire.

— Avant hier, j'ai abandonné mes écritures pour une journée de congé. Adam et moi avons pris nos arbalètes pour aller chasser les lièvres et les lapins dans les champs qui venaient d'être moissonnés. Vous savez comme on fait bonne chasse quand ils sortent à découvert, à l'approche des moissonneurs. Après en avoir tué quelques-uns, nous sommes allés au moulin, où nous avons laissé les chevaux. Puis nous sommes entrés à pied dans la forêt. A cet endroit, c'est la chasse privée de sir Roger le Tourneur. Nous avons marché toute la journée et, au moment où nous revenions à travers bois...

Jusqu'ici Harry avait avancé lentement, cherchant son chemin pour éviter de mentionner Hunyate et la course secrète qui les y avait conduits. Son rapport lui paraissant suffisamment complet, il continua son récit avec une assurance croissante, sans mentir, sans même omettre la crise de fureur hystérique qui l'avait saisi dans l'écurie et dont il n'était pas fier. Sa voix se chargea de colère pour déverser les griefs passionnés que lui inspirait l'iniquité de la sentence concernant Adam. L'abbé l'écouta jusqu'au bout dans un silence courtois, le visage grave. C'était pire encore que ce qu'il redoutait.

— Je vois. Tu as donc libéré Adam de sa prison pour l'amener ici.

— Je savais que l'Eglise ne pourrait manquer de le protéger contre l'injustice.

— L'injustice! Tu aimes ce mot, n'est-ce pas, Harry? Ne tourne pas ta colère contre moi, mon cher enfant, et ne conclus pas trop vite que je te retire le soutien de mon amitié si je te pose quelques questions. Des questions que tu as omis de te poser à toi-même.

Harry dressa la tête d'un mouvement vif, et le soleil qui s'engouffrait dans le jardin fit jaillir de l'or de ses yeux étincelants et déconcertants.

— J'y répondrai si je puis, mon père.

— Tout d'abord, imagine que tu es verdier du roi. Avec tes sergents forestiers, vous découvrez deux jeunes garçons, armés d'arbalètes — chose qui est en soi une infraction punissable par la loi — et occupés à trancher la gorge d'une biche blessée. Les deux garçons nient l'avoir chassée, affirment qu'ils l'ont trouvée agonisante et ont abrégé ses souffrances. Pour appuyer leurs déclarations, ils prétendent n'être arrivés dans la forêt qu'une heure plus tôt, alors que visiblement la biche, blessée au flanc par un carreau d'arbalète, perdait son sang depuis plusieurs heures. Mais ils ne citent aucun témoin confirmant les avoir vus ailleurs pendant ces heures-là, et ils refusent de dire où ils sont allés. Qu'en penses-tu, verdier? Crois-tu leur histoire ou bien ce que voient tes yeux?

— Leurs soupçons étaient raisonnables, j'en conviens. Mais je vous jure, comme je le lui ai juré, que nous n'avons pas chassé cette biche.

— J'accepte ta parole sans hésitation, Harry. Mais moi je suis en position de le faire, pas sir Roger. Il occupe un poste de confiance et de responsabilité, qui lui impose de s'en tenir aux preuves.

— Ses soupçons étaient raisonnables, je vous l'ai dit, mon père. Mais nous avons été accusés et punis sans procès!

— Vous avez été pris sur une chasse privée. Bien que sir Roger ait pour habitude d'envoyer toutes les affaires devant le tribunal — ce qui dénote chez lui un caractère juste et scrupuleux —, il n'y est pas tenu. Il pouvait très bien vous juger dans sa cour manoriale, à sa discrétion et en toute légalité. Crois-tu que votre sort, à l'un et à l'autre, en eût été meilleur ?

— Cela nous aurait au moins laissé le temps de trouver des témoins qui nous avaient vus et...

Harry s'interrompit juste à temps, et lança à l'abbé un regard empreint de doute et de perplexité.

— Je n'essaie pas de te tendre un piège, mon enfant. Si tu peux me dire ce que tu ne pouvais lui avouer, à quel endroit vous êtes allés, c'est bien. Sinon...

— Je ne peux pas, mon père. Parce que le secret ne m'appartient pas et qu'il est important pour une autre personne que je ne le trahisse pas. Mais bientôt, dans quelques jours, j'aurai la liberté de parler.

— C'est regrettable, mais ce n'est pas la faute de sir Roger, ni d'ailleurs celle de ton père. Voyons ! Tu nies avoir chassé la biche, mais tu admets que les circonstances conduisent raisonnablement à vous accuser. Il ne fait aucun doute que, devant un tribunal, vous auriez été reconnus coupables. Tu es d'accord avec moi, Harry ?

— Oui, mon père, répondit Harry, à regret mais avec franchise.

— Passons maintenant à la seconde accusation, concernant l'agression contre la personne de messire Roger. La nies-tu ?

— Non, mon père. Je l'ai agressé, c'est vrai. J'avais peur. Je me doutais que personne ne nous croirait. Mais j'ignorais qui il était...

— Nies-tu qu'Adam l'ait également attaqué ?

— Non, mon père. Mais il l'a fait parce que...

— Il l'a fait. Ses raisons n'atténuent point son crime, je le crains. Donc, devant cette accusation, vous plaidez tous les deux coupables. De quoi, alors, te plains-tu ?

Harry releva la tête d'un geste farouche.

— Je ne vous comprends pas, mon père. Ils auraient coupé la main d'Adam !

— Harry, Harry, quand apprendras-tu enfin à accepter les réalités ? Tu connais les règles aussi bien que moi. Tu admets avoir commis un délit de la plus haute gravité. Et quelle sentence la loi de la forêt prévoit-elle pour avoir attaqué le verdier royal ?

— Un homme libre est privé de sa liberté et de tous ses biens.

— Et un vilain?

— On lui coupe la main droite. Oui, mais…

— Pas de mais! Tu viens d'énoncer la sentence qu'aurait prononcée contre vous un tribunal. Quelle aide aurais-tu apportée à Adam si, par sympathie pour la perte de sa main, tu avais perdu ta liberté? Par ailleurs, tu connais également les sanctions si l'accusation concernant la biche avait débouché sur un verdict. Que Dieu préserve les innocents d'être accusés, mais Dieu sait que cela doit arriver parfois! Pour toi, libre et noble, une lourde amende. Pour Adam, la mort sous le couteau de l'écorcheur. Vas-tu me dire que le verdier n'a pas été clément en commuant la peine en flagellation? Non seulement il n'a pas exercé la totalité de ses droits, mais pour vous épargner il a dévié du chemin qui lui était tracé. Et pourtant tu te plains de lui!

Harry s'était levé, tremblant, devant le fauteuil de l'abbé.

— Etes-vous en train de me dire qu'il était juste de couper la main d'Adam?

— Ce que je pense ou non est hors de propos. Je dis que c'est *légal*.

— Légal! s'exclama Harry, le menton pointé en avant, la moue dédaigneuse. Vous persistez à parler de légalité. Moi je vous parle de justice. Il est peut-être légal pour Roger le Tourneur de me laisser ma liberté, si cela lui agrée, et de ne pas épargner la main d'Adam, mais ce n'est pas *juste*, même si l'on approuve la loi. Et je ne l'approuve pas. C'est une loi inique que celle qui distingue une main d'une autre. Vous parlez d'accepter les réalités! Si ma main et celle d'Adam gisaient tranchées devant vous, sauriez-vous laquelle est libre et laquelle ne l'est pas? Quel respect puis-je avoir pour une loi qui affirme des différences là où je *sais* qu'il n'y en a aucune?

— Ainsi, tu en viens à avancer ton jugement personnel contre celui de la loi de ce pays, dit l'abbé d'une voix douce. C'est hasardeux.

— Mon père, si j'ai un esprit, si j'ai la faculté de former ce que vous appelez un jugement, n'est-ce pas un don de Dieu? Dois-je l'enfouir sous terre et l'y laisser pourrir? Que puis-je en faire, en conscience, sinon l'utiliser du mieux que je puis? N'est-ce pas mon devoir?

— Ce sont de belles paroles, Harry! Et laisse-moi te dire une chose. La loi est un compromis, un expédient, le mieux qui puisse se faire avec les outils que nous avons, et elle demeure toujours inachevée. Des esprits humains, plus vieux, plus sages et plus élevés — pardonne-moi! — que le tien, l'ont façonnée, et je crois qu'aucun de ceux qui ont participé à son élaboration ne prétendra jamais qu'elle ne peut être améliorée. Tu as raison de signaler les manquements que tu crois y déceler, et c'est justice, mais tu dois te garder de croire que tes critiques sont invariablement justifiées. Il existe sans nul doute des lois mauvaises — bien que, pour être franc avec toi, celle-ci ne me semble pas en faire partie — et un jour elles seront changées. C'est bien de travailler à de tels amendements. Mais tant que la loi est ce qu'elle est, tu es lié par elle, moi aussi, et nous devons nous y conformer. Il n'est pas bon de fouler aux pieds une loi mauvaise.

— Mon père, quel choix avions-nous? Dans un an, deux ans, dix ans, ce châtiment que je trouve injuste sera peut-être abandonné, mais Adam n'aura plus de main. Il l'aurait perdue hier si je ne l'avais pas emmené.

Haletant, Harry observa le visage immobile et chagriné de l'abbé, et tout à coup ses yeux verts s'agrandirent d'horreur.

— Je comprends! C'est l'une de ces réalités que vous voudriez me voir accepter. Eh bien non, je ne l'accepte pas! Jamais! s'écria-t-il avant d'ajouter, d'une voix monocorde et froide qui tomba comme une pluie glaciale sur le cœur de l'abbé : Quelle est votre intention? Nous livrer?

— Assieds-toi, Harry, et écoute-moi. Tu es trop impatient.

— J'ai des raisons de l'être. Je ne suis qu'à un pas de la hache du bourreau, rétorqua Harry de la même voix blanche.

Toutefois il se rassit, obéissant, et attendit la suite avec un visage composé et circonspect.

— Je ne vais pas vous livrer, Harry, parce que tu feras en sorte que ce ne soit pas nécessaire. Non! Laisse-moi parler. Tu t'es mis en faute en t'enfuyant, mon cher enfant, et cette faute, si compréhensible soit-elle, doit être expiée. Je ne peux ni ne veux soutenir la révolte d'un fils contre son père, ni la fuite d'un vilain hors de chez son maître. Je suis lié à la loi et ma charge m'impose des devoirs. Je peux et je veux intervenir en ta faveur. J'essaierai de convaincre sir Roger d'étendre sa clémence sur Adam en épargnant sa main, et ton père d'oublier ta rébellion contre lui. Mais s'ils campent sur leurs positions, il m'est impossible de cacher son fils ou son vilain à sir Eudo, et de l'empêcher d'exécuter votre châtiment. Je déploierai toute mon éloquence et mon habileté pour vous deux, Harry, mais à une condition : que vous acceptiez de vous soumettre et de vous rendre de votre plein gré, et que vous vous en remettiez à la compassion de ton père.

— Je vous remercie, dit Harry en se levant de nouveau. J'ai tâté de la compassion de mon père. Je pensais pouvoir me fier à la vôtre.

— Tu dois m'écouter, mon enfant, et me faire confiance. J'use-rai de toute mon influence en votre faveur. Mais je ne peux rien si tu es en révolte. La loi est la loi, et elle doit être respectée. L'au-torité de ton père est sacrée, je ne puis passer outre.

Le jeune homme se tenait en recul, ses yeux verts fixés sur le visage de l'abbé. Hugh de Lacy frissonnait dans le soleil d'été. Il avait anticipé un éclat qui ne se produisit pas. Harry en avait ter-miné avec les larmes et les supplications. Ni la loi ni l'Eglise ne protégeaient les faibles. Il ne restait plus qu'à trouver le moyen de cesser d'être faible, afin de veiller sur les siens et de se proté-ger soi-même.

— Je ne veux pas me disputer avec vous, mon père. Je sais seu-lement que vous avez tort et que j'ai raison, et je le maintiendrai aussi longtemps que je vivrai. Je ne vous demanderai plus jamais rien. Je souhaite que vous n'interveniez pas pour moi, je me débrouillerai seul. Maintenant, si vous avez dit tout ce que vous aviez à me dire…

Harry attendit d'être congédié. Avec sa bouche contractée, mince et droite comme une entaille d'épée, ses narines frémis-santes, il ressemblait si parfaitement, si terriblement à un Talvace que l'abbé chercha en vain le garçon qu'il avait accueilli un ins-tant plus tôt.

Hugh de Lacy quitta son fauteuil et s'approcha de la fenêtre, le dos tourné à la pièce. Il demeura ainsi un long moment, les yeux fermés sous le soleil, s'efforçant de comprendre la peur et l'anxiété que lui inspirait ce garçon farouche qui offrait si fou-gueusement son oriflamme à la morsure d'un vent irrésistible. Que faire pour le maîtriser ? Que faire pour détourner la flèche lancée, pour rabattre la flamme qui montait ? Ne pas te disputer avec moi ! O pauvre enfant, si tu savais ! C'est moi que la tem-pête menace, et non toi.

— Ai-je votre permission de me retirer ? demanda la voix froide, porteuse de tout le lignage renié par Harry, toute la dureté et l'arrogance des Belesme, des Ponthieu, des Alençon.

— Harry, pour l'amour de Dieu et pour ton salut, plie l'échine avant que la vie ne t'oblige à la plier ou ne t'arrache la tête des épaules. Il est impossible de vivre comme tu le veux. Tout homme doit céder un jour ou l'autre. Les rois, les papes, tous les êtres vivants reculent à un certain moment, afin de rester debout et de respirer. Apprends l'humilité pendant qu'il est encore temps, avant que la vie te l'enseigne par des coups plus cruels encore que ceux que tu as endurés. Incline-toi maintenant, et tu découvriras que c'est moins difficile et moins humiliant que tu ne l'imagines. Tu ne seras pas seul à genoux, Harry, car je supplierai avec toi. Et je te jure que je trouverai le moyen d'obtenir le pardon pour Adam, dussé-je poursuivre à genoux ton père et Roger le Tourneur à travers tout le comté...

Hugh de Lacy s'interrompit en sentant le froid s'accentuer derrière lui dans la pièce. Il se retourna et vit la porte fermée. Le bruit des pas de Harry s'estompait déjà dans le couloir pavoisé, puis le silence l'engloutit, telle une vague montante.

Harry marchait dans la pénombre, étourdi comme après un coup de poing, le cœur brisé. Quand il déboucha à l'air libre et que le soleil matinal lui sauta au visage et l'enveloppa, que l'afflux et l'éclat des couleurs sonnèrent comme des cymbales, carillonnèrent comme des cloches tout autour de lui dans le brouhaha de la grande cour, il eut d'abord l'impression d'être l'objet d'une cruelle ironie, d'une illusion d'été, de vie, de joie. Puis il se fraya un chemin parmi les paysans de l'abbaye, qui discutaient et riaient pendant les préparatifs de leur journée de travail dans les champs, parmi les mendiants qui s'offraient au soleil sous le mur de l'aumônerie, parmi les marchands qui attendaient de barguigner avec le prieur avant le chapitre sur le prix des marmites, des tissus, du cheptel et du bois de construction, parmi les tenanciers libres, venus payer leur redevance ou présenter leurs doléances, et malgré lui il se sentit réchauffé. Ses sens s'ouvraient avidement et se réjouissaient malgré l'offense et la trahison qui l'accablaient. Le monde était bourdonnant d'activité, beau et varié, en dépit même de l'abandon de l'abbé, et Harry ne pouvait s'empêcher d'y prendre plaisir.

Leur situation n'en était pas moins désespérée. Cette fois ils étaient livrés à eux-mêmes. «Apprends l'humilité pendant qu'il est encore temps.» C'étaient les dernières paroles de l'abbé. Fort bien, songea-t-il. Etre humble en acceptant ma propre souffrance et mon châtiment, peut-être, mais quel droit ai-je, quel droit a-t-il, de faire de l'humilité une vertu quand c'est Adam qui souffre? J'appelle cela de l'humilité à bon marché. Et Harry songea aussi que, désormais, ils ne pourraient plus compter que l'un sur l'autre. Tant mieux, ainsi personne ne les lâcherait.

Il s'arrêta un instant pour observer près du corps de garde les voyageurs qui s'apprêtaient au départ. Des petites gens : deux colporteurs, un ménestrel en guenilles et un ferblantier itinérant avec son attirail sur le dos, mais aussi un jeune chevalier, probablement aussi novice qu'Ebrard, beau et hardi dans sa cotte ornée de brocarts, ourlée plus court que de coutume afin d'exhiber une jambe fine et chaussée d'une botte bien coupée. Le chevalier tenait sa bride serrée pour que son alezan courbe l'encolure et chasse de côté d'un pas dansant, ce qui lui permettait de déployer son habileté de cavalier. Harry eut la tentation fugitive d'assener une claque sur le flanc luisant de l'animal pour l'obliger à une allure plus naturelle, mais résista vaillamment. Il s'était assagi, du moins le pensait-il, depuis le fou rire qui l'avait saisi devant les malheurs d'Ebrard lors des fêtes de Noël à Shrewsbury. Il trouvait désormais indigne de lui d'attenter en public à la dignité d'autrui, fût-ce pour répondre à une provocation. Cependant il n'aurait pu garantir trop longtemps sa bonne conduite face à l'arrogance de ce jeune chevalier. Celui-ci avait dressé sa monture sur ses jambes postérieures et lui imposait un cercle inutile, contraignant deux marchands âgés et le ménestrel à s'écarter précipitamment de son chemin. Ceux qui usaient de leurs éperons pour faire étalage de leurs talents de cavalier dans une cour bondée méritaient eux-mêmes un bon coup d'aiguillon.

Une fillette d'une dizaine d'années, qui s'amusait à lancer une balle de couleurs vives en tissu brodé contre le mur du réfectoire, lâcha son jouet et se serra dans l'angle d'un pilier pour esquiver les sabots du cheval. Harry l'aperçut du coin de l'œil. Il souleva la fillette d'un bras et la mit à l'abri, tandis que le cavalier sortait de la cour au petit galop. La balle de la petite fille avait roulé près d'un chariot, sous les fenêtres du réfectoire. Harry récupéra le jouet et le lança en souriant à la fillette.

— Les fous perchés sur un cheval ont besoin de beaucoup de place !

La petite fille serra la balle contre sa poitrine et considéra rêveusement Harry de ses grands yeux sombres, excessivement graves et intenses. Elle portait une cotte de lin bleu sous un bliaud à

fleurs. Ses pieds chaussés de toile bleue, plantés cérémonieusement l'un contre l'autre, pointaient sous sa jupe. Un fil doré
entrelaçait ses deux courtes tresses de cheveux noirs. Sa bouche
évoquait les pétales d'une rose rouge.

— Je n'ai pas peur des chevaux, répliqua-t-elle d'un ton
condescendant. Nous en possédons quinze, en plus de ceux montés par les archers.

— Alors vous êtes fortunés, dit Harry, impressionné. Je n'en ai
que deux.

Elle tourna un peu la tête de côté et l'observa sous ses longs
cils, tandis qu'un de ses pieds dessinait distraitement des demi-
cercles dans la terre. Elle ne tarderait pas à devenir une femme,
et lui était joli garçon.

— Mais je voyage dans le chariot parce que les chevaux sont
trop hauts pour moi, ajouta-t-elle. A la maison, j'en ai un petit.
Me montrerez-vous vos chevaux si je vous montre les nôtres ?

— Volontiers, répondit Harry, préoccupé par d'autres pensées.
Mais je dois aller voir un ami malade à l'hôpital.

— Plus tard, alors ! lança la fillette dans son dos. Il nous faudra un certain temps pour charger et atteler les chariots. Revenez
après !

— D'accord, répondit Harry par-dessus son épaule en riant.

Et il poursuivit son chemin entre les domestiques empressés,
qui transportaient des ballots de tissu entre le corps de garde et
le chariot en attente. On en tirait un deuxième de la cour d'écurie, suivi par les chevaux, tout frais sortis de leurs stalles, qui piétinaient les pavés d'un pas allègre. Harry s'arrêta brusquement et
pivota dans leur direction, se rappelant soudain qu'il avait fort
peu de temps pour emmener Adam loin de cet endroit, devenu
pour eux si dangereux, et combien leur étaient précieux les deux
chevaux, désormais leur unique moyen d'évasion. Une envie
impérieuse le saisit d'aller les voir, en même temps que l'appréhension irraisonnée de ne plus les trouver. Il s'élança dans la cour
d'écurie et fouilla toutes les stalles.

Disparus ! Aucun doute possible. Harry inspecta à nouveau les
écuries d'un bout à l'autre et revint à la porte. Aucune trace de
son cheval gris pommelé ni du grand cob brun que montait Adam.
Convaincu de leur disparition, il retourna en courant, furieux,
vers le corps de garde, pour demander des explications à Edmund.
Mais à peine avait-il parcouru dix pas qu'il s'arrêta net. Point
besoin de poser des questions pour savoir dans quelle courette

close et privée les chevaux se trouvaient maintenant. Il fit demi-tour en direction des appartements de l'abbé, résolu à défier le voleur en personne. Hugh de Lacy n'avait vraiment pas tardé à prendre des mesures pour empêcher les fuyards de s'échapper. L'ultime trahison. Et combien logique.

Mais que pouvait espérer Harry en allant le braver et réclamer son bien? Comment le contraindre à lui rendre ses chevaux? Non, ce n'était pas la bonne méthode. Une parole de colère contre l'abbé, et celui-ci ferait surveiller leurs moindres faits et gestes. Et adieu toute chance de fuite. Non, il ne devait s'approcher ni du corps de garde ni de l'abbé, ni rien faire qui pourrait les prévenir de ses plans d'évasion. Il fallait partir, sans avertissement, en secret. Mais comment?

Harry avait ralenti le pas et rebroussé chemin vers la maison des hôtes. Maintenant c'étaient trois chariots qui attendaient. Les premiers, déjà chargés, étaient recouverts d'un drap grossier et enduit de poix contre la pluie. Le troisième, muni d'une toile de protection identique, avait un siège paré de coussins. La toile était tendue d'un bord à l'autre du chariot entre des supports de bois, avec une ouverture à l'avant et à l'arrière. Le chariot était profond et, s'il était rempli d'étoffes, offrait une couche confortable. Les yeux de Harry se mirent à briller, illuminés de petits points d'or.

— Ce sont nos chariots, lança derrière son épaule une voix lourde de sous-entendus.

La petite fille à la balle avait aussi une poupée, minuscule réplique en bois d'elle-même, fidèle jusqu'aux souliers bleus. Elle examinait Harry avec curiosité à travers ses longs cils, et quand il sourit, elle répondit à son sourire.

— Et nos chevaux, ajouta-t-elle.

— Vous devez être très riches pour posséder tous ces chevaux et tous ces ballots de tissu, remarqua Harry avec respect. Où allez-vous?

— Chez nous, répondit-elle, comme si c'était évident.

— Et où est-ce, chez vous?

— Londres. Mon père y tient boutique. Il vient à Shrewsbury une fois par an pour acheter des draps en laine à tous les tisserands de la frontière et aux Gallois. Maintenant nous rapportons à Londres ce que nous avons acheté, en vendant quelques rouleaux en cours de route. Mon père dit que la qualité est aussi bonne que ce qui vient du nord. Mon père dit que les marchands qui vendent la laine brute peuvent se vanter si ça leur chante, mais que les tissus finis, les pièces d'étoffe sont le négoce d'avenir. Nous, nous ne vendons que des pièces. Et vous, que vendez-vous ?

— Rien encore, répondit Harry. Dans combien de temps partez-vous ? Parcourez-vous une longue route chaque jour ?

— Nous serons prêts dans une heure. Parfois, l'été, nous parcourons plus de vingt miles. Ce sera le cas aujourd'hui, car la route est bonne. Que fait votre père ?

Inutile de dévoiler son nom et sa condition, ils étaient déjà bien assez connus.

— Il est maçon.

— Vous aussi vous allez devenir maçon ?

La fillette avait la plus fraîche et la plus honnête des voix, malgré tous ses regards de côté, malgré les gestes à la fois ingénus et rusés avec lesquels elle cherchait à capter son attention. Et si ses lèvres formaient les circonvolutions de la rose qui va éclore, ses joues avaient la rondeur et la plénitude de la fleur épanouie. Harry baissa les yeux sur elle avec un sourire ébloui.

— Oh oui, dit-il. Sûrement ! C'est une excellente idée. Vous êtes une petite fille très intelligente.

— Voulez-vous jouer à la balle avec moi ? proposa-t-elle, encouragée par ce succès, en esquissant un geste d'invite, avec un petit pas de danse.

— J'aimerais beaucoup, mais j'ai quelques obligations à remplir avant de pouvoir jouer. J'aurai peut-être terminé avant votre départ.

— Alors vous allez revenir ? demanda-t-elle, le visage un peu assombri mais les yeux pleins d'espoir.

— Si je suis prêt à temps, oui.

Elle le regarda s'en aller, sourcils froncés, ses petites dents blanches mordillant le bout d'une de ses tresses noires. Elle leva le bras, sans détacher son regard de la silhouette de Harry qui s'éloignait, et laissa tomber par-dessus le hayon du chariot sa poupée, puis la balle. Ses jouets ne l'intéressaient plus du tout.

Harry entra dans l'hôpital et chercha frère Denis, qui se préparait à assister à la deuxième messe et au chapitre qui suivrait. Il l'aborda la tête basse, la mine affligée.

— Frère hospitalier, si Adam peut se lever et s'habiller, j'aimerais l'emmener avec moi à l'église après la messe. Cela ne vous dérange pas ? Je voudrais prier pour une issue heureuse à nos ennuis, dans le calme, pendant la réunion du chapitre, dit-il en baissant les yeux.

Si le spectacle de sa soumission leur procurait un instant de plaisir, qu'à cela ne tienne, et grand bien leur fasse ! Ils seraient plus enclins à le laisser tranquille pendant la demi-heure du chapitre, auquel assistaient tous les frères. Seuls les frères lais seraient susceptibles de remarquer leurs allées et venues.

Harry éprouva néanmoins un pincement de honte quand frère Denis, au lieu de lui assener ses recommandations, le prit affectueusement aux épaules et lui baisa le front.

— Dieu te bénisse, Harry. Moi aussi j'ai prié pour vous. N'aie crainte, tu trouveras le salut. Mais la chapelle de l'hôpital ne te suffit-elle pas ?

— Non. Je voudrais demander son intercession à la Sainte Vierge. Depuis que je lui ai donné mon ange, j'ai une tendresse particulière pour cet autel.

— Fort bien. Tu ne seras pas dérangé. J'en ferai part au père supérieur, cela lui réjouira le cœur. Ménage Adam, qu'il ne reste pas trop longtemps agenouillé. Ensuite il pourra s'asseoir au soleil dans le jardin.

Doux, attentionné, heureux, père de tant de fils adoptés, protecteur des jeunes écoliers pleurant à cause d'une rage de dents tout autant que des vieillards et des mourants retombés en enfance, frère Denis enveloppa d'un regard plein d'amour son royaume propre et nu avant de partir à la messe d'un pas affairé. Rien d'étonnant si les novices feignaient si souvent une maladie pour venir profiter de ses bons soins, et se reposer de la règle de fer du supérieur. Un très jeune garçon, qui se sentait seul et loin de chez lui, avait même mangé des baies nocives pour s'assurer un long séjour dans le havre bienveillant du frère hospitalier, et n'avait jamais regretté les souffrances que lui avait coûtées son geste. Une fois le malade rétabli, frère Denis avait veillé à ce qu'il ne soit pas sanctionné, bien que personne ne fût dupe : chacun savait en effet que la thèse de l'accident avancée par le vieux frère était une douce fiction. On racontait que frère Denis pleurait le départ de chacun de ses patients. En le regardant s'éloigner, Harry eut un pincement de tristesse et il se demanda si frère Denis pleurerait aussi son départ.

Adam, ses blessures pansées de frais et l'estomac repu, sifflotait sur son lit, le menton calé sur les deux poings pour offrir son visage au rai de soleil qui se frayait un passage par la fenêtre de la cellule. Ses orteils nus martelaient le matelas en rythme. La luminosité l'obligeait à fermer les yeux. Ses paupières alanguies, ses traits souriaient de contentement. Il n'avait plus peur, et les douleurs qui subsistaient lui étaient bien égales. Sa confiance en l'abbé était aussi absolue que celle de Harry une heure plus tôt.

Harry s'assit sur le bord de son lit.

— Lève-toi et habille-toi. Tu as la permission de frère Denis de venir avec moi à l'église après la messe pour prier pour notre salut.

Adam ouvrit un œil bleu étonné, et prépara une réponse désinvolte. Puis, très vite, il ouvrit le second œil pour examiner Harry plus attentivement, et comprit que l'heure n'était pas à la plaisanterie. Il se redressa, les gestes raides, et balança ses pieds vers le sol, tout en sondant le visage de Harry d'un regard vif et anxieux.

— Que s'est-il passé? Qu'a dit l'abbé? demanda-t-il à voix basse, pour le cas où l'un des frères infirmiers passerait à proximité.

— Tu le sauras plus tard. Vite! Je vais t'aider à t'habiller. Comment te sens-tu? Tu peux marcher sans trop de peine?

— Je me sens bien, juste un peu raide comme un vieillard. J'ai besoin d'exercice.

Adam se mit debout, à titre d'expérience, et passa la tête dans l'encolure de sa chemise. Harry la fit glisser avec précaution sur les entailles entrelacées, plissées, dont la pourpre sombre commençait à bleuir. Les plaies ouvertes cicatrisaient déjà, car il avait la peau propre comme une fleur, mais les plus graves étaient recouvertes d'une simple pellicule et ne se rouvriraient que trop aisément.

— Tu as mal? Beaucoup? Tu pourras tenir?

— Tenir, oui. Et très bien. J'ai été soigné pendant toute une journée et toute une nuit. Que demander de plus? Harry, si nous devons aller loin, n'oublie pas ta grande cape, ajouta Adam à mi-voix.

— Bonne idée.

Harry se réjouissait de leur complicité, qui donnait tant de poids aux mots et leur permettait d'en user avec économie.

— Je supporte encore mal le contact des vilaines étoffes rugueuses, dit Adam en souriant. Et puis il fait froid dans l'église quand on vient du soleil. Tu veux bien me prêter ta cape et me la mettre sur les épaules?

Harry roula leurs capuchons et la tunique d'Adam en un ballot très serré, qu'il glissa sous sa cotte large et fourra sous son aisselle, plaqué contre son flanc. Et c'est sur ce même bras qu'Adam s'appuya pour sortir et traverser lentement la grande cour jusqu'à l'église. La longue cape de Harry, trop épaisse pour être cachée de la même façon, flottait sur les épaules d'Adam, retenue au cou par une chaînette. Arrivé sous le porche, il s'en enveloppa. Ils entrèrent.

— Où allons-nous, pour de bon? demanda-t-il dans un murmure couvert par le dernier cantique de l'office.

— Loin d'ici. Ils veulent nous forcer à nous rendre.

— Le père supérieur? s'étonna Adam avec un hoquet incrédule.

— Il me l'a dit lui-même. Je dois m'agenouiller et me soumettre devant mon père, pour ton bien et le mien. Si je m'incline et implore son pardon, l'abbé intercédera en notre faveur.

— Du temps perdu! marmonna Adam en frissonnant, les pupilles dilatées par la pénombre de la nef.

— C'est aussi mon avis.

La messe s'achevait. Dans la partie de l'église réservée aux paroissiens, dans leur dos, les villageois se retirèrent en silence. Les frères sortirent en rang par la porte du cloître pour gagner la salle du chapitre. Les deux jeunes garçons restèrent à leur place, agenouillés côte à côte, jusqu'à ce que la porte du cloître se fût refermée sans bruit. Ils étaient seuls.

— Surveille la porte du parvis pour moi, souffla Harry en se levant d'un bond.

— Que vas-tu faire?

Adam alla se poster rapidement à côté d'un grand pilier rond près du porche. Harry était déjà devant les troncs des pauvres. Adam entendit le bois craquer et lui jeta un regard horrifié.

— Pour l'amour de Dieu, qu'est-ce que tu fais?

— Je récupère ce que je peux de mon bien.

La dague de Harry, identique à celle qu'Ebrard lui avait prise deux soirs plus tôt, fit levier sur le couvercle du tronc sans l'abîmer. Des piécettes tintèrent entre ses doigts.

— Je suis loin du compte. Voyons si l'autre peut mieux faire.

— Harry, c'est un sacrilège! s'exclama Adam, tremblant.

— Qu'il me poursuive pour ce larcin s'il en a envie, je l'accuserai du vol de mes chevaux. De quel droit les a-t-il confisqués? Je ne lui dois rien.

Harry glissa la lame sous le couvercle du deuxième tronc et le souleva habilement. Les joints s'écartèrent. Il vida la boîte et compta toutes les pièces avec soin, puis remit les couvercles en place, de façon que personne, passant par là, ne décèle rien d'anormal.

— Onze shillings et sept pence. Il est encore mon débiteur.

— Harry, un pauvre diable va être accusé et jeté en prison.

— Sûrement pas! protesta Harry, révolté par cette idée. Je vais laisser un message à messire l'abbé pour lui indiquer à qui il doit s'adresser s'il veut récupérer ses aumônes. Je ne laisserai personne payer à ma place.

Il prit le bras d'Adam et l'entraîna vers le cloître ouest. Dans l'une des alcôves qui bordaient le jardin intérieur, où le soleil brillait toute la matinée, ils trouveraient certainement quelque travail d'écriture délaissé, avec plume et encrier, attendant le retour du copiste à l'issue du chapitre. En fait il y avait trois écritoires vacantes. Harry choisit la feuille de parchemin la plus insignifiante qu'il pût trouver, déjà imparfaitement nettoyée d'un texte précédent, et écrivit à la hâte :

«A messire l'abbé Hugh de Lacy, respectueusement.

«Puisque Votre Seigneurie a jugé bon de confisquer mes chevaux, m'interdisant ainsi leur usage, moi qui en possède seul le droit, j'ai été contraint de m'octroyer un prêt de onze shillings et sept pence, que je reconnais par la présente. La somme est inférieure à la valeur de mes montures, que je suis forcé de vous laisser en gage. Je charge Votre Seigneurie de les bien soigner, car l'heure viendra où le prêt sera remboursé en totalité, et où les chevaux vous seront réclamés.

«Concernant la délicate question de propriété, que Votre Seigneurie veuille bien noter que ces chevaux sont indiscutablement les miens, non ceux de mon père, de mon frère ni de quiconque, et que s'ils devaient être remis à un autre que moi j'exigerais de vous leur paiement intégral.

«Que Votre Seigneurie demeure en bonne santé jusqu'à ce que ma dette et votre engagement soient liquidés, telle est la prière de votre très humble serviteur,

«Henry Talvace.»

— Ton insolence va le frapper comme la foudre, commenta Adam en lisant par-dessus son épaule, partagé entre l'épouvante et l'admiration.

— Je ne crois pas, dit Harry en se remémorant leur entrevue du matin. Assieds-toi au soleil et attends-moi. Je ne serai pas long. Et donne-moi ma cape.

Il roula l'étoffe sous son bras et rentra dans l'église en courant. Il glissa le parchemin dans un des troncs vides, puis gagna la chapelle de la Vierge.

Sur l'autel, la lampe éclairée par la petite flamme rouge colorait de la chaleur de la vie le visage de l'ange. Harry s'agenouilla sur les marches, les yeux levés sur l'ancienne vierge de pierre, dont les traits usés et le corps épais lui paraissaient encore empreints d'une beauté monumentale. Il avait parfois rêvé de s'asseoir sur ses vastes genoux pour être consolé de ses misères.

«Sainte Vierge, pardonne-moi de reprendre un cadeau, et sois assurée qu'il sera restitué un jour. Mais tu sais combien j'en ai besoin, puisque je n'ai pas d'autre ouvrage de ma main à montrer. Je l'emprunte seulement jusqu'à mon retour. Sainte Vierge, ne sois pas en colère contre moi. Aide-moi à en tirer parti.»

Le temps pressait. Harry gravit les quelques marches et s'empara de l'ange. Celui-ci pivota et l'enlaça de ses fragiles bras tendus. Harry l'enveloppa dans sa cape et partit en courant, l'ange tendrement serré sous son bras. Dès qu'il émergea dans le cloître, Adam se leva de son banc de pierre, nerveux, les yeux écarquillés.

— Qu'est-ce que c'est? Qu'as-tu fait? Tout ça va mal finir, Harry.

— Chut! Dépêche-toi! Je t'expliquerai plus tard.

Au moins, cette fois, Adam n'avait rien à se reprocher. Au pire, si les chariots étaient déjà partis et s'ils étaient capturés à nouveau, Harry était sûr de supporter seul les sanctions qu'il méritait. Autant être fouetté pour une chose qui en valait la peine. Cette fois il comprenait pleinement ses rapports avec la loi. Cette fois il ne se plaindrait pas si la loi exigeait de lui jusqu'au dernier denier de sa dette, puisqu'il l'avait contractée volontairement.

Les trois chariots étaient encore là lorsqu'ils sortirent discrètement du cloître pour rejoindre la grande cour, et l'on était juste en train d'atteler le premier. Harry se glissa dans l'embrasure profonde de la porte du réfectoire en tirant Adam derrière lui. Tapi dans l'ombre, il observa l'attelage que l'on faisait reculer avec des mots d'encouragement et autres claquements de langue. Tous les regards convergeaient vers les chevaux, même les domestiques et les chiens s'étaient regroupés pour assister à la manœuvre. Un grand et solide gaillard donnait des ordres à ses hommes d'une voix forte, vive et joyeuse, avec l'aisance d'une longue pratique. Le troisième chariot, tendu d'une bâche sur ses ballots de tissu, attendait près de l'entrée du réfectoire, son hayon ouvert à trois mètres de l'endroit où se tenaient les deux garçons, dissimulés par son volumineux chargement.

— Vite ! souffla Harry. Monte dans le chariot et cache-toi !

Sans même un regard étonné, Adam se hissa à l'arrière du véhicule et disparut sous la bâche, qui fut agitée un instant d'ondulations convulsives. Harry attendit sans bouger que la houle eût cessé, puis il leva l'ange emmailloté et le lâcha à l'intérieur du chariot, dans un angle. L'équipage des quatre chevaux était déjà attelé. Les animaux se jetèrent en avant dans leur harnais, tirant le premier chariot en direction du corps de garde, où il attendrait les suivants. La petite troupe d'archers et de palefreniers recula placidement pendant que l'on amenait le deuxième attelage. Harry profita de l'instant où les chevaux attiraient de nouveau tous les regards pour se hisser à son tour dans le chariot.

Il faisait chaud sous la grosse toile, cela sentait la fibre végétale, la laine tissée. Il tira l'ange avec lui à l'abri, écarta les ballots de tissu pour ménager un espace et y logea la statuette. Tout près de lui, le souffle court et douloureux, Adam remontait des ballots pour se creuser une place. Harry écarta le rouleau qui pesait sur les épaules de son frère de lait et l'attira doucement contre lui. Ils gisaient côte à côte, tremblants. Harry hissa les ballots sur leurs corps pantelants. Puis ils demeurèrent immobiles, transpirant, suffoquant, mais parfaitement dissimulés.

Quelque trois minutes plus tard, messire Eudo Talvace franchissait à cheval la porte du monastère, suivi par Ebrard et une escorte de quatre archers de Sleapford, et réclamait une audience immédiate auprès de messire l'abbé.

Le chapitre n'était pas encore terminé lorsqu'un domestique apporta la nouvelle au supérieur. Il ferma son livre, repoussa sa chaise, et réfléchit un moment. Il ne les attendait pas si tôt. Une chance qu'il se fût déjà entretenu avec le jeune garçon.

— Bien, dit-il enfin. Qu'on les introduise. Ensuite trouvez Harry et amenez-le-moi ici. Mais attention, Harry seulement ! Gardez l'autre hors de vue jusqu'à ce que je l'envoie chercher. Prévenez le frère hospitalier de ma décision, et conduisez Harry directement ici. C'est bien compris? Que personne ne pose la main sur lui.

— Bien, mon père.

Le frère lai se rendit tranquillement à l'hôpital, puis à l'église, tout aussi sereinement. Ne les trouvant pas non plus là-bas, il ne pensa pas à mal et retourna à l'hôpital pour le cas où ils seraient passés par les cloîtres. Les deux adolescents ne pouvaient être loin. Le frère savait, comme tout un chacun à présent, qu'un peu plus tôt dans la matinée le portier avait reçu l'ordre de les faire surveiller, de poster un domestique devant la grande porte de l'église, et de les ramener s'ils tentaient de partir. Il suffisait de les retrouver. Il alla du corps de garde au jardin, puis de nouveau à l'hôpital, et commença à presser le pas, en sueur, car l'abbé détestait attendre. Frère Denis le croisa à la porte, l'air anxieux, presque accusateur.

— Sa grande cape n'est plus là. Pourquoi avait-il besoin de sa cape? Que leur est-il arrivé?

Il était grand temps, cette fois, de signaler leur disparition. Frère Denis congédia le frère lai et porta le message lui-même. L'expression de son visage lorsqu'il entra dans le parloir de l'abbé, imposant le silence aux voix qui s'étaient élevées avec irritation un instant plus tôt, était un reproche adressé à tous. Vous les avez poussés à bout, tous autant que vous êtes, semblait s'indigner frère Denis, et vous devrez répondre des conséquences.

Mais il dit simplement :

— Je suis désolé de vous l'annoncer, mon père. Harry a disparu. On ne le trouve nulle part. Nous avons cherché partout. Les deux garçons sont partis.

— Partis? Comment peuvent-ils être partis? Les portes sont gardées.

L'abbé perdait son sang-froid, car messire Eudo n'était pas d'humeur à s'incliner devant quiconque, ni à traiter avec indulgence un garçon qui lui avait causé tant d'ennuis.

— En tout cas ils ne sont plus là. J'ai envoyé une demi-douzaine d'hommes le long de la rivière et au bassin, dit frère Denis avec une dureté qu'il n'avait jamais manifestée de toute sa vie d'homme bon et doux. Et j'ai fait demander aux meuniers de surveiller le bief du moulin.

— Epargnez-vous cette peine. Mon fils n'est pas près de se noyer, intervint Eudo, le visage violacé.

Sa colère même était à la mesure de son embarras. Ebrard n'était guère plus à l'aise.

— Ils se cachent quelque part, les gredins. Avec votre permission, Hugh, je les sortirai de leur trou en un rien de temps. Si les portes sont surveillées, ils ne doivent pas être loin.

— On les trouvera, dit l'abbé d'un ton morne. Comprenez-moi, Eudo : tant qu'ils sont dans cette enceinte, ils sont sous ma responsabilité. Nous les rendrons quand nous les aurons découverts, mais pas avant que nous ayons réfléchi, à tête reposée, à ce qu'il convient de faire d'eux. Etes-vous d'accord ? Bien. Prêtez-moi vos quatre archers, et vous, frère Denis, demandez à Edmund de choisir six hommes de confiance. Nous allons fouiller la place, maison par maison, de fond en comble.

— Et pour commencer, rugit Eudo dans le dos courroucé de frère Denis, fermez les portes et empêchez quiconque de sortir. Je ne tiens pas à ce que mon vaurien de fils m'échappe, faute d'avoir regardé sous un capuchon !

Il sortit à grands pas des appartements de l'abbé, tel un nuage d'orage, prêt à exploser, et se dirigea vers les portes pour s'assurer lui-même qu'elles étaient bien closes.

L'abbé le suivit, boitant plus bas que d'habitude, comme toujours quand il était en colère. Ce garçon était vraiment impossible. On ne pouvait pas l'aider. Qui pouvait imaginer quelle folie il allait maintenant commettre ?

Le vacarme, devant la porte, parvint jusque sous l'épais manteau d'étoffes à l'intérieur du chariot bâché. Harry tendait l'oreille, transpirant de peur, mais il ne distinguait rien sinon un filet d'air et de lumière qui filtrait à l'avant, entre les rouleaux de tissu. En rejetant la tête le plus loin possible, il apercevait, à travers cette mince ouverture, une découpe de ciel bleu en forme d'étoile, un coin du toit de l'aumônerie, et, enfin, le passage tout proche d'une forme sombre qui obscurcissait la lumière dorée. Quelqu'un se hissait sur le siège couvert de coussins, à l'avant du chariot.

Le reste lui parvint dans un brouhaha d'où se détachait le hurlement de son père exigeant la fermeture des portes. Entendre à nouveau cette voix tonitruante liquéfia littéralement Harry. Il était rongé par une terreur et un désespoir tels qu'il pouvait à peine remarquer autre chose. C'était une terreur d'un genre nouveau, non pas inspirée par le châtiment qui le menaçait, ni par celui qui pesait sur Adam, mais simplement la peur d'être ramené dans sa vie antérieure et enfermé dans ce cercle de pierre qui s'était brisé. Des larmes d'impuissance jaillirent de ses yeux.

— Des garçons ? s'écria la grosse voix qui avait guidé les chevaux. Vous ne trouverez aucun garçon avec nous, hormis ceux que vous voyez à cheval ici. Et attention, messeigneurs, à ne pas déranger ma petite fille, là-bas derrière, sinon vous aurez affaire à moi ! Hâtez-vous de regarder, puisque vous le devez. Perdez votre temps si ça vous chante, mais gardez-vous de perdre le mien. J'ai une longue route devant moi.

Messire Eudo, peu habitué à s'entendre interpeller sur ce ton, se rebiffa.

— L'étranger, vous ne savez sûrement pas qui je suis !

— Vous devez être messire Eudo Talvace. Ne craignez rien, votre réputation vous précède. J'exerce un commerce honorable et n'ai pas à me soucier de ce que vous êtes. Allez-y, fouillez le chariot et qu'on en finisse. Mais n'endommagez pas mes ballots de tissu, sinon vous m'en répondrez devant la justice.

Tout cela était dit avec une telle bonne humeur que l'effet n'en était que plus formidable. Néanmoins, dans son innocence, le drapier venait de jeter les deux garçons dans les flammes qu'ils avaient si désespérément cherché à fuir. Il ne s'en fallait plus maintenant que de quelques minutes avant qu'ils soient traînés à l'air libre comme des blaireaux hors de leur trou.

L'ombre passait devant le rai de lumière, encore et encore, semblant étouffer le son autant que la vue, tant et si bien que les voix stridentes, le piétinement des sabots, le cliquetis des archers qui grimpaient sur les moyeux du premier chariot étaient interrompus par intermittence. Harry allongea le cou et entrevit quelque chose de rond et de coloré qui dansait en l'air, puis deux petites mains qui se levaient pour l'attraper, et le lancer à nouveau.

— Il n'y a rien ici, messire Eudo...

— Ne vous ai-je point dit que vous perdiez votre temps ? Je n'ai pas de fuyards dans mes chariots. Nous venons de les charger, nous les aurions vus.

— Vérifiez les autres ! Je ne doute pas de votre parole, marchand. Mais, avec votre permission...

Harry approcha ses lèvres tremblantes aussi près qu'il le put de l'ouverture et murmura d'une voix rauque :

— Demoiselle !

Elle sursauta et lança de travers la balle, qui tomba derrière le siège et roula entre les rouleaux de tissu. En voulant la récupérer, elle la poussa plus loin, et la balle se faufila dans l'interstice, près du visage de Harry. La fillette toucha une joue chaude, frémissante, et poussa un petit cri à peine audible. Elle aurait retiré sa main si Harry ne lui avait fermement saisi le poignet. Il vit ses grands yeux noirs, ronds comme des lunes, surpris et farouches, ses lèvres tendres, entrouvertes, il vit son visage s'épanouir dans les ténèbres suffocantes. Et elle, penchée pour mieux voir, aperçut des joues échauffées, des lèvres perlées de sueur, des yeux bleu-vert inquiets qui imploraient son silence et sa pitié. Elle le reconnut. Elle resta penchée un instant au-dessus de lui, le souffle coupé, et, mû par un instinct plus cruellement rusé qu'il n'en avait conscience, Harry pressa la petite main contre ses lèvres.

Elle se figea un moment puis retira sa main et, posant un doigt sur ses lèvres, lui intima de rester tranquille. Ses yeux pétillaient, sa bouche étonnée s'était fermée dans une moue résolue. Un dernier regard de conspiratrice, vibrant d'excitation, et elle poussa ses coussins sur l'ouverture qui laissait filtrer la lumière au-dessus d'eux. Ensuite elle rajusta la bâche qui les recouvrait. Dessus, elle étala la peau de bête sur laquelle elle était assise pour faire un lit à sa poupée, et elle ôta le carré de lin blanc qu'elle portait en guimpe pour faire un couvre-lit. Lorsque les archers approchèrent du troisième chariot, la fillette était perchée sur les ballots de tissu, ses jupes largement étalées autour d'elle, et elle cajolait sa poupée d'une petite main potelée, en chantant une berceuse à voix basse.

— Avec votre permission, petite maîtresse… dit un des archers avec un sourire.

Il posa le pied sur le moyeu de la roue pour plonger le bras entre les rouleaux de tissu placés à l'arrière.

Elle s'arrêta de chanter et le considéra de ses grands yeux, défendant sa place comme une princesse outragée, un bras protecteur au-dessus de sa poupée.

— Que voulez-vous ? Vous ne devez pas monter ici. Vous faites trop de bruit.

— Il y a longtemps que tu es là, petite ? demanda gentiment l'archer. As-tu aperçu les deux garçons que nous recherchons ? Tu le dirais à ton père, pas vrai, si un étranger essayait de grimper dans ton chariot ?

— Oh oui ! répondit-elle avec un regard méfiant, en s'asseyant bien droite. Et je le ferai si vous ne partez pas. Je n'ai vu aucun garçon. Personne ne m'a importunée jusqu'à maintenant, sinon j'aurais appelé mon père. Je ne laisse personne toucher à nos affaires. Je suis responsable de ce chariot.

Elle avança la lèvre inférieure, et lorsque le second archer passa une jambe par-dessus le chariot pour sonder plus avant entre les balles, elle ouvrit sa bouche fraîche et poussa un cri indigné.

— Père ! Ils essaient de voler nos étoffes ! Père !

La main tâtonnante toucha la manche de Harry, mais un tissu est un tissu, et la main ne s'attendait pas à autre chose. L'instant d'après, l'homme avait vivement reculé devant la fureur possessive de l'enfant, et le marchand arrivait d'un pas décidé pour voir ce qui offensait sa fille.

— Oh, laisse tomber, dit le premier archer en sautant à terre. Comment pourraient-ils être là, avec un pareil petit démon pour défendre son chariot ? Elle aurait ameuté toute la maisonnée s'ils avaient posé un doigt sur ses rouleaux de tissu !

Les voix s'éloignèrent. Harry et Adam entendirent le rire tonitruant et chaleureux du marchand.

— Voilà bien ma petite fille ! Et maintenant que vous êtes assurés que nous ne cachons pas vos fuyards, messeigneurs, nous allons nous mettre en route.

La voix de Hugh de Lacy, claire et nerveuse, lança :

— Ouvrez la porte !

Les sabots cliquetèrent sur les pavés, les roues grincèrent en s'ébranlant. Bientôt, au tangage des chariots dans un grand virage à droite, ils devinèrent qu'ils avaient franchi la porte et roulaient sur la route.

5

Un rai de ciel d'été pénétra dans la touffeur accablante de leurs ténèbres.

— Eh! souffla la petite voix. Maintenant vous pouvez sortir de sous les ballots. Mais restez sous la bâche, pour le cas où quelqu'un jetterait un coup d'œil au chariot. Je vous préviendrai en cas de danger.

La fillette avait repris sa place avec sa poupée à l'avant du chariot, une fois à bonne distance de la porte du monastère. Le dernier angle du mur d'enceinte était désormais loin derrière eux, et la haute silhouette de Shrewsbury, colline coiffée d'une couronne et cernée de douves argentées, se tassait peu à peu dans la verte cuvette des prairies inondables.

Ils émergèrent avec plaisir de leur berceau suffocant au creux des ballots de laine, et s'allongèrent dessus, pantelants, baignés de sueur, encore tremblants. Harry souleva la bâche à bout de bras pour aider Adam à trouver une position confortable, puis s'étendit à côté de lui. Deux ou trois plaies s'étaient rouvertes dans son dos, tachant sa chemise de fines traces de sang. Le regard pétillant et intelligent de la petite fille ne perdit rien de leurs laborieux mouvements, ni de la sollicitude de Harry.

— Il est blessé! s'indigna-t-elle. Qui l'a battu? C'est pour ça que vous vous cachiez de ce vieil homme coléreux? ajouta-t-elle en ouvrant de grands yeux, sans attendre la réponse. Pourtant il paraît qu'il est le père de l'un de vous!

— Le mien, reconnut Harry en essuyant son visage poisseux de transpiration et en aspirant des bouffées d'air vif et pur.

— Et mon seigneur, précisa Adam, dont le corps se laissait mollement aller, rassuré.

Par l'ouverture cintrée du chariot, ils observèrent prudemment le balancement des croupes des chevaux et les roues grinçantes du chariot qui les devançait. Deux hommes marchaient avec l'attelage. La longue lanière souple d'un fouet oscillait en l'air, au-dessus de l'épaule de l'un d'eux. Quatre autres, à cheval, cheminaient sans hâte à côté du convoi, prêts à piquer des deux vers l'arrière ou l'avant en cas de besoin. Le marchand allait en tête. Ils entrevoyaient la plume de son chapeau qui dansait à côté du premier chariot.

— Moi, jamais je ne fuirais mon père, dit la petite en examinant les deux garçons avec la même ardeur que celle qu'ils mettaient à étudier le monde de liberté et de merveilles qui s'ouvrait devant eux. Vous avez dû faire quelque chose de très mal pour qu'il soit dans une si grosse colère.

Ses grands yeux brillaient d'une curiosité avide, mais elle se refusait à les questionner. Elle méritait leur confiance et attendait qu'ils la lui prouvent.

— Sur mon honneur, dit Harry, nous n'avons commis aucun acte qui puisse vous faire regretter d'avoir favorisé notre évasion. D'ailleurs, nous ne vous avons pas encore remerciée, et il n'y a pas assez de mots pour le faire comme il convient. Si vous n'étiez pas la petite fille la plus audacieuse et la plus vive qui soit sur terre, nous aurions été à coup sûr arrachés de notre cachette et ramenés de force à Sleapford pour y subir un jugement plus cruel encore que le précédent. Adam y aurait laissé sa main, et j'aurais été enfermé, battu et privé de nourriture jusqu'à ce que je crie grâce. Jeune damoiselle, mon nom est Harry Talvace et je serai votre dévoué serviteur tant que je vivrai. Il en va de même pour Adam. Adam Boteler, mon frère de lait. Et vous, nous tairez-vous votre nom ?

— Gilleis Otley. Mon père, Nicholas Otley, est échevin de la cité de Londres, précisa-t-elle avec une fierté ostentatoire.

— Eh bien, demoiselle Gilleis, vous avez plus que quiconque le droit de connaître nos méfaits et de juger par vous-même si vous devez vous repentir de nous avoir aidés.

Harry étira confortablement ses bras sur les balles de laine, la joue posée dessus, puis, à voix basse pour le cas où l'escorte passerait trop près, il lui conta toute l'histoire, jusqu'à leur entrevue secrète avec Stephen Mortmain à Hunyate.

— Seigneur! sursauta Adam en redressant la tête à cette évocation. J'étais tellement préoccupé par mon propre sort que je les avais oubliés. Une chose est sûre, en tout cas, c'est que avons permis à Stephen et à Hawis de filer hors du comté en toute sécurité. Avec tout le remue-ménage qu'il y a eu autour de nous, ils auraient pu s'épouser et quitter Sleapford en plein jour sans qu'on les remarque. Tout le monde était sur nos talons. Personne ne s'intéressera à eux tant qu'on nous recherchera.

— C'est aussi mon avis. Stephen et Hawis sont à l'abri, à l'heure qu'il est. Au moins nos peines n'auront pas été vaines.

— J'aurais quand même préféré m'en tirer à meilleur compte, reconnut Adam avec un sourire attristé. Mais je ne leur en veux pas de m'avoir coûté quelques lambeaux de peau.

Sa morosité s'envola avant même que Shrewsbury fût hors de vue. Il regarda les larges bordures verdoyantes de la route, sur laquelle les empreintes des sabots formaient des taches d'un vert plus sombre dans la rosée qui commençait à sécher, la masse du Wrekin qui s'étirait dans le ciel comme un animal endormi au soleil, et il se mit à siffloter doucement, signe manifeste de son bien-être.

Harry reprit son récit là où il l'avait interrompu. Ce fut seulement en arrivant à l'épisode des troncs des pauvres qu'il hésita. Il n'en avait pas honte, mais son larcin pouvait réveiller des scrupules superstitieux chez la petite fille; or il ne voulait ni l'offenser ni se porter préjudice à lui-même. Il lui était facile d'omettre cet aveu et de dire simplement qu'ils étaient passés par l'église et les cloîtres pour accéder discrètement aux chariots. Ce fut la version qu'il choisit et ses joues se colorèrent sous le regard brillant et perspicace de la fillette.

— Moi aussi, je me serais enfuie! s'écria cette dernière en frissonnant, les yeux baissés sur sa petite main d'enfant. Il me faisait peur, ce vieil homme, avec sa grosse voix. S'il était venu fouiller mon chariot, j'aurais hurlé. Il a été très méchant avec vous.

Maintenant que sa terreur de l'échec et de la capture s'était dissipée — quelque peu prématurément —, Harry éprouvait le désir fugace de défendre son père. Après tout, il fallait rendre justice à ceux qui défendaient la loi comme à ceux qui la transgressaient, fût-ce par accident.

— Père serait atterré de vous entendre. Il ne pense pas à mal mais il a un caractère bouillant. Et il s'est échiné pour me persuader que la loi est de son côté. La loi ! Je suis heureux d'en être débarrassé, croyez-moi.

— Qu'allez-vous faire, maintenant ? s'enquit Gilleis, l'esprit pratique.

— D'abord, mettre la plus grande distance possible entre nous et Sleapford. Ensuite, trouver du travail chez un maçon pour continuer d'apprendre notre métier. Nous sommes déjà bien formés, car nous aidons le père d'Adam depuis que nous sommes en âge de tenir un outil. Nous ne serons pas une charge pour un patron. En travaillant dans un bourg franc pendant un an et un jour, Adam sera libre. Ensuite, mon père ne pourra plus l'obliger à revenir, même s'il le retrouve.

— Le mieux pour vous serait de venir à Londres avec nous, dit la fillette en tirant sur ses épaisses nattes de cheveux noirs. Londres est une cachette idéale parce que c'est la ville la plus grande et la plus animée du pays et que les bons artisans y sont recherchés.

Harry et Adam reposaient côte à côte, la toile retroussée jusqu'aux épaules, surveillant le ruban poussiéreux et droit de la route par-dessus la barrière de coussins. Ils se sentaient légers comme l'air, débarrassés du poids de la vie dont ils s'étaient dépouillés. La tour carrée et trapue de l'église d'Atcham leur apparut au milieu des toits bas du village agglutiné alentour. Au-delà, dans le ciel bleu pâle qui accompagnait la route, d'autres perspectives s'offraient à eux, et, tout au bout, telle une émanation de leurs rêves, la fabuleuse cité, avec la grande tour du roi Guillaume à son extrémité est, les deux solides forteresses de Baynard et de Montfichet à l'ouest, et, s'étirant au milieu, les murailles de Londres, percées de sept doubles portes et de tours sur la façade nord. Ils voyaient la Tamise, grouillante de navires, les faubourgs en plein essor qui débordaient à l'extérieur des murs en parcs et jardins d'agrément, jusqu'au palais royal de Westminster, sur la rive du fleuve. Ils voyaient une ville vaste et puissante, enracinée comme un arbre et bourgeonnant à profusion, à longueur d'année, de maisons neuves, d'églises, d'échoppes et de manoirs, pour ses habitants de plus en plus nombreux. Quel meilleur endroit pour un maçon ?

— Nous avons de l'argent, reprit Harry. Oh, pas une grosse somme, mais suffisamment pour payer notre voyage. Si nous pouvions nous livrer à votre père ce soir et lui demander de nous laisser l'accompagner dans le Sud, croyez-vous qu'il consentirait ?

Nous pourrions travailler à son service. Nous savons soigner les chevaux, et nous sommes forts.

Gilleis secoua la tête catégoriquement.

— Pas ce soir. C'est trop tôt. Vous risqueriez d'être renvoyés d'où vous venez. Je vais vous expliquer quoi faire. C'est très simple. Cette nuit, nous nous arrêterons à la maison des hôtes de l'abbaye de Lilleshal, à Dunnington. C'est trop près de Shrewsbury, l'abbé pourrait avoir eu vent de votre fuite. Mais je vous apporterai à manger et vous dormirez dans les bois. Bien sûr, vous pourriez dormir ici, dans le chariot, car on ne le déchargera pas et on ne vendra rien avant St Albans. Mais si jamais ils vous envoyaient chercher...

— C'est juste, approuva Harry. Nous sommes trop près de chez nous pour prendre des risques. Les bois nous conviendront très bien.

— Mais demain, vous nous rejoindrez, n'est-ce pas? poursuivit Gilleis avec anxiété. Je vous guetterai. Je vous aiderai. Ce soir, je vous montrerai où attendre les chariots. Dans les bois, juste après Dunnington. Demain soir, nous dormirons à Lichfield. Je crois que vous pourrez alors rencontrer mon père sans courir de danger. Inutile de lui dire qui vous êtes. Vous irez le trouver dans la soirée, comme si vous étiez des garçons du village, et vous lui expliquerez que vous voulez aller à Londres chercher du travail. Mieux vaudrait prendre un autre nom.

Gilleis recula un peu, envahie par un doute soudain lorsqu'elle vit le regard des deux garçons posé sur elle, puis leur coup d'œil complice et leurs joues frémissantes d'une hilarité irrépressible. Ce rire exprimait en partie leur joie d'être libres et en route vers une vie nouvelle, mais plus encore leur ravissement étonné devant la ruse effrontée de cette toute jeune fille. Les joues rouges, mortifiée, offensée, les lèvres tremblantes, Gilleis lança :

— Pourquoi riez-vous? Qu'est-ce que j'ai dit?

— Oh, Gilleis, Gilleis. Quel âge avez-vous? demanda Harry en pouffant de rire.

— Dix ans. Presque onze, répondit-elle, le dos raidi, les lèvres tendues dans une moue pour masquer son dépit.

— Et où avez-vous appris à devenir aussi rusée qu'une renarde en dix courtes années? Etes-vous une conspiratrice accomplie? Trompez-vous souvent votre père?

— Je vois qu'en ville on apprend toutes les astuces, plaisanta

Adam à l'abri de ses bras. Chez nous, nous ne sommes que des nigauds comparés à elle.

Un bruit étouffé fit dresser la tête de Harry et balaya son sourire. Gilleis leur avait tourné le dos, les mains crispées sur le bord du chariot, ses deux courtes tresses noires rebiquant d'un air pitoyable de chaque côté de sa nuque tendre et pâle, à la courbe délicate. Sous la cotte bleue et le bliaud à fleurs, les frêles épaules outragées se soulevaient en silence.

— Gilleis!

Harry fut soudain submergé de honte et de désarroi. Elle ne réagit pas. Oubliant toute prudence, il rampa pour passer le bras par-dessus la barrière de coussins, lui prendre l'épaule et essayer de la tourner vers lui.

— Je suis un scélérat et un impoli. Je mériterais une bonne gifle. Dieu me pardonne de m'être moqué de toi, mais ce n'était pas une si grande offense. Tu ne veux plus me regarder? J'ai honte. Pardonne-moi, je t'en prie.

Elle le repoussa farouchement d'un geste brusque des épaules et continua de sangloter à l'abri de ses bras.

— Laissez-moi! Je ne vous aime pas!

— Tu as bien raison. D'ailleurs je ne m'aime pas moi-même. J'ai beaucoup à apprendre.

— Je voulais vous aider! hoqueta Gilleis. Je ne trompe pas mon père! Jamais, jamais, jamais! C'est à cause de vous que j'ai menti, je serai damnée pour ça, et tout ce que vous savez faire, c'est rire de moi. Je n'ai jamais fait de telles choses avant. C'était uniquement pour vous.

— Je ne le mérite pas. Ni Adam ni moi ne méritons les soucis que nous te causons. Mais je t'assure que personne n'aurait le cœur de te damner, même si tu disais plus de mensonges qu'il n'y a de brins d'herbe dans une prairie. D'ailleurs tu n'as pas menti! Tu as dit que personne ne t'avait ennuyée. C'est vrai. Tu as dit que tu appellerais ton père si tu voyais quelqu'un monter dans le chariot. Tu l'aurais fait, mais tu ne nous as pas vus monter. Alors, où est le mensonge?

— Tu dis que tu as beaucoup à apprendre? murmura Adam, encore secoué de rires. Tu apprends vite!

Gilleis avait cessé de pleurer et l'écoutait avec attention, mais refusait encore de le regarder. Harry essaya de la faire pivoter et elle résista obstinément, le visage toujours enfoui.

— Si tu refuses de me pardonner, appelle les archers et qu'on me renvoie à Shrewsbury. Ou bien dois-je me rendre moi-même, pour te prouver combien je regrette ma grossièreté?

— Il n'y a pas de doute, souffla Adam d'un ton admiratif, pour la ruse vous êtes des maîtres tous les deux.

Mais Adam pouvait ironiser à loisir, ce n'était pas lui que Gilleis écoutait. Elle n'entendit que la proposition retorse de Harry. Elle se retourna, le regard étincelant, et, les mâchoires serrées de rage, elle le frappa de son poing fermé.

— Baissez-vous! Cachez-vous, vite! Le pont!

Harry la lâcha et recula docilement à l'abri. Gilleis continua de le bourrer de coups de poing vengeurs jusqu'à ce qu'il eût tiré la toile sur sa tête. Elle prenait plaisir à le battre parce qu'il l'avait blessée et qu'elle était déjà assez femme pour vouloir le punir, mais jamais elle ne l'aurait dénoncé ni exposé à des mauvais traitements autres que les siens.

Dans son empressement à lui complaire, Harry avait oublié la traversée de la rivière à Atcham. Le chariot de tête bringuebalait pesamment sur les arches inachevées du pont, où le pontonnier de l'abbé de Lilleshall montait la garde pour percevoir les péages. Il y avait toujours des passants qui s'attardaient là pour discuter, et toujours des querelles sur la taxe levée sur les chariots chargés. Les redevances perçues par l'abbé étaient un constant motif de grief de la part des villageois et de la plupart des voyageurs réguliers. L'abbé, pour sa part, affirmait que le péage ne lui profitait guère et servait seulement à financer la finition du pont. Les plaignants, eux, observaient que la dernière arche était un simple échafaudage provisoire de bois auquel aucun ouvrier n'avait travaillé depuis au moins un an, alors que tous les chariots chargés qui l'avaient franchi depuis lors avaient dûment payé leur shilling, et tous les chariots vides leur demi-shilling. Ils affirmaient que le péage servait à construire les superbes annexes de l'abbaye de Lilleshall plutôt que le pont. Mais que pouvait-on attendre de ces étrangers de Dorchester?

Dans l'obscurité de leur cachette, les jeunes garçons tendaient l'oreille aux moindres bruits de la traversée du pont : le tintement différent des roues passant de la terre ferme à la première arche de pierre, le son creux en dessous, le clapotis de l'eau, très basse en été, contre les piles du pont, puis l'arrêt, qui leur parut interminable car la peur leur coupait la respiration. Les chevaux piétinaient, secouaient la tête pour chasser les mouches, des voix enjouées troquaient les habituels commérages du marché de

Shrewsbury contre les nouvelles fraîches de la circulation sur la grand-route, la monnaie changeait de mains. Les palefreniers claquèrent de la langue, les sabots martelèrent le bois qui rendit un son creux, puis mordirent de nouveau la poussière de la route. Ils étaient passés. Bientôt, la longue, rectiligne et impétueuse voie tracée par les Romains s'ouvrit devant eux.

— Gilleis !

Harry souleva la toile et sortit la tête.

— Pas encore, souffla-t-elle entre ses dents.

Et elle lui assena un coup sur le crâne, suffisamment rude pour qu'il comprît qu'elle était encore en colère. Mais il saisit le petit poing avant qu'il se retire et l'attira sous la bâche. Très vite les doigts crispés se détendirent et s'abandonnèrent aux siens avec confiance. Harry roula sur le dos et, souriant, pressa la main de Gilleis contre sa joue.

Nicholas Otley se prélassait à table devant sa bière après un bon dîner dans sa petite chambre d'hôte lorsque les jeunes gens vinrent se présenter à lui, chapeau à la main, sur leur demande. Ce fut Adam qui parla, étant le mieux placé pour défendre sa filiation et sa formation de maçon. Il lui suffisait de nommer un village de la région, de se souvenir que son nom de famille était Lestrange et non Boteler. Pour le reste, il n'avait nul besoin de surveiller ses paroles. Il énuméra en bafouillant les qualités héritées de son père et les modestes travaux dans lesquels il l'avait secondé au village. Outre sa séduction naturelle, Adam était le plus grand des deux et paraissait l'aîné, alors qu'ils n'avaient qu'un jour de différence. Entre frères, c'est le plus âgé qui prend parole.

— Mon frère Harry est un très bon tailleur, sur bois comme sur pierre. Bien meilleur que moi. Nous avons le projet de nous rendre à Londres pour continuer d'apprendre notre métier. Si vous acceptez de nous emmener avec vous, nous vous serons grandement reconnaissants. Nous travaillerons avec joie, si vous avez des tâches à nous confier. Et si vous n'avez pas besoin de nous, nous vous paierons votre protection. C'est un long voyage et on dit que les routes ne sont pas sûres, même la grand-route du roi. Nous ne sommes jamais allés aussi loin que Londres.

Le marchand les observait de ses yeux noirs pleins de gaieté, très semblables à ceux de sa fille. Approchant la cinquantaine, c'était un homme de haute stature et d'une vigueur telle que chaque mouvement de tête ou changement d'expression évoquait la vivacité d'un oiseau. Il lissa sa barbe brune bien taillée et étira ses longues jambes. Gilleis, qui s'était entendu répéter deux fois d'aller se coucher, se tenait à côté de lui, un bras autour de son cou. Il sourit sans la regarder et lui encercla la taille d'un bras pour l'attirer contre lui. Elle était son unique enfant, sa femme étant morte en la mettant au monde.

— Ma chérie, ne t'ai-je pas dit d'aller au lit? C'est une affaire d'hommes que nous avons à traiter, et il est temps pour les enfants d'aller se coucher.

Mais Gilleis se serra contre lui, sans ébaucher le moindre geste de partir.

— Dis-moi, mon pigeon, que penses-tu de ces deux garçons? Doivent-ils nous accompagner à Londres?

— Si cela vous agrée, père, répondit-elle avec modestie, en regardant Harry et Adam comme si elle les voyait pour la première fois et, très habile, s'attardant plus longuement sur Adam. Cela semble une bonne idée de vouloir aller à Londres.

Il éclata de rire et la serra contre lui, car elle répétait ses propres paroles et ils savaient l'un comme l'autre qu'il n'aimait rien tant que cela.

— Je constate qu'ils ne te déplaisent pas. Approchez, garçons. Laissez-moi vous regarder. Frères, dites-vous? Toi l'aîné... Quel est ton nom déjà... Adam?

Adam acquiesça, poussant leur différence d'âge à une année.

— Et lequel de vous tient de sa mère? Je n'ai jamais vu frères si dissemblables.

— Mère est blonde, intervint Harry, sans mentir.

— Et ton père?

Le sourire du marchand s'était durci, la gaieté de son regard estompée. Harry regrettait d'avoir ouvert la bouche.

— Père est mort, répondit-il, un tout petit peu trop vite, en pâlissant de ses propres paroles.

— Une perte bien soudaine! Il m'a paru bien vivant, à moi, hier... à l'abbaye de Shrewsbury.

Ils le contemplèrent, l'œil fixe, une expression de totale incompréhension sur le visage, les sourcils froncés comme s'ils cherchaient à deviner le sens de son propos, mais tremblant intérieurement.

— Je ne comprends pas, messire Otley, commença lentement Adam.

— Tu comprends parfaitement, jeune homme. Ne me mens jamais. Je flaire le mensonge. Approche !

Adam obéit, hésitant. Le marchand abattit une de ses grandes mains sur son épaule et, très vite, lui frotta le dos de ses doigts durs. Adam sursauta, le souffle coupé, et recula pour échapper à la douleur. Otley déplaça sa prise sur le bras d'Adam et l'écarta doucement de lui.

— Pardonne-moi, Adam, c'était une méchante ruse. Mais avant de mentir à un homme qui a de la jugeote, tu ne dois pas oublier que tu portes des marques encore visibles. Tous ceux qui viennent de Shrewsbury connaissent votre histoire et il n'est pas difficile de savoir d'où vient votre nom, jeunes Lestrange !

Otley parlait d'une voix cassante mais dénuée de colère, et il examina avec attention les deux adolescents qui commençaient à reprendre courage.

— Ne lui faites pas mal, intervint Gilleis d'un ton de reproche. Je ne crois pas qu'ils soient de méchants garçons.

— Je ne lui ferai pas mal, mon pigeon, ne crains rien. Je voulais seulement la réponse à une question, et je l'ai. Quant à toi, mon petit oiseau, va vite te coucher et laisse-moi régler cette affaire à ma façon. Cette fois je ne plaisante pas. Au trot !

Il la fit pivoter et la poussa doucement vers la porte, avec une petite tape sur le derrière. Ou bien Gilleis identifiait le troisième avertissement comme décisif, ou bien elle avait perçu dans la voix de son père une inflexion rassurante lui indiquant que sa présence n'était plus nécessaire. Quoi qu'il en soit, elle partit réellement au trot, avec un dernier sourire en coin vers les jeunes garçons silencieux, et disparut derrière la porte.

— Bon ! Maintenant que nous sommes débarrassés des femmes, venez vous asseoir près de moi et contez-moi tout depuis le début. Qui vous êtes et ce que vous attendez de moi. Vous êtes venus à l'auberge pour me voir. Me voici. Soyez clairs.

Ils lui expliquèrent tout ce qu'ils avaient déjà confié à sa fille. Comment agir autrement avec un tel homme ? Toutefois une difficulté se dressait devant eux : ils ne pouvaient conclure leur récit qu'au moment où ils étaient encore captifs dans l'enceinte de l'abbaye, car ils ne voulaient pas impliquer Gilleis, et il eût été de mauvaise politique d'avouer qu'ils avaient utilisé l'autorité naturelle du marchand pour couvrir leur fuite, même sans la complicité de sa fille. Les hommes qui ont l'expérience du monde et ont une bonne opinion d'eux-mêmes n'apprécient guère d'être dupés.

— Nous nous sommes débrouillés pour filer et vous suivre jusqu'ici, expliqua Adam en évitant l'obstacle avec audace. Et si vous nous laissez profiter de votre compagnie jusqu'à Londres, vous découvrirez par vous-même que nos intentions sont honnêtes.

Ils attendirent en retenant leur respiration qu'Otley cherchât à éclaircir ce qui devait forcément éveiller sa curiosité, mais il observa un silence songeur pendant un moment en les examinant l'un après l'autre, un léger pli au coin de sa bouche enfouie dans la barbe brune, une lueur paisible dans le regard. Sa réflexion terminée, Nicholas Otley reprit la parole avec gravité.

— Je suis échevin à Londres, et je siège chaque lundi à la Haute Cour pour assister aux procès. Etant homme de loi, je suis lié par les jugements de la cour au même titre que messire l'abbé. Mais aucun tribunal n'a rendu de jugement, pas même la cour manoriale de Tourneur, et selon moi sa décision ne lie personne. C'est le jugement d'un seul homme, qui se trouve être le plaignant. Je ne doute pas qu'il ait voulu faire preuve d'une indulgence sévère, dépourvue de méchanceté, mais pour moi ce n'est pas de la bonne justice. Aucune accusation n'a été portée contre vous. Personne, sauf le père de l'un de vous et seigneur de l'autre, n'a le droit de vous poursuivre, et la loi ne m'oblige pas à le soutenir dans son entreprise. Soyez reconnaissants de n'être pas tombés sur quelque personnage de la noblesse, jeunes gens. Si j'étais un de ces chevaliers, je vous renverrais aussitôt à votre destin. Les nobles se soutiennent entre eux. Moi je suis drapier, né pour le négoce et fier de l'être, et je connais trop la valeur d'une main pour vouloir la trancher et la mutiler comme un apprenti boucher. Garde tes deux mains, avec ma bénédiction, et fais-en bon usage, Adam. Le monde n'en sera que plus riche.

Otley s'était levé et arpentait la pièce à longues enjambées vigoureuses. Il s'arrêta devant Harry et le toisa de la tête aux pieds.

— Quant à toi, jeune rejeton de bonne famille, tu me plais d'avoir soutenu ton ami avec tant de fermeté. Et encore plus d'avoir trouvé le courage de te mettre à un métier et de t'y tenir, si toutefois tu comptes l'exercer sérieusement. As-tu vraiment cette intention ? Es-tu habile ?

— Oui, monsieur. Tout ce qu'Adam vous a dit tout à l'heure est la vérité, sinon que je suis seulement son frère de lait. Sa mère nous a nourris ensemble, et son père nous a enseigné son métier. Je sais tenir un maillet, un poinçon et un ciseau depuis l'âge de huit ou neuf ans. Il est vrai que, à Sleapford, nous n'avons eu que peu d'occasions de sculpter, mais nous avons travaillé à l'établi et taillé la pierre, nous avons aidé à bâtir des murs, des postes de garde, tout ce que nécessitait le domaine. Ensuite, à Shrewsbury, nous nous sommes liés d'amitié avec maître Robert, le maçon chargé de l'église, et quand nous lui avons montré ce dont nous étions capables, il nous a laissés travailler sous ses ordres. Vous avons participé à la sculpture du jubé, et j'ai aussi exécuté deux chapiteaux pour la chapelle de l'hôpital.

Harry se leva, emporté par son ardeur, un peu inquiet de son imprudence à se mettre aussi totalement à la discrétion du marchand, mais incapable de se retenir.

— Je suis parti avec un de mes ouvrages pour montrer mon savoir-faire. Nous n'avons pu emporter aucun de ceux d'Adam, mais je vous donne ma parole que son travail vaut le mien, car nous avons tout appris ensemble. Puis-je vous le montrer ?

— D'accord, voyons de quoi tu es capable.

Harry traversa en courant la cour d'écurie et sortit tendrement l'ange en bois de sa cachette. Il le rapporta et le posa sur la table. Deux jours et une nuit dans le chariot n'avaient en rien terni son éclat. Ses cheveux d'or flottant au vent, ses ailes radieuses cambrées et vibrantes, il éclairait la table comme un faisceau de lumière de source indéfinie. Autour de lui, le silence de la chambre carillonnait comme une cloche d'or. Peu lui importait d'incliner la tête et de déployer ses bras délicats devant un marchand de Londres.

Otley poussa une exclamation de surprise et de ravissement, et tendit les mains vers l'objet étincelant.

— C'est véritablement ton ouvrage ? Pas une copie d'un chef-d'œuvre connu ? Je peux ? demanda Otley en prenant l'ange pour le faire tourner entre ses mains, émerveillé par le visage mince et fier. Il possède un ciselé auquel je ne m'attendais pas. Plus d'une église et plus d'une abbaye seraient ravies de l'acquérir, tu peux me croire. Es-tu sincère, mon garçon ? Ton maître n'y a pas mis la main ?

— Je l'ai fait moi-même, et seul. De tous mes travaux, c'est celui que je préfère. Croyez-vous qu'il me servira auprès d'un maître ? Ce n'est que du bois, mais je ne pouvais pas emporter une pierre, et je n'ai aucune ébauche. J'ai beaucoup à apprendre dans la taille de la pierre, mais j'apprendrai. Je le peux et je le veux.

— Le désir d'apprendre est le meilleur des professeurs. Ne le perds surtout pas. Si cela te servira auprès d'un maître ? Sans aucun doute, et très efficacement. A Canterbury j'ai pu voir des ouvrages dignes d'éloges qui étaient loin d'égaler celui-ci. Jeune Talvace, tu devrais aller dans l'une des grandes cathédrales et tirer enseignement de la beauté de leurs lignes, car tu possèdes toutes les qualités requises pour ton métier.

Les deux garçons s'étaient rapprochés de Nicholas Otley, coude à coude, vibrants d'impatience.

— Croyez-vous qu'on nous engagerait ? Oh, je traverserais toute l'Europe pour rencontrer un tel maître, et de tels ouvrages ! Maître Robert nous a montré des tracés de la nouvelle cathédrale en chantier à Canterbury. Et j'ai entendu dire que les Gallois élèvent de beaux édifices. Le père Hugh parlait parfois de ces choses avec nous.

— Et en France ! Avez-vous connaissance de ce qui se fait en France ? Maître Robert nous a parlé de la reconstruction de la cathédrale de Chartres, après l'incendie qui l'a détruite. Et à Paris...

— Ah, la France ! s'exclama Nicholas Otley en reposant l'ange sur la table. Il vous faudra en discuter avec le capitaine de mon navire.

— Commercez-vous aussi avec la France ? demanda Adam en ouvrant de grands yeux.

— Mais oui, et aussi avec Cologne sur le Rhin, et parfois même avec des cités flamandes, bien qu'elles n'achètent point de tissus puisqu'elles fournissent toute l'Europe en étoffes magnifiques. Mais si leurs tapisseries, leurs velours et leurs broderies sont les plus somptueux qui existent, il n'y a rien de tel que les lainages anglais et gallois pour tenir chaud. Croyez-moi, nous nous ferons un nom grâce aux bons tissages anglais.

— Pourtant, avec les conflits qui nous opposent au roi de France, de lourdes taxes doivent peser sur les navires de commerce, je suppose ? avança Harry.

— En effet. C'est ce qu'on appelle traiter avec l'ennemi. D'un jour à l'autre, aucun capitaine ne peut prévoir s'il ne va pas déposer son chargement sur un rivage ennemi qui était ami la veille. Mais lever une taxe et la percevoir sont deux opérations distinctes, et aucun roi, ni aucun de ses officiers, ne peut être partout. Pour ce qui est de la France, nous ne sommes pas en mauvais termes pour l'heure. Depuis la fête de l'Ascension, le roi Jean, le roi Philippe et le jeune duc de Bretagne ont conclu un accord. S'il tient! On ne sait jamais avec les rois! Je peux fort bien traiter avec un marchand français, certain que nous respecterons notre marché comme deux hommes honorables, mais avec un prince, j'exigerais des garanties. Et avec un baron, je me ferais payer comptant!

— Etes-vous allé vous-même en France? demandèrent les deux garçons, les yeux brillants.

— Une douzaine de fois, bien que maintenant j'aie un neveu qui dirige mon négoce français à ma place.

— Avez-vous vu Paris? Notre-Dame?

— Saint-Denis? Chartres?

— Je suis allé à Paris il y a trois ans. J'ai vu Chartres, mais pas depuis l'incendie. A Bourges, ils bâtissent une cathédrale d'une splendeur inimaginable. Si haute! Ah, il faut se tenir sous les voûtes et contempler cette hauteur! Même les bas-côtés sont aussi élevés que nos chœurs, assura Otley en dessinant la coupe verticale sur la table avec l'index, sous leurs yeux fascinés. Et la Normandie regorge d'édifices. Des églises poussent en une nuit comme l'herbe de printemps, comme des champignons.

Tout ce qui avait précédé leur était sorti de la tête. Les frères cadets sur qui Adam avait versé en secret quelques larmes pendant la nuit, la mère dont l'image tendre, belle et sotte hantait les rêves agités de Harry, la souffrance, la colère, la peur, l'étrange voyage en compagnie d'une enfant hors des frontières de leur propre enfance, tout était balayé. Ils s'assirent avec Otley autour de la table, sous le regard ardent de l'ange, et le submergèrent d'un flot de questions. Enfin Otley remarqua que la lumière faiblissait et se rappela qu'ils partaient très tôt le lendemain matin. Harry avait sombré dans un silence inspiré, le visage enfiévré et l'expression lointaine, le regard étincelant.

— Vous m'avez fait parler jusqu'après la tombée de la nuit! Au lit, vous deux. Demain nous avons une longue route et il faut se lever à l'aube. Allez rejoindre mes coquins dans la grande salle, nous vous conduirons à Londres sains et saufs. Demandez le surveillant, Peter Crowe, et dites-lui que vous êtes du voyage.

Et comme Adam et Harry bredouillaient leurs remerciements sur le seuil, Otley ajouta, jovial:

— Mes hommes sont en pleine santé et ils adorent malmener les nouveaux venus, alors si l'un d'eux cherche à badiner avec vous, tenez le choc et défendez-vous du mieux que vous pourrez. Et surtout n'y voyez aucune méchanceté de leur part.

Ils lui promirent de ne pas se formaliser. Otley avait donné ce conseil pour Harry, certain que le fils du vilain saurait se sortir sans mal de n'importe quel mauvais pas, grâce à la résistance, à la bonne humeur et à la solidité que lui avait enseignées la dure école de la vie. Tandis que d'un fils de chevalier, on pouvait craindre que l'habitude des privilèges, la dignité et un sang chaud ne viennent compliquer le processus d'initiation.

Harry et Adam échangèrent un sourire complice. Harry s'était colleté avec tous les garçons du village depuis sa plus tendre enfance, sans penser à exiger leur respect ni s'attendre à être épargné. Lorsque Ebrard avait découvert son absence totale de retenue et tenté de lui inculquer la conscience de son rang, il était déjà trop tard.

— Bonne nuit, honnêtes maçons !

— Bonne nuit, maître Otley !

En traversant la cour pour rejoindre la salle des communs, Harry saisit le bras d'Adam. Dans le crépuscule, l'éclat de ses yeux paraissait jaune.

— Adam, ma décision est prise. Je pars pour la France !

Chaque été, Nicholas Otley effectuait le même trajet pour acheter le drap tissé au cours du long hiver. Ses hommes partaient de Shrewsbury jusque dans les collines pour ramener les ballots de tissu à dos de cheval, au comptoir général de la ville. Mais sur cette grande voie romaine, il était plus simple, bien que plus lent, de charger toute la marchandise sur des chariots. Le cortège s'en trouvait plus compact, les précieux tissus mieux protégés des intempéries et mieux défendables en cas d'attaque. Watling Street bénéficiait de la paix royale, et les crimes commis sur cette route relevaient de l'autorité des officiers du roi, mais leur contrôle était réduit et des hommes sans foi ni loi y rôdaient. Nicholas Otley s'entourait donc d'une armée robuste, préférant prévenir le danger plutôt que se fier aux représentants de l'ordre.

Ce fut une troupe vivante et joyeuse, depuis le contremaître âgé de cinquante-cinq ans, Peter Crowe, jusqu'au plus jeune des archers, qui prétendait avoir seize ans, qui assimila les deux nouveaux venus. Les frères Lestrange, comme tous les novices, durent subir une mise à l'épreuve avant d'être acceptés. L'aîné montra un tempérament aussi ensoleillé que son visage, des poings aussi prompts que son rire, et le cadet, bien que moins habile de ses poings, résista aux bousculades et aux assauts avec une telle pugnacité et un tel entrain qu'ils furent intégrés dans le groupe dès le premier soir, et s'endormirent sur la couche de roseaux tressés qui tapissait le sol, déjà membres assermentés, et ravis des quelques contusions que cela leur avait coûtées.

Ils avaient ce qu'ils voulaient. Comme leurs compagnons, ils nourrissaient, abreuvaient, soignaient les chevaux, nettoyaient les harnais, faisaient les courses de maître Otley, empennaient les flèches, poussaient les roues des chariots quand la chaussée était mauvaise, et, le soir, se joignaient aux autres dans la salle commune pour écouter les histoires de Peter, chahuter avec les plus jeunes, jouer aux dames et au trictrac quand il manquait un partenaire, chanter avec les archers. On leur avait ménagé une place de bon cœur, et ils s'y prélassaient, physiquement et mentalement. Jamais ils ne s'étaient sentis si heureux de toute leur vie.

Le quatrième jour, de façon un peu timorée par crainte qu'on les trouve trop présomptueux, ils commencèrent à s'impliquer davantage dans les divertissements de la soirée. Encouragé par une remarque flatteuse de Peter sur la voix d'Adam dans les chœurs, Harry souffla que son frère chantait très bien et connaissait de nombreuses chansons, en latin comme en anglais. Adam, paralysé par une timidité inhabituelle, protesta de son inaptitude, tenta d'échapper aux louanges et, quand ils le pressèrent de chanter, il se vengea en disant qu'il avait coutume de se faire accompagner par son frère, lequel jouait très bien de la cithare et du luth. L'un des jeunes archers possédait justement une cithare, qu'il maniait sans grande habileté ; il ne s'en cachait pas. Il la lança à Harry à travers le cercle de ses compagnons, si directement que Harry ne put faire autrement que l'attraper. Les deux frères étaient au pied du mur.

Ils se concertèrent d'une voix nouée par l'anxiété pendant que Harry accordait la cithare, s'échangeant des reproches mais au fond très heureux. Adam avait rougi comme une fille, Harry était pâle et crispé. Ils entamèrent l'un des chants profanes que, bizarrement, ils avaient appris de frère Anselme, premier chantre de Shrewsbury. Adam chanta, d'abord timidement, puis avec assurance, emporté par son talent :

Suscipe flos florem,
quia flos designat amorem.
Illo de flore
nimio sum captus amore.
Hunc florem, Flora
dulcissima, semper odora...

Penché sur la cithare, la mine grave, les cheveux sur le front, Harry tourna la tête vers l'extérieur du cercle pour mieux se concentrer, et se mit à fixer sans la voir l'une des longues fenêtres ouvertes sur le crépuscule d'été. Lorsqu'il eut pincé la dernière corde et émergea de la brume de sa concentration, la fenêtre en ogive se matérialisa devant ses yeux sous la forme d'un cadre vert pâle, teinté par les dernières lueurs du jour, mais un cadre qui n'était pas vide. Deux bras ronds étaient croisés sur le rebord de pierre, et un menton à fossette était posé sur les bras. Gilleis avait son capuchon sur la tête, et ses tresses dénouées pour la nuit. Elle aurait dû être couchée depuis au moins deux heures.

Harry se retourna vers ses compagnons et reçut avec surprise leurs félicitations, mais son regard s'esquiva à nouveau dehors. Il rendit la cithare à son propriétaire et s'excusa.

— Je reviens. J'ai oublié de faire quelque chose.

Il sortit sans bruit par la porte, longea le mur sur la pointe des pieds, et fondit sur la fillette avant qu'elle n'eût le temps de réagir. Elle était pieds nus dans l'herbe humide. Elle poussa un petit cri en le voyant bondir et lui glissa entre les doigts comme une anguille. Il la rattrapa en quelques pas et la maintint, gigotante, entre ses bras.

— Gilleis, que fais-tu ici ? Et sans chaussures ! Que dirait ton père s'il te voyait courir pieds nus si tard ? Va te coucher. Et vite !

Elle l'observa, à l'ombre de son capuchon, avec ses grands yeux brillants. Sa frêle poitrine se soulevait, haletante.

— Lâche-moi ! Je n'ai pas à t'obéir ! Tu n'es pas mon père !

— Tant mieux pour toi, rétorqua Harry avec la mimique la plus sévère qu'il put composer. Si je l'étais, jeune demoiselle, tu filerais au lit avec une bonne fessée. Et si tu attrapais froid pour avoir marché pieds nus, je te ferais boire la plus imbuvable des potions. Allons, viens avant que quelqu'un d'autre te voie.

— Eh bien oui, je vais attraper froid ! menaça-t-elle en fondant brusquement en larmes. Je vais tomber malade. Tu t'en moques !

Tu ne joues plus avec moi! Tu ne veux plus que je t'aide. Tu ne chantes pas pour moi...

Trop abasourdi pour trouver une réponse intelligente, Harry protesta faiblement qu'il n'avait pas chanté mais joué de la cithare. Gilleis balaya à juste raison ce faux-fuyant pitoyable et redoubla de larmes, cherchant vainement à repousser Harry et tirant son capuchon sur son visage. Harry se pencha, glissa une main sous ses genoux pour la soulever, et s'assit avec elle dans l'angle d'un des contreforts, sur la saillie de pierre.

— Gilleis, comment peux-tu dire de telles choses? Tu sais bien que je ne m'en moque pas! Et si je ne joue pas, c'est parce que je n'ai pas le temps. Je dois travailler, maintenant, et gagner ma pitance. Je t'ai confié mon ange, n'est-ce pas? L'aurais-je fait si je ne t'aimais pas et n'avais pas confiance en toi? Ton père m'a engagé et je dois fournir ma part de labeur. Je ne peux plus jouer à des jeux d'enfant.

— Tu ne veux pas! hoqueta-t-elle dans son épaule. Et je ne suis pas une enfant! D'ailleurs tu n'étais pas en train de travailler, à l'instant. Tu dis toujours «quand j'aurai fini mon travail», mais quand tu as fini, tu ne viens pas..

Ah, les enfants! songea Harry avec une tendresse excédée. Un homme ne sait jamais comment les prendre. Elle est tout le temps dans mes jambes. Elle n'a aucun camarade de son âge, et je suppose qu'Adam et moi sommes les plus proches qu'elle connaisse. Il la serra plus fort et la berça sur ses genoux, en murmurant des paroles de réconfort dans son capuchon.

— Allons, sois une gentille petite fille. Je dénicherai un joli morceau de bois et je ferai ton portrait avant d'arriver à Londres. Et puis je jouerai de la musique pour toi, et Adam chantera. Ne pleure pas, petite. Chut! Tu vas m'attirer des ennuis si tu restes ici en pleine nuit.

Plus il la consolait et la cajolait comme un bébé, plus elle pleurait. Ses cheveux noirs, lisses et soyeux, lui chatouillaient le nez et le firent éternuer. Le rôle de père commençait à le lasser. En dépit de son affection pour Gilleis, si elle avait vraiment été sa fille il lui aurait donné une claque. Mais il se souvint de la halte aux portes de Shrewsbury, de ses jupes étalées autour d'elle pour les cacher, et son agacement se mua aussitôt en un sentiment très fort qui dépassait la gratitude.

— Gilleis, mon petit cœur, je vais te porter jusqu'à ta chambre et tu iras te coucher. C'est compris? Que ferons-nous si tu tombes malade? Tout le monde sera malheureux, et moi plus que les autres parce que je me sentirai coupable.

Il se leva, assurant prudemment son fardeau. Elle était petite pour son âge, et très légère, mais Harry n'avait pas encore la force adulte d'Adam, et il n'aurait pu supporter un poids plus lourd.

— Tu vas me laisser tomber, dit-elle d'une voix claire que n'encombraient plus les larmes.

Se moquait-elle de lui, ou bien étaient-ce les sanglots et non les rires qui la secouaient? Harry n'aurait pu en jurer.

— Mais non. Tu n'es pas si grande.

Il traversa la cour d'un pas déterminé et la porta sans encombre jusqu'à la porte de l'escalier noble. Le corps de Gilleis était doux et frais entre ses bras, nu sous les plis de sa grande cape. Il l'avait probablement offensée en la surprenant dans une tenue si embarrassante. Il la traita avec un respect plein de tact, et la tint de façon révérencieuse, telle une princesse en robe cousue d'or.

Lorsqu'il la déposa avec précaution devant la porte, Gilleis pivota entre ses bras et noua ses bras derrière sa nuque, sa joue tendre contre la sienne. Elle sentait l'enfance, la chaleur de l'été après le coucher du soleil, l'herbe humide.

— Tu feras vraiment un portrait de moi? Promis?

— Promis. Si tu vas te coucher tout de suite.

— Tu commenceras demain?

S'il le fallait! Cela lui laisserait les dernières heures du soir pour se distraire avec ses compagnons. Mais que n'avait-il dix ans de plus et de la barbe au menton!

— A condition que tu files au lit immédiatement! Et sans discussion! C'est bien. Bonne nuit.

Il l'embrassa sur le front et la poussa fermement vers l'escalier. Gilleis serra sa longue cape autour d'elle. Au moment où elle posait le pied sur la première marche, Harry assena une petite tape joyeuse sur son postérieur rond et dodu pour lui faire presser l'allure.

Grossière erreur de calcul. Elle le lui fit comprendre en se retournant comme une furie pour le frapper de toutes ses forces. Son petit poing dur le heurta à la pommette et il recula, abasourdi.

— Ne fais plus jamais ça! Jamais!

Ses yeux le foudroyaient, pleins d'une tristesse désespérée. Derrière le chagrin outragé de l'enfant, Harry vit une femme sans défense, mais il ne comprit pas ce qu'il vit.

— Gilleis, qu'ai-je fait? Ma parole, je ne voulais pas...

Elle lui tourna farouchement le dos et monta l'escalier en courant. Confus, Harry rejoignit ses compagnons en se frottant la joue. Il supposait qu'il avait transgressé le champ de libertés qui n'appartenait qu'à un père. Et puis, bien sûr, comme toutes les filles, Gilleis voulait tout, le drap et l'argent du drap, elle voulait se permettre avec lui toutes les familiarités mais refusait celles qu'il prenait avec elle. Pourtant, jamais il ne l'aurait offensée, si seulement il avait su comment éviter les embûches. Mais avec les filles il n'y avait ni règle ni loi. Un homme devait accepter les risques, se préparer à se voir autoriser un certain geste à un certain moment, et rabrouer pour le même geste l'instant d'après.

Tant pis. Il conclurait la paix avec elle le lendemain matin et ferait amende honorable en sculptant le portrait qu'il lui avait promis. Dans une semaine, ils seraient à Londres. En rejoignant ses compagnons dans la salle commune, Harry était tout prêt à rire de lui-même et de Gilleis, et lorsqu'on lui remit la cithare en lui demandant une chanson à boire, il ne pensait déjà plus à elle.

Ils soumirent leur projet de voyage en France à Nicholas Otley le dernier soir, dans la maison des hôtes de l'abbaye de St Alban, pendant la mise en couleurs du portrait de Gilleis. Normalement ceci devait attendre Londres, mais le marchand, enchanté par la miniature de vingt centimètres, et impatient de voir le rose du teint et le noir des cheveux, avait emprunté des couleurs à l'un des moines afin que Harry pût terminer le travail au plus vite. On lui avait offert une table dans le coin du cloître, où la lumière s'attardait le plus longtemps, afin qu'il pût peindre en paix, si toutefois ce mot était approprié, avec Adam penché au-dessus de son épaule droite et Otley penché sur son épaule gauche, figés d'admiration. S'ils se rapprochaient trop, Harry ne disait rien mais sa main s'arrêtait, et il leur jetait le regard féroce d'un Talvace, patient mais fâché, qui les faisait aussitôt battre en retraite.

Au cours des séances de pose, Gilleis s'était comportée comme si jamais de sa vie elle n'avait versé une larme devant Harry, comme si elle ne l'avait jamais frappé ou n'avait partagé avec lui des moments moins formels. Et c'est dans cette raideur digne et cérémonieuse qu'il l'avait représentée, petite figure droite aux mains modestement croisées, la tête levée, hautaine. Il trouvait cela assez amusant mais eut le bon sens de ne pas le montrer.

— Maître Otley, nous avons réfléchi, Adam et moi. Nous vous

avons beaucoup questionné au sujet des constructions d'églises en France, commença Harry en traçant la courbe d'un sourcil noir et délicat, tendu comme un arc, songeur comme l'expression entière du visage.

Cet air distant, qu'il avait mis tant de soin à reproduire, n'avait cessé de l'intriguer. S'il avait regardé plus attentivement la miniature, Harry aurait peut-être commencé à comprendre le modèle.

— Nous pensons que le mieux pour nous est d'aller en France, poursuivit-il.

Il entendit Gilleis bouger et leva les yeux, agacé. Elle avait tourné la tête, les lèvres entrouvertes, et le jeu de la lumière dans ses grands yeux était perdu.

— Ne bouge pas ! jeta-t-il avec irritation.

Il se leva pour lui prendre le menton et remettre sa tête en position, sans brusquerie mais sans gentillesse.

— Reste ainsi et ne gigote pas.

Elle tint la pose sans se plaindre. Lorsqu'il parvenait à se rappeler, avec surprise et remords, qu'elle n'était pas un modèle mis en place par un maître, mais une enfant vivante, et une enfant pour qui il avait une grande affection, il s'émerveillait qu'elle n'eût pas fondu en larmes douze fois par soirée. Mais le plus souvent il ne s'en souvenait que lorsqu'elle était déjà partie se coucher, trop tard pour apaiser sa conscience en la complimentant.

— C'est un grand pas à franchir, remarqua Nicholas Otley. Parlez-vous français ?

— Assez bien l'un et l'autre, et Adam mieux que moi. Là-bas nous n'aurions aucune difficulté. Pour plusieurs raisons. Londres est loin de chez nous, certes, et c'est un endroit parfait pour se cacher, mais où que nous allions en Angleterre Adam courra un danger. Même dans un bourg franc, même à Londres, il ne sera pas un homme libre avant un an et un jour. On a vu des fugitifs ramenés presque au bout d'un an, et plus d'une fois. Certains ont même été repris après, alors qu'ils étaient libres, et il leur a été très difficile de fausser compagnie à leur seigneur pour faire entendre leur cause devant une cour. Dans un village, il lui serait impossible d'échapper à la session ordinaire du tribunal de comté. Vous connaissez ces choses mieux que moi. Ne vaut-il pas mieux aller en France ? Nous pourrons certainement entrer au service d'un des grands maîtres maçons et apprendre notre métier aussi bien qu'en Angleterre.

Le marchand, qui observait les traits de son enfant jaillir

comme des étoiles sous le pinceau chargé de couleur, sourit dans sa barbe.

— C'est assez bien raisonné, mais il me semble que le désir prévaut sur la raison. Inutile de maquiller votre envie. A votre place et à votre âge, j'aurais traversé la mer comme une flèche. Mon navire lèvera l'ancre dès que nous l'aurons chargé et approvisionné. Voulez-vous effectuer la traversée à son bord? Il relie Le Havre par la route la plus longue. Le Havre est un excellent comptoir de négoce, entre Paris et la Bretagne. Maintenant que le jeune duc est réconcilié avec son oncle, il y a de bonnes affaires à traiter là-bas.

— Pourrons-nous travailler pour payer notre passage? demanda Harry, en lissant la courbe de la bouche ferme et douce, surpris d'y déceler une si forte expression de tristesse.

— Vous l'avez gagné sur la terre ferme, répondit le marchand. Je n'ai aucun lieu de me plaindre. Alors pourquoi pas sur l'eau? Toutefois il se pourrait que vous soyez moins alertes quand vous sentirez la mer bouger sous vos pieds. Mais je serais ravi que vous tentiez l'expérience, l'un comme l'autre.

Harry leva la tête de son ouvrage et Adam retint son souffle, les yeux brillants d'excitation.

— Vraiment, vous nous le permettez? Si nous ne sommes pas en état de travailler, nous pourrons vous payer...

— Il n'en est pas question. Conservez votre argent pour la suite du voyage, mes enfants. Veillez à le bien cacher et gardez toujours une main sur votre dague. Et quand tu m'auras dit ton prix pour cette petite merveille, Harry...

— Non! le coupa vivement ce dernier. C'est un présent que j'ai promis à Gilleis. C'est une femme très rare que votre fille! Elle n'a pas ouvert la bouche depuis une heure.

Il jeta un regard moqueur vers Gilleis, s'attendant à voir le frémissement d'un sourire effleurer ses joues et ses lèvres, aussitôt réprimé. Mais il n'y eut pas un mot, pas un geste, pas un battement de cils. Gilleis ne baissa même pas ses grands yeux sombres.

— Un présent royal, dit Nicholas Otley. Quand tu l'autoriseras à parler, elle te remerciera comme il convient. Il te suffira de montrer à ton maître ce que tu es capable de produire en quelques jours, et il t'appréciera à ta juste valeur. Bien, c'est décidé. Vous viendrez à la maison avec nous et resterez à mon service jusqu'à ce que la *Rose du Nord* lève l'ancre. Ensuite vous ferez la traversée à son bord, avec ma bénédiction, pour aller tenter votre chance sur le continent.

— Maître Otley, nous serons ravis de profiter de votre générosité, comme de toutes vos bontés passées. Nous ne l'oublierons jamais. Et puisque nous en aurons le loisir, je terminerai cette peinture plus tard. La lumière commence à décliner, et j'aurai du mal à manier le bois tant que le visage ne sera pas sec. De plus, je crois que Gilleis est très fatiguée.

Ce n'était pas le mot qu'il avait en tête, mais celui qu'il cherchait se refusait à venir. Les grands yeux, tout ce qui en elle était éloquent ce soir-là, s'exprimaient dans un langage inconnu qui le troublait jusque dans sa joie et son enthousiasme.

— Repose-toi, Gilleis. Nous reprendrons un autre jour.

— Viens t'admirer, ma colombe, lui dit son père. Vois comme tu es belle.

Elle se leva pour examiner son image, avec la même expression songeuse et insondable qu'elle avait offerte à l'artiste pendant sa pose silencieuse. Et son image était belle. Le visage peint s'était transformé sous le pinceau, qui avait masqué son innocence douce et confiante sous une réserve nouvelle et touchante. Il en émanait à la fois de la mélancolie et une sorte d'assurance. Elle était telle que Harry l'avait vue ce soir, et aussi longtemps que durerait son travail sur le portrait, il continuerait à être intrigué et furieux de son incapacité à comprendre ce qu'il avait si fidèlement reproduit.

— Comment, tu n'as rien à dire? s'étonna Otley.

— Je vois ce que c'est, dit Harry. C'est moi le fautif. Je lui ai imposé le silence si longtemps qu'elle a oublié comment parler.

— N'y changeons rien, dans ce cas. Demain elle jacassera à nous rendre sourds, comme à son habitude.

— Je parlerais si j'avais quelque chose à dire, coupa Gilleis.

— Voilà qui est mieux, elle a encore sa langue. Remercie Harry de ce magnifique présent, comme il se doit.

— Uniquement s'il te plaît, dit Harry en ramassant ses pinceaux et ses couleurs.

A en juger par son mutisme obstiné, elle ne l'aimait pas. La statuette ne lui rappelait sûrement que les longues et ennuyeuses heures de pose immobile, les remontrances et les remises à l'ordre. On avait même réussi à lui gâter son cadeau.

— Cela devrait te plaire, ma chérie, car Harry a fait de toi une vraie beauté. Donne-lui un baiser et souhaite-lui bonne nuit.

Docile, elle leva la tête, tendit son visage silencieux, et quand Harry lui ouvrit ses bras, elle glissa délicatement ses mains derrière sa nuque et entrelaça ses doigts dans les boucles épaisses. Ses lèvres étaient fraîches, lisses et fermes. Elle se laissa embrasser dans un geste de condescendance royale, mais ne rendit pas le baiser. Toutefois, ses doigts, qui tiraient doucement les cheveux de Harry, n'avaient pas le même détachement dédaigneux. Elle s'écarta et Harry, devant la sérénité de son visage, eut bien du mal à croire que les mains appartenaient à la même personne. Il songea que ce qu'elle aurait réellement aimé faire eût été de lui tirer les cheveux, avec toute la force dont elle était capable, pour se venger du manque de considération qu'il lui avait témoigné au cours des derniers soirs. Seule la présence de son père l'en retenait.

Il la regarda, désolé, s'abandonner entre les bras d'Adam et lui donner un baiser sonore, puis embrasser maître Otley, et se retirer pour aller se coucher avec une docilité inhabituelle, sans un regard en arrière.

Les rares pensées qu'il ne consacrait pas à son avenir en France étaient pour Gilleis et pour la maladresse dont il avait fait preuve envers elle, qui lui valait désormais son inimitié.

Dans l'obscurité, enveloppé de bandes de feutre dans le ballot de Harry, l'ange s'envola pour Le Havre. L'emballage était destiné à protéger ses couleurs de l'air salin, et ses bras écartés du roulis. Telle l'éclatante et invisible créature dans sa chrysalide, il dormait et rêvait, et le demi-sourire sur sa bouche ardente rendait son visage beau et terrible. Il y avait de l'émerveillement en lui, de la sauvagerie, et la connaissance secrète de tout ce qui avait été, était et serait.

Dans son rêve, l'ange voyait tout ce qui se passait autour de lui : Gilleis, accrochée d'une main au rebord du canot qui oscillait sous la proue du navire, de l'autre à la taille de son père, les appontements grouillants de Londres, les pignons des maisons, pointus comme des aiguilles, qui rongeaient le ciel nacré de septembre comme des dents inégales, les deux jeunes garçons à moitié ivres d'excitation, à moitié malades d'impatience, qui tournaient le dos à la Tour de Londres pour porter leur regard loin sur le fleuve, vers l'avenir, vers la mer, vers un rêve de vie, un rocher, un arbre, une crique, une forêt de pierre. Il voyait le baiser furtif sur la bouche offerte de l'enfant, l'étreinte fugace, la bonhomie du jeune homme quand il baissa la tête pour permettre à la fillette de lui accrocher sa médaille de la Vierge autour du cou. Et il vit l'enfant, à côté de son père sur le canot qui repartait à la rame vers le rivage, agiter le bras longtemps après que les deux garçons l'eurent oubliée, emportés par la curiosité de découvrir le navire, son équipage et son gréement, toutes ces odeurs étrangères, imprégnées de sel, toute cette vie trépidante.

Plus tard, quand le courant et le vent eurent porté la *Rose du Nord* en aval du fleuve, que le vaste estuaire se fut encore élargi et fondu dans la mer, que les vagues eurent grossi, ourlées d'écume, bondissantes comme des chevaux, l'ange vit son créateur réduit à une misère honteuse, affalé sur le bastingage, rendant tripes et boyaux dans des convulsions impuissantes, tandis qu'Adam, émerveillé, joyeux comme une sauterelle et incapable d'éprouver autre chose que du ravissement dans cet absurde tangage, le soutenait affectueusement et le réconfortait, partagé entre le rire et l'inquiétude.

L'ange, inlassablement secoué dans ses ténèbres emmaillotées, souriait toujours, dénué de toute pitié. Les mains qui essuyaient des larmes d'impuissance, épongeaient en tremblant la sueur froide sur un front moite et des traces de vomi sur des lèvres grises, étaient les mains qui l'avaient fait tel qu'il était. Elles étaient plus et moins que lui, plus vulnérables et plus merveilleuses.

Quelque part au-delà de l'eau, au-delà du misérable mal de mer et des désillusions de l'expérience, le rêve doré croissait et s'épanouissait, immaculé, arbre de pierre aussi haut que le ciel, bourgeonnant de feuilles nouvelles et exubérantes d'adoration, d'aspiration, de connaissance.

DEUXIÈME PARTIE

Paris
1209

6

La maison de la rue des Psautiers, dotée de deux pignons en façade, était plus large que ses voisines. Sur le côté, une grande porte cloutée, percée dans un mur, conduisait à une cour d'écurie intérieure. Les toits à forte pente projetaient au-dessus de la rue de profonds avant-toits, semblables à des sourcils saillants, qui tenaient dans l'ombre la porte d'entrée. A une fenêtre de l'étage supérieur brillait une lumière tamisée par l'écran d'un rideau.

Au temps où la demeure appartenait à Claudien Guiscard, veuf d'âge mûr faisant le négoce de parfums, d'argent, de bijoux, de tapisseries et autres denrées importées d'Orient par le truchement de Venise, les passants empruntant cette rue paisible ne lui accordaient qu'un vague regard, mais depuis que le sieur Guiscard, à sa mort, avait légué la maison à sa maîtresse, il en allait tout autrement. La circulation dans la rue des Psautiers était des plus animées. Des jeunes gens y venaient par dizaines tenter de capter le regard et l'oreille de la nouvelle propriétaire, et de s'ouvrir l'accès de cette chambre éclairée. Les hommes âgés, qui n'avaient point de telles espérances, déviaient de leur trajet et longeaient cette voie paisible dans le seul but d'entrevoir la dame à sa fenêtre ou de la croiser lorsqu'elle entrait ou sortait en compagnie de sa suivante. La rumeur disait que le plus proche parent de Claudien, un cousin au second degré, projetait de tenter un recours en justice afin de déposséder la courtisane de son legs. Quant à l'intéressée, toujours selon la rumeur, elle demeurait insensible à cette menace, et n'avait en tout cas rien fait pour mettre un terme au scandale qui s'attachait à sa personne. Après le décès de son amant, beaucoup avaient pensé qu'elle s'empresserait de vendre son bien, tant qu'il était en sa possession, et de repartir pour Venise, d'où l'avait ramenée Claudien. Au lieu de cela, elle s'était confortablement installée dans la maison et y menait un train de duchesse, accordant ses faveurs les plus intimes à qui lui plaisait, fortuné ou non, et les refusant à qui ne lui plaisait pas, même de sang royal ou la bourse pleine d'or. Elle faisait fureur. Elle savait chanter, jouer, donner la réplique aux poètes, discuter philosophie avec les scolastiques. Outre son italien natal, elle parlait le latin, le français et même, disait-on, un peu d'anglais. Elle tenait un rang modeste et digne d'aristocrate, mais avec la liberté et l'intelligence d'une courtisane athénienne. Et ce surprenant dédain qu'elle avait pour les attraits de l'argent — probablement parce qu'elle en possédait déjà suffisamment — ouvrait des horizons inespérés à ces jeunes hommes qui, autrement, n'auraient jamais osé porter les yeux sur une personne si convoitée. En conséquence de quoi, presque chaque soir, des hommes de toutes les conditions se pressaient devant sa porte.

Ce soir très particulier de fin d'avril, deux groupes convergeaient au même moment vers la maison, de chaque côté de la rue des Psautiers. Du nord, à dos de cheval, escorté par un serviteur et une petite bande de musiciens armés de leurs instruments, venait un jeune noble de la famille de Breauté, vêtu à son avantage et conscient de sa valeur. Du sud, marchant à quatre de front, bras dessus bras dessous, chantant le scandaleux pastiche d'un cantique de Sigebert, dédié aux vierges martyres avec sa panoplie de noms féminins tonitruants, venait Adam Lestrange, le maçon anglais, escorté de ses trois acolytes de la mansarde de la ruelle des Guenilles. A sa droite, son frère, à sa gauche, Elie de Provence, avec son visage d'enfant de chœur et son insolence de gamin des rues, puis le taciturne étudiant Apollon, avec son luth sur l'épaule. Ils arrivaient formidablement armés : Adam avec sa beauté et sa voix, Harry avec ses nouveaux vers, et, en accompagnement, une mélodie de Pierre Abélard repêchée dans la vaste mémoire bretonne d'Apollon. A eux quatre, depuis deux ans, ils apportaient une notable contribution aux chansons qui circulaient dans les rues de Paris.

Dans leur sillage, attirés par le pastiche, par l'aimant de la rue des Psautiers et par la perspective de quelque espièglerie, une douzaine d'autres étudiants grisés de vin et sortis tout droit de la taverne de Nestor venaient assister à une joute loyale.

Apollon fut le premier à apercevoir le cavalier, son serviteur et ses musiciens. Eberlué par le déploiement d'instruments qui arrivaient en face, il abandonna le quatuor et le dernier vers de la chanson pour s'écrier :

— Ennemi en vue ! Sapristi, ils ont rameuté toute une troupe de musiciens ! Sont-ils tous candidats au paradis ?

— Un rival ! s'exclama gaiement Adam. L'aiguillon dont j'avais besoin ! En avant !

Il lâcha Harry à sa droite, Elie à sa gauche, et fonça comme l'éclair vers la porte de la maison. Ses amis s'élancèrent à sa suite, encouragés par le joyeux tintamarre qui les suivait. Le cavalier, moins prompt à réagir, éperonna son cheval avec un temps de retard et serra brutalement les rênes, dans une rafale d'étincelles, devant l'entrée de Madonna Benedetta, juste au moment où Adam posait le pied sur le seuil et écartait les bras pour lui barrer le passage.

— Arrière ! lança Breauté, avec l'assurance que lui donnait son rang mais aussi avec bonne humeur. Sais-tu reconnaître tes supérieurs ?

Adam se planta solidement sur la deuxième marche et secoua l'index dans un geste de réprimande.

— Allons, allons, messire, ignorez-vous qu'il n'y a ici ni supérieur ni inférieur, seulement des hommes qui ont l'heur de plaire ou de déplaire à la dame ? Il s'en est fallu de peu, mais je suis arrivé avant vous. Montrez-vous beau joueur et retirez-vous. Vous prendrez votre tour un autre soir. Quant à moi, je compte défendre mes droits.

— Je t'enverrai d'abord en enfer ! répliqua Breauté avec fougue, poussant son cheval dans l'espoir d'intimider le jeune insolent et de le forcer à s'écarter.

Elie claqua des doigts sous les naseaux du bel animal, qui fit un brusque écart. Les sabots glissèrent sur les pavés avec un bruit métallique. Si la pièce éclairée de la maison était occupée par une femme, celle-ci ne pourrait demeurer longtemps ignorante de la scène qui se déroulait sous sa fenêtre. Et si elle dormait, elle devait maintenant être tout à fait éveillée.

Le cavalier, un instant déséquilibré par l'écart de son cheval, se ressaisit avec colère et fit claquer son fouet sur la tête d'Elie. Mais le jeune homme se baissa et l'esquiva.

— Holà ! s'écria Apollon en levant une main apaisante. Tout doux ! Comptez-vous entrer dans les bonnes grâces de Madonna

Benedetta en déclenchant une rixe devant sa porte? La croyez-vous incapable de faire son propre choix? Et nous assez audacieux pour contester sa décision? Avez-vous peur de concourir loyalement, chanson contre chanson?

Les étudiants s'étaient joyeusement rapprochés des deux groupes et se tenaient par le bras pour former un demi-cercle autour de l'entrée. Ils accueillirent la suggestion d'Apollon avec des cris enthousiastes, pressentant un agréable divertissement, que le marché fût respecté ou rompu.

— Une chanson contre une autre! On tire au sort le premier, et chacun écoute l'autre.

— Et si la dame montre à l'un son agrément, le second se retire sans rancune. D'accord?

— D'accord! rugit gaiement le cercle de spectateurs, en avançant encore pour mieux entendre et mieux voir.

Les promeneurs inoffensifs qui passaient dans la rue des Psautiers commencèrent par ralentir au bruit de ce rassemblement tapageur, puis s'arrêtèrent pour assister à la suite des événements, si bien que le cercle tripla et que ceux qui se trouvaient derrière tendaient le cou pour regarder par-dessus les épaules des premiers. C'était récemment devenu une habitude pour certains, les soirs d'ennui, de passer devant la maison de Madonna Benedetta dans l'espoir d'une distraction.

Les musiciens arboraient un sourire hautain de professionnels à la perspective de se mesurer avec cette poignée d'étudiants et artisans miteux. Leur seigneur n'avait rien à craindre. Manifestement celui-ci pensait de même car il avait baissé son fouet et riait. Tout comme Adam, il avait puisé son courage et son inspiration dans la bouteille, qui l'avait mis, jusqu'à présent, dans une humeur plutôt aimable.

— Tope là! Si la dame te témoigne ses faveurs, je me retire et te laisse à ton bonheur. Mais tu en feras autant pour moi.

— Volontiers, répondit Adam. Je vais même faire mieux. Je vous laisse la préséance. Donnez votre concert, je vous écouterai honnêtement.

— Bien joué! lui souffla Harry à l'oreille. Aucune femme au monde ne se risquerait à dire oui au premier avant d'avoir entendu le second, et c'est toujours le dernier écouté que l'on retient le mieux!

— Silence, vous autres! Silence! cria Adam. Soyez équitables!

Puis il ajouta en chuchotant, d'une voix anxieuse :

— Je commence tout de suite par la nouvelle chanson, ou par une petite pièce?

— La nouvelle, lui conseilla Apollon à mi-voix. Mise le tout pour le tout.

Les étudiants, qui, comme toujours, cherchaient l'ordre dans la plus grande turbulence, exhortaient tout le monde au silence et avaient du mal eux-mêmes à se taire. Mais les derniers soubresauts de chahut s'apaisèrent enfin, et les musiciens se regroupèrent au bas des marches, accordèrent leurs instruments et entonnèrent une mélodie connue.

> *Si j'avais des lilas à t'offrir,*
> *si c'était la saison des roses...*

— Revoilà ce vieux Fortunatus, souffla Elie d'un air dégoûté. Cueillir des violettes pour Radegonde. Crénom, où sont les modernes?

— Chut! Donne-lui une chance.

Elie se tut avec un soupir de protestation et écouta la suite avec la même attention critique que ses compagnons, mais non sans plaisir, malgré l'archaïsme de la chanson. Ayant engagé des musiciens, Breauté ne prenait pas une part active à la sérénade. Nul doute qu'il connaissait ses limites. Tout le monde ne peut chanter juste. Mais s'il avait été obligé de payer, il en avait pour son argent. Le chanteur avait une bonne prononciation, un joli timbre de voix, et les musiciens connaissaient leur affaire. Juché sur son cheval au milieu de la rue, Breauté avait les yeux fixés sur la fenêtre derrière laquelle la flamme de la chandelle vacillait sous la brise fraîche de la nuit. La tenture ondulait mollement, aussi se raidissait-il parfois, avide, guettant l'apparition d'un visage souriant et gracieux. Mais si les violettes de Fortunatus atteignirent Radegonde, Madonna Benedetta demeura invisible.

— Pas de chance, l'ami! lancèrent les étudiants avec une joyeuse commisération. Dame faucon ne s'est pas laissé prendre au premier leurre.

— Ecoutons de quoi le deuxième est capable.

— Elle est là-haut, avertit quelqu'un, les yeux rivés à la fenêtre. J'ai vu une ombre passer. Elle vous observe, jeunes gens, vous ne chantez pas pour rien.

— Apollon en personne va jouer pour elle! lança un tout jeune homme au troisième rang, qui avait allongé le cou et reconnu le luthiste.

— C'est injuste ! ricana un de ses camarades. Quelle chance a l'autre pauvre diable contre les dieux ?

— A moins qu'il ne s'appelle Marsyas ! cria une voix dans le fond, déclenchant un tonnerre de rires.

— Cessez ce vacarme et laissez Apollon se faire entendre, avant qu'il n'aiguise son couteau sur vous !

Ils se turent, hilares, et Apollon attaqua doucement la musique oubliée d'Abélard. L'un des auditeurs, saisissant l'écho d'un air vaguement familier, dressa la tête et reprit son sérieux. Ici et là, des têtes marquaient le rythme. Ils savaient reconnaître une bonne mélodie quand ils en entendaient une. Cette fois le silence régnait. Breauté fut bien forcé de les regarder. Il fronça les sourcils devant le public captivé et redouta la réaction d'un autre public, invisible celui-là.

Adam chanta, sa voix s'éleva, claire, gaie et plaintive, entre les façades saillantes :

> Le mois de mai venu,
> Sous ton arbre en fleurs,
> Implorant je me mets à nu
> Pourtant tu restes aveugle.

> Jaillit la sève du printemps
> Le cerf fait sa danse d'amour,
> Je crie ton nom en pleurant
> Pourtant tu restes sourde.

> Sous ton feuillage protecteur,
> Le lapin creuse son terrier,
> L'oiseau niche en ton sein,
> Et pour moi tu ne fais rien.

> Mais quand la branche frémit...

Derrière la fenêtre la tenture trembla. Adam l'aperçut et sa voix trembla aussi un moment, avant de reprendre joyeusement, et jusqu'à la fin :

> Mais quand la branche frémit,
> Que la fierté de l'été s'est enfuie,
> Lors c'est à moi, nu et délaissé,
> Enfin, de recevoir et d'aimer,

124

Et quand l'automne pare
D'ocre ton arbre du ciel,
Que tombent tes pommes d'or,
S'inclinent vers moi tes seins.

Il y eut un moment de silence figé, puis un murmure s'éleva, suivi d'une clameur triomphante :

— Regardez, messires, la lune se lève !

Une main était apparue derrière la tenture et se tendait au-dessus de la rue. Ils virent un bras blanc et rond, qu'une ample manche bordée de fourrure découvrait jusqu'au coude, et quelque chose qui s'échappait des doigts, tombant tout droit dans les mains ouvertes d'Adam. L'un des musiciens, encouragé par un cri de protestation de son seigneur, bondit pour l'intercepter, mais Adam s'en empara. Les étudiants tapèrent des pieds et grondèrent.

— Des violettes ! Celles-là mêmes que votre suite a lancées vers sa fenêtre il y a un instant ! C'est à moi qu'elle les donne. Vous avez sa réponse !

— Le jugement est tombé ! cria le chœur des étudiants. Rentrez chez vous, beau sire ! La dame a choisi.

Le vin qu'avait absorbé Breauté tourna à l'aigre. Furieux, il hésita un moment. Son cheval s'agitait nerveusement sous lui. La main disparut, la fenêtre redevint immobile et impénétrable.

— Elle n'a rien dit. Comment savoir si le petit bouquet t'était destiné plutôt qu'à moi ?

Ils le conspuèrent avec indignation, mais l'homme était maintenant échauffé et ne voulait pas céder.

— Chanson contre chanson, jusqu'à ce qu'elle nous dise son choix, tel était le marché ! s'écria-t-il en signifiant rageusement à ses musiciens de jouer à nouveau.

Une autre mélodie, bien connue de tous les ménestrels de Paris, s'éleva au-dessus du tumulte.

— Reste devant la porte, intima Harry à Adam en s'avançant d'un pas furieux. Je pense qu'elle ouvrira quand elle en aura assez.

— Laisse-moi, grogna Adam, échappant à son emprise. S'il approche, je le déloge de son perchoir, ce fourbe !

Ses amis le retinrent et le plaquèrent derrière eux dans l'encoignure de la porte pour l'aider à reprendre ses esprits.

— Qu'as-tu à faire de lui, pauvre imbécile ? La dame est à toi, laisse-nous l'homme.

Malgré leur indignation, les spectateurs s'étaient tus pour écouter la musique. La chanson était une vieille rengaine, et, finalement, cette querelle n'était pas la leur. Ils étaient là pour s'amuser, et peut-être pour attiser un peu le feu s'il menaçait de s'éteindre trop vite.

— C'est franchement ennuyeux, dit Harry en tendant l'oreille. Voyons si on peut améliorer ça. Apollon, passe-moi ton luth !

Ses yeux luisaient d'un éclat jaune, et il avait un sourire gourmand et félin lorsqu'il se pencha sur les cordes pour reprendre au vol la mélodie. Il était déjà trop tard pour intervenir sur le premier couplet, mais il pouvait égayer la suite.

> *L'été arrive, resplendissant,*
> *Zénith de l'année,*
> *Les gelées de l'hiver succombent*
> *Sous l'épée brûlante de Phébus.*
>
> *Mais moi qui t'aime à la folie,*
> *Suppliant affligé, je reste ici...*

Ce fut l'instant que choisit Harry pour plaquer un accord brutal et un martèlement sec du bout de ses doigts sur le bois, puis d'une voix plus forte et plus pénétrante que celle d'Adam, bien que moins mélodieuse, il poursuivit :

> *Tandis que mes tristes ménestrels,*
> *D'une chanson cher payée te harcèlent.*

La foule poussa des cris de joie. Le serviteur de Breauté gravit d'un bond les marches et se rua, dague à la main, sur le luth, mais Elie et Apollon s'interposèrent devant Harry pour recevoir l'assaillant et le maîtriser. Breauté, ivre de rage, éperonna de nouveau son cheval, mais l'un des étudiants empoigna la bride et s'y suspendit de tout son poids. Les musiciens affolés, redoublant d'efforts, soufflaient dans leurs instruments, grattaient, pinçaient les cordes pour couvrir le vacarme. Le chanteur s'égosillait :

> *O fontaine de grâce,*
> *Que ta pitié se répande...*

Sa voix se brisa sous l'effort, il s'étrangla, réduit au silence, et laissa Harry, ravi et triomphant, achever la chanson par ces paroles acides :

... Sur un chanteur plus talentueux
Et plus digne de ta couche.

Des vivats l'acclamèrent dans les rangs les plus proches, tandis que ceux qui se plaignaient de n'avoir pas entendu réclamaient qu'on leur répète le pastiche. Ce qui fut fait, vague par vague, jusqu'aux spectateurs les plus éloignés, qui sautaient pour apercevoir la scène. L'hilarité se répandit en ondulations de plus en plus larges, et son écho résonna comme un roulement de tonnerre contre les pignons de la façade. Mais bien plus haut flotta dans le ciel nocturne de Paris le plus beau, le plus clair, le plus candide carillon d'allégresse. Il tomba de la fenêtre de Madonna Benedetta, telle une envolée de pétales de roses dérivant lentement dans un rayon de soleil.

Tout le monde leva la tête, pourtant la fenêtre resta vide. Et tandis que les regards se portaient là-haut, en bas la porte fut doucement débarrée et ouverte. Adam l'entendit. Il se retourna et vit une main de jeune fille tâtonner vers la sienne et l'attirer à l'intérieur. Confondu, maintenant que le paradis s'ouvrait devant lui, il resta sans réaction, les yeux écarquillés. Harry, jetant le luth dans les mains tendues d'Apollon, saisit alors le conquérant éberlué par les épaules et le poussa dans la place. La porte se ferma promptement et un verrou cliqueta.

Trop occupé à demeurer en selle pour remarquer l'ouverture de la porte, Breauté entendit le déclic et, avec un regard alarmé, découvrit la disparition de son rival. C'était plus que son orgueil n'en pouvait supporter. Avec un cri de rage, il cingla de son fouet l'étudiant suspendu à sa bride, mais ce fut le cheval qui reçut l'essentiel du coup car le jeune garçon plongea vivement sous son encolure. L'animal hennit et rua, obligeant le premier rang des spectateurs à reculer d'un bond dans les bras de leurs camarades. Le jeune homme accroché à sa bride fut éjecté comme un chaton et retomba avec une souplesse tout aussi féline, roula pour esquiver les sabots, et fut remis sur ses pieds par ses amis. Breauté, délivré du poids qui l'entravait, et ne maîtrisant plus qu'à demi sa monture, fonça vers les marches.

Les musiciens étreignirent leurs instruments et s'égaillèrent dans une féroce bousculade. Elie sauta des marches dans une direction, Apollon dans l'autre, et Harry, épinglé contre la porte, se protégea la tête en levant un bras devant le fouet qui cinglait. De l'autre main, il parvint à en saisir l'extrémité, tira, et déséquilibra le cavalier vers l'avant. Il voulait seulement désarmer son assaillant, mais la poignée du fouet comportait une dragonne enroulée autour du poignet ganté de Breauté, si bien que l'homme et son arme furent propulsés par-dessus le paleron du cheval. Harry croula sous le corps qui fondait sur lui et roula sur les marches, étourdi, son ennemi sur le dos, à un pas des sabots nerveux qui martelaient les pavés. Elie saisit la bride du cheval et le força à reculer, tremblant et renâclant, puis il l'éloigna de la foule. Une fois à l'écart, le cheval se débarrassa de lui en secouant la tête comme il l'aurait fait d'un flocon d'écume sur son mors, et prit ses sabots à son cou pour regagner seul son écurie. Elie, en homme pratique, ne perdit pas de temps à un problème qu'il ne pouvait résoudre, se releva, tâta rapidement ses ecchymoses, et se précipita à nouveau au cœur de la masse braillarde, hurlante et riante, qui obstruait la rue des Psautiers.

Les citoyens les mieux avisés s'empressèrent de fuir la bataille. Les étudiants se jetèrent dedans avec des cris de joie, prirent le premier parti qui se présentait, et distribuèrent gaiement des coups tout autour d'eux. Il y avait des mois qu'ils n'avaient vu une rixe aussi satisfaisante, et à laquelle tout un chacun pouvait participer. Ils comptaient bien en profiter.

Quant aux musiciens, inextricablement mêlés aux combattants, ils abandonnèrent toute idée de fuite et se portèrent au secours de leur seigneur avec tout ce qu'ils avaient sous la main. Comme ils n'avaient pas la moindre chance de sortir leurs instruments intacts de la tourmente, ils les transformèrent en armes, certains que Breauté les remplacerait puisqu'ils avaient satisfait ses désirs et s'étaient sacrifiés à sa cause. Elie écopa d'un coup de flûte sur la tête, et se trouva brutalement assis sur les pavés. Apollon, qui protégeait son précieux luth de tout son corps, puisqu'il n'avait aucun seigneur pour lui en acheter un autre, fut assommé par une viole et il entendit ses côtes délicates craquer et s'enfoncer avec presque autant de peine que si son cher instrument avait subi les mêmes sévices. Ce ne fut qu'une fois assuré que son luth était intact qu'il prit le temps de remarquer le tonnerre qui explosait dans sa tête maltraitée. Le ventre rond d'une citole s'abattit de propos délibéré sur le crâne de Harry alors qu'il esquivait son adversaire en roulant sur lui-même. La citole le manqua d'un cheveu et s'écrasa comme un œuf sur le bord de la marche de pierre. Harry se jeta dessus, empoigna son manche frêle et, profitant de son poste surélevé, planta un pied dans le torse du musicien pour le propulser dans le mur grouillant de corps entremêlés. Il venait de s'emparer à temps d'une arme. Breauté était debout et avait sorti son épée.

— Le fer! cria quelqu'un.

Ceux qui le pouvaient reculèrent un peu, car la fureur rendait Breauté irresponsable. Il plongea sur Harry, et la citole fracassée, postée à la rencontre de la pointe, se trouva empalée si profondément que l'extrémité de la lame fendit la caisse de résonance et érafla les doigts de Harry, ce qui fit pivoter le manche de l'instrument d'un tour complet. Breauté hurla, obligé de lâcher son épée pour ne pas avoir le poignet brisé. Harry poussa un cri de triomphe et fit tournoyer la citole perforée au-dessus de sa tête, dans l'intention de la propulser hors de portée, par-dessus la masse des combattants. Mais, à cet instant, un cri strident retentit à l'extrémité nord de la rue des Psautiers. Les étudiants redressèrent la tête, et se figèrent l'espace d'un instant.

— Sauve qui peut! brailla Apollon. La garde!

La masse inextricable se démêla miraculeusement et s'égailla en un éclair dans toutes les directions, sauf le nord. Le bruit de la cavalcade résonna comme une averse soudaine.

Elie sauta sur le mur qui bordait la cour d'écurie de Guiscard, se hissa tant bien que mal jusqu'au faîte, avec force raclements de genoux et de pieds, et disparut de l'autre côté. Apollon plongea dans un étroit goulet entre deux maisons, et, se bouchant le nez, pataugea le long de l'égout jusqu'à la rue du Lapin, où il fut en sécurité. Harry lâcha la citole transpercée et bondit au bas des marches pour suivre Apollon, mais les musiciens, sûrs de la position de leur maître et voyant un moyen facile de s'insinuer dans ses bonnes grâces maintenant que le sort avait tourné en sa faveur, fondirent sur le fugitif comme un seul homme et le plaquèrent sur les pavés.

Le temps que Harry recouvrât son souffle coupé par le choc, ils l'avaient remis debout devant le prévôt et expliquaient à ce dernier avec volubilité qu'il était l'unique auteur de la rixe, que ses amis et lui avaient molesté leur seigneur parfaitement innocent, interrompu sa sérénade par de licencieux pastiches, attaqué son domestique et déclenché une bagarre à laquelle toute la racaille du quartier étudiant s'était empressée de prendre part.

Leur récit laissa Harry admiratif.

— Par ma foi, dit-il, je commence à avoir du respect pour moi-même! A les entendre, je suis un sacré gaillard!

L'un des sergents le frappa légèrement sur la bouche, du dos de la main pour lui apprendre à ne parler que lorsqu'il y serait invité. Harry chassa la douleur sans ressentiment, et regarda autour de lui la rue déserte et soudain si paisible. Tout le monde sauf lui avait réussi à s'échapper. Hormis les instruments éventrés et l'épée toujours plantée dans le cœur de la citole, il ne subsistait pas la moindre trace du chahut.

Le prévôt, qui grimaçait du haut de son cheval rouan efflanqué, inspectait lui aussi le champ de bataille et regrettait de n'avoir pas posté une seconde escouade à la sortie sud de la rue avant de lancer son assaut, ce qui lui aurait permis de prendre dans ses filets toute une fournée de ces étudiants tapageurs. Mais la moitié d'entre eux auraient sans doute revendiqué les privilèges cléricaux, et leurs maîtres d'études ou leurs chanoines les auraient tirés d'affaire. Néanmoins on ne dénombrait cette fois aucun cadavre ni blessé.

— Messire de Breauté, confirmez-vous tout ceci? Reconnaissez-vous cet individu pour un des meneurs?

— Le plus impudent de tous, acquiesça Breauté, pantelant, et foudroyant du regard son domestique qui brossait son habit. C'est lui qui m'a désarçonné.

Mais il ne souffla mot du rôle d'Adam dans l'histoire. Peut-être par générosité, mais plus vraisemblablement, songea Harry, parce que l'aveu de sa défaite eût fait de lui un objet de raillerie.

— Eh bien, gredin, qu'as-tu à répondre? As-tu jeté messire de Breauté à bas de son cheval?

— En effet, mais après qu'il eut porté son fouet sur moi. J'avoue que mon succès a dépassé mes espérances. Je ne voulais que le fouet, j'ai eu l'homme avec. J'en ai été plus surpris que lui. Et il m'est tombé dessus!

— Tu voulais le fouet, dis-tu? dit le prévôt avec un sourire menaçant. Tu pourrais bien obtenir satisfaction. Tout d'abord, que venais-tu faire ici, à semer le trouble, brailler des obscénités sur la voie publique et déranger un honnête seigneur? J'ai l'intention d'imposer l'ordre dans la ville. Toi et tes semblables l'apprendrez à vos dépens.

— Je ne nie pas la bagarre, mais dans tout combat il y a deux camps, et on peut difficilement m'accuser d'avoir été les deux à moi tout seul. Cet honnête seigneur a conclu un marché et refusé de s'y soumettre lorsqu'il a perdu. C'est de là que nous en sommes venus aux coups. Arrêtez-le aussi, et jugez-nous équitablement. De plus, ajouta Harry d'un ton enjoué, vous avez plus de chances de lui soutirer une grosse amende qu'à moi, car après avoir payé mon souper je n'ai plus un denier en poche.

— Aurais-tu une fortune que tu passerais quand même une nuit à l'ombre pour te rafraîchir les idées, jeune homme. Cela ne te fera pas de mal de rester tranquille, pour une fois. A moins que tu puisses produire des témoins aptes à certifier ta version des réjouissances de la soirée ?

Il y avait bien deux témoins à portée de voix, en effet, mais les déranger eût été une sorte de blasphème. Dans la chambre du haut, la lumière s'était éteinte. Harry sourit et secoua la tête. Une nuit à la dure pour lui contre une nuit de douceur pour Adam, l'échange était juste.

— Maintenant que vous m'avez promis un lit, je serais bien impoli de vouloir m'en dispenser. Votre maison d'hôtes est de celles qui ne refusent personne, pas même un *vagus*.

— Tu as un parler qui n'est pas parisien, observa le prévôt, les sourcils froncés, en grattant son nez grenelé par la variole. Quel est ton nom ? Es-tu un étudiant, ou réellement un *vagus* ?

— Je ne suis pas un étudiant mais j'ai l'autorisation de suivre des leçons lorsque mon service le permet. Savez-vous garder un secret, messire prévôt ? Mon nom est Golias, maître de l'Ordo Vagorum, mais je suis à Paris incognito et vous ne devez en souffler mot à personne.

— Faites-lui payer son insolence, ordonna le prévôt, mais d'une voix si tolérante que les sergents se contentèrent d'un ou deux soufflets sur les oreilles avec leurs lourds gants de cuir.

— Si tu dois te réclamer de la cléricature, fais-le maintenant, et devant témoins, reprit sèchement le prévôt.

Harry secoua ses boucles brunes dans un mouvement indigné.

— Cela ressemble-t-il à une tonsure ?

— J'ai vu des tonsures apparaître mystérieusement, même dans un cachot. Je ne veux prendre aucun risque.

— J'étranglerai le premier qui essaiera de me raser le crâne, même pour me sortir de prison, promit Harry avec fougue.

— Emmenez-le, commanda le prévôt. Nous verrons s'il est mieux disposé à répondre aux questions demain matin.

Sur ces mots, le prévôt tira sur ses rênes, adressa à Breauté un bref signe de la tête, et s'éloigna au trot dans la rue des Psautiers. Et Harry, philosophe, les deux bras solidement tenus, encouragé de temps à autre à presser l'allure par une bourrade dans le dos, lui emboîta le pas. C'était une malchance de servir de bouc émissaire, mais cela aurait pu arriver à n'importe lequel d'entre eux, et la soirée en avait valu la peine. Harry ne regrettait rien.

L'ivresse du vin et de l'action lui dura la moitié de la nuit, bien qu'il dît aux sergents, d'un ton plus chagriné que coléreux, ce qu'il pensait de la cellule exiguë, humide et nauséabonde dans laquelle ils le jetèrent. Ils répondirent, non sans justesse, qu'il aurait dû leur être reconnaissant de lui en avoir donné une au rez-de-chaussée, avec une fenêtre, certes petite, élevée et barrée, mais néanmoins une vraie fenêtre, qui ouvrait sur l'extérieur. Ils auraient pu tout aussi bien le fourrer dans un cachot souterrain et obscur. Ils le rudoyèrent quelque peu pour son insolence, mais sans méchanceté, presque de façon badine, puis ils l'abandonnèrent. Même les sergents éprouvent une sympathie inavouée pour ceux que le vin rend gais. D'ailleurs, ils ne cessèrent de se demander ce que sa gaieté devait au vin et ce qu'elle devait au plaisir de la bagarre.

Une fois seul, Harry tâtonna jusqu'au banc de pierre glacée et s'y assit. Par la fenêtre haute il apercevait une poignée d'étoiles, et l'air, bien que chargé d'odeurs déplaisantes, était respirable. Les sergents avaient raison : il devait remercier sa chance. S'ils avaient été de mauvaise humeur, ils l'auraient sans doute cogné et jeté dans un de ces trous puants où un homme ne peut ni tenir debout ni s'étendre de tout son long.

Le plus grave souci pour lui était désormais de passer le temps et de cuver son exubérance, car il était trop énervé pour songer à dormir. Il se cala dans la position la plus confortable qu'il put, découvrant dans la manœuvre quelques ecchymoses dont il ignorait l'existence, et entreprit de passer en revue son répertoire de chansons peu honorables, à titre d'essai tout d'abord, pour voir à quel moment les gardes jugeraient nécessaire de le faire taire, puis à pleine voix, enhardi d'avoir pu terminer son couplet sans recevoir de menace d'aucune sorte. Il avait chanté la moitié d'une ballade sur une certaine abbesse menant une vie remarquablement débauchée, l'oreille tendue pour guetter d'éventuels bruits de pas et les yeux sur la porte, comme un garnement qui cherche à savoir jusqu'où il peut aller dans la provocation, lorsque la clef tourna dans la serrure et qu'un trait de lumière fendit l'obscurité. Harry se tut, partagé entre le regret et la satisfaction, et attendant de voir s'il avait poussé trop loin sa chance. Mais le guichetier de la prison, éclairé de sa lanterne, n'introduisit qu'un seul homme, le clerc du prévôt, personnage au visage aiguisé, vêtu d'un garde-corps d'érudit et coiffé d'une calotte.

— Je suis venu vous prévenir du montant de votre amende, annonça le clerc en posant sa lanterne sur un tabouret de bois, dans le coin de la cellule.

Il fit signe au guichetier de se retirer et de refermer la porte.

— Epargnez-vous cette peine, dit Harry en basculant les pieds vers le sol pour s'asseoir. Quelle que soit l'amende, je n'ai pas de quoi la payer.

Il inspecta sa prison avec intérêt, n'ayant guère eu le loisir de l'examiner ; cet interlude de lumière et de compagnie était le bienvenu. Jusqu'à cet instant il ignorait qu'il avait un tabouret, large et massif, pourvu d'un plateau aussi épais qu'une table de réfectoire. Il ignorait aussi que la vermine n'était pas son unique compagne : les murs qui l'entouraient étaient griffonnés de doléances, de jurons et d'obscénités laissés par ses prédécesseurs, ainsi que d'intéressantes réflexions sur la parentèle du prévôt.

— Libre à vous de croupir ici, mon ami, mais il est de mon devoir de vous informer du jugement du prévôt. Le prix de votre liberté est fixé à douze livres. Si vous payez votre amende, vous pouvez sortir demain. Sinon, vous pouvez écrire une lettre à une personne qui collectera cette somme. Vous avez sûrement des amis prêts à se dévouer pour vous.

— Mes amis sont aussi riches que moi. Vous avez autant de chances de dégoter douze livres dans toutes nos bourses réunies que de monter vivant au paradis.

— C'est votre affaire, pas la mienne. Mais tant que l'amende ne sera pas acquittée, vous resterez ici. N'avez-vous aucun bien ?

Harry retourna ses poches et y pêcha quelques piécettes, la seule fortune qui lui restait de la joyeuse virée à la taverne de Nestor. Dans sa quête de monnaie, il découvrit autre chose, qui lui procura un grand plaisir car il avait oublié sa présence, une chose dont les gardes l'auraient délesté comme ils l'avaient délesté de sa dague s'ils en avaient eu connaissance. Son petit couteau de poche préféré, dans son étui râpé, était accroché à la ceinture de ses chausses, sous sa tunique, et avait échappé à leurs investigations. Il prit soin de le cacher au clerc, de peur qu'il ne répare cette omission. Le seul contact du couteau sous ses doigts, la façon dont le manche s'ajustait dans le creux de sa paume lui apportèrent confiance et réconfort.

— Cela ne suffira pas à vous libérer, admit le clerc avec un sourire aigre, mais vous permettra au moins d'avoir un morceau de pain et de fromage, et une rasade de vinasse. Je ne suis pas tenu de vous offrir ces services, ni d'ailleurs un conseil, mais je vous fournirai volontiers un peu de nourriture si vous êtes disposé à payer.

Harry s'apprêtait à accepter sa proposition lorsque le contact de son couteau et la vue de l'honnête bois sombre du tabouret éveilla en lui une faim d'un autre ordre et un désir bien plus puissant. Il fit tinter les pièces dans sa main avec un sourire de plaisir.

— Je vais vous dire ce que j'aimerais obtenir, si vous acceptez de m'aider. Oh, rien qui choquera votre conscience, je vous l'assure. De la lumière! Une chandelle. Mais une grosse chandelle, attention, pas un morceau de bougie. Ou le prêt d'une lanterne pour la nuit. Qu'en dites-vous? J'ai là de quoi payer, avec un petit supplément pour votre bonté.

— Curieuse envie! s'étonna le clerc en levant un sourcil. Non content de humer ce trou à vermine, vous voulez aussi le voir! Mais si tel est votre souhait, gardez cette lanterne, elle est garnie et brûlera toute la nuit. Et si vous désirez adresser un message demain matin, je veillerai à le faire parvenir. Ne me remerciez pas. C'est la seule façon pour nous de récupérer notre argent. Aucun de vous autres, pauvres étudiants, n'a jamais de quoi payer ce lit.

— Votre hôtellerie pratique des tarifs si élevés, rétorqua Harry en souriant, que vous nous devez bien un morceau de pain et du fromage. Si les sergents ne me donnent pas à manger, je chanterai toute la nuit jusqu'à ce qu'ils se décident, et personne ne fermera l'œil.

— Le prévôt loge loin, hors de portée de voix, même si vous hurlez. Les sergents jouent aux dés et n'ont pas envie de dormir, sinon ils vous auraient déjà réduit au silence. A mon avis, si vous ne cessez votre vacarme, ils ne tarderont pas à venir y mettre un terme avec quelques bons coups de verge.

— Plus un mot! Vous m'avez convaincu. Laissez-moi seulement la lumière, et je serai aussi paisible qu'une tombe.

Harry se sépara de ses dernières pièces sans le moindre regret, et quand il fut de nouveau seul, que le geôlier eut verrouillé la porte et se fut retiré avec le clerc, il posa la lanterne sur le banc de pierre et souleva le tabouret de bois pour l'examiner de plus près.

Le plateau, épais de sept ou huit pouces, dépassait de chaque côté au-dessus des pieds grossièrement taillés et formait un beau bloc de bois. Harry y passa le doigt. La surface était luisante et lisse à force d'usage. Pour tirer le meilleur parti de son éclairage, il s'assit sur le sol répugnant, la lanterne derrière son épaule gauche, presque au niveau du tabouret serré entre ses genoux. En le tournant de côté il imaginait déjà le profil rude, saillant comme un diable d'une miséricorde[1]. Il sortit son couteau, le manche niché dans sa paume comme le museau d'un chien fidèle, impatient de prendre de l'exercice.

Harry ne dormit pas de la nuit. Pourtant jamais le prévôt n'eut de prisonnier plus tranquille et plus heureux.

---

1. Petite saillie sculptée sur une stalle d'église, sur laquelle on peut s'appuyer lorsque le siège est relevé. *(N.d.T.)*

7

A l'aube, ce fut sur un nuage rose qu'Adam regagna la rue des Guenilles et gravit en fredonnant l'escalier jusqu'aux combles, tout en débouclant la ceinture de sa meilleure cotte. Au son de ses pas, Elie ouvrit la porte et se précipita à sa rencontre.

— Je t'attendais! Apollon avait une leçon à six heures qu'il ne pouvait pas manquer. Adam, ils ont emmené Harry!

— Qui «ils»? dit Adam, perdu dans sa douce rêverie et lent à prendre la mesure du désastre. Qu'est-ce que tu racontes, mon vieux?

— Le prévôt et ses sergents. Tu n'as pas entendu l'alerte? Oui, bon, je suppose que non! Ils nous sont tombés dessus peu après que tu es entré. Nous avons couru, et tout le monde s'est échappé sauf Harry. Ils l'ont ramassé pour tapage injurieux, et Breauté et ses hommes l'ont accusé d'être le meneur. Il a été embarqué et jeté dans la prison du prévôt, où il est encore maintenant. Comment allons-nous le sortir de là? Nous n'avons pas le moindre objet de valeur à mettre en gage, et si je demande à mon père qu'il me verse une avance sur ma prochaine allocation, il est probable que je serai sommé de rentrer lui rendre des comptes. Il me retirera de l'école et me placera comme clerc. La dernière fois qu'il a dû me renflouer, il a juré que je n'aurais plus aucun traitement de faveur. Qu'allons-nous faire?

Adam lui prit le bras et l'entraîna dans leur chambre. Là, il se débarrassa en hâte de sa précieuse cotte et enfila sa tunique de travail, tout en assaillant de questions le pauvre Elie, blafard et les yeux caves.

— Comment as-tu appris la nouvelle? Il a envoyé un message?

— Je les ai entendus qui l'emmenaient. J'étais caché dans l'écurie de Madonna Benedetta.

— Quoi? Tu le sais depuis tout ce temps? Espèce d'idiot, pourquoi n'es-tu pas venu me prévenir aussitôt?

Elie prit sa tête douloureuse entre ses mains et leva les yeux au ciel.

— Un peu de bon sens, Adam. Comment aurais-je pu? Tu me vois tambouriner contre la porte? «Toutes mes excuses à Madonna Benedetta, mais je dois lui emprunter mon ami car la garde a arrêté son frère!» D'ailleurs j'ignorais où ils allaient le conduire et je les ai suivis pour le découvrir.

— L'ont-ils brutalisé? A-t-il réussi à tenir sa langue?

— Ils étaient de bonne composition, d'humeur plutôt badine. Mais tu connais Harry. Quand le prévôt lui a demandé son nom, il a répondu Golias, et ça n'a pas plu!

— C'est tout lui, dit Adam en tirant sur sa tunique, rongé par l'anxiété. Il ne sait pas se tenir tranquille. Quand je l'aurai sorti de là sain et sauf, il va m'entendre! Golias, l'imbécile! Il sait pourtant tous les ennuis qu'on fait aux vagabonds, par les temps qui courent! S'il ne peut s'empêcher de lancer une plaisanterie au mauvais moment, pourquoi faut-il que ce soit la plus provocatrice? Continue ton histoire. Que s'est-il passé ensuite?

— Je suis revenu ici trouver Apollon. Il est plus fort que moi quand il s'agit de défier l'autorité. Il est allé à la prison pour discuter leur décision et les menacer des foudres de tous les chanoines de Notre-Dame. Mais ils ont gardé Harry et n'ont même pas laissé Apollon le voir. Ils exigent douze livres parisis[1] contre sa mise en liberté. Apollon a essayé de barguigner. Tu le connais, il peut avoir l'air de posséder quelques livres alors qu'il n'a pas un denier en poche. Mais il n'a pas réussi à les convaincre de baisser le prix. C'est douze livres, ou pas de Harry. Comment allons-

1. En France, les monnaies royales, monnaie parisis et monnaie tournois, étaient frappées l'une à Paris, l'autre à Tours. Il existait entre les deux un rapport fixe: 4 livres parisis = 5 livres tournois.

Une livre valait 20 sous ou 240 deniers. La livre et le sou étaient des monnaies de compte, c'est-à-dire des monnaies fictives utilisées dans les comptes et en fonction desquelles s'expriment les sommes d'argent, indépendamment des «monnaies réelles» qui pourront servir au règlement.

Jusqu'au XIIIe siècle, les seules monnaies réelles furent le denier (240 deniers taillés dans une livre-poids d'argent) et ses sous-multiples: obole (1/2 denier) et picte, ou poge (1/4 denier). Le denier était alors la base de tout le système occidental. (N.d.T.)

nous faire ? Jusqu'au début du mois, nous pourrons à peine réunir deux livres à nous tous. Apollon dit qu'il est prêt à engager son luth.

Elie avait l'air aussi effrayé qu'un enfant en évoquant ce sacrifice suprême, car il en connaissait la valeur. Adam aussi. Il se retourna impulsivement vers son ami et lui enlaça les épaules.

— Ne t'inquiète pas, nous ne briserons pas le cœur d'Apollon. L'affaire n'est pas aussi grave. Je vais aller battre ma coulpe devant le vieux Bertrand. Il tempêtera mais il préférera s'acquitter de la somme plutôt que de laisser son meilleur tailleur de pierre en prison et se passer de lui, même un seul jour. Il me le fera sans doute payer, et aussi à Harry, quand il sera libre, mais c'est sans importance. Va dormir un peu, ajouta-t-il en poussant Elie vers son lit. Tu as l'air d'un revenant. Tu n'as pas dû fermer l'œil de la nuit.

— Et toi ? demanda Elie avec intérêt, son regard soudain éclairé d'une petite étincelle.

Adam émit un petit rire bref et préoccupé, et garda pour plus tard la réplique qui lui venait à l'esprit. Il n'avait ni le temps ni l'humeur de plaisanter tant que Harry était en prison.

Il gagna en hâte l'île de la Cité et, une fois dans l'enceinte de Notre-Dame, chercha maître Bertrand parmi les ateliers accrochés comme des bernacles au pied de la nouvelle façade ouest. Il était encore tôt, mais le vieux maître maçon s'affairait souvent sur le chantier avant ses hommes, tout prêt à les harceler. Toutefois, ce matin-là, Adam le chercha en vain, et il finit par demander au jeune apprenti chargé du nettoyage et des courses de le guetter pour lui. L'adolescent le siffla sur son échafaudage une heure plus tard. Adam descendit le long des cordes suspendues aux bois de support nichés à la base de la tour ouest.

— Maître Bertrand vient d'arriver avec le chanoine d'Espérance et un troisième homme, l'informa l'apprenti. Un personnage important, mais pas un prélat. On dirait un seigneur. Tu ne vas pas tout de même pas les déranger pendant qu'il est là ?

— Impossible de l'éviter, répondit Adam. S'ils me taillent en pièces, balaie mes restes et donne-les à Harry pour qu'il m'enterre en chrétien.

Il lissa ses cheveux de blé, ébouriffés par le vent qui soufflait sur l'échafaudage, tapota ses manches couvertes de poudre de pierre, et avança vers les trois hommes arrêtés au milieu de l'enceinte, à contempler les portails ouest.

— Maître Bertrand, avec votre permission...

Le maître maçon était un homme vénérable, doté d'une barbe de patriarche et conscient de son imposante dignité. Il adressa à son maçon un regard de réprobation et un geste irrité.

— Plus tard ! A un moment plus opportun ! Tu ne vois pas que je suis occupé ?

— Je le vois et je vous en demande pardon. Mais l'affaire est urgente et je pense que vous serez content d'en être informé sans attendre. Cela concerne mon frère. Vous n'avez pas encore eu l'occasion de le remarquer, mais Harry n'est pas là ce matin, et il n'y sera pas tant que nous ne trouverons pas douze livres pour le libérer. Pour être franc avec vous, maître Bertrand, Harry est en prison et le prévôt refuse de le laisser sortir pour moins.

— Il est *où* ? tonna maître Bertrand.

Le chanoine d'Espérance et l'étranger, qui s'étaient retirés à quelques pas pour converser à voix basse, sursautèrent en entendant le rugissement du maître d'œuvre.

— En prison, répéta Adam, mal à son aise. Il a été arrêté à la suite d'une bagarre dans la rue des Psautiers, hier soir. Il n'a pas commis d'acte plus répréhensible que la trentaine que nous étions, mais il a eu la malchance d'être le seul à tomber entre les mains de la garde. En réalité je suis davantage responsable que lui. Mais c'est ainsi. Si vous étiez assez généreux pour nous avancer le montant de l'amende, nous pourrions le faire libérer tout de suite.

Adam reprit son souffle et attendit avec intérêt l'explosion de fureur. Elle ne vint pas. Maître Bertrand ravala sa bile non sans mal, mais il la ravala.

— Toi et moi, jeune Lestrange, dit-il d'une voix étranglée par ses efforts pour se maîtriser, nous aurons une petite discussion un peu plus tard. J'aurai également deux mots à dire à ton gredin de frère quand je le reverrai. Il ne mérite pas que je lui avance un sou, puisqu'il n'a pas l'intelligence ni la vertu d'éviter les ennuis. Mais il sait que je suis pressé et il en profite. Il en profite ! Un de ces jours il tirera un peu trop sur la corde et s'en repentira.

— Je ne me souviens pas qu'il ait jamais fini en prison, objecta Adam. Ce sera une simple avance, maître Bertrand, et vous pourrez la déduire de nos gains jusqu'à complet remboursement. Je suis désolé d'avoir été la cause de ses soucis, mais je prendrai garde de ne pas laisser Harry payer de nouveau pour moi. C'est tout ce que je puis dire.

— Tu pourrais difficilement dire moins. Comment vous êtes-vous retrouvés pris dans une rixe ? N'avez-vous aucun discernement ? Faut-il que vous fréquentiez les quartiers les plus mal famés de la ville ? s'emporta maître Bertrand, avant d'ajouter à l'intention du chanoine : Entendez-vous ce garçon, Excellence ? Ne vous étonnez point que j'aie des difficultés à respecter mes délais, quand mes lascars me jouent de pareils tours ! Le jeune Henry Lestrange est arrêté par la garde dans une bataille de rue, et dans quelques semaines vous me demanderez pourquoi le calvaire n'est pas prêt comme je l'ai promis. On ne trouve pas d'artisans de confiance, de nos jours. Plus ils ont de talent, plus ils se révèlent des vauriens.

Ainsi convié à la discussion, le chanoine adressa au maître maçon un sourire apaisant et dit d'une voix douce :

— Allons, ses services vous ont été plutôt profitables, il me semble. Il n'est pas le premier jeune homme à commettre un péché.

L'étranger, s'arrachant brusquement à la contemplation des nouveaux portails, se rapprocha d'eux et lança d'une voix claire et sonore, qui avait la complexité d'une note de carillon :

— J'ai bien entendu Lestrange ? Est-ce le même dont nous parlions à l'instant ?

Adam tressaillit et se tourna vers la voix. Pour quelle raison avaient-ils discuté de Harry ?

— Celui-là même, acquiesça le chanoine. Il est en prison. Et voici son frère.

— J'ai entendu un certain nombre de choses sur vous deux, de la bouche même de vos maîtres. Il semble que vous soyez anglais ?

— En effet, messire.

— Des natifs d'un même pays devraient s'épauler en terre étrangère, dit l'inconnu avec un sourire contraint. Je suis moi-même anglais. J'aimerais beaucoup entendre le récit de vos réjouissances nocturnes, si maître Bertrand vous accorde le temps de nous le conter. Et si, bien sûr, ajouta-t-il en voyant le rose colorer les joues d'Adam à l'idée d'expliquer comment la soirée s'était conclue pour lui, ce n'est pas trop profane pour les oreilles de notre chanoine d'Espérance.

Le sourire s'égaya sur un coin de la longue bouche, amère et expressive, tandis que l'autre moitié du visage demeurait presque immobile.

— Mais vous pourrez omettre les passages inconvenants, reprit-il froidement.

Bien que présenté comme une suggestion, ce n'en était pas moins un ordre. Cet homme-là commandait, et il devait rarement être désobéi. Adam se retrouva donc à narrer la sérénade sous la fenêtre de Madonna Benedetta, sans embarras et même avec un certain plaisir, tout en scrutant l'étranger avec attention.

Il valait la peine d'être observé. Grand, mince, élégant, environ quarante-cinq ans, richement vêtu, dans des couleurs sombres. Sa tête, posée sur un cou qui évoquait une colonne antique, était portée très haut, et l'arrogance qu'il imprimait à chacun de ses mouvements était innée. Il avait les cheveux coupés à l'ancienne, au carré avec une frange, mais son front était si grand qu'il n'en était pas diminué. Ses sourcils, d'un brun plus soutenu que ses cheveux, longs et réguliers, se rejoignaient presque au-dessus du nez droit. Ses yeux, profondément enfoncés et soulignés de cernes, dardaient un regard sans cesse en mouvement, qui questionnait, pesait, évaluait, jugeait, disséquait, fixait avec une intelligence avide tout ce qui passait à sa portée. Un regard dérangeant, sans illusion mais ardent, calme mais chargé d'une rage secrète, brillant mais mélancolique. Et beau. Son visage, rasé de près, présentait un hâle profond qu'il n'avait certainement pas acquis en France, ni en Angleterre dont il se disait originaire. Adam devinait de quelle région il arrivait. L'or sombre de son teint, si luisant sur la peau tendue de ses pommettes et de ses mâchoires, ne tarderait pas à pâlir et à ternir sous ces climats, même si l'été approchant le préservait quelque temps encore.

Il portait un surcot long en tissu brun-roux, dont les manches amples et le capuchon étaient bordés de fourrure. Il fit un geste, et deux bagues sur sa main droite couleur de bronze jetèrent des éclats d'or et de pourpre. Le bas de son surcot, fendu jusqu'à la taille, découvrait quand il marchait la jambe longue, élégante, gainée presque jusqu'au genou d'une botte en cuir fin de forme très exotique. De même que son hâle, tout cet équipement venait d'une région bien plus à l'est que Paris.

Adam s'interrogeait sur l'opportunité de rapporter mot pour mot l'improvisation de Harry devant un tel auditoire, mais, pressé de le faire, il obéit, en évitant habilement le regard du chanoine. Le couplet de Harry remporta un second succès. Le chanoine conserva son sourire sévère et convenu, mais son regard étincela un court instant. Quant à l'étranger, il rejeta la tête en arrière et rit à gorge déployée.

— Oh, maître Bertrand, je m'aperçois que vous ne m'avez pas

tout dit. Vous avez un ouvrier aux talents multiples. Et ensuite, jeune homme?

— Ensuite la porte s'est ouverte et je suis entré, poursuivit Adam. Apparemment, une bagarre a éclaté dans la rue, bien que je ne sois pas en mesure d'expliquer comment, puisque j'ai appris seulement ce matin, en rentrant chez moi, l'arrestation de mon frère. Dieu merci, personne n'a été blessé, et personne d'autre n'a été emprisonné. Je ne vois donc pas en quoi cela les dérangerait, ou troublerait l'ordre public, de laisser sortir Harry. Mais ils ne veulent rien entendre si on ne paie pas l'amende.

— Aussi irresponsables que des enfants, bougonna maître Bertrand. J'ai bien envie de le laisser mijoter dans son jus un jour ou deux pour lui donner une leçon, mais pour être juste il faudrait que tu subisses le même sort. Il va donc falloir le sortir de là.

— Lui rendre visite en prison est un acte chrétien, remarqua l'étranger avec un léger sourire. Il me plaît d'aller moi-même délivrer votre talentueux compagnon, maître Bertrand. Accorderez-vous une heure à son frère pour qu'il me conduise? Je vous le renverrai dès que possible.

Il avait cette courtoisie dont on use pour requérir une faveur, mais il l'employait avec le calme de l'homme qui exige un dû.

— Vous êtes trop clément, messire, avec deux jeunes gredins de leur acabit, mais je vous en prie, emmenez-le si vous le souhaitez.

Adam songea que le maître maçon était soulagé de s'épargner la dépense, mais que, par ailleurs, il n'était guère enchanté de l'intérêt manifesté par l'étranger. Les maîtres peuvent connaître la valeur de leurs élèves, voire l'admettre tacitement, mais ils apprécient peu d'être supplantés par eux, et Adam n'était pas le seul à affirmer que Harry avait dépassé son professeur.

— Messire, c'est généreux de votre part envers deux inconnus comme nous. Je ne sais comment nous pourrons nous acquitter de notre dette.

— Il n'est pas question de dette.

Une lueur de contrariété passa dans son regard si impressionnant, comme un unique éclair dans un ciel obscurci. Puis il émergea des nuages et se remit à rire.

— Vous voulez dire que c'est moi qui suis un inconnu pour vous. J'ai l'impression que vous êtes difficile dans le choix de vos bienfaiteurs. Mais je crois que mes références vous agréeront. Il m'a semblé comprendre que vous venez des marches galloises.

Moi aussi. Et si vous connaissez Mormesnil, Erington, Fleace, ou Parfois, vous me connaissez. Je m'appelle Ralf Isambard. Etes-vous satisfait ?

— Mon seigneur ! s'exclama Adam, ébranlé par un nom qui retentissait dans les marches aussi fort que celui de FitzAlan ou FitzWarin.

— Venez, ne laissons pas plus longtemps votre frère en prison. Maître Bertrand, ils seront à vous dans une heure.

Avec la rudesse qui imprégnait tous ses mouvements, et l'élégance qui habillait son arrogance et lui ôtait ce qu'elle avait de vexant, il s'éloigna à grands pas, se frayant un chemin entre les hommes et les matériaux amassés qui encombraient le chantier. Les pans de son surcot flottaient autour de ses jambes et ses bottes barbaresques chassaient la poussière de l'enceinte. Dans son sillage, Adam ne pouvait détacher ses yeux de la tête dénudée, avec ses cheveux courts et bouclés, rejetés en arrière et découvrant les oreilles bien plaquées, et le modelé délicat à travers les boucles épaisses, sous le soleil matinal qui accrochait les saillies et ombrait les creux. Adam se disait que Harry ne pourrait résister à l'envie de sculpter cette tête dans la pierre. Il en ferait un terrible saint guerrier. Ou un diable magnifique !

Avec la venue du jour, et sa longue habitude d'économiser les chandelles, Harry avait éteint la lanterne au profit de la lumière naturelle qui filtrait par la petite fenêtre obstruée de barreaux, posé le tabouret sur le banc de pierre, et continué son ouvrage à genoux sur le sol dur et inégal du cachot. Il était totalement absorbé par sa tâche et insensible à la faim et à la fatigue.

S'il avait entendu la clef tourner dans la serrure au cours des premières heures, il aurait plaqué le tabouret contre le mur, se serait assis et aurait fait disparaître le couteau en un éclair. A présent, s'il l'entendit, ce fut de très loin, et il ne réagit pas, ne tourna même pas la tête. Il continua simplement de creuser le pli d'une bouche épaisse à l'intérieur de la barbe hérissée. Des pas entrèrent dans la cellule derrière lui, mais il ne leur prêta pas la moindre attention. Son visage concentré, penché sur le côté pour laisser tomber toute la lumière sur son ouvrage, avait l'expression d'un enfant passionné par son jeu, ou d'un homme pieux en prière. Il prit conscience qu'il n'était plus seul lorsqu'une ombre passa entre lui et la fenêtre, et même alors sa main ne s'arrêta qu'un instant.

— Ecartez-vous de ma lumière! protesta-t-il sans tourner la tête.

L'ombre recula aussitôt, mais une autre, plus massive, prit sa place.

— Par Dieu! s'emporta le prévôt. Quelle insolence!

Il approcha d'un pas menaçant et, découvrant la tête sculptée qui jaillissait du plateau du tabouret, il sursauta en reconnaissant les sourcils froncés, le grand nez grenelé par la vérole, le menton saillant et barbu. Avec un cri de rage, il leva son gourdin et l'abattit durement sur la main occupée à manier le couteau.

Le coup, le cri de douleur et de colère de Harry, le tintement du couteau par terre, tout parut survenir en même temps. Harry pivota sur ses genoux et se jeta à plat ventre pour récupérer le couteau avec sa main gauche, la droite étant paralysée. Le prévôt leva son gourdin pour frapper encore. Le deuxième homme, sur le seuil, se déplaça plus vite que l'un et l'autre, et à meilleur escient.

La main tâtonnante de Harry toucha le manche juste au moment où un pied se posait d'un mouvement sec mais silencieux sur la lame. A travers la brume de sa douleur et de sa colère, son attention se fixa, avec une clarté saisissante, sur une botte comme il n'en avait jamais vu auparavant, sauf à Caen, dans les croquis d'un maçon qui avait suivi Richard aux croisades et laissé deux doigts de sa main gauche à Acre sous l'épée d'un Sarrasin. Le cuir travaillé de la botte était aussi doux qu'une étoffe, les orteils recourbés en une pointe émoussée, et un petit motif délicat ciselé sur la partie supérieure, à la manière d'un damas perse. Harry releva les yeux le long d'une jambe longue et musclée dans des chausses brunes élégamment coupées, jusqu'à des hanches minces, cerclées d'une ceinture dorée qui supportait deux dagues ouvragées, un corps sec et énergique, un visage sombre comme le bronze. Une main aussi hâlée que le visage avait saisi le poignet du prévôt en plein vol, et le lui écartait, avec son gourdin, d'un geste brutal.

— Si vous lui avez brisé la main…! rugit Isambard.

Ses dents blanches claquèrent et la menace resta en suspens.

Harry se releva, en berçant sa main droite endolorie, et dévisagea avec stupeur l'étranger aux allures de seigneur. Isambard, qui avait l'avantage de la lumière, découvrit un jeune homme de vingt-quatre ou vingt-cinq ans, mince et brun, les cheveux en désordre, couvert de poussière et de contusions consécutives à la bagarre de la veille, vêtu d'une tunique élimée en gros drap brun avec un col effrangé, souillée après sa nuit dans ce cachot infect. Qu'y avait-il donc en lui pour capter à ce point l'attention? Ce garçon pouvait n'être qu'un goliard [1], un *gyrovagus* allant de ville en ville, de protecteur en protecteur, ou un clerc en fuite après ses premiers essais dans la petite friponnerie. Exactement ce que le prévôt pensait de lui, en vérité. Mais il y avait ce visage ardent, farouche comme une épée, tenace comme une bête qui chasse, insatiable dans son désir, prêt à tout sacrifier à sa passion. Le chanoine d'Espérance, deux soirs plus tôt, lui montrant l'ange de bois de Harry, avait dit : «Vous verrez vous-même d'où il tient ce visage.»

— Vous pouvez ramasser le couteau, dit Isambard en ôtant son pied. Rangez-le. Vous n'avez pas besoin d'arme et votre tête est terminée, me semble-t-il. Si vous la fignolez davantage, vous risqueriez de le regretter.

— Même ainsi, je crains de m'en repentir, dit Harry en remettant le couteau dans son étui, avec un sourire désabusé vers le prévôt qui contemplait son effigie d'un regard noir, la respiration bruyante.

— Estime-toi heureux que ton amende soit déjà acquittée et que tu ne sois plus entre mes mains, gronda-t-il. Si j'avais vu ceci avant, tu l'aurais payé de ta personne, et généreusement. Si jamais tu reviens, je te mettrai aux fers, et dans une basse fosse. Nous verrons alors quel mauvais tour tu peux mijoter. Messire, vous faites une mauvaise affaire. Je vous souhaite bien du plaisir!

— J'en suis satisfait, rétorqua sèchement Isambard.

Il resta un long moment silencieux, changeant de place à deux reprises afin de voir la tête sculptée sous des éclairages différents. Son sourire en coin éclata soudain, éblouissant.

— Je vous trouve bien ingrat, messire prévôt. Ce jeune homme vous a rendu immortel. Je ne vois dans ce portrait aucune malveillance, ni même aucune malice. Quant à l'exécution technique, trouvez-moi un homme capable de réaliser un tel chef-d'œuvre à la lumière d'une lanterne, avec un couteau de poche pour unique

---

1. Nom donné au XIIe siècle aux étudiants pauvres, clercs indisciplinés et sans revenus, errant et vivant d'expédients. Ils appliquaient leur culture et leurs talents à la composition de poésies chantant le jeu, le vin, l'amour, et s'attaquant à l'ordre établi. *(N.d.T.)*

outil, et je lui réserverai le même accueil qu'à celui-ci. Vous regrettez de vous séparer de lui pour trop peu, mais vous êtes gagnant. Je ne chicanerai pas sur le prix. Entre nous, le tabouret vaudra une jolie somme si vous le montrez où il faut. Nous ne serons pas avares sur le tarif de son hébergement.

Il se tourna vers Harry, qui l'observait dans un silence admiratif en se massant les doigts.

— Il vous a blessé ?

— Je ne crois pas. Il n'y a rien de cassé. J'aurai la main engourdie pendant quelques jours.

Ses yeux étincelants, vert océan sous la lumière du soleil qui tombait sur lui depuis la petite fenêtre, questionnaient sans obtenir de réponse.

— J'attendais maître Bertrand. Je ne comprends pas, messire, pourquoi vous vous êtes engagé pour moi, et il m'est pénible de penser que je vous dois tant d'argent. Pourquoi faites-vous cela ?

— Appelons cela un caprice. J'étais avec le chanoine d'Espérance et maître Bertrand lorsque votre frère est venu conter votre infortune, et je suis revenu avec lui pour vous délivrer. Il vous attend dehors. J'ai promis à maître Bertrand que vous seriez tous les deux de retour au travail dans une heure. Faites vos adieux ! ajouta Isambard avec son demi-sourire, sur le ton que l'on emploie à l'égard d'un enfant.

Harry ouvrit la bouche pour d'autres questions, mais la referma, impuissant. Il regarda le prévôt, puis son effigie bougonne et vigoureuse, et eut ce sourire espiègle mais tendre qui n'appartenait qu'à ses moments de triomphe, et à la bienfaisante lassitude qui leur succédait.

— Messire prévôt, quittons-nous bons amis ! Je reconnais avoir entrepris ceci par dépit, mais je l'ai achevé en toute honnêteté, je vous le jure. Si vous me deviez quelque chose pour cela, vous m'avez payé, dit-il avec une ombre de reproche dans son sourire en montrant sa main enflée qui bleuissait. Sans rancune ?

— Fiche le camp ! grommela le prévôt. Et reste en dehors de mon chemin, vaurien.

Toutefois, l'admiration d'Isambard pour la sculpture, plus encore que sa poignée de deniers, l'avait désarmé. C'est avec une mimique très proche d'un sourire qu'il les raccompagna dans la cour étroite de la prison et ferma la porte derrière eux.

Harry leva gaiement le visage vers le soleil et respira à pleins poumons, soudain conscient de sa faim et de sa fatigue, comme si c'était un luxe.

— Vous n'avez ni mangé ni dormi, constata Isambard, pratique. Serez-vous en mesure de travailler ? Je doute que vous puissiez tenir sur un échafaudage aujourd'hui.

— Tout ira très bien. Je dois aller recevoir les foudres de maître Bertrand. Quand il en aura terminé, je pense qu'il me dira d'aller dormir un peu. Messire, ne me donnerez-vous pas l'occasion de vous remercier ? Ne me direz-vous pas le nom de celui à qui je dois ma liberté ? J'étais trop abasourdi pour être poli, je le crains. Votre apparition m'a causé un tel choc !

— Vous ne m'avez pas froissé, le rassura Isambard, la mine sombre. Je m'appelle Ralf Isambard de Parfois. Nous venons du même pays, vous et moi. Considérez-moi donc comme un voisin. C'est ici que nos chemins se séparent. Mais si vous avez quelque liberté ce soir, venez chez moi. Il y a un sujet dont j'aimerais vous entretenir. Je loge à la Maison d'Estivet.

— Je viendrai, promit Harry. Mille mercis, messire.

Dans la rue, Adam attendait, la mine abattue. Dès qu'il aperçut Harry, le soleil brilla.

— Les croisades ! s'exclama Isambard, laissant pendre la coupe d'or entre ses deux longues mains et la regardant avec un sourire amer. Ne fuyez jamais ce qui vous répugne pour aller servir une cause juste à l'autre bout du monde, mon garçon. J'ai pris la croix parce que je ne supportais plus les querelles et les arrangements autour des royaumes terrestres. Quand le roi Jean a conclu la paix avec Philippe en la payant d'Evreux et de bien d'autres bonnes villes, et lui a prêté hommage[1] depuis la Bretagne, cela m'a exaspéré. Et quand il s'est allié avec Llewellyn et lui a garanti toutes ses conquêtes — lui qui a brûlé Fleace en marchant sur Mold et a exterminé toute ma garnison, jusqu'au dernier homme — j'ai considéré que la coupe était pleine. Le Gallois devenait l'homme lige de mon roi, son beau-fils et son ami le plus cher. J'ai donc quitté l'Angleterre et pris la croix, dans l'espoir d'un combat qui affermirait le sol sous mes pieds. Je devais être plus jeune que mes

1. Acte par lequel on reconnaît être l'homme, c'est-à-dire le vassal d'un autre. L'hommage lige était prêté au seigneur auquel on se devait en priorité. (N.d.T.)

quarante ans, Harry! Je suis plus sage, désormais. Nous partions pour le Saint-Sépulcre, nous n'avons pas dépassé le Rialto.

De l'autre côté de la longue table qui les séparait, Harry le dévisageait sans comprendre.

— Mais, messire, vous avez pourtant pris Constantinople...

— Façon de parler! Là où deux Vénitiens se rencontrent, il y a le Rialto, et n'importe quel étranger assez imprudent pour s'y aventurer a grand intérêt à garder une main sur sa bourse, l'autre sur son épée. Oui, c'est vrai, nous avons pris Constantinople. Une cité chrétienne, à la tête d'un empire chrétien! Etrange proie pour des Croisés, quand on y songe! Nous l'avons prise à un prince fort capable, qui l'avait prise à son frère incompétent et avait mis le vieux fou sous tutelle avant qu'il conduise son pays à la ruine.

— Est-il vrai qu'il l'a rendu aveugle? demanda Harry.

— Oui, répondit Isambard avec indifférence. Mais d'autres ont fait pire, sans guerres saintes prêchées contre eux par des princes partageant la même foi, et, Dieu m'est témoin, sans passé plus reluisant. Pourtant, nous avons remis le vieux gâteux sur son trône branlant, et il a suffi d'une année pour que son peuple ingrat se lasse de lui, ainsi que de son colporteur de fils. Il s'entendait très bien avec les Vénitiens, ce jeune homme, mais les Grecs ne le supportaient pas. Il leur a coûté un second siège et une seconde capture. Nous n'avions d'autre choix que de mettre en place un empereur à nous et de le maintenir de force. Voilà à peu près comment nous sommes entrés dans la ville sainte! Oh, certes, on célèbre le rite latin dans Sainte-Sophie, mais les Grecs continuent de lorgner vers leurs prélats en exil. Qui a tiré profit de tout cela, sinon Venise? Ce sont des marchés, non des miracles, qu'ils voulaient obtenir, et ils ont réussi. Les Vénitiens tiennent toutes les villes de l'Empire romain. Et savez-vous, Harry, ce qui m'a renvoyé chez moi? Un autre traité, semblable à ceux qui m'en ont chassé. Notre empereur latin, le champion de la chrétienté d'Orient, se sentant menacé — et Dieu sait qu'il avait de bonnes raisons! —, s'est allié de lui-même avec le sultan musulman de Dacie contre les Grecs chrétiens de Nicée! Une broutille, comparé à ce que j'avais déjà avalé. Mais cela m'a retourné l'estomac. Trop c'est trop, vous ne trouvez pas?

— A vous écouter, dit Harry, je me sens très heureux d'avoir consacré mes efforts à la pierre et au bois plutôt qu'aux affaires des hommes. Pourtant l'homme est le seul matériau dont nous disposons, si le monde doit un jour être amélioré. Et je pense que vous avez sans doute éprouvé, chez vous et en Orient, autre chose que du dégoût. Sinon parmi les princes et les doges, du moins chez les gens simples.

Isambard vida sa coupe d'un trait, la tête renversée en arrière, et la reposa sur la table.

— Vous croyez? Prêtez-moi vos yeux pour regarder l'Angleterre qui m'attend. Que vais-je y trouver? Dans quelle sorte de maison vais-je rentrer?

Ainsi interpellé, Harry en appela à ses souvenirs et eut honte de voir à quel point il s'était peu renseigné sur l'Angleterre depuis neuf ans qu'il l'avait quittée.

— Très troublée et très réduite, admit-il enfin d'un air piteux. Vous avez sans doute appris que l'Angleterre est frappée d'interdit papal? Le litige porte sur le futur archevêque de Canterbury. Les évêques et les moines étaient en conflit et le roi Jean a pris le parti des évêques et soutenu Norwich, mais le pape a refusé de confirmer l'élection et veut imposer le cardinal Langdon. Or le roi ne veut pas entendre parler de Langdon et la discorde s'envenime. Mais vous connaissez sûrement la situation mieux que moi. Par ailleurs, la plupart des terres qui ici étaient anglaises se sont envolées. Le Maine, la Touraine, la Normandie...

— Envolées! s'exclama Isambard avec un rire bref et dur. Vous parlez comme moi à votre âge. Et Dieu sait que je devrais vous en blâmer! Rien ne s'est envolé, jeune homme. La Normandie est là où elle était, ainsi que le Maine et la Touraine. Ce qui s'est produit n'est que la reconnaissance d'une réalité. Ces comtés sont sur le sol de France, l'ont toujours été et le seront toujours, à moins que Dieu fasse un miracle et les transporte de l'autre côté de la mer. Mes propos vous laissent pantois? Votre exil volontaire a été mieux nourri que le mien, sinon il vous aurait forcé à regarder en arrière et à changer d'avis sur les choses. J'ai beaucoup médité, là-bas, en Orient, et j'ai compris que j'avais eu tort de blâmer le roi d'avoir lâché Evreux. Mais il aurait été mieux avisé s'il avait fixé les conditions comme il le pouvait alors, et s'était séparé tranquillement de ce qu'il a abandonné ensuite par la force. Savez-vous ce qui a causé la ruine de ma famille et de beaucoup d'autres depuis cent cinquante ans? La tentation de monter deux chevaux à la fois. Il est plus que temps de décider si nous voulons être des Normands ou des Anglais, car nous ne pouvons être les deux. Je ne sais pourquoi j'ai dû aller jusqu'à Constantinople pour découvrir que j'étais un Anglais.

Isambard se leva et commença à arpenter la pièce, entre les murs tendus de tapisseries. Son va-et-vient faisait vaciller les chandelles, et Harry le suivait des yeux, inquiet de savoir où il voulait en venir. Qu'est-ce qu'un personnage tel que lui pouvait attendre qu'il n'osait demander carrément, sans tous ces préambules? Que lui valait l'honneur des confidences de Ralf Isambard, seigneur de Mormesnil, Erington, Fleace et Parfois dans les marches de Galles, d'une douzaine d'autres châtellenies dans le nord et le sud-ouest de l'Angleterre, et Dieu savait combien d'autres en Bretagne, Gascogne, Maine, Poitou et Anjou?

— Je reviens tout juste de Bretagne, reprit Isambard en s'arrêtant brutalement devant Harry, comme s'il avait lu dans ses pensées. Je suis allé céder l'un de mes deux chevaux. Je suis anglais, Harry, mais mon fils aîné est français jusqu'à la moelle. Je vous surprends? Vous ne saviez pas que j'avais des fils! Oh, que si! L'aîné a environ votre âge. J'ai été marié à dix-sept ans et veuf à vingt-cinq. Je n'ai pas le souvenir d'avoir sérieusement regretté l'un ou l'autre de ces deux événements. Désormais Gilles sera le maître de la moindre parcelle de terre que je possédais en France, et il prêtera de très bon cœur hommage au roi Philippe. Quant à moi je retournerai en Angleterre et prêterai hommage à Jean, pour les fiefs que je possède là-bas, et je m'y tiendrai de toutes mes forces. Une seule monture à la fois suffit à un seul homme. J'ai résolu mon dilemme. Et Jean serait bien avisé de trancher le sien de la même manière, de s'asseoir fermement sur le trône d'Angleterre, de consacrer toutes ses pensées et ses efforts à la rendre forte et prospère, et la lier à lui de façon indissoluble contre tous les prétendants. Mais il en est incapable. Même s'il en ressent la nécessité et le désir, il n'ose pas. Savez-vous pourquoi? Parce que son peuple — je ne parle pas de nous qui sommes proches de lui, mais de ces gens du commun dont vous parliez à l'instant — le mettrait en pièces!

Isambard émit un rire bref et rauque et s'approcha de la fenêtre dont il écarta les tentures pour contempler le ciel gris perle autour de la lune qui se levait, et, flottant dans la lumière argentée, les contours de Notre-Dame au-dessus des toits, que le miroitement de la Seine faisait vaciller comme la flamme d'une chandelle.

— Le vin est devant vous, Harry.

— Merci, répondit celui-ci sans y toucher.

Isambard tourna brusquement la tête et rencontra le regard

jeune, brillant et direct. Un regard qui ne fuyait pas et qui conservait son intensité.

— Vous vous demandez si je suis toujours aussi bavard. En vérité je tiens à être honnête envers vous, Henry Lestrange. Avant que vous répondiez oui ou non à ce que je vais vous soumettre, j'aimerais que vous me connaissiez un peu, par vous-même et non par d'autres.

— Je sais que vous vous êtes montré courtois et généreux à mon égard, dit Harry. Cela me suffit.

— Sottises! Je peux être tout autre.

— Et vous, que savez-vous de moi sinon que vous m'avez sorti de la geôle du prévôt, que j'ai quelque talent de tailleur de pierre, que je tire vanité de mon travail et que j'ai une nature incurablement entêtée et rebelle? Je suis sûr que maître Bertrand n'a laissé planer aucun doute sur ce point.

— Pensez-vous vraiment que c'est ainsi qu'il parle de vous? Vous le sous-estimez. Oh, certes, il est jaloux de vos capacités, c'est facile à deviner, et il vous décrit comme un garçon têtu et volontaire, qui juge avec sévérité et arrogance le travail des autres. Il dit aussi que vous êtes l'élève le plus doué qu'il ait jamais eu. C'est lui, non le chanoine d'Espérance, qui affirme que vous avez du génie.

Il sourit, presque gaiement cette fois, en voyant Harry rougir jusqu'aux oreilles d'étonnement et de plaisir.

— Il a vraiment dit cela?

— Et bien d'autres choses. Bonnes et mauvaises. Mais en ce qui concerne vos aptitudes dans tous les domaines de votre art, excellentes. Depuis combien de temps êtes-vous avec lui?

— Bientôt quatre ans. Je ne pensais pas qu'il me tenait en si haute estime. Il ne me l'a jamais montré.

— Et auparavant?

— Nous sommes restés un peu plus de quatre ans à Caen, au service de maître Guillaume, pour la construction de l'abbatiale Saint-Etienne. C'est un maître maçon chevronné, difficile à satisfaire. Il ne supportait pas l'ouvrage bâclé et exigeait toujours le meilleur de nous.

— Et avant cela? Mais que dis-je, vous deviez être un enfant.

— A notre arrivée d'Angleterre, nous avons passé quelques mois à Lisieux. Je ne prétendrai pas que nous avons appris grand-chose là-bas, sinon la rapidité et l'obéissance aux ordres. J'ai été ravi de partir à Caen dans le courant de l'année.

— Je constate que vous deviez avoir acquis des bases solides en Angleterre. Qui était votre maître, là-bas ? Il a dû vous prendre très jeunes.

— Le père d'Adam, répondit Harry sans réfléchir.

Il se serait mordu la langue. En neuf ans, pas une fois il ne s'était trahi. Maintenant il était trop tard pour revenir en arrière. Isambard, cependant, malgré un coup d'œil rapide et perspicace sur le visage de son invité, ne montra pas la moindre envie de le questionner sur sa parenté.

— Il était maçon dans un village et avait un peu travaillé dans la demeure du seigneur, poursuivit Harry, tirant le meilleur parti de sa bévue. Je n'étais pas son fils mais il m'a élevé avec les trois siens.

— Donc vous avez commencé par la pratique et non par le tracé sur plans. C'est la meilleure école, et je suis très satisfait de vos états de service, dit Isambard en s'emparant de la cruche de vin pour remplir les deux coupes.

Il prit la sienne et recommença à faire les cent pas.

— Voici ce dont il s'agit, Harry. J'ai l'intention de bâtir une église à côté de mon château de Parfois. J'ai déjà entrepris ce travail autrefois, sans aboutir à rien. Vous connaissez Parfois ? C'est le nom du berceau de ma famille en Normandie.

— Je connais, acquiesça Harry.

Il se remémorait la grande muraille grise qui émergeait du piton rocheux et ondulait tout au long de la colline comme un serpent en mouvement. Les deux tours de la porte surgissaient au-dessus d'un fossé, fissure naturelle dans la roche, profond de quarante pieds.

Il n'avait vu Parfois que deux fois dans sa vie, en chevauchant vers le nord-ouest du comté avec Ebrard pour acheter des chevaux, mais c'était une vision inoubliable.

— Donc vous en connaissez les périls. Nous subissions des raids gallois presque quotidiens, soit de Powis soit de Gwynedd, et même s'ils étaient trop malins pour s'attaquer à Parfois, le chantier de l'église était à l'extérieur des murs et ils trouvaient divertissant de voler les matériaux et de terroriser mes maçons. Je ne sais quelle malchance a mis sur ma route des hommes aussi timorés. L'un après l'autre, mes maîtres d'œuvre ont pris peur et déserté. J'en ai épuisé trois, puis j'ai rasé ce qui avait été construit et je suis parti en croisade. Maintenant je veux reprendre le projet et le voir achevé. J'ai visité tous les grands chantiers de construction de Paris à la recherche d'un maître à mon goût. Je pense l'avoir trouvé.

Harry était debout, tremblant.

— Je vous offre la place, poursuivit Ralf Isambard. Je vous offre le site vierge, une entière liberté, et tout l'argent dont vous aurez besoin. Tous les matériaux, tous les hommes, tous les outils que vous souhaiterez, vous les aurez. Mais à une condition : vous devrez jurer de rester jusqu'à la finition de l'ouvrage, malgré la menace de Llewellyn et de ses hommes.

Dans le jeune visage avide, pâle et gris de désir sous le hâle, les yeux étincelaient comme la topaze. Ce fut dans un chuchotement rauque qu'il parvint à dire :

— J'accepte et je jure !

Isambard traversa la pièce pour venir se planter devant lui, tout près, et scruter ses traits d'un regard qui ne souriait pas.

— Vous n'éprouvez aucun doute. Vous savez que vous en êtes capable.

Ce n'était pas une question. Il lisait le visage et s'émerveillait de ce qu'il lisait.

— Quand serez-vous en mesure de venir à Parfois ? J'ai quelques affaires à traiter en France, que je ferais bien de conclure maintenant, tant que je bénéficie du sauf-conduit de la croix. Mais d'ici trois ou quatre semaines, je m'embarquerai de Calais J'aimerais vous emmener avec moi.

— Cela dépendra de maître Bertrand. Je dois terminer le calvaire que j'ai entrepris.

L'autorité perçait dans sa voix, elle sonnait avec ardeur.

— C'est l'affaire d'un mois. Ensuite, si maître Bertrand consent à me libérer, ce qu'il fera volontiers pour vous, messire, je vous suivrai avec grand plaisir. Je ne vous demanderai qu'une chose. La permission d'emmener mon frère avec moi.

— Bien entendu ! Je vous le répète, vous pourrez choisir qui vous voudrez. Si vous avez d'autres conditions, énoncez-les maintenant, avant de vous engager.

— Si je puis me permettre, j'aimerais que vous me promettiez de ne me renvoyer que sur le seul motif que mon travail ne sera pas assez bon.

— Sur ce plan, vous n'avez aucune crainte, dit Isambard, ébloui par la passion et l'assurance du jeune homme, et la fierté farouche qui luisait dans ses yeux verts.

— Non, aucune ! A Chartres, à Caen, à Bourges, j'ai vu les

merveilles et l'énergie des créations d'autres hommes, et je mourais d'envie de concevoir la mienne. Tout ce que j'ai appris, tandis que j'exécutais les tracés des autres, a nourri ce que j'ai en moi. Je l'ai porté longtemps, j'y ai beaucoup réfléchi, et je brûle d'impatience de le voir naître. Si je vous le donne, vous ne serez pas déçu.

— Je vous crois sincèrement.

— Messire, je connais une carrière où l'on trouve la pierre que je veux et que j'ai toujours voulue.

Sa voix s'emballa, joyeuse, à la poursuite d'un souvenir enchanteur.

— C'est une pierre d'un gris tendre, avec un grain d'ambre pâle qui étincelle d'or au soleil. La seule difficulté est que cette carrière est située très près de la frontière galloise.

— Qu'importe! Vous aurez une troupe solide et une autorisation de vous ravitailler à la carrière pendant toute la durée du chantier.

— Si vous pouviez envoyer des messagers en Angleterre avant notre départ, je dresserais une liste des matériaux indispensables dans l'immédiat. Cela nous avancerait. Des piquets et des cordages pour tracer les fondations, des lanières de cuir et du bois pour les échafaudages, des claies, des poutres pour le cintrage, du plomb, du verre... et des charrettes. Nous pouvons gagner une année entière si nous consacrons l'été au montage, car nous passerons l'hiver à l'abri, à tailler la pierre, une fois qu'elle aura été charroyée sur place. Pouvez-vous me garantir des charrettes et des attelages?

— Vous aurez tout ce que vous voudrez, répéta Isambard. Mon régisseur se chargera de faire exécuter vos ordres.

— Quel sol vais-je trouver?

— Du rocher, déjà nivelé par vos prédécesseurs. Mais vous aurez peut-être besoin d'araser davantage, selon votre projet.

— Parfait. Nous poserons l'empattement du maçonnage dans la roche. Il n'existe pas de meilleure fondation, et nous n'aurons pas d'affaissement, ou presque pas.

— Je vois que vous ne craignez pas les raids gallois, sourit Isambard, car vous n'en avez soufflé mot.

— Je suis né dans ce pays frontalier. Les expéditions galloises étaient notre ordinaire. Je ne déclinerais pas une commande comme la vôtre même face à toute l'armée du roi Philippe, moins encore à cause d'une poignée de Gallois sauvages. Je vous promets le meilleur de moi-même, ajouta-t-il en levant brusquement sa coupe avec un large sourire. Et vous avez ma parole que je ne vous quitterai pas avant que l'église soit achevée. Je bois à cela !

— Quant à moi, je ne vous retirerai pas tout l'appui que je vous ai garanti jusqu'à ce que l'ouvrage soit fini. Je le jure.

Harry portait la coupe à ses lèvres et Isambard levait la sienne lorsque, soudain, la main baguée de celui-ci fit un geste violent.

— Attendez ! Tout ceci s'engage avec trop de facilité et de légèreté pour mon goût.

Il reposa sa coupe sur la table, marcha vers la fenêtre à longues enjambées nerveuses, et saisit la tenture dans ses doigts secs et musclés. Sans tourner la tête, il poursuivit d'un ton adouci, mais avec une pesante solennité :

— Harry Lestrange, vous devriez aller dormir et attendre demain pour me répondre. Je tombe en plein cœur de vos aspirations et j'en profite. Dieu m'est témoin que ce n'est pas ainsi que je voulais parvenir à mes fins. Je vous veux, mais je vous veux honnêtement. C'est mal de vous avoir saisi à l'improviste aujourd'hui, avec votre gratitude toute fraîche et vos yeux qui tombent de sommeil. Si vous me donnez votre parole, sachez que je suis un maître dur, qui n'aura aucune pitié si vous y manquez. Je vous promets mon entier soutien tant que vous jouerez franc jeu avec moi, et je vous promets la plus cruelle intransigeance si vous me décevez, si vénielle que soit la faute. Je suis tel que je suis, je ne puis être autre, et si vous entrez à mon service vous devrez vous soumettre à ma loi. Ne jurez pas ce soir ! Rentrez chez vous, réfléchissez et revenez me voir demain.

— Non, messire ! s'écria Harry d'une voix forte et enjouée. Mon parti est pris. Fussiez-vous le diable en personne, je me soumettrais à vous. Le prix est trop beau. J'engage ma parole dès maintenant.

Isambard s'était détourné de la fenêtre et l'observait, les sourcils froncés par une sorte de déplaisir étonné, tant il était peu accoutumé à s'entendre opposer un «non» aussi direct. Cependant, dans leurs cavités profondes, les yeux restaient arrogants et sévères. Harry renversa la tête, vida sa coupe et la posa sur la table.

— Je suis votre homme, messire. Je jure, sur ce cœur qui bat, que je ne vous quitterai et ne chercherai d'autre service tant que votre église ne sera pas achevée. Et si je vous trompe, vous pourrez arracher ce même cœur de ma poitrine.

Il y eut un long silence, puis Isambard approcha à pas lents de la table, vida sa propre coupe, et la posa à côté de l'autre.

— Qu'il en soit ainsi, conclut-il.

8

La magnificence et les audaces de Madonna Benedetta Foscari parvinrent aux oreilles d'Isambard par la voie des potins de Paris, et, bien qu'il fût peu enclin à suivre les modes, sa curiosité s'éveilla.

— J'ai cru comprendre qu'elle avait été ramenée comme butin de la croisade, dit-il un jour à Adam, alors qu'ils venaient de sortir d'une longue conférence sur les lettres et les réquisitions à envoyer par avance en Angleterre. Il m'est agréable de penser que Venise a perdu quelque chose, pour finir — et une perte qui compense tout ce qu'elle a gagné, si la rumeur ne ment pas au sujet de la dame. Apparemment le vieux Guiscard avait l'œil sur autre chose que les marchés lorsqu'il traitait ses affaires dans l'Adriatique. Cette Madonna Benedetta Foscari est-elle aussi merveilleuse qu'on le prétend ?

— Bien davantage, assura Adam en souriant, sans même l'ombre d'un regret au souvenir de la nuit unique où elle lui avait accordé ses faveurs.

Mieux, sans le chercher, il avait obtenu quelque chose de plus, car elle le recevait encore, certains soirs, pour le seul plaisir de chanter avec lui.

— Et vous, Harry, comptez-vous parmi ses admirateurs ?

— Messire, je n'ai aperçu d'elle qu'une main et un bras, répondit-il, l'air absent, penché sur ses listes de matériaux. Et pour moi ils n'avaient rien de singulier.

— Comment ! Vous ne l'avez jamais vue, après en avoir payé si chèrement le privilège ? Il faut remédier à cela ! Adam, introduisez-nous auprès de cette beauté sans pareille.

L'ordre avait été lancé avec insouciance, peut-être même par plaisanterie, mais, ainsi que le souligna plus tard Adam une fois rentré rue des Guenilles, la prudence imposait d'obéir même aux boutades d'un homme tel qu'Isambard.

— En effet, il est plus sage de le contenter, acquiesça Apollon. Je le connais de réputation. Il possède un fief non loin de chez moi. On dit que c'est un homme redoutable, qu'il ne faut pas contrarier, et impitoyable envers ses subalternes.

— Parle à ta guise, dit Adam sans s'émouvoir. Jusqu'ici il s'est montré très juste envers nous, et c'est un homme qui sait choisir un maçon.

Harry étant absent, Adam pouvait l'encenser à loisir.

— En tout cas, reprit-il, que les choses tournent bien ou mal, nous sommes liés à lui dorénavant, et s'il désire un peu de distraction pendant les semaines où il doit nous attendre, je serai très arrangeant et lui fournirai l'occasion d'une rencontre avec Madonna Benedetta.

— Je suis vexé que tu fasses pour lui ce que tu n'as jamais proposé de faire pour moi, intervint Elie en levant la tête de ses livres. Pourtant nous sommes amis et tu vas bientôt partir.

— Mon vieux, il est peu probable que tu aies un jour le pouvoir de me payer ou de me faire fouetter, sinon tu penses bien que je t'obligerais ! Et puis la voie sera libre une fois que mon seigneur et moi-même aurons quitté Paris, ajouta Adam gentiment, en commettant l'imprudence de tapoter les boucles auburn sur lesquelles Elie tirait nerveusement quand il étudiait.

Elie ferma son livre d'un coup sec et se jeta joyeusement sur son ami. Il se baissa pour lui enserrer les genoux d'un bras et l'envoya bouler sur le sol. Apollon, sans lever les yeux de la corde de son luth qu'il était en train d'ajuster avec soin, s'écarta du chemin pour le laisser rouler sur toute la longueur de la pièce.

Bientôt, songea-t-il avec tristesse, il devrait se mettre en quête de deux nouveaux aimables compagnons pour occuper les lits de Harry et Adam, mais ces deux-là ne seraient pas faciles à remplacer.

Lors de leur visite suivante à la Maison d'Estivet, Adam apporta une invitation.

— Messire, Madonna Benedetta Foscari vous envoie ses compliments et vous prie de venir boire une coupe de vin chez elle demain soir. Elle m'a contraint à lui conter toute l'histoire et demande que vous ameniez «votre pétulant tailleur de pierre». Ce sont ses propres paroles. En vérité, je crois qu'elle a manqué très peu des incidents de cette fameuse nuit.

Isambard s'esclaffa avec une telle insouciance que Harry comprit qu'il n'avait pas compté que son souhait serait pris à la lettre. Néanmoins, ses affaires en France étant terminées, il était impatient de rejoindre son pays et rongé par l'attente et l'oisiveté. La femme qui avait distrait tout Paris pourrait peut-être lui procurer une diversion bienvenue.

— La dame est gracieuse, dit Isambard. Nous serons enchantés de répondre à son invitation.

— Quelle mouche t'a piqué de m'inclure dans cette entreprise ? protesta Harry avec ingratitude, lorsqu'il fut seul avec Adam. J'ai un tracé de fenêtre à terminer. Si j'accompagne Isambard, ça ne sert pas ses intérêts et je perds une soirée.

Ce fut dans cet état d'esprit qu'ils se présentèrent avec Adam chez Madonna Benedetta Foscari : le premier mû par une vague curiosité, le deuxième contrarié d'avoir dû quitter son travail, qui offrait à ses yeux bien plus de charmes que n'importe quelle femme. On les introduisit, derrière un Adam plein d'assurance, dans la pièce du premier étage depuis laquelle Madonna Benedetta avait jeté les violettes accordant ses brèves mais gracieuses faveurs. Les gains considérables que maître Guiscard avait tirés de son commerce vénitien avaient drapé les murs de ses appartements de tentures orientales et couvert les sols de peaux ouvragées. Les sièges étaient rembourrés de coussins, le drapé de la table en linge de Damas, les coupes à vin en verre fin et étincelant. Et la femme qui se leva de son siège devant la fenêtre et traversa la pièce pour les accueillir avait l'assurance d'une abbesse.

— Messire de Parfois, soyez le bienvenu dans mon humble demeure.

— Madame, vous êtes très bonne, car je ne mérite guère votre attention et j'ai grand besoin de votre indulgence puisque je vais bientôt voler votre ménestrel.

— Il m'a prévenue, en effet, acquiesça-t-elle en lui tendant sa main.

A quoi s'était donc attendu Isambard, pour que ses yeux fouillent ce visage avec un intérêt aussi vif et aussi singulier ? Les plus nobles et les plus coûteuses des courtisanes avaient toujours été sensibles aux ressources inépuisables de sa bourse, mais, à en juger par les malles innombrables qu'il avait rapportées d'Orient, il leur avait préféré les épées magnifiquement trempées, les animaux exotiques, les sculptures raffinées, les joyaux barbares, les reliques saintes. Et s'il avait répondu à l'invitation de Madonna Benedetta, c'était davantage par curiosité, et encore, une curiosité très superficielle. Or voilà qu'il ne pouvait détacher ses yeux d'elle, et son expression reflétait la même gravité et la même passion que lorsqu'il admirait une œuvre d'art, intransigeant dans ses jugements, pointilleux dans ses critiques, écartant ce qui n'était pas unique. Elle, il ne l'écarta pas.

— Et vous, reprit Madonna Benedetta en s'adressant à Harry, vous êtes celui qui souhaitait améliorer *Dum estas inchoatur*.

La voix, que Harry pensait chaude, sensuelle, pleine d'artifices, était nette et directe comme celle d'un enfant, et si spontanée qu'elle paraissait étonnamment forte dans la pièce silencieuse. Le timbre était bas, mais il rendait un son d'argent et non pas d'or.

— Vous avez terminé brutalement, ajouta Madonna Benedetta.

— Je sais, admit Harry, un peu déconcerté et ne sachant s'il devait se vexer ou rire. J'avais affaire à plus fort que moi. Et vous aurez remarqué que je ne suis pas Adam.

— Je le vois, en effet.

— Néanmoins, vous avez ri.

Par quel étrange pouvoir parvenait-elle à capter l'esprit le plus rétif, un esprit qui aurait volontiers gardé toute sa réserve et continué de réfléchir dans un bienheureux silence à la courbe précise d'un arc plutôt qu'au dessin subtil d'un visage ? Tout en elle était aussi provocateur par son impétuosité que la voix candide, franche, qui ne laissait aucune place à la flatterie. Madonna Benedetta aurait dû être tendre et extravagante. Etait-ce puéril d'attendre cela d'une courtisane ? Or elle lui apparaissait droite, hautaine, imprenable à la manière d'un homme, accessible à la manière d'un homme. Harry s'était attendu à n'avoir rien d'autre à faire que d'admirer un corps immanquablement beau, et voilà qu'il en était à s'interroger presque avec angoisse sur l'énigme que lui posait l'esprit de cette femme, et à contempler l'enveloppe charnelle, célèbre et resplendissante, dans laquelle elle se mouvait.

Elle était juste de sa taille, c'est-à-dire à peine moyenne pour un homme mais exceptionnellement grande pour une femme. Leurs yeux se croisaient à hauteur, attentifs, scrutateurs, également intenses. Madonna Benedetta avait la prestance d'une tour, large et noble, et se déplaçait avec une grâce vigoureuse qui se conformait docilement à l'espace confiné à l'intérieur de ces murs, mais suggérait que les décors plus vastes et plus amples étaient son domaine de liberté. Adam avait préparé Harry aux cheveux sombres, qui étaient à la mesure de sa description, avec leurs noirs cramoisis, leurs rehauts rougeoyants, mais nul ne lui avait vanté la blancheur radieuse du large front sous la couronne de cheveux, et de la gorge, qui miroitait comme un verre de vin sous le reflet des boucles. Nul ne l'avait prévenu du large écartement des yeux, sous la ligne droite des sourcils hardis, ni de leur dessin plein et net, de leur gris pur, que la pénombre teintait légèrement de violet. Le menton était peut-être trop généreusement arrondi pour répondre aux canons de la beauté idéale, la bouche trop charnue, mais délicieusement dessinée, avec sa moue résolue, son modelé antique. Le corps et le visage étaient ceux d'une femme, pourtant Harry croyait croiser le regard d'un homme, son opposé et son égal. Il sentit son cœur et son esprit aller vers Madonna Benedetta, même si son corps et son sang demeuraient en paix.

— Et votre chanson? poursuivit-elle en se détournant afin de les guider d'un mouvement décidé vers les sièges disposés pour les recevoir. Adam m'a confié que c'est votre œuvre. Votre chanson a dû ouvrir bien d'autres portes que la mienne?

— Pas à ma connaissance. En la donnant à Adam, j'ai renoncé à mes droits.

— Et je ne l'ai chantée que deux fois, intervint Adam. A vous seule. Je ne l'offrirai à nulle autre.

Adam était dans cette maison comme chez lui, à la manière d'un cousin ou d'un serviteur, et il acceptait ce statut avec bonne humeur. Lorsqu'ils eurent pris place, il se transforma pour eux en échanson. Il épiait Isambard avec curiosité, ravi de constater que la beauté qui l'avait ébloui aveuglait aussi les autres.

— Je ne connais pas cette chanson, remarqua Isambard sans quitter Madonna Benedetta des yeux, son léger sourire étiré au coin des lèvres. Il n'en a pas écrit pour moi.

— Ni pour moi, précisa-t-elle. Celle-ci était destinée à son frère, et la passion qu'elle décrit est purement spirituelle. C'est tout de même une bonne chanson. Adam ne refusera sûrement pas de nous la chanter. Prenez la citole, ou le luth si vous préférez.

— Il n'en joue pas, dit Harry en s'emparant de l'instrument. Donnez-la-moi.

Il se pencha amoureusement sur l'instrument pour l'accorder et repoussa sa chaise de la table. Puis, comme les accoudoirs entravaient ses mouvements, il se leva pour aller s'asseoir sur un tabouret près de la fenêtre. La mélodie revint sous ses doigts, tendre, plaintive, chuchotante. Le profil impérieux d'Isambard, qui se découpait sur la lumière de la chandelle et le miroitement du verre sur la table, avait une rigidité presque irréelle, comme s'il retenait son souffle, comme s'il était changé en pierre, semblable au masque de marbre qu'il avait rapporté de Grèce, fragment de quelque dieu, magnifique et brisé.

Adam chantait d'une voix fraîche, pareille à celle de l'alouette, dénuée de la nostalgie amoureuse suggérée par la mélodie. Elle a raison, songea Harry. La passion est purement spirituelle. Tout de même, c'était une jolie chanson.

> *Mais quand la branche frémit,*
> *Que la fierté de l'été s'est enfuie*
> *Lors c'est à moi, nu et délaissé,*
> *Enfin, de recevoir et d'aimer,*
>
> *Et quand l'automne peint*
> *D'or ton arbre du ciel,*
> *Que tombent tes pommes vermeilles,*
> *S'inclinent vers moi tes seins.*

Soudain Harry sentit leur tiédeur d'été dans ses mains, et la note finale sonna faux sous ses doigts. La chaleur monta de son corps vers son visage. Ce n'était pas à cause de ses seins : il pouvait les regarder sans émotion, ou du moins sans trouble. Il ne la désirait pas. Sa présence l'épanouissait, sa beauté l'enchantait, il était en paix auprès d'elle comme auprès d'un homme de son envergure. Mais elle lui laissait entrevoir d'autres femmes, certaines croisées une seule fois, d'autres encore jamais aperçues, certaines déjà vues mais abandonnées et oubliées sans qu'il en eût conscience. Ce qu'était Madonna Benedetta, ce qu'elle pouvait être pour tant d'hommes, une autre le serait pour lui. Elle était l'espoir de cette plénitude, elle était la promesse, presque la certitude, et elle était le présage de la perte monstrueuse qu'il subirait s'il laissait le printemps lui échapper.

Harry laissa courir ses doigts tremblants sur le corps de la citole,

162

dont le bois luisant était frais et doux sous ses paumes moites. Pourquoi était-il soudain submergé par cette conscience douloureuse de ses sens, comme si le désir lui-même était une chose désirable ?

— Vous avez un bon toucher, le félicita Isambard, et une jolie manière de tourner les vers. Je vois que j'ai découvert un phénix.

— Je manque de pratique, dit Harry. J'ai mal joué. Mais c'est une belle mélodie. Puisque je vous ai gâté *Dum estas inchoatur*, l'autre soir, voulez-vous l'entendre maintenant, sans améliorations de mon cru ?

Adam chanta, imperméable aux frémissements qui troublaient l'atmosphère. Comme il devait être doux et agréable d'être Adam, de vivre dans le présent, comme si n'existaient ni passé ni futur !

— C'est la même mesure, constata Madonna Benedetta. Messire de Breauté n'est pas un prétendant très original. Non seulement il a emprunté la chanson mais aussi l'interprétation, et sans remercier les chanteurs.

— Ayant payé la représentation, il la considérait sans doute comme sa propriété, observa Isambard.

— De même que Paulus avec ses poèmes, dit Madonna Benedetta.

Voyant une lueur d'amusement briller dans ses yeux, elle ajouta :

— Cela vous étonne que je puisse vous suivre dans Martial ? Pourquoi ? Parce que je suis une femme ? Ou parce que je suis le genre de femme que je suis ? Je me trompe, ou bien est-ce à ces vers que vous songiez : «*Carmina Paulus emit, recitat sua carmina Paulus. Nam quod emas possis iure vocare tuum*»? Voyons, comment allons-nous traduire ceci dans votre anglais natal ? «Paulus a payé pour que l'on dise des vers en son nom. Pourquoi pas ? Ce qui est acheté, l'acheteur peut l'exiger.»

— Martial est un auteur aride pour une femme, dit Isambard. Et nous sommes moins généreux dans l'éducation de nos filles que nous pourrions l'être. Cela ne doit pas vous déplaire de vous distinguer comme l'exception.

— J'ai été élevée avec deux frères talentueux et j'ai partagé leurs lectures. Ce n'était pas un choix délibéré, cela s'est passé ainsi. J'étais curieuse et je les suivais pas à pas sans qu'ils s'en rendent compte. Auriez-vous préféré que je vous chante quelque chose de Catulle, *votre* Catulle, l'étranger du Nord ? Voilà un poète pour les femmes ! Je suis allée une fois dans son pays, à

Sirmio. Les oliviers, le lac et le long bras de terre sont tels que lorsqu'il les a quittés.

Elle avait pris le luth et le portait à la banquette couverte de coussins aménagée dans la fenêtre. Ses longs doigts étaient rapides et impétueux sur les cordes, habiles mais inattentifs. Parmi la cascade de notes, Harry entendit ici ou là une corde grincer, comme si son esprit était absent et qu'elle laissait ses mains se débrouiller seules.

> *Ille mi par esse deo videtur,*
> *Ille, si fas est, superare divos,*
> *Qui sedens adversus identidem te*
> *Spectat et audit*
> *Dulce ridentem…*

— … Mais il a tiré ces vers de Sappho, mesure comprise. Connaissez-vous aussi le *Pervigilium Veneris*, écrit pour la fête nocturne de la déesse, à Hybla, en Sicile ? C'est une merveille dans son genre.

> *Cras amet qui nunquam amavit, quique*
> *amavit cras amet!*
> *Illa cantat, nos tacemus. Quando ver*
> *venit meum?*
> *Quando fiam ceu chelidon ut tacere desinam?*

— « Elle chante, nous sommes muets. Quand viendra mon printemps ? Quand deviendrai-je une hirondelle, et ne serai plus silencieuse ? » Curieuse version, qui fait de Procné[1] l'hirondelle, quand c'est Philomèle la muette. De nombreux exégètes ont spéculé sur ce qu'il voulait signifier, mais pour ma part je pense qu'il était tout simplement humain et qu'il s'est trompé.

> *Qui aime aimera encore!*
> *Qui n'aime point apprendra à aimer!*
> *La sécheresse d'hier demain sera chassée.*

---

1. Dans la mythologie, les sœurs Procné et Philomèle ont un destin tragique. Elles finissent métamorphosées en oiseaux par les dieux : Procné en rossignol, Philomèle en hirondelle, celle-ci ne pouvant que gazouiller sans jamais chanter. Mais contrairement à Ovide, qui a conté cette histoire, des auteurs romains ont confondu les deux sœurs et fait de la pauvre Philomèle, privée de langue, le rossignol, ce qui est absurde. Pourtant c'est aussi le nom que lui donne toujours la poésie anglaise. (N.d.T.)

Madonna Benedetta balaya violemment ses doigts en travers des cordes et étouffa aussitôt le son avec sa main.

— Je suis convaincu, dit Isambard en lui jetant un sourire sombre par-dessus son verre de vin. Inutile de m'éblouir davantage. Vous êtes aussi érudite que belle. Et si vous allez plus avant dans les classiques, je crains que vous ne me perdiez en chemin. Parlez-moi plutôt de vous, et je renoncerai à Vénus. Je célébrerai avec joie le *Pervigilium Benedettae*.

Harry, silencieux, berçait la citole. Il aurait voulu être ailleurs. Quel besoin avaient-ils de sa présence ou de celle d'Adam pour se livrer ce duel de vers d'amour et de citations latines, tels deux savants desséchés cherchant à se surpasser? Cependant il doutait que Madonna Benedetta pût sérieusement vouloir parader. Il y avait de la moquerie dans sa voix et ses manières. Elle évoquait davantage une femme lisant les lettres d'un ancien amour inassouvi, d'une voix tendre et satirique, avant de les jeter au feu sans un regret. Un petit bûcher funéraire pour clore une étape, une folie, un instant de vie gaspillé. Un feu de mauvaises herbes dans une jachère qui va être ensemencée et porter des fruits.

Ils conversaient maintenant avec animation et intelligence de Venise et de l'Orient, de la croisade et de ses conséquences, des cours et des marchés, des affaires difficiles des rois. Madonna Benedetta abandonna le luth sur les coussins et revint à la table servir du vin, mais Adam la devança, remplit les verres et offrit des sucreries. Harry laissa son esprit se réfugier dans son propre monde, ce monde où, en cet instant précis, il aurait dû s'affairer avec ses crayons et ses instruments, compléter son rouleau d'épures.

Il savait très exactement ce qu'il voulait, il y travaillait en pensée depuis maintenant sept ans, et la configuration du site de Parfois ne pourrait en modifier que quelques détails. Il lui restait à découvrir la superficie utilisable, mais la splendeur et la beauté n'ont pas besoin d'immensité. Ce qu'il désirait, c'était la lumière, la lumière et l'espace, et puis le jaillissement de la pierre, tel un arbre qui grandit, depuis les fondations jusqu'à la voûte. Ni sentiment d'oppression, ni obscurité, ni colonnes épaisses et toits abaissés ployant sous un fardeau pesant comme sous le poids de la culpabilité. Il voyait clairement la structure. Pas d'absidioles, mais une terminaison carrée à l'est, afin d'avoir un mur entier de lumière se déversant sur l'autel. Des transepts courts et solides, des bas-côtés élevés, les baies du clair-étage hautes et entièrement vitrées, au-dessus d'un triforium peu profond. La façade ouest, dotée d'un grand portail très enfoncé, surmonté d'une vaste fenêtre, en retrait, intégrée au cours de la construction, où la lumière pourrait jouer de la harpe tout au long du jour sur les cordes de pierre, donnant à cet air gris du nord l'éclat et le tranchant du sud. Surmontant la façade ouest, deux petites tourelles, s'effilant en délicats doigts de pierre. Sur la croisée du transept, la grande tour, comme en Normandie, reliant tout l'édifice, l'enracinant de façon inexpugnable dans la terre, et le tirant tout droit vers le ciel. Le sens de la vie résidait dans cette extension. Avec la lumière, c'était le désir premier de Harry, cette dualité de la chair et de l'esprit, de l'humain et du divin, l'ascension de l'homme vers Dieu. Une tour noble, haute et aiguisée, ses longues surfaces si subtilement cannelées et modelées que l'ombre et la lumière pourraient lui donner mille formes changeantes de majesté et de beauté à chaque heure du jour. Permanence et changement, diversité et unicité, dans cette pierre gris et or qui brillait dans son souvenir comme... — quelle était la formule d'Adam ? — une mine de soleil. Il n'est pas de croissance ni de fécondité sans cette paire d'opposés que sont l'obscurité et la lumière, la terre et le ciel. Mes pieds sont des racines, mon front tend vers le soleil. La tour ancrera solidement mon église dans la roche et l'élèvera vers le ciel par sa flèche élancée.

A l'intérieur, une triple nef. Pas de lignes austères, pas de brisure du sol à la voûte, et en aucun cas de ces chapiteaux corinthiens dépréciés qui laissent insatisfait. Ornement banal et halte inutile pour le regard qui s'élève. Non, décidément non. Des chapiteaux qui vivent, comme vivent les fleurs, les animaux, les hommes, tout ce qui vient de la terre et jaillit vers le soleil. Des chapiteaux qui surgiront vigoureusement des piliers et s'élanceront vers les hauteurs, poussant l'abaque aussi haut qu'ils pourront aller, s'étirant pour soutenir la voûte, tels des arbres en pleine croissance. Pas une ligne simple, mais un élan sans obstacle, un jaillissement d'énergie et de foi, tendu comme la corde d'un arc, mais aussi sûr que l'arc-en-ciel.

Il n'est pas de beauté là où règnent le doute et l'insécurité. Un sentiment de déséquilibre est la mort de l'art.

La chevelure de cette femme, soulevée par le vent, pourrait soutenir un arc sur ses grandes tresses. Comme les flammes bondissantes auxquelles elle ressemble tant. Ou la vague qui éclate. Tout ce qui monte, tout ce qui s'étire et exulte, un bras et une main s'allongeant vers l'abaque, la queue arquée d'un écureuil, un enfant qui saute, une fronde de fougère déroulée, une vigne grimpante, tous les feuillages qui tendent vers la lumière. Et l'orgueil démesuré de mon seigneur, cette présence presque visible qui se dresse au-dessus de lui comme l'ombre noire qu'il projette en ce moment même en se penchant sur les chandelles.

Tous ses gens, à la Maison d'Estivet, ont peur de lui. Ses cinq écuyers eux-mêmes, dont trois sont pourtant de rang égal au sien, le craignent. Pourquoi? Je ne vois rien de bien terrifiant en lui.

Pas plus que dans toutes ces créatures qui s'élèvent, ces anges qui descendent, tel mon premier ange, cheveux et vêtements flottant au vent. Il pourrait servir de modèle, soit pour un démon montant au ciel, soit pour un ange déchu. Ou pour les deux. Il a vraiment une belle tête.

La femme fit un mouvement de la main et du bras qui ramena l'attention de Harry sur elle. Qu'avait-elle donc qui tirait à ce point sur les cordes de sa mémoire et arrachait des échos longtemps oubliés? Tous ses gestes éveillaient un souvenir de beauté, comme si elle englobait toutes les femmes qu'il avait croisées ou connues. L'éclat et la douceur de sa peau ravivaient l'image de sa mère. Et sa voix, qu'il lui semblait avoir déjà entendue, voilà très longtemps, très loin d'ici, était claire, candide et directe comme ses yeux. Ses yeux écartés. D'une tempe à l'autre, son visage était aussi large que long du front au menton. Quelles sont les vraies proportions de la beauté? Où la beauté réside-t-elle? Dans ce qui se voit, ou bien dans ce qui est évoqué par ce que l'on voit? Et peut-on reproduire les deux ensemble dans la pierre?

Je dois faire son portrait avant notre départ, si elle le veut bien, songea Harry. Je voudrais savoir où j'ai entendu sa voix. Je voudrais comprendre ce qu'il y a de si émouvant en elle, quelle qualité elle possède qui me donne l'impression de me souvenir d'elle plutôt que de l'entendre, comme si, quand elle parle, j'écoutais une autre personne prononçant des mots qu'elle n'a jamais dits.

— Harry! lança gaiement Adam en lui tirant le coude. Tu dors? Madonna Benedetta te parle.

Harry émergea de sa rêverie et releva vivement la tête. Son regard tomba en plein dans les yeux gris, si larges et si limpides qu'il lui sembla y voir son propre reflet. Ce fut pendant cet instant, où elle lui avait parlé sans qu'il l'entende, qu'il identifia la qualité particulière que sa voix avait pour lui : une sincérité intimidante d'enfant, une innocence intrépide et impitoyable. Une petite fille lui avait parlé ainsi autrefois. Il y avait si longtemps, tellement longtemps, qu'il n'avait pensé à Gilleis !

Il ouvrit la bouche pour s'excuser de sa distraction, mais l'expression du visage d'Isambard le laissa sans voix. Celui-ci enveloppait Madonna Benedetta de son regard luisant à son insu. Dans le masque doré, l'éclat nu de son désir étincela un instant, puis les lourdes paupières voilèrent le brasier, et la tête de bronze s'assombrit.

La fièvre du départ s'était depuis longtemps emparée de la ruelle des Guenilles et de la Maison d'Estivet, mais dans les ateliers affairés, poussiéreux et populeux de Notre-Dame, elle ne pénétra que tardivement, et mit en lumière une curieuse accumulation d'effets personnels depuis longtemps oubliés. Harry retrouva, délaissé dans un coin de tiroir depuis sans doute plus d'un an, le baluchon de toile élimée dans lequel il avait apporté ses affaires d'Angleterre, neuf ans auparavant. Il le souleva, en secoua la poussière, soudain ému de ce bond en arrière, et revit avec affection et curiosité le garçon qu'il était alors. Du fin fond du sac ses doigts exhumèrent ce qui ressemblait à une pièce de monnaie, mais qu'il reconnut pour un petit médaillon terni, dont une face, presque lisse à force d'usure, s'ornait de la Vierge à l'Enfant. Le médaillon était encore attaché à la chaînette d'or que Gilleis lui avait passée au cou, dans la barque, avant qu'il monte à bord de la *Rose du Nord*. Il n'y avait alors pas prêté suffisamment attention pour s'apercevoir que c'était un des fils d'or qu'elle tressait dans ses courtes nattes noires.

Le médaillon dans la main, Harry fut subitement ébranlé par une bouffée de nostalgie si forte que les larmes lui montèrent aux yeux. Quel âge pouvait avoir Gilleis, à présent ? Dix-neuf ans ! Une femme ! Voyageait-elle toujours dans les Midlands avec son père pour acheter du drap ? C'était peu probable. Elle devait sans doute diriger la maison Otley à Londres et avoir d'autres responsabilités. Peut-être même était-elle mariée et régnait-elle sur la maison d'un autre homme ? Il essaya de l'imaginer adulte. En vain. Toujours sa mémoire le ramenait vers la petite fille charmante aux grands yeux, avec sa bouche en fleur et ses petites nattes raides et épaisses. Elle pleurait parce qu'il était toujours trop occupé pour jouer avec elle. Il se souvint du jour où il l'avait tenue sur ses genoux, sur le rebord du mur de la maison des hôtes, s'échinant à la consoler et résistant à l'envie de la rabrouer. Tout de même, il aurait pu lui consacrer un peu de temps, songea-t-il avec remords, après tout ce qu'elle avait fait pour lui et pour Adam.

Il n'avait même pas reconnu, ni apprécié à sa valeur, le fil d'or de ses cheveux !

Harry serrait encore le médaillon dans le creux de sa main lorsqu'un des apprentis vint le chercher.

— Maître Henry, il y a quelqu'un pour vous.

— Pour moi ? Qu'est-ce qu'il veut ?

— Pas il, elle, rectifia le jeune garçon en réprimant sur ses lèvres le sourire qui pétillait dans ses yeux. J'ai cru bon de ne pas lui demander ce qu'elle voulait... J'ai eu raison ?

— C'est un sage principe, répondit Harry en faisant mine de lui tirer l'oreille pour son insolence. Est-elle belle ?

Les sourcils haussés et les yeux levés au ciel le lui confirmèrent sans qu'il fût besoin de paroles. Néanmoins, Harry ne s'attendait guère à d'autres visites que celles de la gouvernante du chanoine ou de la servante de maître Bertrand, aussi eut-il un choc lorsqu'il émergea de l'atelier et vit Madonna Benedetta marchant seule au milieu des empilements de pierres, splendidement incongrue et parfaitement à l'aise, le pan de son long bliaud relevé sur un bras. Elle l'aperçut et vint à sa rencontre. Sa démarche était aussi directe que sa voix.

— Madame, vous désirez me parler ? Je suis à votre service.

— Je ne devrais pas vous interrompre dans votre travail, commença-t-elle de cette voix qui lui parvenait désormais avec un écho chargé de sens. Je ne serai pas longue. Mais je n'aurai bientôt plus l'occasion de m'entretenir avec vous, puisque j'ai appris par messire Isambard que vous quitterez Paris avec lui dans deux semaines. C'est exact ?

— Oui. Nous sommes presque prêts. Maître Bertrand a eu la bonté de nous libérer de notre engagement, Adam et moi, et plus tôt nous serons en Angleterre mieux ce sera, car je ne peux achever mes plans tant que je ne connais pas le site. Pardonnez-moi, je ne puis vous offrir ni rafraîchissement ni un endroit tranquille...

— C'est inutile, répondit-elle simplement. Mais j'aimerais que vous me montriez votre calvaire, si vous le voulez bien. Je n'ai encore vu aucune de vos œuvres.

— Volontiers ! Vous savez donc que je l'ai terminé ? dit-il en la guidant dans l'atelier, sous un appentis désert et silencieux. Messire Isambard a dû vous tenir informée. Il vous a… rendu plusieurs fois visite, je crois.

— En effet, acquiesça-t-elle avec une once d'ironie dans la voix mais aussi une certaine sécheresse.

Il y eut un silence. Elle n'avait pas encore posé les yeux sur le groupe en pierre.

— Mais vous, non, ajouta-t-elle.

Harry ne savait comment répondre à cette remarque, et il observa un mutisme gêné, cherchant désespérément à deviner ce qu'elle lui voulait.

— Etais-je… attendu? demanda-t-il enfin d'un ton hésitant.

— Attendu? Non. Pas cela. Vous ne me devez rien. Disons plutôt… espéré.

Elle lui tourna le dos et marcha lentement autour du calvaire. Elle posa son regard intelligent et attentif sur le Christ mort, encadré d'un côté par saint Jean, de l'autre par les Saintes Femmes, figures immobiles et douloureuses, terriblement réservées, chacune apparaissant comme un puits de solitude fermé à toute consolation. Elles se touchaient, mais demeuraient irrévocablement séparées.

— Alors, reprit Madonna Benedetta sans interrompre sa rêveuse contemplation, puisque vous ne veniez pas à moi, je suis venue à vous. Pas dans le dessein de voir ceci, bien que je sois heureuse d'avoir pu l'admirer. Comment en êtes-vous arrivé à comprendre si bien la souffrance? Est-ce l'expérience, ou bien le résultat de la volonté et de l'imagination? La plupart des Christs n'esquissent que le geste symbolique du mourant. Le vôtre a subi le long processus d'une cruelle exécution.

— Ai-je exagéré? demanda Harry avec une anxiété réelle.

— Non. C'est ainsi que les choses ont dû se passer. Je suis certaine qu'on ne Lui a rien épargné. Et vous Lui avez laissé l'intégralité de Son âme. Tout est là, lisible, mais Il ne nous assaille pas de Sa douleur. Nous sommes libres de choisir si nous voulons la voir ou passer notre chemin. Il a vécu une expérience atroce, pourtant Il l'a supportée. Il n'y a pas de place pour la pitié.

— Vous me réconfortez, dit Harry. Même si telle n'était pas votre intention. Pourtant, non, je ne comprends pas la souffrance. Dans cette sculpture, j'ai essayé de me l'expliquer à moi-même. Comment un homme peut-il endurer cette agonie et demeurer malgré cela un homme? Mort, peut-être, mais intact.

— C'est ce qu'Il a accompli.

— Eh bien, si c'est vrai, sur ce point au moins j'ai réussi. Mais je n'ai souffert qu'en imagination, et je ne sais toujours pas si je serais capable de subir le supplice de la chair et de rester moi-même. L'imagination ne suffit pas. Peut-être ceux qui n'ont jamais cherché à imaginer sortent-ils les meilleurs de l'épreuve de la douleur.

— Il est naturel d'avoir peur de ses propres faiblesses, mais il n'est pas bon de trop s'attarder sur la question avant qu'elle survienne. Si vous ne pouvez imaginer totalement la souffrance, vous ne pouvez non plus imaginer totalement les ressources que vous recelez en vous pour l'affronter et la dominer. Pensez-vous vraiment que vous auriez pu insuffler à cette sculpture une qualité dont vous manquez vous-même?

— C'est une vaste question pour un artiste, sourit Harry. Et je ne suis pas préparé pour en discuter.

Madonna Benedetta continua d'examiner le calvaire un long moment. Au-dessus de leurs têtes, depuis les claies, leur parvenaient les voix distantes des maçons. Soudain, elle se détourna résolument de la sculpture pour lui faire face.

— Harry!

Elle usait de son prénom avec une familiarité et une autorité qui venaient, supposa-t-il, d'avoir souvent entendu Isambard l'employer librement.

— Harry, vous devez savoir que j'ai mené un certain genre de vie, dépensé ma personne et mes biens à ma guise, pris ce qu'on m'offrait quand je le voulais, et donné quand il me plaisait de donner. Je n'en conçois aucune honte, et je ne me défends pas de ce qui n'a pas besoin de l'être. Je ne vois rien de déshonorant à disposer à son gré de ce que l'on possède. Et jusqu'ici je me possédais entièrement moi-même. Mais il devient déshonorant de dilapider la même richesse lorsqu'elle cesse de vous appartenir. Harry, depuis le soir où vous êtes venu chez moi avec votre seigneur, ma porte est restée close chaque nuit, et mon lit solitaire. Je ne donnerai plus à aucun homme, sauf à un seul, ce qui n'appartient désormais qu'à lui.

Elle s'était approchée et sondait son visage troublé de son regard candide et fier. Harry ne comprenait pas. Il pensait qu'elle parlait d'Isambard et s'étonnait qu'elle l'eût choisi, lui, comme confident.

— Madame, quoi que vous puissiez me demander...

— Je ne vous demande rien. Je vous offre quelque chose. Moi.

Moi tout entière, pour être vôtre sans réserve, vôtre à jamais. S'il vous plaît de me prendre, je vous serai fidèle aussi longtemps que je vivrai, ne connaîtrai pas d'autre homme et n'en aimerai aucun. S'il ne vous plaît pas, dites-le-moi franchement, car je mérite votre franchise, et plus jamais je ne vous ennuierai avec mon amour.

Harry était abasourdi, sans voix, bouche bée. Il se dit qu'elle se moquait de lui et s'offusqua qu'elle le fît avec cette voix claire et spontanée, cette voix d'enfant, si douce à ses oreilles. Dans le creux de sa main gauche, le médaillon d'argent usé lui mordit la paume.

— Je ne peux y croire ! s'écria-t-il en secouant la tête d'un geste incontrôlable. Vous ne m'avez vu qu'une fois ! Vous ne connaissez rien de moi.

— Je connais tout ce que j'ai besoin de connaître, et plus que vous ne pensez. Ma vie a changé de cours lorsque vous êtes entré dans ma maison. Avant même de vous voir, votre voix avait troublé ma paix. Adam est Adam, dit-elle avec un rire bref dans le regard, et aucune femme n'aurait le cœur de le blesser. Mais c'est pour vous que j'avais ouvert ma porte.

Elle aurait pu tendre la main et le toucher, mais elle ne le fit pas. C'était à Harry de la prendre ou de la repousser.

— Je me connais, reprit Madonna Benedetta. Je sais que pour moi il n'est point de retour en arrière possible. Dès l'instant où vous m'êtes apparu, mon cœur s'est fixé sur vous, et je suis trop longtemps restée maîtresse de lui pour le questionner ou le mettre en doute maintenant. Croyez-vous que je sois une femme encline à s'illusionner ? Ou sans expérience ? Je n'ai pas choisi de vous aimer. Seule une folle le pourrait. La vérité est ce qu'elle est et je sais la reconnaître. Même vous n'y pouvez rien changer. Vous pouvez me rejeter, mais non pas me dénier le droit de vous aimer. Je vous aimerai aussi longtemps que je respirerai, que vous le vouliez ou non, que je le veuille ou non. Je sais reconnaître l'absolu quand je le vois, et je suis une femme pratique, qui ne perd pas son temps à lutter contre Dieu.

Elle vit le doute et la tristesse assombrir son visage, elle vit même un soupçon de prudence enfantine, et sa bouche s'adoucit en un sourire à la fois tendre et ironique.

— N'ayez pas peur, je ne suis pas venue vous supplier. Je suis venue vous offrir ce qui vous appartient, mais si vous n'en voulez pas je le reprendrai. Vous ne me devez rien. Je ne vous demande rien, sauf peut-être votre confiance, et la vérité. Regardez-moi et dites-moi ce que vous avez à me dire. Vous verrez si je ne tiens pas ma promesse.

Harry redressa la tête et rencontra son regard. Bien sûr il avait envisagé l'échappatoire dont un homme pouvait user pour s'extirper d'une situation aussi étrange : faibles protestations de respect et d'admiration destinées à renvoyer la dame apaisée sans lui faire aucune promesse, jusqu'à la délivrance de son départ pour l'Angleterre. Mais Madonna Benedetta valait mieux que cela. A croiser ces yeux fiers et courageux, il ressentit de nouveau, et violemment, le plaisir qu'il avait éprouvé lors de leur première rencontre à se trouver en sa présence et à reconnaître en elle une égale. Rien de ce qu'il pourrait dire ou faire ne romprait entre eux cet équilibre. Il devait la vérité à lui-même et à Madonna Benedetta. Elle eut la vérité.

— Je n'ai pas d'amour pour vous. Dieu sait que je serais le plus heureux des hommes si cela m'était donné, mais cela ne l'est pas. Je vous remercie du fond du cœur de la splendeur du cadeau que vous m'offrez, mais je ne peux l'accepter. Je ne veux pas feindre une passion que je n'éprouve pas. Je n'ai pour vous ni amour ni désir.

Madonna Benedetta ne baissa pas les yeux, son expression ne changea pas. Elle resta un instant silencieuse, contenant sa blessure, ses mains calmes croisées sous sa poitrine, et vit les yeux clairs de Harry s'adoucir sous ses sourcils ombrageux. En se refusant à elle il lui avait donné une parcelle de son cœur. Il sentit la passation s'opérer, et fut soulagé et heureux que la générosité ne fût pas uniquement de son côté à elle.

— Je ne me trompais pas sur vous, dit-elle après un long moment, d'une voix très douce et étonnamment satisfaite. Enfin, après tant d'années de liberté, voilà que je porte très haut mes exigences. Je vais encore vous demander d'être généreux dans votre sincérité, et de me dire franchement si je vous suis totalement indifférente. Si c'est le cas, vous serez débarrassé de moi pour toujours.

Il leva la tête d'un mouvement brusque et ses yeux, dans la lumière, jetèrent un éclat vert. Quelques mots seulement, songea-t-il, difficiles à prononcer et plus difficiles encore à entendre, et nous serions libres l'un et l'autre. Elle serait délivrée de moi à jamais, et moi d'elle, car elle a un cœur et un esprit qui ne peuvent rester froids une vie entière, et un jour elle m'oubliera, c'est dans la nature humaine. Il suffit que je la frappe maintenant, et nous serons libérés tous les deux. Mais lorsque Harry ouvrit la bouche, les mots se refusèrent. Il ne pouvait pas. Ce mensonge là était aussi méprisable que l'autre. Entre Madonna Benedetta et lui, la tromperie était indigne et inconcevable.

— Seule une motte de terre pourrait rester indifférente devant vous, dit-il. Votre beauté m'enchante, je rends hommage à votre esprit, et j'admire votre courage. Madonna Benedetta, je vous aime bien, et mieux que bien. Je ne feindrai jamais des sentiments que je n'éprouve pas, pas plus que je ne nierai ceux que j'éprouve. S'il avait plu à Dieu que je vous aime, je me serais considéré comme le plus heureux des hommes, et c'est un privilège que d'avoir votre foi et votre confiance.

Alors elle posa la main sur lui un instant, un simple effleurement de ses doigts sur son torse, dans un geste d'acceptation et de gratitude d'une éloquence inouïe.

— Vos paroles me comblent, dit-elle. Je ne vous parlerai plus jamais d'amour, à moins que vous n'en exprimiez le souhait. Mais ce qui est à vous restera vôtre à jamais, je le jure, et si un jour vous désirez en prendre possession, il vous suffira de m'appeler et je viendrai. Vous n'aurez qu'à tendre la main pour reprendre ce qui vous appartient. Maintenant je m'en vais. Non, laissez-moi vous quitter ici et partir seule. Surtout ne craignez pas de m'avoir blessée, meurtrie. Vous êtes tel que je vous souhaitais et je suis heureuse de vous aimer.

Madonna Benedetta releva le bas de son bliaud et le plaça sur son bras dans un de ces gestes amples et magnifiques qui lui étaient propres. Elle s'apprêtait à passer devant lui la tête haute, un sourire aux lèvres, mais il tendit la main et elle se retourna pour y poser un instant la sienne.

— Mon doux ami! souffla-t-elle en retirant sa main avant qu'il ne la baise.

Et elle s'éloigna, laissant Harry la suivre des yeux. Désormais, il ne pourrait fuir Madonna Benedetta, et elle ne pourrait fuir Harry. Même le talisman chéri qu'il serrait si farouchement dans le creux de sa main ne pourrait les séparer. Pas plus qu'il ne pourrait avoir de désir pour elle, ni lui reprendre le morceau de son cœur qu'elle emportait avec elle.

— L'été peut être radieux à Parfois, dit Isambard en caressant de sa main baguée la tête du chien, les yeux baissés sur sa coupe

174

de vin avec un sourire nostalgique. Malgré les pluies, il peut faire très beau. C'est une contrée idéale pour monter à cheval, et riche en gibier. J'y ai chassé le loup et le sanglier autrefois, mais ils deviennent rares de nos jours, même dans les marches.

— Vous êtes impatient de rentrer chez vous, constata Madonna Benedetta. Cela s'entend dans votre voix. Vous aimez votre Angleterre, c'est évident.

— Après toutes ces années à me duper moi-même, moi qui croyais avoir de nombreuses maisons, je viens enfin de découvrir où est mon véritable foyer. Trop tard, puisque c'est un foyer sans famille, ajouta-t-il avec un sourire mélancolique. Mon fils Gilles reste en France, où il a toujours préféré vivre, et désormais il aura seul la responsabilité des domaines qui étaient les miens, ce qui ne lui laissera guère le loisir de me rendre visite, même si la politique du roi Philippe n'entrave pas la libre circulation entre la France et l'Angleterre. Quant au cadet, William, il est écuyer au service de FitzPeter, le comte d'Essex, et ne rentre occasionnellement que pour regarnir sa bourse. Pourquoi pas, après tout ? Ce qui m'appartient en Angleterre lui appartiendra un jour. William est bien le fils de sa mère. Il n'a jamais aimé Parfois. C'est trop isolé pour lui. La cour du roi lui sied plus que la mienne. Il se peut que, même là-bas, je ne trouve que tristesse et déception.

— Vous êtes trop exigeant. Les hommes, les pays, les causes vous déçoivent parce que vous en attendez trop.

— Peut-être, admit-il avec indifférence. Je suis comme je suis. Que ce soient mes compagnons qui m'aient délaissé, ou moi qui les aie écartés, je commence à me sentir effroyablement seul. Et j'éprouve parfois au fond de moi le besoin violent d'une compagne qui ne me déserterait pas.

Madonna Benedetta se tourna vers Isambard, de l'autre côté de la pièce, assis dans le grand fauteuil à haut dossier, accoudé sur un bras, le menton dans le creux de sa main, ses tempes, ses pommettes et le contour fin et décharné de sa mâchoire éclairés par la lueur vacillante de la chandelle. Un homme de contraste, tout d'éclat et de noirceur. Dans leurs cavernes ténébreuses, les beaux yeux brun-roux, luisants comme de sombres giroflées, s'embrasaient en contemplant la jeune femme. Il portait un collier de pierres polies, non taillées, serties dans de l'or. Comme son seigneur et ami le roi Jean, Isambard avait un penchant pour les joyaux et prenait grand soin de sa personne. Et comme nombre de croisés, il avait copié certains des raffinements de ses ennemis musulmans. Mais aucun de ces raffinements ne pourrait jamais atténuer sa vigueur féroce, et ses sursauts d'énergie ne servaient qu'à exercer son corps et à l'éprouver quand il manquait d'occupations plus violentes. Madonna Benedetta devinait qu'il usait ses compagnons autant qu'il usait ses souliers et s'exaspérait tout autant de leur manque de résistance. Ses femmes aussi, peut-être, bien qu'il ne fût sans doute pas homme à se tourner volontiers vers des compagnies féminines. Sa femme, une épouse de convenance, de neuf ans son aînée, était morte prématurément et l'avait laissé libre, jeune, plus riche que jamais, certainement peu affligé, trop fortuné pour manquer d'amour s'il en avait besoin, mais trop débordant de jeunesse et d'énergie, trop complexe, pour consacrer à ses maîtresses une part excessive de son temps et de sa vigueur.

— Venez avec moi en Angleterre, reprit Isambard.

Madonna Benedetta resta si longtemps silencieuse qu'il s'impatienta et se redressa sur son siège. Il écarta de ses genoux la tête du chien et serra de ses mains musclées les deux accoudoirs sculptés. Le seigneur de Parfois avait une manière très personnelle de transformer un siège banal en trône.

— Pourquoi ne répondez-vous pas? Ma proposition ne peut vous surprendre. Vous savez que je vous désire, que je vous ai désirée dès l'instant où je vous ai vue. Je n'ai pas l'habitude de prononcer des discours quand je sais être compris en quelques mots. Venez avec moi à Parfois, vous y mènerez une existence noble et honorable. Tout ce qui m'appartient, je le partagerai avec vous. Je vous entourerai d'amour et de respect. Donnez-moi une réponse!

— Je me demande, commença Madonna Benedetta d'une voix douce, si vous avez pesé ce que vous me proposez. Maintenant que vous professez un goût pour le durable, suis-je la personne qui convient le mieux pour partager votre vie? Vous semble-t-il que la constance soit ce que j'accorde à mes amants? Je croyais ma réputation plus fidèle à la réalité.

— Cela ne vous ressemble guère de jouer sur les mots. Ce que vous entreprenez, vous le menez à bout, et vous le savez fort bien. Quand vous n'accordez qu'un plaisir fugitif, vous n'avez rien promis d'autre. Mais moi je demande plus. Venez avec moi, et je n'aurai jamais d'autre femme que vous. Vous serez ma maîtresse et mon égale.

— Vous me tentez. J'ai de l'amitié pour vous et prends plaisir à votre compagnie, messire. Votre suggestion présente bien des attraits. Mais il y a certaines choses me concernant que vous devez apprendre. Si vous vous étiez présenté à moi comme les autres, en quête d'une simple nuit de plaisir et prêt à payer pour cela, il n'eût pas été nécessaire pour vous de les connaître.

— Si j'ai contenu mes ardeurs jusqu'ici, ne m'attribuez surtout ni froideur ni chasteté, coupa Isambard avec hauteur. Je vous veux tout entière. Je veux votre corps, votre esprit, votre cœur, ou rien. Vous tenir dans mes bras une seule nuit, et m'inscrire dans la longue file de fous qui croient vous avoir possédée, je ne le supporterais pas. Je veux une compagne pour mes jours et mes nuits, une partenaire digne de mon rang.

— Cela m'oblige d'autant mieux à vous exposer clairement ce que je peux et ne peux vous donner.

Elle se leva brusquement et traversa la pièce pour tirer les tentures sur la porte, comme si le soir de mai avait soudain fraîchi. Sa longue jupe, qui bruissait comme des feuilles d'automne, dégagea un léger parfum quand elle passa près de lui. Isambard suivait ses moindres mouvements. Il la vit s'immobiliser devant la porte, la main levée, agrippée à la tenture. Dans la pénombre, sa couronne de cheveux était plus sombre que le grenat.

— Sachez, messire, que j'ai aimé un homme et que je l'aime encore. Il n'a jamais été mien et ne le sera sans doute jamais en ce monde. Je l'avoue à mon grand chagrin, il n'a pour moi ni affection ni désir. Pourtant je lui ai donné cet amour qui ne se donne qu'une fois, et si c'est ce que vous attendez de moi, alors partez et oubliez-moi. Mon cœur n'est plus là. Il ne reste que la femme que vous avez sous les yeux. Je ne suis pas de celles qui meurent d'une passion non partagée, bien que je vive très appauvrie de ce que j'ai perdu. J'ai du respect pour vous, et de l'amitié, j'ai un esprit qui peut vous bien servir, un corps que je suis libre de vous promettre, et un solide appétit de vivre. Si vous voulez encore de moi à ces conditions, nous pouvons conclure un pacte. Mais je ne veux pas être déloyale envers vous en feignant d'être ce que je ne suis pas.

Isambard avait quitté son fauteuil, écartant le chien d'un brusque mouvement du pied. Il avança lentement vers Madonna Benedetta, les traits empreints de colère et de jalousie, mais il y avait du calcul dans son regard, et aussi une tendresse brûlante, aveugle, qui se portait vers elle à travers son orgueil. La main crispée de Madonna Benedetta lâcha la tenture, elle approcha, pas après pas, à sa rencontre, avec un sourire triste, mais les yeux clairs comme des miroirs, dans lesquels il discernait son propre visage insatiable.

— Je ne peux y croire! Je vous veux toute!

— C'est impossible. Le meilleur de moi-même est parti. Adieu, seigneur!

— Non! Attendez!

Il lui saisit les épaules et les serra durement. Elle le sentait trembler de toute la force de son orgueil et de sa rage, lui qui voulait tout et qui pourtant ne pouvait se résoudre à la laisser partir.

Elle se refusait à l'influencer, il en allait de son honneur. Elle soutint calmement son regard affamé, et puisa au fond de son expérience un peu de vraie compassion pour lui.

— Il vit encore... cet homme dont vous parlez? demanda-t-il d'une voix rauque.

— Il vit.

— Ici, en France? Ou était-ce autrefois, à Venise?

— Je vous ai dit tout ce que vous avez besoin de savoir, répondit Madonna Benedetta. J'en resterai là.

Les longs doigts d'Isambard lui meurtrissaient les épaules, l'attiraient contre lui. Elle n'était jamais allée en Angleterre, le fantôme ne pourrait la suivre là-bas, dans un nouveau pays. Et lui serait toujours auprès d'elle, usant de toutes les persuasions de son corps et de son adoration pour elle. Chair, sang et amour concret, contre un rêve qui s'évanouit. Elle ne pourrait vivre longtemps dans le passé, elle était trop intelligente, trop honnête, trop vivante. Au milieu de toutes ces choses nouvelles, de tous ses présents, elle ne pourrait que finir par l'aimer.

— Oui. Venez! souffla-t-il en posant sa joue sèche contre ses cheveux. Accompagnez-moi. Même ainsi, venez. Si vous saviez comme j'ai besoin...

— Attendez! Ecoutez ce que je vous propose, avant de vous engager, dit-elle en croisant ses bras devant lui pour le repousser. Ensuite, si vous le souhaitez encore, je vous suivrai. Je me lierai à vous en toute bonne foi et loyauté, et à vous seul, jusqu'à ce que l'un de nous deux mette ouvertement et légitimement fin à ce pacte. Celui-ci sera alors annulé et il n'y aura pas de réparation. Si c'est vous qui me rejetez, je m'inclinerai sans une plainte. Si c'est moi qui vous abandonne, vous agirez de même. Mais, cela je peux vous le jurer, jamais je ne vous quitterai, sauf pour suivre celui que j'aime plus que ma vie. Et si cela doit advenir, ajouta-t-elle avec un sourire amer, ce qui est très peu probable, alors il ne faudra pas me dire « Soyez maudite ! » mais plutôt « Que Dieu vous vienne en aide ! », car je paierai sûrement au centuple tout ce que je vous devrai.

— Je vous prends, déclara Isambard d'une voix à demi étouffée. Je vous prends selon ces termes, et je vous garderai contre le monde entier.

Il l'enlaça de ses deux bras, la serra farouchement contre lui, lui baisa les lèvres. L'autre, l'ennemi, l'homme du passé, ne viendrait jamais les troubler. Il n'était qu'un spectre exsangue, une pauvre chose qui n'avait pas eu l'intelligence de l'aimer, et qui n'aurait pas le courage de la retrouver même s'il recouvrait la raison. La mer, le silence, l'indifférence, tout cela le tiendrait à distance. Et même s'il venait — hypothèse improbable —, il était mortel. Un esprit si faible ne pouvait que s'éteindre sans difficulté.

— Restez avec moi ! murmura-t-il dans sa gorge. Restez près de moi, pour l'amour du ciel !

— Jusqu'à ce que la mort, ou lui, m'éloigne de vous, répondit Madonna Benedetta. Ou bien jusqu'à ce que vous-même me chassiez.

Elle s'émerveilla, Madonna Benedetta, elle qui était née d'une lignée de rusés marchands marins sans prétention à la noblesse, de se sentir liée par les subtilités de l'honneur beaucoup plus solidement que par les bras d'Isambard ou toutes les ressources de son pouvoir.

Il glissa une main dans les boucles de ses cheveux et entreprit de défaire les épingles en corne qui les retenaient en place, jusqu'à ce que les gerbes de sa chevelure tombent sur ses épaules et cascadent, noires et luisantes, entre son visage levé vers lui et sa bouche pressante. Elle l'embrassa résolument, et pas un instant elle n'éprouva de peur ni de regret pour ce qu'elle venait de conclure.

Harry se fraya un chemin dans la cour de la Maison d'Estivet, au milieu des domestiques, des chevaux de bât et des chargements encordés, dans le vacarme des préparatifs du départ. La façade inclinée de la maison, striée par intermittence par les rais du soleil capricieux et les ombres minces des nuages, abritait sous son surplomb le contenu de la chambre à coucher et de la garde-robe de Ralf Isambard, autrement dit la cargaison la plus précieuse, sur le point d'être chargée. Trois écuyers surmenés supervisaient les porteurs et suaient sang et eau, de peur que quelques grains de poussière ne viennent tacher les soieries et les fourrures de leur seigneur. Le bagage le plus lourd et le moins précieux avait été charroyé à Calais quelques jours plus tôt, mais ces effets, les derniers et les plus soigneusement gardés, devaient voyager sur des chevaux de bât et suivre le convoi de sir Isambard et de son entourage. La colonne des bêtes de somme devait partir ce matin même, et les cavaliers l'après-midi, pour une première étape facile sur le chemin du port. Resterait ensuite la traversée en mer, dont Harry se souvenait comme d'une épreuve courte mais épouvantable.

Adam, qui n'était pas au mieux de sa condition physique après une dernière nuit tapageuse en compagnie d'Apollon et d'Elie à la taverne de Nestor, avait déjà pris la route, avec leurs instruments, la somme des épures de Harry, et le fidèle compagnon de leurs pérégrinations : l'ange de bois. Les couleurs de celui-ci étaient un peu ternies et patinées par ses nombreux déménagements. Il avait logé dans trois magnifiques églises et gagné l'admiration de nombreux critiques avisés, dont le moindre n'était pas le dernier : le chanoine d'Espérance. Maintenant, lui aussi rentrait chez lui, objet d'une dette d'honneur longue à acquitter.

Une bonne demi-douzaine de chiens, gambadant entre les baudets qui piaffaient et les hommes qui s'affairaient, recevaient tour à tour coups et injures. La plupart d'entre eux resteraient à Paris, mais les trois étranges chiens de chasse originaires d'Orient devaient embarquer pour l'Angleterre, où ils seraient offerts — Harry l'apprit par le plus jeune des écuyers — au roi Jean. Ils avaient le corps allongé de lévriers, et de longues têtes étroites, hautaines comme celle de Saladin en personne, de longues oreilles et des flancs aux poils rudes. A en croire Walter Langholme, ces chiens étaient capables de battre à la course des léopards sur leur propre terrain, et aussi de les terrasser. Ils déambulaient, l'air dubitatif, à travers les couloirs grouillants de monde de la Maison d'Estivet, délicats, arrogants, nerveux mais pas intimidés, objets de terreur et d'admiration. Seul le grand chien-loup d'Arabie, qui faisait la joie d'Isambard, était plus redouté. On racontait qu'il était dressé pour obéir à un seul maître, et capable sur son ordre de tuer un homme ou un léopard. On ne le voyait jamais sans Isambard qui le tenait en laisse, ou sans son maître-chien, un Grec chrétien de Daçie acheté avec l'animal. Nul autre ne pouvait le commander, car le chien connaissait ses droits et s'inclinait uniquement devant son seigneur ou son représentant.

La ménagerie se composait également de faucons et d'un petit oiseau chanteur vert et or dans une cage en métal filigrané, destiné à la reine. Deux coffrets dorés et damasquinés contenaient des fragments d'ossements de saint Etienne et une mèche de cheveux roux de Marie-Madeleine, qu'elle s'était arrachée pendant les ténèbres surnaturelles au Calvaire. Mais le plus précieux de tout était une fiole d'améthyste contenant l'eau du Jourdain, bénie une première fois par le dernier prélat chrétien de Jérusalem avant que le saint royaume ne tombât aux mains de Saladin, et une seconde fois par le pape à Rome. On racontait que cette fiole, cadeau princier destiné à la cathédrale de Gloucester, avait déjà accompli plusieurs miracles. Elle voyageait dans une sacoche en cuir ouvragé, attachée par des sangles de cuir sur l'un des bâts, et surveillée avec un soin jaloux.

En approchant de la porte, Harry entendit la voix d'Isambard tonner dans une brève mais violente explosion de colère. Un domestique sortit précipitamment, les yeux exorbités de peur, la joue et le menton fendus par la balafre écarlate d'un fouet. Guichet, le plus âgé des chevaliers, suivait le domestique avec plus de dignité, mais avec une hâte égale de s'éloigner de son seigneur. Il était cramoisi jusqu'à la racine des cheveux, et dans une humeur qu'il ne tarderait sûrement pas à décharger sur un subalterne. Croisant Harry devant la porte, il haussa les sourcils et secoua la tête d'un geste impuissant, mais ne s'arrêta pas pour lui donner des explications. Ce fut Langholme, avec un signe éloquent en direction de la maison, qui lui confia à mi-voix :

— La tempête menace. Evitez-le.

— Quelle mouche l'a piqué? s'enquit Harry, qui avait du mal à prendre cette tempête au sérieux, puisqu'il n'avait jamais eu à l'affronter.

— Des petites tracasseries. Un des faucons syriens est mort sans qu'on sache pourquoi. Et maintenant voilà que le cheval de sa dame se met à boiter. Encore une autre contrariété, et quelqu'un risque d'en pâtir durement.

— Sa dame? Quelle dame?

— Mais voyons, sa beauté vénitienne, pardi! Qui d'autre?

— Madonna Benedetta? s'étonna Harry.

— Vous ne le saviez pas? Elle est ici avec lui depuis déjà trois jours. Où vous cachiez-vous pour n'être pas au courant? Elle a vendu la maison du vieux Guiscard et va devenir la reine de Parfois.

La première réaction de Harry fut de craindre pour sa tranquillité personnelle, puis il chassa cette idée avec mépris comme une vanité de sa part. Si Madonna Benedetta avait capturé le seigneur de Parfois, ce n'était certes pas pour perdre son temps avec son maître maçon, ni pour lui rappeler qu'elle s'était offerte à lui. Non, il n'avait rien à redouter de tel. Madonna Benedetta jouerait probablement son rôle de châtelaine avec une sévérité distante qui lui interdirait de prendre des libertés.

Rendu à ce point de son raisonnement, Harry éprouva tout à coup honte et dégoût envers sa propre stupidité. Une telle attitude ne ressemblait en rien à Madonna Benedetta. Il se mentait à lui-même et la salissait. Quoi qu'elle fît, cette femme agissait avec lucidité et conviction. Elle ne renierait pas les propos qu'elle lui avait tenus, elle ne se dédirait pas ni ne se repentirait.

C'était pour lui qu'elle venait en Angleterre ! Dans quelle intention, il l'ignorait, mais cela avait un rapport avec lui, il en était sûr.

— Je suis rentré à Paris seulement hier soir, expliqua Harry. J'avais des achats à régler pour notre seigneur. Voilà pourquoi j'ignorais la nouvelle. Est-elle avec lui, en ce moment ?

— Oui. Il s'apprête à lui choisir une autre monture. Que Dieu protège les pauvres palefreniers s'il ne trouve pas ce qu'il cherche. Si je pouvais, je mettrais tout Paris entre lui et moi. J'ai déjà vu certaines de ses explosions de colère. Elles peuvent tuer.

Harry fit une moue dubitative devant une telle exagération.

— Vous voulez dire en plein Paris, avec tous ces sergents à moins d'un jet de pierre ?

— Croyez-vous que la justice se soucie du traitement qu'inflige Isambard à ses serfs ? Ou même à ses hommes libres ? Et si elle s'en souciait, croyez-vous qu'elle oserait s'en mêler ? Pour quiconque est à son service, Ralf Isambard est la loi. Il rend la haute, la basse et la moyenne justice[1]. Il y avait autrefois un

1. Un seigneur avait pouvoir de justice sur son fief. C'était une justice « déléguée » par le roi. Elle était rendue selon une hiérarchie de compétences, et non de degrés de juridiction. La haute justice traitait des causes les plus graves : au civil, les causes concernant les intérêts importants, au criminel les infractions pouvant entraîner condamnation à mort ou mutilation. La basse justice était compétente pour les causes mineures. La moyenne justice apparaît plus tard et mord sur les compétences des deux autres. (N.d.T.)

shérif[1], à Flint, qui a essayé de s'opposer à lui. Pour finir, le shérif a perdu son office et tous ses biens. Depuis, la loi s'est beaucoup affaiblie dans les marches, vous pouvez m'en croire. Tenezvous coi. Ah, justement, les voilà tous les deux !

Les domestiques n'étaient pas encore habitués à leur nouvelle maîtresse. Il y eut des murmures et une agitation lorsqu'elle apparut à la porte, et tous les yeux se braquèrent sur sa personne. Mais quand Isambard vint à son tour derrière elle, tous les visages se détournèrent vivement, et les mains empressées, mal assurées sous le regard sombre et sévère du maître, s'appliquèrent aussitôt à resserrer des sangles ou à ajuster des bâts.

Harry aurait dû se douter, si déconcertantes que fussent les circonstances, que Madonna Benedetta Foscari deviendrait leur maîtresse. Elle se mouvait dans la cour encombrée avec ce calme impérial qui lui était propre, invulnérable à l'assaut de tous les regards. Quand ses yeux croisèrent ceux de Harry, elle le salua avec courtoisie, posément, comme n'importe lequel des hommes de haut rang de son seigneur. Elle était vêtue d'une robe de cavalière unie, et sa tête enveloppée d'une guimpe blanche. Pour la première fois Harry découvrait le modelé pur et ferme de son visage sans être distrait par la splendeur rousse de sa chevelure, et l'austérité monacale de sa robe conférait à ses traits une force et une confiance passionnées que n'altérait aucune crainte du monde.

Isambard, vêtu tout de brun et d'or mat de la tête aux pieds, tenait son chien-loup d'Arabie au bout d'une courte laisse, à hauteur de hanche. La couleur du chien, comme celle du maître, était fauve, et son pelage, comme la peau tannée par le soleil de son maître, avait un éclat d'or. On eût dit, pendant le court instant où ils se figèrent l'un et l'autre, une statue de bronze. En mouvement ils donnaient une impression de métal en fusion. La tête du chien, dotée d'une mâchoire de mastiff, arrivait à la taille du maître. Il avait une gueule horrible, mais une démarche magnifique : son grand corps se déplaçait sans bruit, sans effort, avec une ondulation de puissance maîtrisée. La vue de tous les hommes qui s'esquivaient sur son passage arracha à Isambard un

1. A la fin de l'époque anglo-saxonne, ce «bailli» du comté était un grand propriétaire administrant les revenus du roi, et le lieutenant du comte. Après la conquête normande, le shérif (ou vicomte) devient officier royal, nommé et surveillé par le souverain. Il collecte les revenus royaux, publie et exécute les ordres du roi, rend la justice. *(N.d.T.)*

sourire aigre. Il tenait encore dans sa main gantée le fouet qui avait fendu la joue du palefrenier. A son expression, il était évident qu'il s'en servirait à nouveau sur quiconque oserait le contrarier, depuis Guichet jusqu'au plus humble de ses serviteurs.

— Ah, vous êtes de retour! dit-il en apercevant Harry. Etes-vous bon juge en chevaux?

— Non, messire. Au mieux, je suis médiocre.

— Tant pis, accompagnez-nous. Je crois que, de toute la chrétienté, je suis le maître le plus mal servi et le plus mal équipé. J'espère que vous avez mieux fait vos courses que Despard lorsqu'il a garni mon écurie. Tous les comptes sont-ils réglés?

— Et les reçus dans les mains de votre clerc.

— Parfait. Au moins nous ne laisserons aucune dette derrière nous. Etes-vous terrifié par cette bête, comme tous les autres, Harry?

— Elle a été dressée à cette fin, répondit Harry. Alors pourquoi se plaindre d'une pareille réussite?

Quand il se trouva à côté du chien, il put admirer l'ondoiement des muscles longs sous la fourrure soyeuse, avec un plaisir qui au moins compensait son inquiétude.

La rangée des écuries occupait tout un mur de la cour. Madonna Benedetta était assise sur le montoir, et Isambard faisait défiler les chevaux un à un, trouvant un défaut à chacun. Les deux infortunés écuyers, envoyés en avant-garde à Paris pour louer la maison et garnir les écuries avant son arrivée, suaient à grosses gouttes et l'écoutaient avec humilité dénigrer leur travail. Harry, pour sa part, trouvait les chevaux tout à fait convenables. Cependant, Isambard avait fixé son attention sur la jument arabe, affligée d'une désastreuse claudication. C'était certes un animal splendide, mais d'autres ne l'étaient pas moins, à condition que la cavalière fût capable de les monter. Harry se demanda si Madonna Benedetta avait autant de talent pour monter à cheval que dans les autres domaines. La voir en selle serait une révélation.

— Le noir est le meilleur de ce lot minable, décréta Isambard. Sortez-le et donnez-lui un peu de champ pour qu'on le voie marcher.

— Le noir? hésita Guichet. Messire, c'est une monture difficile pour n'importe quel cavalier, et madame...

— Sortez-le, vous dis-je! aboya Isambard, un éclair farouche

184

dans les yeux. Vais-je lui donner une haridelle, comme votre choix vous y porterait?

Il avança à grands pas et saisit le licou du cheval pour l'amener lui-même au centre de la cour, puis il le fit marcher en cercle autour de lui. Pour la première fois son visage exprimait l'ombre d'un plaisir. Madonna Benedetta, toujours assise sur le montoir, l'observait, impassible, un infime sourire aux lèvres. L'animal était trop large pour elle et beaucoup trop nerveux, songea Harry avec irritation, et c'était pervers de la part d'Isambard de lui laisser ainsi de l'allonge au milieu des domestiques affairés et des bêtes de somme rétives. Un chargement se renversa, des fourrures se répandirent sur les pavés sales. Un baudet broncha. Le chien, dont Isambard avait confié la laisse au Grec, hérissa son poil roux et commença à gémir d'excitation contenue.

— Prenez-le, ordonna Isambard. Que je le voie évoluer.

Guichet saisit timidement le licou, et le cheval, sentant une main moins assurée sur lui, s'énerva de la présence du chien, tant par inquiétude réelle que par vivacité naturelle. Il fit un écart. Il se cabra, hennit, entraînant le chevalier avec lui, et recula dans la file de chevaux de bât qui se dispersèrent avec des hennissements alarmés. Le plus fougueux du groupe, les oreilles rabattues et les yeux roulant dans leurs orbites, se mit à chasser de côté à petits sauts raides et saccadés pour s'éloigner du cheval noir qui piaffait. Sa bride échappa au domestique qui le tenait, la charge glissa de son dos et un plein bât tomba à terre, déversant sur les pavés brocarts et joyaux. Le domestique, voulant éviter le désastre, se jeta à terre en même temps, les bras écartés pour tenter de sauver ce qui pouvait l'être. Le baudet prit peur en sentant ses sabots entravés par les soieries. Il se mit à ruer des quatre fers et piétina la sacoche en cuir qui contenait la fiole d'eau du Jourdain.

Malgré les hennissements des chevaux et les cris des hommes, le faible mais terrible bruit d'améthyste brisée couvrit les autres sons et éclata dans toutes les oreilles. Guichet, à force de commandements et de cajoleries, parvint à calmer le cheval noir et l'entraîna à l'écart. Le baudet, rattrapé et maintenu par un palefrenier, tremblait encore, moite de sueur. Entre les pavés de la cour, une petite flaque s'écoulait, lentement absorbée, qui ne laissa qu'une trace sombre et humide.

Il y eut un moment de silence consterné. Enfin Isambard émit un son étrange, doux, grave, écho amplifié et terrible du couinement avide du chien. Au même instant, le domestique étalé au milieu des débris poussa un hurlement de terreur.

— Seigneur ! Pitié ! Je n'ai rien pu faire !

La face de bronze, pétrifiée dans une immobilité effrayante, contemplait la relique piétinée et l'homme à plat ventre. Puis, d'un mouvement fulgurant, Isambard se pencha, déboucla le lourd anneau du collier du chien et, posant la main dans les poils hérissés, le poussa sauvagement vers le pauvre diable étendu à terre, en éructant dans l'oreille dressée quelques mots en langue barbare. Arabe, grecque ou autre, cette langue n'avait pas besoin de traduction.

Harry poussa un cri de protestation étouffé et voulut s'élancer, mais Langholme le retint et l'obligea à reculer en lui maintenant solidement les bras.

— Laissez, fou que vous êtes ! Voulez-vous être le prochain ? lui souffla-t-il à l'oreille.

Le chien était dressé pour tuer. Il bondit comme un artisan empressé sur un travail de commande. Ses grandes pattes regroupées sous lui, il prit son élan et bondit, souple et magnifique. Des cris fusèrent dans la cour, ce fut la débandade, hommes et chevaux cherchaient un abri et n'en trouvaient aucun. L'homme à terre s'était relevé et jetait alentour des regards affolés. Il se mit à courir comme un dément, mais avec à propos, tout droit vers Madonna Benedetta, qui n'avait pas bougé de sa place sur le montoir.

Il se jeta à ses pieds, recroquevillé, agrippé à ses chevilles, ses joues en larmes sur ses souliers. D'un geste vif, elle prit l'ourlet de son surcot et de sa cape, et les jeta sur lui. Le coin lesté de la cape claqua sur le museau du chien au moment où il allait refermer sa gueule sur sa proie, et le fit reculer d'un pas ou deux. Madonna Benedetta resta assise, immobile, son bras droit étendu sur les épaules agitées de soubresauts du domestique, calme mais attentive, les yeux rivés sur le chien. Pressentant qu'il ne pouvait transgresser sans risque cette limite, mais réticent à abandonner sa victime, celui-ci se mit à tourner autour d'elle, la tête basse, la gueule écumante, sans la quitter de ses yeux d'ambre, déconcerté et indécis.

Il lui suffisait d'une seule seconde pour prendre sa décision. Cette seconde suffit aussi à Isambard, dont le teint était devenu gris sous le hâle, pour bondir en avant et écarter d'un coup de fouet cinglant la gueule béante qui fondait sur Madonna Benedetta. Celle-ci, le visage levé vers Isambard qui se tenait au-dessus d'elle, muet de fureur et de peur, dit de sa voix la plus douce, avec le plus imperceptible des sourires :

— Oui, messire, rappelez votre chien. Il piétine ma robe.

Isambard resta muet, la gorge nouée à la fois par la frayeur qu'elle lui avait causé et par la fureur qu'il éprouvait contre elle, supplice de haine et d'amour. Il la dominait de sa haute taille dans un silence douloureux. Pendant ce temps, le Grec avança furtivement pour attacher le chien, recula pas à pas en retenant son souffle, et se retira, tremblant, avec l'animal. De son côté, Langholme relâcha doucement Harry, lequel se dégagea tout aussi doucement et aspira de profondes bouffées d'air chargé d'orage dont il ne tira aucun soulagement. Personne dans la cour n'osait bouger, sauf en silence, tant que la tension entre les deux êtres qui se faisaient face ne se relâchait pas.

Les lèvres d'Isambard, minces et grises, se détendirent lentement, et le sang afflua de nouveau sous la peau tendue de ses joues. Sous les paupières lourdes, les yeux embrasés noircirent. Madonna Benedetta soutint leur éclat dur jusqu'à ce que l'angoisse se fût dissipée et que la respiration fût redevenue régulière et tranquille dans les narines encore dilatées.

— Messire, reprit-elle, comme si rien d'anormal ne s'était passé, si vous ne voulez plus de ce domestique, donnez-le-moi. J'aurai sans doute besoin d'un homme à mon service.

La réponse tarda longtemps à venir. Enfin, d'un mouvement abrupt de tout le corps, Isambard se redressa et dit :

— Il est à vous.

Il lui tourna le dos et rentra à grands pas dans la maison, au milieu des hommes et des chevaux qui s'égaillaient précipitamment sur son passage.

Madonna Benedetta attendit qu'il fût parti puis, d'un léger mouvement de tête accompagné d'un regard circulaire, elle renvoya écuyers et palefreniers à leurs occupations respectives. Après quoi elle écarta sa cape de l'homme prostré à ses pieds, et posa sur lui un regard grave et songeur. Les mains de l'homme lui enserraient les chevilles, son visage se pressait entre ses souliers. Il était inerte.

— Lève-toi, dit-elle gentiment. Il est parti. Personne ne te touchera. Tu es à moi.

L'homme leva son visage souillé et exsangue. Il s'était mordu les lèvres si fort que du sang s'était égoutté dans sa courte barbe brune, et l'épuisement du soulagement, succédant à la peur, l'affaiblissait au point qu'il était quasiment incapable du moindre geste. Harry, qui ne s'était pas senti congédié par le regard de Madonna Benedetta, approcha pour aider l'homme à se relever.

— Tu étais son serf? Tu es français?

— Anglais, madame, répondit-il d'une voix atone. Je suis de Fleace, dans le Flintshire.

— Quel est ton nom?

— John le Fléchier.

— Eh bien, John le Fléchier, tu n'es plus serf, désormais. Tu es libre et tu seras mon homme [1] lige. Je ne pense guère recourir à tes talents pour façonner des flèches, mais qui sait? Je pourrais avoir besoin de toi un jour.

— Je suis votre homme, dit-il d'une voix rauque en se baissant pour presser ses lèvres sur le bas de sa cape. Tant que je vivrai, je vous appartiendrai corps et âme, bonne dame.

— Bien. Maintenant va baigner ton visage. Et tiens-toi à l'écart de messire Isambard pendant quelque temps. Tu ne risques plus rien de lui, mais je préfère ne pas lui rafraîchir la mémoire.

Lorsque l'homme se fut éloigné en boitillant, Madonna Benedetta se leva. Elle croisa le regard de Harry et sourit, d'un air presque confus. Il n'y avait aucune contrainte entre eux, la liberté que Harry ressentait en sa présence l'étonna et le rassura. Comment avait-il pu craindre, même un instant, qu'elle le poursuivrait de son amour? Avec cette femme, l'amour devait être un terrain d'action, non un besoin. Qu'elle gagnât ou perdît le monde, elle demeurait une et entière. Elle était sa propre forteresse et son propre sanctuaire.

— On adopte certaines attitudes presque par accident, dit-elle. Maintenant je me sens parfaitement ridicule.

— Vous avez risqué votre vie, objecta Harry en la dévisageant gravement.

— Je ne le crois pas. Je suis née avec certaines infirmités. Entre autres choses, je suis totalement incapable d'éprouver une peur quelconque face à un chien, même lorsque je le devrais. Pour les animaux très dangereux, c'est assez déconcertant de ne pas ter-

---

1. Au Moyen Age, ce terme d'«homme» indiquait toujours une subordination. L'homme pouvait être le vassal, ou un homme libre soumis au ban (au pouvoir) d'un seigneur, ou encore un homme (tout court) ou un homme de corps (c'est-à-dire un serf). L'homme lige était attaché en priorité à son seigneur (ici à sa maîtresse). *(N.d.T.)*

roriser. En outre, vous avez remarqué avec quelle vivacité notre seigneur peut se mouvoir. Le chien aurait eu le corps transpercé par l'épée avant même de planter ses crocs dans ma cape. Il est vrai que je n'y ai pas pensé sur le moment, admit-elle. A moins que, parfois, l'acte ne soit aussi la pensée. Quoi qu'il en soit je ne pouvais pas bouger car ce pauvre homme m'immobilisait les pieds.

— Ce n'est pas cela qui vous a retenue. En tout cas, prenez garde à vous, ajouta-t-il après un silence.

— Le conseil vaut autant pour vous que pour moi, répondit Madonna Benedetta, le regard pénétrant.

Puis ses yeux s'adoucirent et elle esquissa un sourire de regret pour ajouter :

— Notre seigneur vous a surpris. Je suis désolée. Quant à moi, je savais déjà qu'il n'est rien de pire ni de meilleur que d'enfreindre les limites qu'il a établies. Sauf bien sûr de ne pas tenir sa parole, qui est le seul péché mortel.

Elle brossa quelques grains de poussière de sa cape et se tourna vers la maison.

— Demandez à Bertrand de Guichet de me choisir un cheval. Pas nécessairement une monture pour dame. Je sais me tenir en selle. Et maintenant, je dois rentrer faire la paix.

Madonna Benedetta s'en alla, de sa démarche altière et splendide, sans un regard en arrière. Pourtant, une fois encore, elle laissa à Harry le dernier et le plus touchant de ces souvenirs insupportablement délicieux qu'elle paraissait ranimer à chacun de ses mouvements. Il revit la main audacieuse jetant le bas de sa cape sur le fugitif, puis cette main rapetissa, pour devenir une main potelée d'enfant étalant bravement ses jupes afin de cacher deux garçons à leurs poursuivants. Une bouffée de tendresse le submergea et voila ses yeux de larmes. La découverte du lien qui l'unissait à Gilleis était un cadeau de Madonna Benedetta.

Harry ouvrit son esprit à l'amour sans opposer de résistance, et l'amour s'y engouffra, l'envahit d'un doux et poignant bonheur plus irradiant que la douleur. Il avait mal d'elle, dans son corps et dans son âme. Son désir était aussi démesuré qu'avait été longue et candide sa négligence. Gilleis, je dois te retrouver, je te retrouverai, gémit-il en silence. Oh, mon amour, Gilleis, attends-moi. J'arrive !

Il était temps, plus que temps pour Harry de regagner son pays.

TROISIÈME PARTIE

Les marches galloises
1209-1215

9

Adam s'éveilla avec le premier rai de soleil qui filtra sur son visage à travers l'étroite fenêtre, orientée à l'est, de la chambre du haut. Il ouvrit les yeux et vit Harry assis sur le bord du lit qui enfilait ses chausses. Il s'étira, bâilla avec volupté, leva sur lui un sourire rêveur, et, l'esprit vague et satisfait, se demanda brièvement où il se trouvait. Puis il se rappela leur arrivée à Shrewsbury à la nuit tombée, sous une douce pluie d'été, le souper engourdissant pris dans la salle de l'auberge, et le plaisir de tomber, rompu de fatigue et à demi endormi, dans ce vaste lit à côté de son frère. Ils avaient dévié de leur route pour se rendre aux mines de plomb car Harry, afin de ne pas perdre de temps, voulait passer sa commande de matériau pour la couverture des toits dès maintenant, sans attendre d'avoir un aperçu du site.

— Où allons-nous, de si bon matin? demanda Adam d'une voix ensommeillée, en tâtonnant d'une main sur le plancher à la recherche de ses souliers.

— Pas nous... moi. Va plutôt redécouvrir la ville, après tout ce temps. Je te rejoindrai dans une heure.

La mémoire revint d'un coup à Adam. La brume du sommeil se dissipa, et il ouvrit tout grand ses yeux couleur bleuet dans son visage tanné par le soleil.

— Je peux t'accompagner. Qui se souviendra des vieilles rancunes?

— Non, refusa catégoriquement Harry. Tu ne franchiras pas leurs portes. De toute façon je ne serai pas long.

— Et s'ils s'en prennent à toi? Tu es prudent pour moi, mais téméraire pour toi-même.

— Cela ne concerne que moi, trancha Harry.

Il se leva d'un bond. Le cadre du lit craqua. Adam le regarda s'habiller, les mains nouées derrière la nuque. A Londres, il avait presque dû forcer Harry à s'acheter de nouveaux habits : fidèle à lui-même, celui-ci se refusait à lier l'autorité d'un maître d'œuvre à l'ampleur de sa cotte. Il voyait dans la longue robe du maître imbu de sa condition l'uniforme de son infirmité. L'aspect vestimentaire ne présentait pas le moindre intérêt à ses yeux, et il demandait seulement à sa tenue de travail de donner de l'aisance à ses mouvements. Aussi avait-il fallu à Adam des trésors de ruse et de persuasion pour lui faire adopter cette élégante cotte brun clair et le surcot vert sombre, doté de longues manches et d'un capuchon au drapé gracieux. Il contempla son œuvre d'un regard satisfait tandis que Harry se coiffait et bouclait sa ceinture. La gravité, la détermination, l'énergie qui émanaient de ses traits ne laissaient aucun doute. Harry n'aurait aucune difficulté à imposer respect et obéissance, même affublé d'une vieille cotte élimée. Adam préférait toutefois le voir honorer sa position. Il n'était pas donné à n'importe qui d'être maître d'œuvre à vingt-quatre ans.

Harry avait surpris le regard complaisant d'Adam et il esquissa une mimique de dérision devant l'image de magnificence que lui renvoyait le miroir.

— Ils ne vont pas me reconnaître.

— Oh que si ! lui affirma Adam avec fierté et contentement, avant de fermer les yeux pour se rendormir.

Harry traversa la ville à pied, descendit les rues sinueuses dans la lumière vive et fraîche du matin. Ces neuf années n'avaient guère apporté de changements à Shrewsbury. Les étroites devantures des échoppes, avec leurs portes en bois et leurs pignons penchés et dentelés se découpant sur le ciel nacré, étaient telles que dans son souvenir, et si les passants qu'il coudoyait ne lui étaient pas familiers, c'était uniquement par leur attitude calme et réservée, presque soupçonneuse, qui laissait à penser que les étrangers étaient moins fréquents et moins bien accueillis qu'autrefois. Un signe des temps, sans doute, au même titre que le silence des cloches. Son besoin de les entendre carillonner tenaillait Harry comme une faim lancinante. A cette heure matinale, les toits auraient dû vibrer de leur timbre, mais depuis un an les clochers d'Angleterre étaient muets, les églises fermées, les filles mariées sans cérémonies — ou clandestines —, les morts enterrés sans messe dans des fosses au bord des routes. Et le roi, qui témoignait envers le pape d'une audace égale à son insouciance envers les effets de sa politique, s'était approprié toutes les terres, les servitudes et les biens de l'Eglise, sous prétexte que celle-ci ne remplissait plus les devoirs qui lui incombaient en échange de ces privilèges. Sans revenus, ecclésiastiques et moines ne pouvaient se nourrir, encore moins subvenir aux besoins de leurs pauvres et de leurs malades. C'était toujours sur les petits et les indigents que finissait par peser le fardeau, de même que la dette descendait du roi aux barons[1], des barons aux tenanciers[2] et sous-tenanciers, puis aux cottiers[3] libres, et enfin aux serfs, sur leur minuscule lopin de terre. Le pape Innocent portait atteinte à Jean, Jean à Innocent, et les coups pleuvaient de part et d'autre sur le manant. Les évêques et les abbés pouvaient se réfugier sur le continent en attendant la fin de la tempête, mais non pas les prêtres des petites paroisses, aussi démunis que leurs ouailles. Désormais c'étaient les pauvres qui nourrissaient les prêtres et non l'inverse. Et tout cela à cause de la nomination d'un archevêque !

Pourtant non, c'était moins simple. La nomination du prélat n'était que l'occasion, non la cause. Le pape Innocent, compétent, brillant et ambitieux, était un empereur manqué, pour qui la chrétienté représentait un empire temporel autant que spirituel. Et Jean, le plus entêté des princes de la chrétienté, le plus enclin à voir dans son royaume insulaire une puissance séculaire dotée d'une intégrité propre, se mettait hardiment en travers de sa route. Dans l'épreuve de force qui les opposait, les petites gens d'Angleterre étaient des pions que l'on pouvait sacrifier, jusqu'au jour où leur pénurie menacerait de peser sur l'issue de la partie.

Isambard parlait souvent de Jean et des affaires du monde, méditant à voix haute devant Harry avec une liberté que ce dernier trouvait flatteuse, mais parfois aussi accablante. Ces monologues pénétrants, lucides, si peu orthodoxes de la part d'un homme pieux, ouvraient Harry à des idées nouvelles et le por-

1. Grands du royaume, vassaux directs du roi. *(N.d.T.)*
2. Celui qui tient une terre du roi ou d'un seigneur, la *tenure*. Dans le cas d'une tenure noble, c'est un fief. Sinon, c'est une tenure roturière, une portion d'une seigneurie rurale occupée et cultivée par un tenancier et sa famille moyennant certaines conditions.
La *réserve*, domaine cultivé directement par le seigneur et ses fermiers, et les tenures, forment la seigneurie. *(N.d.T.)*
3. *Cottars*, paysans anglais libres, tout au bas de l'échelle des vilains, qui travaillaient sur la «réserve», le domaine du seigneur. *(N.d.T.)*

taient à réfléchir de façon plus approfondie et plus critique sur les sujets qu'il tenait pour acquis. Cependant cette manie de tout mettre en question présentait des dangers car, tôt ou tard, elle conduisait un homme à affronter l'indiscutable, sans qu'il pût, en conscience, l'esquiver.

Au bas de la rue en pente, le mur obstruait le soleil, et le tunnel de la porte, entre ses deux tours, formait une hampe de lumière dorée qui transperçait la pénombre de la ville comme une lance. Harry franchit la porte et traversa le pont de pierre. En dessous, la Severn coulait, verte et tranquille, à son niveau d'été. Il se retourna pour observer les arcs-boutants des murs de la ville et les étroites terrasses de vignes qui couraient jusqu'au chemin de halage, au bord de la rivière. Avait-on laissé sa vigne au père Hugh, ou bien le roi l'avait-il également réquisitionnée ?

Devant lui, sur l'autre rive de la Severn, s'élevaient le mur d'enceinte du domaine de l'abbaye, le moulin, la ligne allongée des toits de l'hôpital, et, très haut, la tour silencieuse et massive de l'abbatiale, gris-rose dans la lumière matinale.

Comme ils étaient seulement arrivés la veille au soir de la mine de plomb en passant par le pont des Gallois, de l'autre côté de la ville, c'était la première fois depuis neuf ans que Harry revoyait l'abbaye. Il s'était attendu à un choc et à un afflux de souvenirs. Avec le recul, ses cinq années passées ici lui apparaissaient heureuses et fructueuses, et il avait imaginé que son retour, après une si longue absence, allait l'émouvoir au plus profond. Mais maintenant que le moment était venu, tout lui semblait étonnamment naturel. C'était comme si l'intermède n'avait duré que quelques semaines, le temps de courtes vacances. Pourtant, à l'approche du poste de garde, un souvenir poignant l'assaillit, non pas de ses années d'enfance passées dans ce sanctuaire, mais des péripéties de son départ.

Le visage clair et chéri flotta une fois encore devant ses yeux, moitié réminiscence, avec ses rondeurs et ses douceurs enfantines, moitié rêve, avec sa féminité lointaine et intimidante. Pendant tout le voyage depuis Londres, il lui avait suffi d'entrevoir une petite fille sur le bas-côté de la route, les tresses d'une femme, une balle d'enfant jetée en l'air, pour que l'image lui revienne d'un coup, à la manière d'un feu qui s'embrase, et enflamme son cœur d'un chagrin doux et immense. A chaque halte il s'enquérait d'elle, pour le cas où quelqu'un se serait rappelé les convois de son père, mais personne n'avait pu lui donner la moindre nouvelle. Il voulait croire que les réponses seraient différentes à Shrewsbury puisque c'était là qu'ils s'étaient rencontrés, là qu'il n'avait pas su reconnaître l'or qu'il avait dans les mains. Il voulait croire qu'ici il découvrirait le chemin qui le mènerait de nouveau à elle. Pourtant, lorsqu'il entra dans l'ombre du poste de garde, la peur le saisit.

Déjà, à Londres, il avait cru dur comme fer que Gilleis l'attendait, persuadé que, dans un monde en pleine transformation, son décor à elle serait demeuré stable. Même quand l'épouse du cousin des Otley lui avait ouvert la porte, même quand le mari et la femme, secouant la tête d'un geste de regret, avaient répondu de leur mieux à ses questions, Harry avait eu toutes les peines à assimiler la nouvelle. Nicholas Otley était mort depuis deux ans et Gilleis avait quitté Londres. Son père l'avait laissée bien nantie, mais elle avait préféré vendre sa part du négoce de drap à son cousin et entrer au service d'une noble dame. Sage décision pour une jeune fille riche et orpheline. Cependant ses cousins ignoraient auprès de quelle maîtresse elle s'était engagée, et dans quelle région de l'Angleterre, car Gilleis était partie quelques semaines seulement après le décès de son père et ne leur avait fait parvenir aucune nouvelle depuis lors. La jeune épouse du cousin avait précisé que, bien sûr, il y avait eu des prétendants empressés, et plus empressés encore après que Nicholas eut succombé à la fièvre et laissé sa fortune à sa fille. C'était d'ailleurs probablement la raison pour laquelle Gilleis n'avait laissé aucune indication sur sa destination.

Harry était reparti abasourdi, égrenant mentalement ces maigres renseignements comme les perles d'un chapelet, longtemps incapable de comprendre leur signification. De toute sa vie, c'était le seul événement important qu'il n'eût pas confié à Adam, et, sans savoir pourquoi, il s'en félicitait. Il n'aurait pas supporté de partager sa peine. Ainsi, tout au long de la route qui les menait vers le nord, il avait en vain cherché des traces de Gilleis, en proie à une tension constante, plongeant tour à tour dans l'exaltation et le désespoir, la joie et le découragement, la lumière et les ténèbres, refusant de croire qu'il l'avait perdue et ne trouvant jour après jour aucun motif d'espérer. Le monde continuait d'être magnifique, douce l'amitié, et la tâche qui l'attendait une passion et un émerveillement. Seule Gilleis manquait. L'angoisse sourde qu'elle laissait dans le vide de son cœur ajoutait à la rage qui l'animait, telle une source d'énergie obscure complétant une énergie lumineuse. Mais Adam ignorait tout de cela.

Harry pénétra dans la cour et Edmund sortit du poste de garde. Hormis ses épaules un peu plus voûtées, ses cheveux un peu plus gris, c'était le même homme qui avait soulevé Adam de sa selle pour le transporter à l'intérieur. Il jeta un regard interrogateur au visiteur étranger et parut d'abord ne pas le reconnaître, mais lorsque Harry se rapprocha, les yeux se plissèrent, scrutèrent, et les lèvres d'Edmund s'ouvrirent sur une parole de bienvenue, encore qu'il hésitât à prononcer le nom.

— Dites-le, Edmund, l'encouragea Harry, le cœur réchauffé par le plaisir d'être reconnu. Vous ne vous trompez pas.

Le visage du portier se fendit d'un large sourire.

— Le jeune sire Talvace ! Est-ce vraiment vous ? Après tout ce temps !

— Je ferais peut-être mieux de jeter mon chapeau en premier pour voir quel accueil on lui réserve !

Harry n'avait plus d'appréhensions, la vue d'un vieil ami lui rendait les choses simples. Toutes, sauf une !

— Autrefois vous m'appeliez Harry, reprit-il en tendant la main.

— Oui, mais à l'époque vous étiez un petit gars pas plus haut que mon coude, sourit Edmund en saisissant avec plaisir la main offerte. Maintenant que vous avez parcouru le monde, vous êtes devenu Henry Talvace. Pourtant on dirait que ça ne vous a pas changé !

— Oh, un peu, je l'espère. C'était nécessaire ! Ici, en revanche, les choses ont beaucoup changé, et pas en mieux, constata Harry en embrassant la cour du regard.

L'endroit était triste et silencieux, à côté de l'animation d'autrefois. Un palefrenier sortait deux chevaux de monte de l'écurie pour les mener au poste de garde, ainsi qu'une mule de bât appartenant à quelque petit marchand qui attendait là son chargement. Les portes de l'église étaient closes, les ateliers et les échafaudages démontés, mais la construction inachevée. Ici, les travaux progressaient lentement, et l'interdit royal avait coupé les vivres et suspendu le chantier. Autour de l'aumônerie, quelques mendiants et infirmes se tenaient accroupis au soleil.

— Je vois que vous arrivez encore à nourrir les affamés, observa Harry. Pourtant les temps doivent être aussi durs pour vous que pour eux.

— En vérité, nous avons de la chance, comparé à d'autres. Le roi a toujours pu compter sur Shrewsbury, qui lui a rapporté beaucoup d'argent en son temps, et nous nous en sommes tirés sans trop de mal. Toutes les terres de l'abbaye sont tombées entre les mains du roi, à l'exception des principales fermes et dépendances, et les moulins nous ont permis de surnager et de pouvoir distribuer encore un peu de vivres. Bien sûr nous avons dû nous séparer de presque tous les paysans libres qui subsistaient grâce à nous, et la vie est très difficile pour eux. Mais nous surmonterons l'épreuve. Cela ne peut durer éternellement.

— Les voyageurs viennent encore, à ce que je vois, dit Harry en regardant le colporteur qui chargeait sa mule.

— Nous n'avons jamais fermé nos portes. Pour ce qui est des voyageurs, c'est assez calme en ce moment, mais il y a eu des jours où l'on aurait cru que le pays entier était en mouvement. Les routes grouillaient d'itinérants. Ils imitaient sans doute l'exemple du roi, qui ne tient pas en place. Par ma foi, il doit maintenant connaître chaque pouce de ses routes. Sans compter les routes de France, car il est plus souvent là-bas qu'ici, pour essayer de reprendre ses terres. Et tous les barons du royaume envoient la moitié de leurs gens à cheval pour quérir des nouvelles et porter des lettres, tant ils sont prompts à conclure des alliances, à redouter celles qu'ils ont déjà conclues et à en rechercher d'autres. Voyez-vous, Harry, il n'y a pas ici un homme, au-dessus des manants, qui ose se fier à son voisin.

— Edmund, coupa Harry en lui posant une main sur l'épaule, vous souvenez du jour où je suis parti ? Il y a longtemps mais vous n'avez sûrement pas oublié. Vous rappelez-vous un drapier qui était à l'abbaye, ce jour-là, en partance pour Londres, avec trois charrettes remplies ? Il s'appelait Nicholas Otley. Il venait ici chaque été. Vous l'avez probablement encore vu il y a trois ans. Vous souvenez-vous de lui ?

Le moine se gratta pensivement le menton, les yeux plissés.

— Je me souviens très bien du jour où nous vous avons perdus et du remue-ménage que vous avez causé. Tout le monde s'en souvient. Pour finir, nous avons dragué la mare. Ce que j'étais content qu'on ne repêche que des poissons et des herbes dans les filets ! Sir Eudo aurait presque démonté la place pierre par pierre pour vous retrouver, et je n'aurais pas donné cher de votre peau s'il vous avait dénichés, abbé ou pas abbé. Mais un marchand de drap, avec des charrettes... Ah, je comprends maintenant comment vous nous avez faussé compagnie ! Oui, je me rappelle, à présent. Il avait une jolie petite fille qui voyageait avec lui.

Le cœur de Harry chavira à l'évocation de Gilleis.

— Sa fille, dit-il, la gorge sèche. Ce doit être une jeune femme, maintenant. Etait-elle là l'an passé, Edmund ?

Il retint son souffle et sentit l'espoir lui pincer douloureusement le cœur tandis que Edmund effeuillait ses souvenirs avec une lenteur qui le rendait fou.

— Leur dernière visite date de trois étés, dit-il enfin. Depuis, je n'ai revu ni le père ni la fille.

La chute était plus dure chaque fois, même si, au fond de lui, Harry n'attendait pas le succès.

— Vous ne vous êtes pas absenté ? Si elle était venue, vous l'auriez sûrement appris ?

— Sans aucun doute. Je connais chaque personne qui franchit cette porte, et je n'oublie pas les voyageurs réguliers. Si elle était venue à Shrewsbury, je l'aurais su. Vous la cherchez donc ?

— J'ai une dette envers son père, répondit le jeune homme en tournant la tête pour cacher le rouge qui lui montait aux joues. J'ai voulu le voir à Londres mais on m'a dit qu'il était mort depuis deux ans. Je serais heureux de m'acquitter de ma dette auprès de sa fille.

— Il y a des chances qu'elle soit mariée, remarqua Edmund sans se douter du coup cruel qu'il portait. Je me souviens qu'il y avait un jeune homme avec eux, lors de leurs deux derniers passages ici. Il semblait avoir des vues sur la jeune fille. D'ailleurs c'était une très jolie fille. Allez-vous rester avec nous un jour ou deux ? Vous êtes toujours le bienvenu, vous le savez.

— Non, je dois me rendre à Parfois. Mais je voudrais voir l'abbé, s'il accepte de me recevoir. Voulez-vous le prévenir ? En attendant j'irai bavarder un peu avec frère Denis.

— Frère Denis ? répéta Edmund en lui prenant le bras au moment où il allait se diriger vers l'hôpital. Je suis désolé, Harry, mais vous ne trouverez pas le cher vieil homme. Il nous a quittés il y a cinq ans.

— Mort ?

Harry avait appris à contenir le chagrin répété de la perte de Gilleis, mais ce choc, qu'il n'avait pas anticipé un seul instant, le frappa durement. Les vieillards meurent, rien d'étrange à cela. Pourtant aucun pressentiment ne l'avait averti que frère Denis n'était plus de ce monde. Il aurait dû percevoir une altération dans l'atmosphère familière des lieux, dans le vert des prairies, dans la tiédeur du soleil. Harry ne pourrait plus obtenir le pardon pour son départ brutal, ni pour son mensonge. Il avait attendu neuf années d'être enfin lavé de ce remords, et il arrivait cinq ans trop tard.

— Je suis parti sans lui dire adieu. Comme un voleur. M'a-t-il blâmé? J'aurais préféré duper n'importe qui plutôt que lui, mais j'étais acculé.

— Voyons, mon garçon, vous le connaissiez depuis longtemps. Frère Denis a-t-il jamais reproché à un enfant de se défendre de son mieux? On ne blâme pas un chat pourchassé de sortir ses griffes.

— Parlait-il de nous... après notre fuite?

— Bien souvent, et toujours pour vous accompagner de ses vœux. Quelques semaines après votre départ, il a beaucoup plu et frère Denis disait : «J'espère que les petits ont un bon toit pour la nuit.» Et jusqu'à la fin de l'hiver il s'est tracassé en se demandant si vous aviez des vêtements assez chauds. C'est à votre père qu'il a eu du mal à pardonner. Ne vous inquiétez pas pour lui, Harry, notre bon frère Denis est en compagnie des saints, et il devine encore ce qui vous chagrine sans qu'on le lui dise. C'est l'être le plus regretté qui ait jamais quitté cette maison. Les garçons ont la vie plus dure maintenant qu'il n'est plus là pour les abriter de la tempête de frère Martin, quand elle se met à souffler.

Cette fois, les souvenirs affluaient en masse, et vite, intolérablement présents.

— Allez voir si l'abbé accepte de me recevoir, Edmund, dit Harry, éprouvé par toutes ces images. Je dois retourner en ville bientôt.

— Je m'apprêtais à vous l'annoncer quand nous avions dévié sur frère Denis. L'abbé est très malade, et cela depuis Pâques. Mais son état semble s'améliorer. Ils vous laisseront certainement le voir, et lui voudra vous recevoir dès qu'il aura vent de votre présence. Il a repris ses esprits, mais il a souffert d'une longue fièvre. Il est très affaibli et maigre comme un chat errant.

— J'en suis navré. Si les visites lui sont autorisées, je serais content de le voir, ne fût-ce que quelques minutes. Mais je ne veux pas m'imposer.

— Préférez-vous m'accompagner, ou dois-je revenir vous chercher?

— Je serai dans l'église, dit Harry en s'éloignant aussitôt.

Il pénétra dans l'abbatiale, par la porte d'où il en était sorti neuf ans plus tôt, c'est-à-dire par le cloître. Les autres portes étaient fermées, celle du parvis verrouillée et barrée. L'air y était froid et confiné, la pénombre pesait sur l'âme, à la manière d'un nuage d'orage menaçant. Harry se crispa sous l'oppression familière de la pierre, de l'obscurité, de la froideur de la tombe, bien qu'il lui reconnût une certaine majesté. Il s'inclina devant le grand autel puis emprunta le promenoir pour gagner la chapelle de la Vierge. Le tombeau du fondateur de l'église se dressait telle une barricade en travers de son chemin, masquant un peu plus encore la précieuse lumière. Lumière! Lumière! Comment supporter d'en être privé! Comment enseigner à l'âme de s'élever si elle n'a pas assez d'espace pour déployer ses ailes, d'air pour les porter? Il sourit à l'ancienne madone aux traits massifs et émoussés, campagnarde solide, désuète mais si chère à son cœur pour le réconfort qu'elle lui avait si souvent prodigué.

— Sainte Vierge, je t'ai rapporté ton bien. Etends sur lui ta bonté et chéris-le. Ce n'est pas un *vagus*, il ne partira plus.

Il déroula le tissu du paquet qu'il portait sous son bras, et posa doucement le petit ange à sa place sur l'autel. Les ailes délicates s'affermirent, les pieds minces et fragiles se tendirent vers le sol. Il était suspendu, immobile et radieux, frémissant de joie, les bras écartés, ses yeux luisants détournés de la flamme rubis de la lampe. Il ne connaissait ni séparations, ni départs.

— Sois remerciée pour tout ce que j'ai vu et appris, pour tout ce que j'ai fait et ferai, murmura Harry à la madone de pierre, lasse, patiente, immuable. Dans mon église, tu auras un autel éclatant de lumière ambre et or, où tu verras toutes les couleurs du printemps et de l'été, et n'auras jamais froid.

Son sourire vénérable enveloppa Harry avec indulgence, lui et le reste de la création. Elle n'attendait rien des promesses des enfants. Il récita une prière pour le repos béni et assuré de l'âme de frère Denis, puis il s'agenouilla en songeant à Gilleis, mais ne fit pas de prière pour elle. Ce fut là qu'Edmund le trouva.

Dans la chambre à coucher aux rideaux tirés, un jeune novice faisait la lecture au vieil abbé malade. Il se leva à l'entrée de l'étranger et se retira en silence, refermant la porte derrière lui. Harry s'avança et se tint à côté du grand lit. Dans les orbites creuses, les yeux enfoncés, incandescents, fouillèrent son visage un long moment, tandis que les lèvres pâles frémissaient un faible sourire.

— Tu es revenu chercher tes chevaux, souffla une voix qui bruissait comme le vent dans les feuilles mortes. Le petit cob est mort. Tu devras prendre un de mes chevaux à la place, ou demander son prix.

Sur l'oreiller, le visage de Hugh de Lacy était un masque d'os fin et usé, tendu d'une peau parcheminée. La main qui reposait sur la couverture avait l'apparence translucide de l'albâtre. Harry n'avait jamais remarqué la beauté des os de l'abbé. A présent, c'était tout ce qui restait de lui.

— Assieds-toi, Harry, soupira la voix automnale.

Les doigts émaciés esquissèrent un geste vers le tabouret laissé vacant par le lecteur.

Harry demeura debout, impassible, les yeux baissés sur le vieillard. Il sortit de la bourse de sa ceinture un petit sac de cuir, qu'il posa sur le lit à côté de la main alanguie.

— Onze shillings et sept pence. Et un petit supplément pour la réparation des troncs. Vous trouverez le montant exact, mais si vous souhaitez demander à quelqu'un de vérifier, je peux rappeler votre lecteur. Considérons le prix du cob comme une aumône pour vos pauvres. Je ne doute pas un instant qu'on l'ait bien soigné.

Le sourire de Hugh de Lacy se crispa douloureusement, mais il supporta la vexation sans une plainte et, après un silence, reprit :

— Nous pourrions aussi consacrer cet argent à des cierges pour l'âme de ton père, puisque la messe nous est interdite.

— L'âme de mon père ! répéta lentement Harry en s'écartant du lit.

Le père Hugh ne doutait pas que Harry arrivait de Sleapford, Edmund non plus, sinon ils n'auraient pas manqué de lui annoncer aussitôt la nouvelle. Et s'ils ne lui avaient pas présenté leurs condoléances, c'est que le décès devait dater d'un certain temps. Ainsi donc sir Eudo avait rejoint ses ancêtres. Et sir Ebrard Talvace était devenu seigneur de Sleapford.

Harry aurait dû être ému, or il ne ressentait rien, ni satisfaction ni chagrin. Les vieillards meurent, frères Denis et Eudos pareillement, c'est le lot commun de tous les humains. Harry ne nourrissait pas de rancune à l'égard de sa famille, en tout cas il n'avait jamais souhaité la mort de son père. Au cours des neuf dernières années, c'est à peine s'il lui avait accordé une pensée, vengeresse ou affectueuse. Cette mort lui semblait maintenant aussi étrangère que dénuée de sens. Ils étaient toujours restés à distance.

— A votre guise, dit enfin Harry. Pour moi, mieux vaut consacrer l'argent aux vivants, mais vos cierges ne feront pas de mal à son âme, s'ils ne lui font pas de bien.

Ses paroles étaient plus hargneuses qu'il ne l'avait désiré, mais il se refusait à feindre un chagrin qu'il n'éprouvait pas.

— J'ai remis l'ange à sa place, ajouta-t-il.

— Ah, l'ange! Il m'a beaucoup manqué, Harry.

La main de Hugh de Lacy bougea sur le lit, comme s'il cherchait à atteindre le jeune homme, mais ses doigts rencontrèrent la bourse en cuir et battirent en retraite.

— Assieds-toi près de moi, Harry, reprit l'abbé à voix basse. Je te le demande comme une faveur. On me dit que c'est simplement de la faiblesse, mais je me rends bien compte que je ne vois plus aussi clairement qu'avant. Je ne peux te parler comme à un oracle dans un nuage.

Harry approcha le tabouret et s'assit en rougissant un peu. Les yeux caves étaient-ils trop faibles pour voir le feu lui monter aux joues?

— Comment se porte ton frère? questionna l'abbé.

Combien de fois, dans le passé, suis-je tombé dans le piège sans m'en rendre compte, songea Harry. Cela irritait l'abbé. Maintenant je m'en rends compte, et je le fais délibérément.

— Bien, je vous remercie. Il a encore ses deux mains, répondit-il, impitoyable. Je ne l'ai pas amené ici avec moi, aujourd'hui. J'ai cru plus sage de ne pas mettre votre conscience à l'épreuve une seconde fois. Adam ne serait pas en mesure de prouver qu'il a résidé dans un bourg franc anglais pendant un an et un jour, et j'ai gardé en mémoire votre dévotion pour les subtilités de la loi, mon père.

Les commissures des lèvres bleues se rétractèrent. Le visage ne pouvait devenir plus pâle mais il demeura longtemps tourné vers le plafond, immobile dans sa beauté pétrifiée, trop tiré pour refléter le cheminement de sa pensée par un quelconque frémissement ou changement d'expression. Enfin, d'une voix si basse que Harry dut se pencher pour l'entendre, Hugh de Lacy murmura :

— Ne peux-tu pardonner le mal qui t'a été fait, après tant d'années ?

— Si, je peux pardonner, répondit Harry. Mais mon pardon ne vaut pas grand-chose puisque je n'attends rien de vous.

— Ni même de Dieu ?

— Cela, c'est entre Dieu et moi.

Il attendit. Il observa le soleil ramper vers le lit. Le silence s'étirait en un fil très délicat, comme un fil d'araignée non tendu. Puis il reporta son attention sur le gisant : les paupières bleutées et transparentes étaient fermées, et le visage tellement inerte et lointain qu'il crut l'abbé assoupi. Il se leva en silence et commença à se diriger vers la porte. Il n'avait plus rien à faire ici. Il s'était présenté, avait payé sa dette, et celle qu'on avait envers lui était reconnue. Que vouloir de plus ?

Sa main était sur la poignée de la porte lorsque Harry entendit le malade laisser échapper un sanglot déchirant, très vite et farouchement réprimé. Ce sanglot transperça la coquille de glace qui lui enserrait le cœur, et la chaleur du remords et de la tendresse le submergea. Il s'élança vers le lit et tomba à genoux, un bras en travers du corps de l'abbé, sa joue, puis ses lèvres, contre la main osseuse.

— Mon père, pardonnez-moi. Pardonnez-moi ! Jusqu'à cet instant je n'avais rien à me faire pardonner ! Pourquoi vous affliger pour moi, qui suis tellement arrogant et présomptueux ? Je ne voulais pas vous blesser. Ou plutôt si ! se reprit-il avec passion. Si ! Si je voulais vous blesser. Je suis venu pour cela. Que Dieu me pardonne !

Le long corps décharné était tellement immatériel que Harry craignait d'y laisser peser son bras. Le masque cendré, brisé et tourmenté un instant plus tôt, se détendit dans un sourire faible et s'apaisa. L'abbé rouvrit les yeux sur le jeune et lumineux visage empreint de honte, de remords et de tendresse. Maintenant il reconnaissait Harry. Il n'avait pas intentionnellement cherché à le rappeler en jouant sur sa pitié, mais cela s'était avéré efficace. Arrogant, Harry l'était sans nul doute. Une citadelle d'arrogance dressée contre toute force adverse. Mais la seule vue de la faiblesse ou de la souffrance humaine pouvait le jeter à genoux dans une humilité aussi intense que l'orgueil.

— Même dans votre état, je vous cause du tort, dit Harry, saisi de remords. Vous devriez reposer dans le calme et la paix, et je ne vous en laisse pas. Je vais me retirer et ne vous ennuierai plus.

Dites-moi seulement que vous me pardonnez ma dureté, car j'en ai vraiment honte. J'ignorais même que j'abritais toute cette rancune en moi. Il m'était facile de pardonner à ceux dont je n'espérais rien, mais j'avais tellement foi en vous !

— Et moi je ne voulais pas trahir cette foi. Pourtant je l'ai trahie, et on ne peut revenir en arrière.

La main frêle de Hugh de Lacy, légère comme une feuille flétrie, reposait sur la main hâlée de Harry. Sa voix, qui avait perdu sa sécheresse, reprit doucement :

— Je te pardonne, mais toi, pardonne-moi, mon enfant. Ma bénédiction ne t'a jamais quitté. Comme je suis heureux que nous soyons réconciliés, et que nous nous quittions bons amis ! Il se peut que ce soit la dernière fois.

Harry lui sourit et se pencha sur la main qui l'étreignait sans force.

— Non, mon père, vous allez vivre et diriger l'abbaye de nombreuses années encore. Peut-être même connaîtrai-je la tombe avant vous.

— A Dieu ne plaise, Harry ! Reste encore un peu avec moi. Je ne te retiendrai pas longtemps, car je me fatigue vite. Explique-moi comment tu as voyagé depuis le jour où nous t'avons perdu. J'ai bien souvent pensé à toi, et n'avais pas l'esprit en repos.

— Abandonner cette vie où j'étais inutile pour suivre une voie plus productive a été bénéfique. Mes mains m'ont permis d'offrir des beautés à Dieu, et elles en façonneront encore d'autres, et de meilleures.

Harry s'assit sur le bord du lit, l'ombre de main dans la sienne, et il raconta Caen et Paris, Saint-Etienne et Notre-Dame. Et lorsque l'abbé le prit entre ses bras, il eut l'impression que, en lui, une blessure cicatrisait, que la peau repoussait, souple et lisse, à chaque respiration du vieil homme malade. Il baisa très doucement le front desséché, puis s'en alla sur la pointe des pieds.

Ce fut seulement au moment de franchir la porte de la ville que Harry s'aperçut qu'il avait oublié de reprendre son cheval. Il ne fit pas demi-tour. Il n'était pas venu pour le cheval.

Ils atteignirent le sommet du sentier verdoyant au coucher du soleil, et, contournant le flanc de la forêt, depuis le contrefort de la crête onduleuse, ils découvrirent sur la gauche, en contrebas, la vallée où coulait la rivière, et devant eux, surplombant la pente, l'affleurement de grès, veiné de plis brisés et de couches dans lesquels des arbres avaient poussé. Enfin, au sommet du piton rocheux : Parfois.

La surface plane qui couronnait la colline n'était pas assez vaste pour que l'ambition des Isambard ne l'ait englobée dans son entier. Le mur d'enceinte, qui dominait les arbres et la pente abrupte de la roche, serpentait autour de la crête tel un serpent. Six tours flanquantes projetaient leurs façades rondes, sur lesquelles rien, pas même un corbeau, n'aurait pu trouver prise sans se voir menacé par un tir croisé. A l'intérieur des remparts, le grand donjon hexagonal, avec ses trois tourelles en saillie, captait les derniers rayons du soleil et s'embrasait d'une lueur rouge rosé. Les ombres de la vallée, teintées du mauve de la bruyère, escaladaient les escarpements rocheux et venaient caresser les pieds des tours extérieures.

A trois miles au-delà de la rivière, le Pays de Galles dormait, ici dans l'obscurité, là dans la lumière dorée. Une demi-douzaine de villages occupaient la vallée, sous l'ombre massive et permanente de Parfois, leur abri et leur fardeau. Une douzaine d'autres, nichés dans les replis des collines, du côté anglais du château fort, se cachaient des expéditions galloises sous son aile protectrice, mais craignaient leur protecteur à peine moins que leurs ennemis.

L'ombre gagnait du terrain, devenait plus dense, engloutissait une à une les meurtrières des tours rondes. Les tourelles brûlaient comme de hautes chandelles. Derrière les mâchicoulis illuminés du donjon, le ciel vespéral était bleu-vert, de la même couleur que les yeux qui contemplaient avec ardeur et circonspection le château de Parfois depuis le virage de la route.

La pyramide que formaient la colline et sa couronne de pierre, bien proportionnée et sûre, effilée en une pointe de lumière rose, n'était plus un fanal éclairé sur la terre, mais une étoile suspendue dans le ciel d'un vert pur. Tout serait noir avant qu'ils ne l'atteignent. Déjà tout était silencieux.

Le sentier suivait l'épaulement rocheux avant de s'incurver sur la droite pour gravir la colline par son unique accès facile. A l'approche des remparts, le donjon disparut de leur vue, puis ce furent les tours qui se retirèrent, en oblique, et seuls restèrent visibles les niveaux supérieurs du corps de garde avec ses tourelles. A mi-chemin du talus, les arbres se refermèrent sur le sentier et il n'y eut plus de château, seulement une sombre forêt qui les encerclait. De nouveau ils émergèrent sur un terrain ouvert, et les deux tours de garde resurgirent. La rampe s'élargit et s'ouvrit sur un champ qui évoquait une île suspendue, car la formation rocheuse le coupait de la base même du château, lequel se dressait au bord d'une faille de quarante pieds de profondeur. Le chemin aboutissait au corps de garde, avec ses deux tours, le pont-levis abaissé, et la herse levée sur la porte menant à la basse cour.

Harry fit halte à la lisière de l'esplanade de verdure. Le chemin la traversait en ligne droite jusqu'au pont, au milieu de l'herbe drue que le crépuscule rendait grise. Sur la gauche, où l'étendue était la plus vaste, il discerna, grâce à sa luminosité propre et mystérieuse, le rectangle rocheux à demi dégagé sur lequel trois maîtres maçons avaient entrepris de construire avant lui. Au-delà des traces pâles, informes et confuses, s'entassaient les anciens matériaux. Les charpentiers d'Isambard avaient déjà monté les ateliers où les nouveaux maçons se regrouperaient bientôt. Cette preuve d'activité l'émut et l'excita, pourtant ce n'était pas cela qu'il regardait. C'était le rocher découvert, la surface tracée profondément dans l'herbe, les buissons, la terre.

Un espace noble, un site somptueux. La légère luminosité de la roche, moisson de soleil emmagasinée pendant la journée, paraissait flotter à un ou deux pieds au-dessus du sol, et l'on eût dit que les murs commençaient déjà à s'élever. La façade nord s'offrirait à la vue du château, la façade sud au chemin. Harry devait envisager tout l'ensemble, le château et l'église, l'équilibre entre les deux, l'unité qu'ils devraient présenter à ceux qui lèveraient les yeux depuis les vallées des deux versants : la grande vallée de la Severn à l'ouest, la vallée encaissée du ruisseau à l'est. Un édifice est une sculpture à grande échelle. Un édifice est aussi multiple, versatile, complexe qu'un homme. Un édifice doit être aussi complet et harmonieux qu'un homme, et avoir de la considération pour ses voisins.

Harry arrêta son cheval, le regard perdu devant lui dans la lumière déclinante. La vénération qu'il avait pour la forme, la proportion et la noblesse de la ligne, sa passion pour la stabilité, la beauté, la sobriété et l'harmonie imprégnaient et transcendaient le château et le rocher, se propageaient aux collines anglaises d'un côté, aux collines galloises de l'autre, sans déceler d'inimitié entre elles, s'étendaient au-delà de l'horizon, aspirées dans les dernières lueurs d'or vert, dans les immenses profondeurs du ciel et sa fine broderie d'étoiles. Harry voyait les murs de son église prendre forme et s'élever vers ces étoiles hésitantes, et la grande tour centrale se cabrer, haute et droite, comme un homme faisant ses dévotions, le front offert à l'éclat de la grâce. Il pressentait que pour atteindre son idéal, il lui faudrait élargir toute sa sensibilité et sa compassion aux confins du monde, relier chaque pierre de son ouvrage à tout ce qui bougeait, respirait, espérait et aimait, tout ce qui était doté de forme ou d'intelligence. A cette seule condition il toucherait à la perfection.

Bien sûr, la perfection était hors de la portée humaine. Néanmoins il y aspirait, il osait l'espérer, et il se disait que tant qu'il conserverait cet espoir, l'assouvir ne serait pas nécessaire.

— Allons-y, dit Adam avec un bâillement, en calmant son cheval qui s'agitait sur le bord du chemin. Rentrons ou ils vont hisser le pont-levis devant notre nez. Toi, je ne sais pas, mais moi je m'occuperais volontiers de mon souper.

Harry s'arracha à sa rêverie prophétique avec un rire et ils galopèrent vers le pont-levis pour entrer dans Parfois.

Au milieu de cette maisonnée grouillante, où il jouait le rôle d'un ancien paladin, constamment entouré d'écuyers, d'intendants, de chevaliers à son service, de pages, de musiciens, et d'une multitude d'autres parasites, Isambard parvenait néanmoins à mener une vie d'ermite. La grande salle du château, accolée au mur d'enceinte dans l'angle de la tour du Roi, était aussi animée qu'une place de foire. C'était là qu'il menait l'essentiel de ses affaires quotidiennes et dînait régulièrement, comme ses pairs, présidant une assemblée qui comptait parfois un millier de personnes. Mais lorsqu'il se retirait dans son intimité, nul n'aurait osé l'importuner, et nul ne se serait senti en droit de l'y suivre sans être dûment introduit. Isambard avait des domestiques de confiance, mais n'avait pas d'amis, non pas par crainte, comme son roi qui s'entourait d'otages familiaux tel un avare amassant de l'argent, mais par sa longue expérience de la déception et de la désillusion, lui qui demandait toujours trop.

Il avait tiré un bon parti de la situation de Parfois, en installant ses appartements privés dans la tour de la Dame, laquelle dominait le versant le plus abrupt du piton rocheux et ne pouvait se trouver sous les tirs d'aucun point éminent extérieur au château. Les étroites meurtrières cédaient place à de généreuses fenêtres en ogive, et la pénombre étouffante à l'air et à la lumière. Des tentures drapaient les murs, les tapis et les fourrures rapportés d'Orient couvraient les sols froids et inégaux. C'était là qu'il avait installé Madonna Benedetta, dans un apparat quasi royal. Les occasions étaient rares pour quiconque d'y demander audience, et le fait que Harry y fût reçu était la marque d'une faveur extraordinaire.

Le jeune maître d'œuvre traversa à grands pas la salle de la tour éclairée par des chandelles, le rouge aux joues et le regard brillant.

— Pardonnez-moi de vous importuner à une heure si tardive, messire, mais il s'agit d'une question assez importante. Depuis le souper, j'examine les rôles avec votre intendant, Richard Knollys. C'est la première fois que nous en avons l'occasion. C'est un clerc remarquable, un bon organisateur, et je lui suis reconnaissant du travail qu'il a accompli avant mon arrivée. Mais nous avons des divergences sur certains points et je me vois obligé de vous répéter qu'il n'y a qu'un seul maître d'œuvre ici : moi. Si Knollys travaille sous mes ordres comme clerc et surveillant, c'est parfait, mais nous n'aboutirons à rien s'il se considère comme maître de chantier au même titre que moi.

Isambard écarta son siège de l'échiquier devant lequel il était assis avec Madonna Benedetta. Elle portait ses cheveux dénoués, qui lui descendaient jusqu'à la taille en un rideau épais et soyeux de rouge sombre. L'impressionnante sérénité qui émanait de sa personne donnait à croire qu'elle était si parfaitement et si indiscutablement châtelaine de Parfois que sa position n'était pour elle ni une nouveauté ni une satisfaction. Harry songea qu'elle avait l'air d'une épouse, une épouse noble. Et comme toute épouse de noble naissance, elle n'esquissa pas un geste pour se retirer du conseil de son époux. Au contraire elle écoutait avec attention et sérieux ce qui se passait, prête à donner un avis si on le lui demandait, et, dans cette attente, observait un silence intelligent.

— Je n'avais nulle intention de discuter votre autorité, répliqua Isambard avec sécheresse. Et je croyais avoir défini ma position. Knollys est l'aide le plus efficace que je puisse vous donner, mais vous êtes seul responsable du chantier. Voyons, quel est ce différend qui vous oppose ?

— Messire, j'ai découvert que plusieurs des charpentiers et maçons qu'il a réunis sont des hommes enrôlés de force, certains déplacés de très loin. Du Somerset par exemple. Trois d'entre eux sont emprisonnés pour avoir tenté de s'enfuir chez eux. Messire, en dehors de mes vues personnelles sur la question, il me semble que seul le fournisseur du roi a le droit d'enrôler des hommes de force pour ses travaux.

— Vous êtes trop hâtif dans vos certitudes, rétorqua Isambard. En vérité je jouis du même droit, lequel m'a été accordé par le roi en personne. Sur mon fief, je peux déplacer de force un artisan d'un bout à l'autre de l'Angleterre, à condition qu'il ne soit pas déjà engagé sur un chantier du roi. Auparavant on disait aussi «ou sur un chantier de l'Eglise», mais cette dispense est tombée depuis que le roi et la papauté sont en froid. J'ai également le droit d'emprisonner des fugitifs et de les mettre aux fers si bon me semble pour les empêcher de s'évader à nouveau. Knollys a mon approbation.

— Pas la mienne, répliqua Harry avec une arrogance qu'il n'avait pas préméditée mais qui fit sursauter Isambard. Messire, je ne conteste pas votre droit légal. D'ailleurs je l'ignorais jusqu'à aujourd'hui. Mais en ce qui me concerne, je refuse de faire travailler des hommes de force. Je trouve indigne de Dieu que sa maison soit bâtie sous la contrainte par des gens qui détestent ce qu'ils font. Tout homme devrait pouvoir vendre son travail où il le désire.

— Vous comptez aussi enseigner son devoir à Dieu? jeta Isambard d'une voix glacée, en refermant les poings sur les bras de son fauteuil comme sur des manches de dagues.

— Je compte accomplir le mien, rien de plus. Je suis ici pour vous bâtir une église, au mieux de mes capacités. Et je dois protéger mon ouvrage des influences qui pourraient le défigurer. Je n'emploierai pas des hommes de force. Utiliser une main-d'œuvre réfractaire n'est bon ni pour vous, ni pour moi, ni pour notre projet.

— Vous êtes ici pour bâtir, coupa Isambard en se levant brusquement. Restez à votre établi et ne vous mêlez pas de ce qui ne vous concerne pas.

— Cela me concerne, justement. Nous n'obtiendrons rien de bon avec des hommes astreints de force à ce travail. Vous m'avez promis que j'aurais les mains libres, messire, et je vous rappelle notre accord.

Ils avaient l'un et l'autre haussé le ton. Les mots sonnaient dans leurs bouches avec la même violence, leurs yeux étincelaient d'une égale colère.

— Il y a une chose qui me déplaît plus encore, s'empressa d'ajouter Harry. J'ai découvert sur les contrôles journaliers qu'une centaine de manouvriers n'apparaissent pas dans nos dépenses, hormis de nourriture. Knollys affirme qu'il a votre autorisation pour exiger de vos serfs deux journées de service supplémentaires chaque semaine pour le défrichement du terrain, et occasionnellement pour le charroi de matériaux ou des tâches non qualifiées. Je ne peux croire que vous ayez donné une telle autorisation et je suis venu vous en demander confirmation.

— Knollys a ma permission. Et je la confirme. En quoi cela offense-t-il votre conscience par ailleurs si sensible ? Est-il indigne de vous de faire déblayer votre chantier par de la main-d'œuvre servile ?

— Au contraire, messire. A tel point même que je requiers votre autorisation pour ne faire aucune distinction entre libres et non libres. J'accueillerai tout homme qui viendra de son propre gré. Mais leur prendre deux jours entiers quand la moisson va commencer, c'est leur voler leur gagne-pain. Vous n'êtes pas sans savoir, messire, que les temps sont déjà très durs pour eux. Quatre journées de travail sur vos récoltes et deux sur votre église, que leur reste-t-il pour leurs propres champs ? La nuit ? Même s'il y a deux ou trois fils adultes par foyer, il y a du labeur pour chacun d'eux et peu de gain en retour. S'ils vous donnent leur temps, ils méritent d'être payés en échange.

— Payés ? Mes serfs payés pour leurs services ?

Isambard rejeta la tête en arrière et s'esclaffa d'un grand rire, sincère et candide, mais chargé de colère.

— Harry Lestrange, vous êtes ici pour bâtir une église, non un monde nouveau. Faites preuve de sagesse, tenez-vous-en à vos ciseaux et à vos maillets, et laissez-moi disposer à ma guise de mes gens. Si vous vous conduisez comme un de ces petits prêtres illettrés, vous en connaîtrez le pénible sort, et ce serait fort dommage car vous êtes un jeune homme doué dans votre partie. Je vous apprécie, Harry, mais je suis le maître sur mon fief, et vous feriez bien d'éviter de me rappeler trop souvent ce que j'ai le droit ou non de faire chez moi. Je ne suis pas toujours d'humeur aussi patiente que ce soir.

Isambard se tourna brusquement vers la table et versa du vin dans des coupes, avec un haussement d'épaules pour chasser sa contrariété.

— Et maintenant, Harry, mettez un frein à vos ardeurs et avalez quelques gorgées de ce breuvage. Après cela vous vous prendrez un peu moins au sérieux. Vous n'étiez pas aussi rigoriste quand je vous ai trouvé dans la prison du prévôt de Paris.

Il se retourna en riant pour offrir la coupe à Harry, et fut à la fois sidéré et vexé par sa réaction. Harry avait le visage empourpré jusqu'à la racine des cheveux, et les narines et le pourtour de la bouche livides.

— Il n'était pas nécessaire de me rappeler vos bontés, messire. J'en ai conscience et je compte bien m'acquitter de ma dette.

— Par Dieu tout-puissant, ce n'était pas dans mon intention. Seuls les princes peuvent se permettre un orgueil pareil au vôtre !

Suivit un silence chargé d'orage. Ils s'affrontaient du regard comme deux ennemis prêts à une lutte à mort. Alors, d'un mouvement ample et alangui de la main, Madonna Benedetta étouffa un bâillement, et son geste déchira la tension ambiante comme une toile d'araignée.

— Pardonnez-moi, s'excusa Harry à voix basse. C'était déplacé de ma part de vous attribuer un tel manque de générosité. Je sais que vous n'avez jamais cherché la moindre compensation à votre bonté. Néanmoins je me sens redevable, et pour ma propre sérénité j'ai hâte de vous dédommager honnêtement, dit Harry, dont le teint avait recouvré sa blancheur et les lèvres perdu leur crispation de colère. Puisque vous avez jugé possible de vous fier à mon travail, je vous demande maintenant de vous fier à mes méthodes.

— Il ne s'agit pas là de méthodes de construction, mais d'administration. Construisez à votre guise, mais ne vous mêlez pas du reste.

— Je persiste à penser que cela relève de ma responsabilité, et je m'en suis déjà mêlé, messire. Je ferais mieux de vous dire ce que j'ai fait, et vous jugerez ensuite si notre contrat tient toujours. Ce n'est pas moi qui le romprai. J'ai libéré les trois prisonniers, et j'ai dit aux hommes enrôlés de force qu'ils étaient libres de travailler pour moi ou de rentrer chez eux. S'ils décident de partir — ce que feront sans doute certains de ceux qui sont mariés, mais pas tous — ils recevront un pécule pour leur voyage de retour. Par ailleurs, j'ai annulé la réquisition de vos serfs et leur ai fait savoir que ceux qui souhaitaient s'engager de leur plein gré pour des travaux journaliers seraient payés au même tarif que les hommes libres non qualifiés. Il est vrai, admit Harry en soutenant le regard qui le foudroyait par-dessus la coupe de vin, que je ne dispose pas de l'argent pour tenir ces promesses. Sauf si vous me l'octroyez, messire. C'est à vous d'en décider. Si je suis le maître d'œuvre, ainsi que vous me l'avez juré, vous approuverez les mesures que j'ai prises et me donnerez les moyens d'honorer mes engagements. Si vous passez outre mes décisions, je perds toute autorité et ne suis plus maître d'œuvre. Vous m'avez promis ma liberté d'action et tous les moyens dont j'aurai besoin. Je vous demande de tenir votre promesse, comme j'ai l'intention de tenir la mienne.

Harry était à deux doigts de recevoir le vin en plein visage, et probablement le récipient à la suite. Il voyait les longs doigts brunis se resserrer sur le pied de la coupe, les yeux brun-roux furibonds se plisser pour l'observer d'un air calculateur, comme si Isambard pesait la violence et la forme de sa réaction et y prenait plaisir avant de l'assener. Madonna Benedetta, qui les observait avec attention depuis l'ombre protectrice de son fauteuil, de l'autre côté de la pièce, posa la main sur l'angle de l'échiquier, mais elle perçut chez Isambard un détail qui la décida à patienter et elle se laissa de nouveau aller contre son dossier.

La main crispée sur la coupe de vin se détendit. Harry, immobile, le regard rivé au visage de son seigneur, eut l'attention détournée par l'éclat de ses bagues.

— Vous feriez bien de boire ceci, dit Isambard avec un regard sévère. Le vin fera meilleur effet dedans que dehors. Prenez, et laissez-moi boire à votre santé ! Au moins, vous avez plus de courage que la plupart des gens que j'entretiens. Ou alors vous êtes un fieffé imbécile, ce que je ne puis croire. Prenez ce vin, vous dis-je ! Il est rare que je serve de page, alors profitez-en ! Et puis vous serez peut-être de compagnie plus agréable une fois ivre.

Isambard se détourna d'un mouvement brusque. Son ombre ailée glissa sur le sol. En passant, sa main effleura d'une caresse la courbe lisse de l'épaule de Benedetta. Puis, au milieu d'une enjambée, il fit de nouveau face à Harry et lança d'un ton péremptoire :

— Je déteste que l'on me force la main, Harry. Je vous conseille de ne plus utiliser cette stratégie à l'avenir. Vous ne me laissez de choix qu'entre deux extrêmes. Ou bien je vous jette dans une geôle de la tour de garde et démolis ce que vous avez entrepris, ou je vous donne mon approbation et vous confirme dans votre office. Dieu sait que je suis tenté par la première option, mais je ne pourrais goûter le chef-d'œuvre d'un homme brisé.

— Il n'y en aurait pas, dit Harry, égayé par le vin qui avait chassé de son corps ce froid terrible. Je crois sincèrement, messire, que seuls des hommes libres et enthousiastes peuvent créer des chefs-d'œuvre. D'ailleurs, sur ce point au moins, vous êtes injuste envers moi. Je n'ai pas décidé d'agir ainsi pour ensuite vous forcer la main. J'ai agi ainsi parce que je croyais avoir pleine autorité pour le faire. Je suis venu vous voir ce soir uniquement parce que Knollys, par respect pour vous, je le reconnais, a mis en question cette autorité.

— Cela ne se produira plus. Je ne vous ferai pas honte devant vos hommes. Fort bien, que vos directives soient respectées. Mais attention, ne me poussez pas trop loin. Restez sur votre territoire et n'empiétez plus sur le mien.

— Je vous remercie, messire, dit simplement Harry.

Au fond, de quoi devait-il le remercier ? Isambard ne faisait que respecter un engagement.

— Demain, je parlerai à Knollys, promit Isambard. Maintenant vous pouvez nous laisser.

— Bonne nuit, messire. Bonne nuit, Madonna Benedetta.

Il surprit dans le regard de celle-ci un éclair, et il reconnut le même sourire désabusé et amusé qu'elle lui avait lancé par-dessus l'épaule de John le Fléchier, le jour de leur départ de Paris. Il entendait encore son soupir : «Nous prenons certaines attitudes presque par hasard.» Presque, mais pas entièrement. Elle qui connaissait tout des impulsions de sa propre nature ne pouvait s'étonner des lubies auxquelles celle de Harry pouvait le conduire.

Il sortit de là réconforté plus que de raison. Adam l'aurait soutenu de tout son cœur dans n'importe quelle entreprise, même extravagante, mais sans chercher à comprendre ce qui le poussait à agir. Madonna Benedetta, elle, n'avait rien fait sinon pousser de quelques pouces l'échiquier vers le bord de la table, prête à le renverser si une diversion s'avérait nécessaire. Ce simple geste démontrait qu'elle avait tout saisi. Harry se réjouissait de sa présence. Il était heureux, formidablement heureux, qu'elle soit venue avec eux à Parfois.

Ils tirèrent parti de l'été, et il y eut de la main-d'œuvre servile à profusion dès que la nouvelle se répandit que le travail serait payé au même tarif que celui des hommes libres non qualifiés, et non pas exigé comme un droit seigneurial. Le site fut complètement dégagé et nivelé en quelques semaines, car seules une mince couche de gazon épars et quelques mauvaises herbes avaient pu s'accrocher au sol décapé. Les plans de Harry requéraient très peu de nivellement supplémentaire. En septembre, lorsque Isambard rejoignit la cour du roi à Woodstock, l'embase des murs et des pilastres était posée, les tailleurs travaillaient dur à leurs établis, et les poseurs de pierres étaient déjà prêts à mettre les assises en place. Les charpentiers assemblaient rondins, claies et sangles de cuir pour l'échafaudage qui ne serait pas nécessaire avant le printemps suivant. Le maître charpentier, autrefois assistant de maître Robert à Shrewsbury, entamait la construction du cintre pour la baie de la grande tour est et du portail. Et, avec un peu de chance, il restait encore six ou sept semaines avant que l'assaut des gelées ne congédie les poseurs de pierres pour l'hiver, pendant lequel les murs naissants reposeraient dans un lit douillet de fougère et de bruyère.

Harry aurait préféré conserver son équipe au complet tout l'hiver, mais c'était impossible puisqu'il n'y avait pas de travail sous abri pour les poseurs lors de la première année. L'hiver suivant, si tout allait bien, une partie du chantier serait à couvert et il garderait tout son monde. Par expérience, Harry savait que la sécurité et le bien-être permettaient un meilleur résultat et une progression plus rapide. La plupart des hommes engagés de force, une fois libérés de leur contrainte, avaient choisi de rester avec lui, et il en avait éprouvé un immense plaisir.

La rumeur sur la droiture de sa conduite se répandit presque trop largement. Au début, quelques opportunistes des villages environnants prirent le jeune maître d'œuvre pour un sot et vinrent louer leurs services dans l'espoir d'une bonne aubaine. Deux individus de cet acabit s'affairant autour d'une brouette vide pouvaient aisément donner l'apparence d'une activité zélée sans fournir d'efforts. Malheureusement pour eux, le jeunot révéla un sens aigu du comportement humain. Il lui suffit de deux jours pour repérer les hommes malhonnêtes. Ceux qu'il jugea inutilisables furent renvoyés sans cérémonie, et ceux qui avaient seulement tenté leur chance furent mis au travail sous la surveillance directe d'Adam et durent s'y tenir jusqu'à ce qu'ils eussent acquitté ce qu'ils devaient, avec les intérêts. Parmi ceux-là, certains s'offusquèrent du traitement et décampèrent sans demander leur reste, mais quelques autres s'obstinèrent, bien décidés à prouver qu'ils étaient capables de fournir le travail exigé s'ils en avaient envie, voire davantage. Harry jugea leur effort méritoire. Une fois le charroi terminé, ils continuèrent de travailler et ne lui tinrent pas rancune de les avoir domptés. Au contraire, ils ne l'en apprécièrent que davantage.

D'autres lui causèrent des ennuis plus graves, notamment deux grands gaillards barbus au visage buriné, dont l'allure ne lui plaisait guère mais qu'il embaucha néanmoins comme hommes de peine. Dès la fin de la première journée, alors qu'ils s'apprêtaient à quitter le chantier, il les découvrit tout emmaillotés de sangles de cuir et de cordages volés dans ses magasins. Cela lui parut un butin bien insignifiant pour risquer sa vie, s'ils étaient ce qu'il pensait, à savoir des hommes sans maître vivant dans la forêt comme des sauvages. Mais, après réflexion, il fouilla le pied des pentes escarpées du plateau, et s'aperçut que les deux hommes avaient fait tomber une grande quantité de bois dans l'herbe d'un vallon sur le versant anglais, d'où ils pourraient l'emporter pendant la nuit.

Il confia les deux voleurs à Peter FitzJohn, le gouverneur du château, et le regretta aussitôt. En effet, l'un d'eux, ayant été reconnu comme un détrousseur de grand chemin qui s'attaquait aux voyageurs sur la voie romaine depuis plus deux ans, fut pendu le lendemain. Quant à l'autre, probablement un de ses complices, il connut un sort aussi peu enviable car, lorsqu'il tenta de s'échapper, on lâcha sur lui le chien arabe d'Isambard, qui le rattrapa sans effort et l'égorgea.

Harry vit l'animal revenir docilement à l'appel du Grec, abandonnant sans regret le cadavre de sa victime, satisfait d'avoir accompli ce pour quoi il était dressé. Le poitrail fauve était maculé de sang, le corps magnifique se mouvait avec fierté, allégresse et innocence. Harry crut sentir sur ses mains le sang chaud et poisseux. Il n'avait pas la candeur du chien pour le purifier.

— Qu'est-ce qui te tourmente ? lui demanda Adam avec agacement. Ce sont des voleurs, des brigands de grand chemin. Que voulais-tu faire d'eux sinon les remettre à la justice ?

Malgré les échos déplaisants qu'éveillait toujours en lui ce mot, Harry ne pouvait qu'acquiescer.

— Tu as raison. Mais quel autre choix avaient-ils pour vivre sinon voler ? remarqua-t-il, apitoyé. Le plus grand était forgeron dans un village, du côté de Caus, jusqu'à ce qu'il se casse la jambe. Corbett a saisi ses biens. L'autre était un serf en fuite et avait sans doute de bonnes raisons.

— Je serais le dernier à le leur reprocher, répondit Adam. Mais rends-moi cette justice que je n'ai jamais volé ni tué pour vivre. Ils n'y étaient pas obligés non plus.

Harry reconnut qu'il avait raison, mais ne se sentit pas pour autant rasséréné. Et lorsque, peu de temps après, il surprit le garçon qui classait ses plans dans la chambre de trait en train de dérober du parchemin, des craies et autres vétilles pour son usage personnel, sa première réaction fut de barrer la porte contre toute intrusion, afin que personne d'autre n'eût vent de l'histoire. Il ne pouvait ignorer la faute, mais il s'arrangea pour que la justice ne s'en mêlât pas, et le coupable reçut pour toute punition une correction infligée sans conviction, qui d'ailleurs ne lui arracha pas une larme, et un sermon qui au contraire déclencha une véritable cataracte. Pour finir, le garçon apporta ses propres épures à Harry, qui les critiqua avec sévérité mais lui montra comment les améliorer, et lui fournit tout le matériel dont il avait besoin pour poursuivre ses essais, afin de lui éviter la tentation de voler ce qu'il pouvait obtenir en le demandant. Le dévouement absolu du jeune garçon devint dès lors un sujet de plaisanterie avec Adam, bien que celui-ci ne connût jamais le fin mot de l'histoire.

A l'automne, les convois de pierres en provenance de la carrière des collines de Bryn subirent leur première attaque galloise. Il y avait un peu plus d'un mile pour charrier la pierre jusqu'à la rivière Tanat, où elle était ensuite transportée par bateau sur la Tanat et la Vyrnwy jusqu'à la Severn, à un appontement provisoire, sous la crête de Long Mountain. La voie de charriage de près de deux miles, de là jusqu'à Parfois, était escarpée et bien protégée. Le trajet par bateau était relativement sûr et bon marché, en dépit des périls possibles des crues de printemps. Mais la partie vulnérable du transport était le premier mile jusqu'à la Tanat, dans les collines, à un jet de pierre du Pays de Galles, sans autre obstacle que le ruisseau Cynllaith pour repousser les coups de main.

Depuis maintenant un an, le prince de Powis se morfondait dans les prisons du roi Jean. Mais en perdant ce voisin imprévisible les Anglais en avaient gagné un autre, beaucoup plus redoutable. En effet, à peine Gwenwynwyn sous les verrous, Llewellyn avait fondu comme un de ses faucons depuis les monts Eryri pour s'emparer de Powis et l'ajouter à son fief de Gwynedd. Et il y avait fort à parier qu'il se donnerait bientôt le titre de prince de Galles. L'unité de son pays était l'ambition avouée de Llewellyn

Et si l'on faisait un généreux effort d'imagination pour se sentir gallois plutôt qu'anglais, qui pouvait l'en blâmer?

Mais le point essentiel était son conflit déclaré avec Isambard : toute attaque entreprise contre son ennemi juré par les montagnards de Cynllaith n'était pas pour lui déplaire.

Un messager arriva de la carrière sur un cheval hors d'haleine et leur apprit qu'une troupe armée avait attaqué le convoi à un demi-mile de la Tanat, tué deux des charretiers et dispersé les autres, déchargé les pierres sur le bord du chemin, et emporté les bœufs et les charrettes. Les attelages étant loués, il faudrait verser un dédommagement, ainsi qu'une allocation aux veuves des deux charretiers. On ne pouvait se permettre de telles dépenses de façon répétée. Quant aux hommes, il était hors de question pour Harry de les sacrifier. Il alla sur-le-champ prendre conseil auprès de FitzJohn et exposa ses exigences avec la sécheresse d'un général préparant une campagne.

Une compagnie d'archers et une compagnie d'hommes d'armes devaient stationner en permanence à la carrière. Celle-ci était moins exposée aux attaques que les chariots en transit, mais elle serait probablement la prochaine cible des Gallois. Une escorte armée accompagnerait chaque charroi descendant à la rivière, et une petite garde resterait postée au lieu de chargement sur le bateau. Une fois les grandes gelées venues, tout le monde pourrait lever le camp, car il y aurait assez de pierres à tailler pendant l'hiver.

Le soir même, Harry partit à la carrière avec un petit groupe d'archers et d'hommes d'armes, le gros de la troupe devant suivre le lendemain. Il ne se sentit apaisé que lorsqu'il eut constaté lui-même qu'aucune attaque directe de la carrière ne menaçait. Néanmoins il trouva la place silencieuse comme une église, et les carriers en alerte. Aux premières lueurs du jour, il parcourut les abords avec William de Beistan, le chef du camp, et pointa les meilleurs endroits pour poster des sentinelles du côté gallois, afin de parer les attaques surprises. Lorsque les deux compagnies arrivèrent, vers midi, il confia le commandement à William et, après avoir dormi deux petites heures avec l'abandon confiant d'un chiot épuisé, il s'éveilla ragaillardi et ramena les corps des deux charretiers à Parfois avec trois compagnons.

L'un des tués était un père de famille de quarante-deux ans, l'autre un jeune de vingt ans. Harry rendit visite à la veuve et aux parents, et puisa dans les fonds de l'église pour leur remettre une somme d'argent dont il devrait sûrement s'expliquer devant Knollys lorsqu'ils passeraient les comptes en revue. Il ne pouvait rien faire de plus pour les familles, sinon leur rendre les corps, qu'il faudrait enterrer sans messe, eux qui étaient déjà morts sans confession. Harry revint le cœur lourd de la misérable masure de la veuve. Mais au moins avait-il pris ses dispositions pour ne plus perdre d'hommes sous les flèches des Gallois.

Une semaine plus tard, on apprit qu'une seconde attaque avait été repoussée, sans pertes du côté anglais. L'ennemi avait en revanche eu trois blessés, dont l'un mortellement.

— Bien joué ! se félicita Isambard. Mais j'aurais préféré que ce fût Llewellyn en personne !

Harry ne souhaitait de morts ni d'un côté ni de l'autre, mais se disait que si les Gallois ne tiraient aucun profit de leurs attaques, ils ne pourraient guère se plaindre de leur accueil et finiraient par éviter des actions inutiles.

— A quoi ressemble ce prince de Gwynedd ? demanda Harry à Madonna Benedetta, tout en faisant glisser son fusain le long de la courbe splendide de sa joue, de son cou et de son épaule. L'avez-vous rencontré à Woodstock ?

— Je l'ai aperçu. Non pas à la cour, car Ralf lui-même hésiterait à présenter sa maîtresse au roi, précisa Benedetta avec une candeur qui avait cessé de le déconcerter. Je les ai vus tous les deux se croiser à cheval dans une rue. Aucun ne voulait céder le passage. Quelques pouces à peine séparaient leurs genoux, mais ils ne voulaient pas s'écarter. C'est un homme à l'aspect fougueux, chaleureux, passionné mais enjoué. Il nous a regardés avec curiosité, et je crois qu'il aurait volontiers parlé, mais le regard de notre seigneur l'a transpercé comme s'il n'avait pas existé. Une autre fois, je l'ai vu marcher dans le jardin, sa princesse à son bras.

— Est-il véritablement le diable ?

— Uniquement aux yeux d'un Anglais, répondit Benedetta. Moi qui suis étrangère, je lui ai trouvé belle prestance. Exceptionnellement grand pour un Gallois, aussi grand que Ralf, et très brun. Il se rase les joues et le menton mais porte une longue moustache. Il est tout en ombre et lumière, ses traits sont marqués. Il a un visage énergique et intelligent. Mais malgré sa hardiesse, il a trop bon caractère pour appartenir au diable. L'avez-vous déjà vu ? On dit qu'il a souvent rencontré le roi à Shrewsbury.

— J'ai passé toute mon enfance sur une terre qui tremblait dès qu'il faisait un pas, mais je ne l'ai jamais vu. Notre seigneur a eu des châteaux brûlés, des garnisons massacrées par plus d'un ennemi dans le passé. Pourquoi est-il plus hérissé contre celui-ci que tous les autres ?

Benedetta pesa la question un moment, tout en restant immobile dans la pose qu'il lui avait indiquée, la tête rejetée en arrière contre le haut dossier de son siège. La lumière grisâtre de l'hiver filtrait à travers les fenêtres de la chambre de trait. Une lumière morte de janvier, inerte, qui s'éteignait deux heures après midi, mais qui s'enflammait dans la chaleur vive des gerbes de ses cheveux roux, lesquels ondoyaient au-dessus des tempes comme une vague.

— Je crois que, principalement, c'est parce qu'il reconnaît en lui un homme d'une stature égale à la sienne, dans tous les sens du terme. Ce sont des êtres hors du commun. Quand Ralf rencontre un homme de sa trempe, il ne peut rester indifférent. Il peut l'aimer, le haïr, mais pas l'ignorer. Et il suffit de très peu pour choisir entre l'amour et la haine. Quelquefois, poursuivit Benedetta en tournant soudain la tête pour regarder Harry droit dans les yeux, on sent que Ralf ne connaît pas les demi-mesures. Il aime et déteste jusqu'à la mort. Sa mort ou celle de l'autre. Il a carrément déclaré au roi qu'il ne viendrait plus à sa cour tant que le prince de Gwynedd y serait reçu.

— Et Llewellyn est de la même espèce, dites-vous ?

— Llewellyn est un homme qui défend une cause. Il est à l'abri de la haine parce qu'il ressent un amour dévorant. Je pense qu'il ne porte pas plus d'intérêt à messire Isambard qu'à n'importe quel autre de ses pairs se dressant entre lui et l'unité du Pays de Galles. Il est en proie à son idée fixe.

— Mais à Woodstock, reprit Harry, Llewellyn s'est agenouillé devant les autres princes gallois et a prêté hommage au roi Jean.

— Je suis heureuse de n'avoir pas assisté à la scène, dit Benedetta. Pourtant je serais prête à jurer qu'en s'agenouillant devant Jean et en mettant ses mains entre les siennes, Llewellyn n'a pas perdu une once de sa dignité, ni la dévotion de tous les membres des clans qui le considèrent comme leur prince. Il peut y avoir plus d'honneur à s'abaisser, et plus de foi à rompre sa parole qu'à la tenir.

— Pas pour moi, objecta Harry avec une moue.

— Non, pas pour vous, concéda-t-elle en souriant. Vous êtes de la race de Ralf.

— Vous non plus ne mentiriez pas, je crois, dit Harry, son regard allant de la planche à dessin au visage de son modèle. Pour aucune cause.

— Vraiment?

— Pas plus que moi. Quant au prince de Gwynedd, il est en bons termes avec le roi. Je pense qu'il lui a juré allégeance de bonne foi et ne rompra sa promesse que si l'entente est brisée entre eux. Ce n'est pas la première fois que les princes gallois prêtent hommage au roi d'Angleterre. Et, l'été dernier, il s'est loyalement battu pour lui contre les Ecossais. Après tout, il a épousé la fille du roi.

— En effet. De toutes les femmes de ce pays, c'est elle qui a la partie la plus difficile. Si elle n'était pas de la même trempe que lui, je la plaindrais, mais si je ne me trompe pas sur son caractère, elle n'a pas besoin de ma pitié. Se trouver entre un tel père et un tel mari, les aimer tous les deux, préserver l'un de l'inimitié de l'autre, c'est une vie que seule peut supporter une femme d'exception. Elle s'est abaissée cent fois, devant Jean pour Llewellyn, et devant Llewellyn pour Jean. Elle a menti, trompé, afin d'éviter qu'ils se jettent à la gorge l'un de l'autre. L'orgueil d'une femme est un orgueil d'une autre nature, conclut Benedetta en frissonnant, car il faisait froid dans la chambre de trait, située dans la basse-cour.

— Et leur sincérité, une sincérité d'une autre nature? dit Harry en posant son fusain. Venez voir! Ah, vous êtes glacée jusqu'aux os! Pardon, je n'y pensais même pas. Quand je dessine, j'oublie tout.

Il lui avait pris la main et la réchauffait entre les siennes. Elle ne la retira que pour soulever le parchemin et l'examiner de plus près.

C'était une épure de chapiteau, non un portrait. De la gorge du chapiteau, la longue ligne du cou poussait comme la tige d'un lis qui se fond dans la fleur, et son visage, simplifié et pourtant bien vivant, regardait vers le soleil, entre les ailes levées de ses cheveux. Les boucles, enroulées, torsadées, soutenaient l'abaque, comme le jet puissant d'une fontaine soulève un pétale de rose.

— C'est magnifique, dit Benedetta. Et je suis très fière. Vous devez avoir une bonne centaine de tracés prêts pour la taille, à présent? Je vous vois y passer vos journées, depuis que la construction des murs est mise en sommeil pour l'hiver. Mais vous devrez les confier à d'autres, qui les sculpteront dans la pierre. Ne craignez-vous pas qu'ils altèrent votre idée?

— Je ferai tous les tracés et veillerai à ce qu'ils soient correctement exécutés. Mais je garde pour moi les piliers de la nef.

Harry n'aurait pas supporté de se priver d'un seul d'entre eux. Il imaginait un bas-côté dans une forêt de pierre, dont chaque arbre fuselé éclatait dans un bourgeon.

— Me montrerez-vous vos plans? demanda Benedetta en tournant vers lui ses yeux brillants, dans lesquels brûlait le reflet de sa propre excitation.

Il ouvrit le coffre avec joie, et déploya un à un tous les parchemins sur les tables à tracer : les claires-voies de la nef, du chœur et des transepts, la voûte de la nef, où tous les bourgeons sextuples de la forêt sacrée s'épanouissaient dans de graciles branches septuples, scellées ensemble par des ogives, et nouées de grappes de fleurs étoilées. Il y avait aussi les nombreuses moulures et voussures pour le portail ouest et la large baie qui le surmontait, avec ses multiples lancettes et l'entrelacs de la rosace, l'élévation de la tour, qui allait s'effilant subtilement, étage par étage, élégamment prolongée par des fûts délicats, de façon qu'à chaque heure du jour elle se profile en fines verticales de lumière et d'ombre.

— J'ai entendu dire que les tours doivent être construites par petites étapes, pas plus de quinze pieds par an, afin de permettre un certain degré de tassement du terrain, dit Benedetta. Est-ce exact?

— C'est exact. Vous m'étonnerez toujours par la somme de vos connaissances! Mais ici nous nous trouvons sur du rocher. Il n'existe pas de meilleure assise, et je pourrai monter les murs plus vite. Et ceci, ajouta Harry, c'est mon domaine réservé. Personne n'y touchera. Sauf peut-être Adam. Mais non, pas même Adam! Je ne peux pas les céder à un autre.

Ses mains couraient amoureusement sur les dessins, il rougissait comme un enfant passionné qui montre ses trésors. Alors, sans qu'il fût besoin de mots, Benedetta comprit qu'il l'honorait d'un cadeau qui pour elle n'avait pas de prix, un cadeau qu'il déposait dans son cœur, à l'improviste.

Les chapiteaux de la nef, six par pilier, il les lui montra un à un, avec tendresse et respect. Elle découvrit tout ce qui vit sur terre glorifiant Dieu, elle reconnut ses propres mains et ses poignets levés pour soutenir le toit de Sa demeure, elle vit les vagues puissantes de l'océan s'arquer vers le ciel, elle vit le visage d'Isambard, avec ses lèvres entrouvertes et sa gorge palpitante comme un ange prophétisant, son lévrier bondissant, son faucon planant sur ses ailes déployées, des branches d'arbre animées par le vent, des fleurs puissantes, énergiques, tout cela transformé comme par enchantement en fontaines pures et impétueuses, conçues pour recevoir le jaillissement des colonnes et le transmettre en une impulsion renouvelée de force triomphante vers la clef de voûte. Elle vit tout un monde s'unir dans un même élan de vénération, et faire à Dieu l'offrande suprême de sa merveilleuse diversité.

Il y avait de nombreux visages, de nombreux portraits. Madonna Benedetta reconnut les traits minces, aiguisés et sombres d'enfants des villages des hautes terres, où elle se promenait souvent à cheval, elle reconnut le corps et les jambes difformes du nain qui parfois mendiait de la nourriture à la porte, accablé par sa pesante tête, dont elle découvrait seulement aujourd'hui la noblesse. Cet autre visage était nouveau : une vieille femme berçant un enfant mort sur ses genoux. D'abord elle crut que c'était une Pietà, représentée comme une femme du pays pour la rendre plus proche, puis elle reconnut la mère du jeune charretier embrassant son fils mort. A combien de scènes Harry avait-il assisté depuis que cette vision lui était revenue ? Et combien l'avaient perturbé ? Les visages malheureux, circonspects, intelligents des pauvres gens, nés des mains de Harry, la regardaient, et il émanait d'eux une sorte de défi interdit. Savait-il ce qu'il faisait en exposant à son seigneur et au monde de son seigneur la révélation qu'il avait eue ? D'ailleurs l'avait-il lui-même reconnue pour ce qu'elle était ? Non, songea Madonna Benedetta, sûrement pas consciemment, pas avec un esprit tel que le sien. Mais le cœur, lui, savait ce qui l'émouvait, les mains savaient ce qu'elles façonnaient.

— Je commence à connaître ces feuilles, remarqua Benedetta.

Il y en avait partout, des feuilles qui ployaient, qui s'enroulaient, qui se dressaient, jets de vie poussant irrépressiblement vers la lumière. Hommes, bêtes, oiseaux s'abritaient dessous, aux aguets.

— Je n'en ai vu de semblables nulle part ailleurs. Ni en Italie ni en France. Je connais celles des chapiteaux romains, mais celles-ci viennent d'un autre monde.

— Lesquelles préférez-vous ?

— Les vôtres, répondit-elle sans hésiter, avec chaleur. Elles font corps avec la tige. Elles croissent. Les autres restent figées.

Benedetta devinait toujours lorsqu'elle faisait plaisir à Harry, même s'il ne l'exprimait pas. Il était d'autant plus silencieux que sa joie et sa satisfaction étaient grandes.

— Elles vivent et se développent, mais elles ne ressemblent à aucun feuillage de notre monde. C'est d'autant plus dommage! dit-elle en suivant les lignes vigoureuses du bout de son doigt glacé, avec un sourire imperceptible et un peu ironique. Quelles sont-elles? Vous les avez créées, vous devriez le savoir.

— Vous avez raison, répondit Harry en rassemblant ses épures. Elles ne poussent pas en ce monde. Ce sont les feuilles de l'arbre du ciel, cet arbre de pierre que nous allons faire pousser hors de ces murs.

— Et quel est le fruit de cet arbre?

Elle leva les yeux sur lui juste à temps pour voir la gravité, le doute et l'émerveillement se peindre sur ses traits. Ensuite il tourna la tête et sourit.

— Des royaumes. Des petits royaumes d'espoir pour les vilains, les proscrits, les hommes sans terre. Liberté pour les manants, soulagement pour les affligés, abondance pour les affamés, sécurité pour les fugitifs. Tout ce que le cœur désire, pour les cœurs qui n'ont jamais eu de désirs.

Soudain Harry se tut, à cause de ce qu'il lut dans ses yeux, touché jusqu'à l'âme par tout ce que Benedetta n'avait pas dit, tout ce qu'elle avait juré de ne jamais lui répéter. Il sentit Gilleis nouer ses petits doigts dans les racines de son cœur, et il comprit dans sa chair la douleur que Benedetta portait dans la sienne comme un enfant monstrueux. Jamais il n'avait été aussi proche d'un être vivant qu'il l'était de Benedetta. Pas même d'Adam.

— Malheureusement ces fruits-là ne mûrissent jamais, dit-elle avec ce sourire triste qui s'était transformé en l'une des fleurs du monde imaginaire de Harry. On nous promet qu'ils mûriront dans l'autre monde, si nous apprenons à le mériter. Mais pas ici. Vous le savez bien, puisque vous n'avez dessiné que les feuilles, jamais les fruits.

Elle haussa les épaules pour chasser la tristesse soudaine qui, étrangement, naissait de la joie des images qu'il avait créées.

— Je dois partir. Ralf va bientôt rentrer de sa promenade à cheval. Mais si vous m'y autorisez, j'aimerais revenir ici quand vous travaillez, de temps en temps.

— Quand il vous plaira. Vous êtes la bienvenue.

Elle était déjà à la porte lorsqu'il prononça son nom. C'était la première fois.

— Benedetta!

Elle se retourna, étonnée, émue, et il s'approcha rapidement pour lui prendre la main et la baiser. Il chercha ses mots, mais ce furent les siens à elle qui lui vinrent aux lèvres, et ils convenaient très bien.

— Douce amie.

10

Harry s'éveilla en sursaut au cœur de cette nuit d'été tout neuf, et se retourna dans son vaste lit, conscient d'un manque : une chaleur, une respiration, une présence sans laquelle il ne pouvait trouver le repos. Il tâtonna à la recherche d'Adam, mais l'autre moitié du lit était vide et froide.

Cette découverte l'arracha au sommeil mais sans le troubler. La lune étincelante filtrait par la fenêtre, l'air nocturne était doux et frais comme en plein jour. Après l'hiver interminable et le printemps timide, c'était un délice de pouvoir dormir nu, dans la plus haute chambre de la tour de garde. Harry se demanda vaguement laquelle des nombreuses jeunes femmes disponibles de la basse cour avait attiré Adam hors de son lit. Il était grand temps qu'il retombe amoureux. On pouvait même s'étonner qu'il ait pu se tenir à l'abri si longtemps. Jamais Elie n'aurait voulu croire qu'Adam resterait une année entière concentré sur son travail.

Harry somnola encore un peu, puis se réveilla à nouveau, tenaillé par une sourde inquiétude. Etait-il passé à côté de signes annonciateurs chez Adam? Sa fièvre printanière lui avait-elle échappé? Quand Adam était amoureux, loin de s'enfermer dans le silence, il devenait volubile, et ceux qui l'aimaient ne tardaient pas à tout savoir de son état.

Harry se glissa hors du lit, s'enveloppa dans son surcot, et se dirigea vers l'escalier de la tour, dont les marches étroites étaient déjà légèrement creusées par les nombreux passages. Le simple frottement des pieds d'un homme, une fois par jour, finit par user la pierre, constata Harry. Le climat, le temps, l'enracinement d'herbes infinitésimales dans les fissures provoquées par le vent et les intempéries finiront eux aussi par éroder mon ouvrage, mais je serai mort depuis longtemps, ainsi que mes enfants et petits-enfants. Il imagina les lignes nettes de ses tailles émoussées par le temps, et rongé le contour incisif des feuilles de l'arbre du ciel, arrondis les traits anguleux des visages de vilains, leur prudence transformée en résignation, puis leur image réduite à un bloc de pierre, et il eut un pincement de rage et de jalousie à la pensée que ceux-là mêmes à qui il avait insufflé une vie plus longue que la sienne disparaîtraient à leur tour. Une bonne pierre est une pierre qui dure. Pourtant les montagnes elles-mêmes s'usent et s'effritent.

Il déboucha sur le toit plombé de la tour. Tout à côté s'élevaient les niveaux supérieurs du donjon, haut et blafard sous la lune. Aucune sentinelle n'y était postée, car la guette de la tour du Roi embrassait le même champ de vision et portait plus loin dans chaque direction.

Accoudé entre les merlons [1] des créneaux, du côté gallois, Adam contemplait la vallée de la Severn qui s'étirait devant lui, verte et argentée, depuis Pool, en amont, où le Pays de Galles paraissait à portée de main, jusqu'à la robuste découpe grise de Strata Marcella, en aval, au milieu de ses prairies plates.

Pieds nus, Harry rejoignit Adam sans un bruit et posa la main sur ses épaules inclinées. Adam sursauta.

— Oh, c'est toi! dit-il avec un sourire. Qu'est-ce qui t'a tiré du lit? Quand je suis sorti, tu ronflais.

Il remarqua les pieds nus de Harry et fronça les sourcils.

— Tu as perdu la raison de quitter un bon lit chaud pour aller te promener sans chausses?

— Je me suis éveillé et tu m'as manqué. Qu'est-ce qui t'a poussé à venir ici, au beau milieu de la nuit?

— Je n'arrivais pas à dormir. A cause de la lune, sans doute, qui éclairait mon côté du lit.

— Il faut plus que la lune pour te déranger, objecta Harry, qui resserra son étreinte sur l'épaule de son frère et s'accouda à côté de lui. J'ai le vague pressentiment que quelque chose te tracasse depuis un certain temps et que j'étais trop absorbé pour m'en rendre compte. Si c'est le cas, pardon pour mon inattention. Mais maintenant je t'écoute. Que se passe-t-il?

Adam haussa les épaules dans un geste d'humeur et se replon-

1. Merlon : partie pleine d'un parapet comprise entre deux créneaux. *(N.d.T.)*

gea dans la contemplation de la rivière qui serpentait tout en bas. Il demeura silencieux un moment et se tourna d'un mouvement brusque vers Harry :

— Harry, je dois aller chez moi !

— C'était donc ça ! Il valait mieux que ça sorte. Qu'est-ce qui te prend d'avoir le mal du pays, alors que nous sommes partis depuis dix ans et que tu n'y as pas songé une seule fois ?

Harry n'avait pas voulu mettre tant d'aigreur dans sa voix, mais tout son être se hérissait contre cette idée, et sa rudesse n'était que le fruit de son propre tourment.

— Si, j'y ai pensé, rétorqua Adam avec feu. Très souvent. Mais nous étions loin et il ne servait à rien de me miner puisque je n'avais aucune chance de revenir. Nous avons vu et fait de belles choses ensemble. J'ai apprécié chaque jour. Mais je n'en ai pas pour autant oublié ma famille. Je n'éprouvais pas de chagrin tant qu'ils étaient hors de portée, mais aujourd'hui nous sommes dans le même comté. Je veux les revoir, Harry. Il le faut ! Ma mère n'a pas posé les yeux sur moi depuis dix ans, et les garçons doivent être des hommes, à présent. Et puis mon père ne rajeunit pas. Je ne sais même pas s'il vit encore ! Je ne peux plus rester dans l'ignorance, Harry. Je dois y aller.

Harry se laissa emporter par une colère irraisonnée.

— Si ce besoin était aussi fort, je trouve très inamical de ta part de ne pas m'en avoir parlé. Si tu veux me quitter...

— Ne sois pas idiot ! s'écria Adam, outragé. Tu sais bien que non ! Je veux seulement revoir ma mère et mes frères. Qu'ils sachent au moins que je suis encore de ce monde. Pour ce qui est de t'en parler, j'ai essayé plus d'une fois. Mais dès que j'aborde un sujet qui ne concerne pas la pierre, tu ne m'écoutes plus. Une fois je t'ai demandé un congé pour aller les voir, mais tu n'as rien voulu entendre.

— Je n'ai pas compris que c'était la raison. Nous étions en train de tailler les voussoirs de l'arc du portail et on avait besoin de toi.

— Tu n'as pas compris parce que tu ne m'as pas écouté. Je te l'ai pourtant dit assez clairement. Mais non, tu m'as expliqué où était mon devoir et je t'ai laissé le dernier mot. Mais cette fois je ne renoncerai pas. J'y vais.

— Tu n'iras nulle part, rétorqua Harry, catégorique. Tu es encore un serf des Talvace en fuite, malgré ces dix années loin de Sleapford. Tu serais bien en peine de fournir la preuve d'une année entière de résidence libre, car il n'y a pas un an que nous

sommes à Parfois, et, pour le reste, aucun témoin anglais ne pourrait répondre de nous. D'ailleurs nous ne sommes pas dans un
bourg franc. Ta cause serait très difficile à plaider devant un tribunal. Reste ici, où tu es à peu près à l'abri. Aucun homme sensé
n'oserait venir te prendre à Isambard. Mais si tu montres le bout
de ton nez à Sleapford, Ebrard peut te jeter en prison à sa guise...

— Ebrard? sursauta Adam en s'écartant du parapet pour
empoigner Harry par les épaules. Pourquoi Ebrard? Ce n'est plus
à ton père que nous avons affaire?

— Mon père est mort voilà plus de trois ans. Je l'ai appris de
la bouche du père Hugh, lorsque je lui ai rendu visite. Il croyait
que j'arrivais de Sleapford et que j'étais déjà au courant. Edmund
m'a ensuite donné les détails. Mon père a eu une attaque, qui l'a
tenu alité un mois, puis une seconde, qui l'a emporté. Ma mère
est probablement remariée, à présent, car elle est sous la tutelle
de Gloucester et possède un peu de terre en propre. Quant à
Ebrard, il doit être impatient qu'elle s'en aille s'il est lui-même
marié ou s'il y songe. D'ailleurs, à bien y réfléchir, il a sûrement
pris femme, car la terre est la terre, et il y a quelques héritières
dans le voisinage. Du moins il y en avait lorsque je suis parti, si
elles ne sont pas toutes prises maintenant. Quoi qu'il en soit, c'est
à Ebrard que nous aurons affaire, et il n'est pas près de lâcher ce
qui lui appartient, sois-en sûr.

— Et tu n'en as jamais soufflé mot! s'exclama Adam. Lors de
notre passage à Shrewsbury, j'ai essayé d'obtenir des informations, mais je n'osais pas prononcer de noms, et les gens semblaient réticents à répondre à un étranger, même pour dire le
temps qu'il faisait. Tu vois, moi aussi je peux être prudent quand
ma liberté est en jeu.

Il secouait les bras de Harry et souriait, sa bonne humeur
retrouvée.

— Pourtant ma décision est prise et tu ne me retiendras pas.
Je peux entrer dans Sleapford et en sortir, avant même que Ebrard
en ait vent. J'ai la ferme intention d'aller voir ma mère, le diable
dût-il se dresser en travers de mon chemin.

— Tu n'iras pas là-bas! Je ne te laisserai pas prendre un tel
risque!

— Toi, tu m'en empêcheras? se moqua Adam. Veux-tu que je
t'étende par terre et que je te frotte les oreilles? Je suis encore
capable d'y arriver d'une seule main. Tu as envie d'une démonstration?

Adam était résolu, et rien ne pourrait le dissuader. Ainsi donc, seule l'indécision expliquait son mutisme et son repli sur soi.

— Sais-tu pourquoi tu refuses que j'y aille, Harry? poursuivit-il en refermant solidement ses bras autour de lui. Parce que si j'y vais et découvre que tout se passe bien, que personne ne nous a gardé rancune, tu n'auras plus la moindre excuse pour ne pas aller chez toi. Or tu n'as pas envie d'y aller! Ou plutôt, tu en as envie en même temps. Tu redoutes ce qui t'attend. Tu as peur d'être repoussé, de perdre le peu d'affection qui te reste pour eux, de ne rien recevoir. Tu as peur de rouvrir de vieilles blessures, de relancer de vieilles haines, au moment où tu as besoin d'avoir l'esprit en repos pour accomplir ta tâche. Ne vois-tu donc pas que le meilleur moyen de t'affranchir de ta famille est d'aller l'affronter? Ensuite seulement tu seras en paix, quoi qu'il advienne. Ce qui te ronge, c'est de ne pas prendre le risque.

Harry se débattit furieusement dans les bras qui l'emprisonnaient. En vain.

— Ce n'est pas vrai! se défendit-il en évitant le regard d'Adam qui le défiait. Je n'ai quasiment jamais pensé à eux, ni en bien ni en mal, et je ne crois pas que mon souvenir les ait beaucoup occupés. Ce qui n'a rien d'étonnant, d'ailleurs. Notre séparation remonte à plus de dix ans.

Il n'en demeurait pas moins qu'Adam avait dit juste. Si pendant dix ans Harry avait, consciemment, très peu pensé à sa famille, depuis son retour en Angleterre elle pesait secrètement dans son cœur comme un lourd fardeau, comme un devoir négligé, comme une épreuve difficile qu'il redoutait d'affronter. Adam avait raison. Jamais il ne serait libre tant qu'il ne les aurait pas revus. A l'idée d'une rencontre avec sa mère, ses entrailles se liquéfiaient, dans un magma de tendresse, de peur et de chagrin. Que se passerait-il si, veuve abandonnée et solitaire, elle refusait de se laisser approcher? Si elle était morte et qu'il soit obligé de vivre jusqu'à la fin de ses jours avec la certitude que sa désertion avait écourté son existence?

— Pour moi, c'est facile, reprit Adam avec douceur. Je n'ai laissé derrière moi qu'amour et bonté, et je veux retrouver tout cela, quoi que tu dises. Je te rapporterai des nouvelles et, si tout se présente bien, nous y retournerons ensemble.

Mais Harry avait entendu la leçon.

— Non! J'irai le premier. Il reste la question de ta liberté. Je dois d'abord m'entretenir avec Ebrard et obtenir sa promesse qu'il ne te poursuivra pas. Je pars aujourd'hui. Dans deux jours tu auras satisfaction.

Depuis l'entrée du chemin qui traversait le village, Harry aperçut le clocher et le toit à bardeaux de l'église, délabrés après deux ans d'interdit. Il vit les champs rayés s'élever sur la gauche, soulignés de rouge par les buttes semées de coquelicots qui séparaient les sillons, et, de l'autre côté, les bandes de jachère où, ici et là, quelques paysans avides essayaient de chaparder une récolte supplémentaire. Lui-même avait toujours trouvé regrettable, à l'époque où il effectuait son apprentissage de régisseur et prenait au sérieux ses nouvelles fonctions, qu'une moitié des champs du village fût chaque année laissée à l'abandon. Il eût mieux valu trois champs plutôt que deux, et s'ils avaient fait marcher leur cervelle et leurs outils, ils auraient préservé un troisième champ du gâchis et l'auraient labouré.

En traversant le domaine de Roger le Tourneur pour arriver au moulin, les souvenirs avaient submergé Harry. C'était là, dans cette forêt, qu'Adam avait achevé la biche. C'était là, dans l'enclos du moulin, qu'ils avaient laissé les chevaux et qu'il était venu les rechercher de nuit pour les conduire au boqueteau, près de la rivière. Un jeune homme, penché près de la roue du moulin, relevait la vanne qui obstruait le canal d'amont. A en juger par ses cheveux roux, ce devait être Wilfred, mais ce jeune géant semblait si loin du Wilfred dont Harry gardait la mémoire, et il accueillit son salut avec un regard si dur que la timidité l'empêcha de se faire connaître. Quand il traversa le village, personne ne le héla par son nom, et il resta muet, la bouche sèche, en croisant de vieux amis. Le temps des retrouvailles viendrait plus tard, lorsqu'il aurait affronté l'accueil qu'on lui réservait au château.

Il vit se dresser les hauts remparts, surmontés par la tour trapue et grise, et son cœur chavira. Il ne savait pas à quoi il s'était attendu mais maintenant, à l'approche du corps de garde, il se sentait à la fois perdu et rassuré. De l'extérieur, rien n'avait changé. Ses souvenirs étaient nets, précis et curieusement ambivalents, chargés à la fois d'indignation et de culpabilité. Le portier qui sortit à sa rencontre lui était étranger et le gratifia de l'intérêt prudent réservé à tout voyageur inconnu. Dans cet accueil impersonnel, Harry sentit s'envoler ses craintes et son émotivité.

— Messire Ebrard est dans l'armurerie, l'informa le portier. Si vous voulez bien attendre ici, messire. Qui dois-je annoncer ?

— Je vais y aller moi-même, répondit Harry en mettant pied à terre. Je connais le chemin. Il fut un temps où j'étais chez moi, ici. Ne craignez rien, messire Ebrard me connaît.

L'armurerie possédait un toit neuf, ainsi que le colombier. Harry se félicita qu'Ebrard entretînt convenablement les lieux. Dans la forge, un homme étampait un manche de dague. Ce n'était pas l'ancien forgeron, mais un jeune gaillard de vingt-cinq ans à peine. Son prédécesseur avait sans doute rejoint ses ancêtres. Une décennie peut engloutir une génération.

Ebrard observait le travail du forgeron, penché sur l'enclume, le dos tourné à la porte, mais l'ombre du nouveau venu s'interposa devant la lumière et il se retourna, s'attendant à voir l'un des hommes d'armes. Ebrard avait beaucoup grossi en dix ans. Désormais il lui fallait un cheval plus robuste. Harry songea, non sans étonnement, lui qui avait envié la belle tournure de son frère, qu'à cinquante ans celui-ci serait encore plus gros que leur père. Mais sans doute porterait-il mieux son embonpoint grâce à sa haute taille et à la finesse de son ossature.

Les yeux bleus se plissèrent pour s'accommoder au contre-jour. Le grand corps se raidit devant la présence étrangère.

— Je ne me trompe pas, c'est bien messire Ebrard ! dit Harry.

— Toi ! s'écria Ebrard en prenant une profonde inspiration. Ça alors ! Qui aurait pu l'imaginer !

— Je suis resté loin d'Angleterre jusqu'à l'été dernier. Je n'avais pas encore eu l'occasion de venir vous rendre visite. Car ce n'est qu'une simple visite, ajouta Harry pour devancer les éventuelles appréhensions d'Ebrard. Ne prends aucune disposition particulière pour moi. J'ai du travail qui m'attend à Parfois et je ne peux m'absenter longtemps. Je suis seulement venu pour m'assurer que tout allait bien pour toi et pour mère.

Ebrard posa la dague et le rejoignit dehors. Il prit la main offerte et se pencha pour lui baiser la joue, avec une civilité tellement rigoureuse qu'il donnait l'impression d'accueillir un étranger. Peut-être même eût-il été plus naturel avec un véritable étranger.

— Tu es au courant du décès de notre père ?

La perplexité que trahissait sa voix venait de leur parenté : s'il admettait intellectuellement leur fraternité, il ne la ressentait pas. L'idée qu'ils avaient le même père creusait entre eux la distance.

— Je ne l'ai appris qu'à mon retour en Angleterre. Il était alors trop tard pour éprouver du chagrin. Je crains de ne lui avoir guère donné de satisfactions de son vivant. Et mère, j'espère que sa santé est bonne ?

— Excellente !

Ils traversaient la cour et Ebrard régla son pas sur celui de Harry, tout en lui coulant des regards de biais.

— Je ferais bien d'aller en avant pour la préparer. Elle ne t'a pas vu depuis des années. D'abord nous t'avons cru mort, et ensuite...

— Parti pour toujours.

— La façon dont tu nous as quittés ne laissait guère espérer ton retour.

Les yeux bleus le sondaient, vifs, perspicaces.

— Du moins du vivant de notre père, ajouta Ebrard intentionnellement.

— Ce n'est pas la crainte de père qui m'a tenu éloigné, répondit Harry en devinant le sous-entendu. Ni la colère. Une fois Adam hors de son atteinte, je me suis vite calmé. Mais il fallait continuer de fuir jusqu'à ce que nous soyons tout à fait à l'abri, et notre fuite nous a conduits en France. Là-bas, avec tout à découvrir, l'obligation de gagner notre vie, nous n'avions pas le temps de penser à Sleapford. Et je ne crois pas non plus que père ait perdu le sommeil à cause de moi.

— Il était en colère. Le temps a un peu effacé mes souvenirs, mais je me rappelle que, après avoir admis que tu étais vraiment parti, il a interdit que l'on prononce ton nom. Et puis, quelques années avant sa mort, son attitude a changé. Mais je ne pense pas qu'il t'ait jamais pardonné.

— J'ai donc un avantage sur lui, puisque je lui ai pardonné.

— C'est parce que tu avais déjà cet avantage que tu as pu te le permettre, dit sèchement Ebrard. Qu'as-tu fait depuis tout ce temps ? De quoi as-tu vécu ? Et ton frère de lait, est-il toujours avec toi ?

Harry préféra ignorer cette dernière question mais répondit volontiers aux autres tandis qu'ils gravissaient côte à côte l'escalier menant à la grande salle.

— Je m'étonne que tu aies éprouvé le besoin de revenir, alors que tu as si bien réussi tout seul, remarqua Ebrard, que le nom d'Isambard avait impressionné.

Le maître d'œuvre d'un si haut personnage forçait naturellement le respect.

— Le besoin? Je suis aussi le fils de la maison, et je porte le nom de Talvace, tout comme toi.

A nouveau il sentit sur lui le regard aiguisé et pénétrant des yeux bleus. Le bref silence qui suivit lui fit l'effet d'un coup de poignard, puis, tout à coup, Harry entendit ses propres paroles avec les oreilles d'Ebrard, et il réprima un fou rire.

Voilà donc ce que cachaient ces regards en coin, ce front inquiet! Ebrard craignait qu'il ne vînt réclamer sa part de l'héritage! C'était pourquoi il s'évertuait à lui démontrer que, en perdant la considération de son père, il avait aussi perdu ses droits filiaux. Et Harry, avec ses «je suis le fils de la maison» et «je porte le nom de Talvace comme toi», avait sans le vouloir fait trembler le sol sous ses éperons de chevalier. Il ouvrit la bouche pour le rassurer, mais se ravisa. Qu'Ebrard transpire! Qu'il mijote dans son jus quelques heures! Dans un élan de dédain, Harry avait failli rétorquer qu'il n'attendait rien de lui, mais à bien y réfléchir, il avait au moins une revendication. Ebrard, trop heureux de s'en tirer à si bon compte, s'empresserait de la lui accorder. Pourquoi se contenter seulement de la liberté d'Adam? Pourquoi ne pas obtenir aussi celle de ses parents et de ses jeunes frères? Après tout, Harry détenait des droits légaux sur une partie du fief, même si la terre ne devait pas être divisée. Ebrard, qui venait de voir son cadet observer les signes de prospérité de la châtellenie et montrer un intérêt pour les améliorations apportées au domaine et la beauté du cheptel, saurait mesurer sa chance s'il ne perdait qu'une famille de serfs. D'ailleurs, à terme, il ne serait pas perdant puisqu'il toucherait un fermage. En outre, William Boteler et ses fils pourraient se consacrer pleinement à leur métier et en tirer davantage de profit, ce qui bénéficierait au village tout entier.

Par la suite, peut-être l'un des garçons souhaiterait-il rejoindre Adam à Parfois? En attendant, Harry devait jouer serré avec Ebrard, et s'il y trouvait un plaisir espiègle, au moins était-ce sans malveillance. Il n'avait pas la moindre visée sur un pouce de terre de son héritage.

Une cheminée de pierre neuve se dressait au centre de la grande salle, sous les poutres noircies du haut plafond, et une nouvelle balustrade sculptée ornait l'escalier menant à la galerie. Harry admira l'une et l'autre, et complimenta Ebrard sur son bon goût avec un sourire approbateur.

— Mère est là-haut, dit Ebrard, qui ajouta précipitamment : Il vaut mieux que je monte la prévenir de ton arrivée.

— Non! Certainement pas! Je refuse que l'on m'annonce comme une mauvaise nouvelle. Laisse-moi y aller seul. Je te promets que le choc ne la tuera pas. Je veux être reconnu et accueilli, et non pas introduit en douce comme un colporteur cherchant à lui vendre des épingles à cheveux.

— Il se peut qu'elle ne soit pas seule, l'avertit Ebrard. Mon jeune clerc lui fait parfois la lecture, l'après-midi. Ces temps-ci, les travaux d'aiguille lui fatiguent les yeux.

Harry s'arrêta sur les marches et se retourna, saisi d'un doute.

— Tu disais qu'elle se portait bien!

— Parfaitement bien. Elle est même florissante. Tu vas en juger par toi-même. Messire de Gloucester veut la remarier à l'un de ses chevaliers. Les épousailles devraient avoir lieu bientôt.

— Mais si le prétendant ne lui plaît pas...

Un sourire bref, cynique, presque obscène, tordit fugitivement la belle bouche d'Ebrard.

— Oh, il lui plaît, rassure-toi! Il a dix ans de moins qu'elle et il est bel homme. C'est plutôt lui qui doit trouver le breuvage amer.

C'était la première fois qu'ils échangeaient des propos aussi intimes au sujet de leur mère, et Harry en éprouva du déplaisir. Il avait toujours conservé pour lui ses découvertes désenchantées sur la personnalité de lady Talvace, et les lui avait pardonnées, au prix d'un douloureux effort. Il monta l'escalier en courant puis, saisi d'une fébrilité subite, frappa à la porte de la galerie. Après un silence prolongé, la voix de sa mère, rendue un peu aiguë par la surprise, le pria d'entrer.

Elle se tenait assise dans l'embrasure de la fenêtre. Harry ne distingua d'abord que sa silhouette découpée en contre-jour, et la crut miraculeusement inchangée. Elle portait une longue robe verte, sous un bliaud de brocart jaune. Ces vêtements, de même que la coiffe de voile doré et le collier d'ambre, évoquaient davantage la future mariée que la veuve. Le jeune clerc, un garçon d'une vingtaine d'années portant froc et tonsure, était assis à ses pieds sur un tabouret, studieusement penché sur son livre. A supposer qu'il lui eût réellement fait la lecture, ce devait être d'une voix bien basse.

Lady Talvace tourna la tête, une expression interrogative sur son clair et doux visage. Harry avança de quelques pas afin de se trouver dans la lumière. Sa mère ferma les yeux, les rouvrit, retint son souffle.

— Messire, je n'attendais pas... Mes yeux me jouent des tours. Pendant un instant j'ai cru... C'est incroyable comme vous ressemblez à Harry!

— Je suis Harry, dit-il tout doucement.

Elle claqua ses mains dans un geste de joie si spontané que Harry sentit son cœur bondir. Puis elle se leva d'un bond, manquant dans sa hâte renverser le jeune clerc, et courut se jeter dans les bras de son fils, pleurant, riant, bredouillant comme un enfant surexcité, couvrant son visage de baisers. Les deux mains nouées derrière sa nuque, elle pressait sa joue contre la sienne, l'étreignait de toutes ses forces.

— Harry, Harry, mon petit... Harry chéri...!

Le clerc se leva et longea le mur pour gagner la porte aussi discrètement que possible. Mais par-dessus l'épaule de sa mère, Harry intercepta l'étonnant regard du garçon, son sourire grimaçant, furtif, jaloux et offusqué mais en même temps complice, et il comprit que lady Talvace avait trouvé un agréable passe-temps en la personne de ce jeune adorateur qu'elle n'avait pas tenu, lui non plus, à distance. C'était plus fort qu'elle, on ne pouvait l'en blâmer. Ce n'était pas un vice, plutôt un appétit instinctif, comme le besoin d'eau pour la terre. Un fils, un clerc au visage d'enfant, un jeune époux, pour elle c'était pareil. Privée de l'un, elle le remplaçait par un autre.

Dans ses bras, les peurs de Harry s'envolèrent. Il était venu à Sleapford cuirassé contre le drame et l'animosité, mais il aurait dû pressentir que la réalité se révélerait mesquine, ordinaire, confuse, à l'image de la misérable condition humaine. Ebrard et lady Talvace manquaient trop d'envergure pour être animés de la passion que son imagination leur avait attribuée.

— Harry, méchant garçon, cruel! Comment as-tu pu rester loin de moi si longtemps? Comment as-tu pu m'abandonner? Tu m'as brisé le cœur.

Il la serrait tendrement contre lui en souriant. Il ne doutait pas qu'elle eût amèrement pleuré sa fuite, mais le cœur brisé, certainement non. Même si son retour la réjouissait, elle n'avait pas réellement besoin de lui, elle connaissait mille autres façons de trouver le bonheur.

Lorsqu'elle eut assez pleuré, elle l'écarta pour l'examiner d'un œil critique. Les larmes ne l'avaient pas défigurée, elle était intacte. Elle l'encensa avec ravissement, le trouva beau et bien fait, ce dont il doutait car il était certain que son regard l'embellissait, et quand il lui eut conté toutes ses aventures depuis sa fuite — à l'exception de l'épisode concernant Gilleis, qu'il préférait conserver dans le secret de son cœur —, elle vanta ses prouesses avec un enthousiasme égal, l'embrassa encore, puis se mit à parler d'elle. La trouvait-il jolie? Comme une jeune fille, lui assura Harry. Elle était peut-être un peu plus potelée, un peu plus douce, sa peau claire légèrement détendue et plissée de quelques rides au coin des yeux, mais sa chevelure avait gardé son éclat, et son visage souriant n'avait rien perdu de son charme. Le jeune chevalier de sir Gloucester n'aurait guère besoin de persuasion pour consentir à l'union.

Ils s'assirent ensemble dans l'embrasure de la fenêtre et elle lui confia en rougissant ses projets de mariage. Elle préparait déjà ses atours. Elle sauta devant lui et tournoya pour lui faire admirer sa robe neuve.

— J'ai une chambrière merveilleuse. Elle s'y connaît mieux que toutes les suivantes que j'ai eues. Te souviens-tu de Hawis, qui tissait nos vêtements? Celle qui voulait épouser un vilain de Hunyate? Elle s'est enfuie avec lui, l'ingrate, et m'a laissée avec une robe inachevée.

— Sait-on ce qu'ils sont devenus? demanda Harry d'un ton innocent.

— Je ne sais rien d'eux depuis ce jour. Je suppose qu'ils ont quitté le comté. Ensuite, il m'a fallu des années pour retrouver une fille qui connaissait son métier. A présent j'ai un véritable trésor. Elle coupe merveilleusement. As-tu remarqué la forme de cette manche? Son père était négociant en drap et elle sait choisir les étoffes. En ce moment elle me confectionne une pelisse verte.

Lady Talvace lui montra des chutes de tissu, puis elle attira Harry, les bras noués autour de son cou.

— Dois-tu vraiment repartir?

— Il le faut, mère. J'ai du travail. Mais je ne serai plus loin de vous, désormais. En cas de besoin, faites-moi prévenir.

— Tu vas au moins passer la nuit ici. La route est longue jusqu'à Parfois, ce serait folie de t'y aventurer de nuit.

— Très volontiers, mère. Pourrai-je dormir dans mon ancienne chambre, dans la tour? Vous souvenez-vous du dernier soir où vous êtes montée me voir? J'étais enfermé. Vous veniez me consoler et je savais que j'allais vous quitter. Je vous ai demandé de ne pas penser de mal de moi.

— Jamais je n'ai pensé de mal de toi, lui assura-t-elle en l'embrassant.

De fait, lady Talvace ne pensait de mal de personne, en tout cas jamais plus d'une heure.

— Attends-moi ici un instant, Harry. Je vais demander qu'on prépare ton lit et donner des ordres pour le souper. Je ne serai pas longue.

Resté seul, il ramassa les coupons de tissu et les emporta à la fenêtre pour admirer les couleurs à la lumière. Toute tension l'avait déserté, il n'avait plus d'épreuves à affronter, plus de joie ni de peine à redouter. Le soulagement l'avait épuisé. Il regardait dans la cour, sans penser à rien, trop content et trop las pour fixer son attention. Il attendrait la fin du souper, lorsque Ebrard serait suffisamment fébrile et prêt à défendre son héritage contre un assaut qui ne viendrait jamais, pour lui arracher la liberté d'Adam ainsi que celle de toute sa famille. Pour l'instant Harry succombait, impuissant, à une langueur envahissante, à la fois agréable et décevante.

Il entendit la porte s'ouvrir mais ne réagit que lorsqu'il perçut, dans les pas qui approchaient, une légèreté qui ne lui était pas familière, un bruissement dans le mouvement de la robe différent de celui de sa mère. Il se retourna et vit une jeune fille, de dos, qui fermait la porte. Elle tenait sur le bras et l'épaule une pelisse verte soigneusement drapée, dont le capuchon oscillait doucement au niveau de sa taille, une taille si fine qu'il aurait pu l'encercler de ses mains. La merveilleuse chambrière, sans doute. Harry sortit de sa torpeur pour admirer le mouvement délié du bras et de la main dans la manche rouge ajustée, les torsades noires des cheveux tressés haut sur la tête avec un étroit ruban doré. Mais il ne mesura pleinement la valeur du trésor de lady Talvace que lorsque la jeune fille traversa la pièce pour déposer son ouvrage sur la table et s'aperçut qu'elle n'était pas seule.

Elle n'émit aucun son. Elle s'immobilisa et jeta la tête en arrière avec la sauvagerie et la fougue d'un animal de la forêt reculant devant une caresse. Les grands yeux noirs, gais et hardis, s'ouvrirent largement au-dessus des joues pâles qui s'embrasèrent subitement d'un rouge éclatant. La bouche pareille à un bouton de rose s'entrouvrit.

— Harry !

Un cri sonore, joyeux, qui se transforma en rire.

Tremblant, il s'écarta d'un bond de la fenêtre.

— Gilleis!

Et il la prit dans ses bras en poussant un cri de ravissement.

— Comment es-tu arrivée jusqu'ici? voulut-il savoir quand il eut recouvré un peu de souffle pour autre chose que les baisers.

Il ne relâchait pas son étreinte. Les marques pâles de ses lèvres sur la joue de Gilleis, son menton, sa gorge, se teintaient lentement de rose. Elle gardait les yeux fermés et souriait sur son épaule avec un bonheur triomphant. Ayant enfin repris sa respiration, elle aussi, elle recommença à rire.

— Je t'ai cherchée à Londres. On m'a appris le décès de ton père. Je suis sincèrement désolé de n'avoir pu lui témoigner ma reconnaissance. Tes cousins m'ont expliqué que tu t'étais engagée au service d'une noble dame, loin de Londres, mais ils n'ont pas su me dire où. Tout au long de la route j'ai posé des questions à ton sujet. En vain. Et maintenant je te retrouve ici!

— Mes cousins ont omis de préciser que mon oncle voulait me marier. Et le malheureux homme auquel il menaçait de m'unir n'était pas le seul prétendant. C'est pourquoi j'ai pris soin de ne prévenir personne de ma destination, pas même mon cousin, qui est bien inoffensif. Si j'avais laissé un message à ton intention, un autre en aurait profité. Et je savais que tu finirais par me trouver.

— Mais comment en es-tu venue à faire la connaissance de ma mère?

— Très simplement. Tu m'avais beaucoup parlé d'elle. Je savais qu'elle raffolait des beaux atours et j'ai appris qu'elle avait perdu sa tisserande attitrée. L'année suivante, j'ai persuadé mon père de dévier un peu de son itinéraire avec les étoffes flamandes qu'il acheminait vers le nord, et de s'arrêter à Sleapford, où il lui a vendu des brocarts et des velours. Par la suite, nous avons pris l'habitude d'y faire halte chaque année. Plus tard, je lui ai montré comment couper et assembler les étoffes, puis je suis restée auprès d'elle une semaine ou deux pour lui confectionner des robes, pendant que mon père menait ses affaires à Shrewsbury. Jusqu'au jour où elle a déclaré ne plus pouvoir se passer de moi et m'a suppliée de demeurer à son service. Mais c'était impossible car je ne pouvais quitter mon père.

— Mais à quelle fin, toutes ces démarches? Je ne comprends pas.

— Pour avoir de tes nouvelles, nigaud, répondit Gilleis en attirant son visage pour baiser le coin de sa bouche. Tu n'auras aucune peine à m'arracher ce genre d'aveux car je suis prête à les crier sur les remparts.

— Et moi qui n'écrivais jamais ! Si j'avais su ! Si seulement j'avais su...

— Cela ne m'a pas surprise. Je savais que tu étais un affreux scélérat, sans aucun regard ni aucune attention pour ce qui n'est pas ta précieuse pierre. Mais je savais aussi que tu finirais par revenir. Alors, quand père est mort et que j'ai voulu échapper à mes prétendants — tu peux me croire, messire Harry, il y avait de plus beaux partis que toi, si je n'avais pas été assez folle pour t'aimer ! —, je me suis réfugiée chez ta mère, qui m'a accueillie les bras ouverts. Je n'en ai plus bougé. Il t'a fallu du temps pour te rappeler que tu avais une famille !

— Jusqu'à l'été dernier, j'ai vécu en France. Et depuis mon retour je me suis tenu à l'écart parce que... parce que je manquais de courage. Si j'avais su ce que je ratais, je serais revenu il y a des mois ! Comment aurais-je deviné ? Comment imaginer que tu serais justement là ?

— Justement là ! ironisa Gilleis. Où voulais-tu que j'aille sinon à Sleapford ? Le seul endroit où j'avais une chance de te revoir. Je savais qu'un jour tu reviendrais en Angleterre et que tôt ou tard tu rendrais visite à ta mère. Pas pour rester, bien sûr. Pas pour vivre à nouveau dans cette maison. Mais tu viendrais. Comme je ne pouvais aller à toi, je me suis installée ici pour attendre que tu viennes à moi.

— Et si tu t'étais trompée ? remarqua Harry en resserrant son étreinte, saisi d'une crainte rétrospective. Si je n'étais jamais revenu ?

— Oh... si je m'étais méprise sur ton compte, personne n'aurait pu m'aider. Passer ma vie ici ou ailleurs, c'était pareil. Mais je ne me suis pas trompée.

— Tu m'aimes ! dit Harry d'une voix sourde, ni exaltée ni étonnée.

— Depuis toujours. Depuis que j'ai touché ta joue en plongeant la main dans les rouleaux de tissu à la recherche de ma balle. Tu te souviens ? Tu ne pouvais pas parler, ils étaient trop près de nous. Tu as saisi ma main et tu l'as baisée. C'est à ce moment que j'ai commencé à t'aimer. Tu ne manquais pas d'astuce. Un jour où j'étais en colère parce que tu te moquais de moi, tu as utilisé le même stratagème. Tu savais t'y prendre pour obtenir de moi ce que tu voulais, mais tu ne m'as jamais rien donné en échange. Même quand tu as fait mon portrait, tu étais de si méchante humeur que j'étais trop effrayée pour remuer un cil.

— Tu n'as donc rien oublié?

— Rien de tes mauvais côtés. Quant aux bons, je ne m'en souviens plus. Il ne devait pas y en avoir beaucoup.

— Pourtant tu m'aimes, dit-il d'un air triomphant.

— Je suis audacieuse et obstinée. Mais je n'ai jamais prétendu être raisonnable.

— Si tu rouspètes, je te battrai une fois que nous serons mariés.

— Qui a parlé de mariage? N'es-tu pas au courant de l'interdit qui frappe l'Angleterre? Il n'y a plus ni mariage ni promesse de mariage. Nous nous rapprochons du paradis.

— Le chapelain d'Isambard nous unira à Parfois. Il affirme que son seigneur échappe à l'interdit parce qu'il se trouvait en croisade quand il a été prononcé. S'il n'y avait pas eu de croisade, il aurait inventé un autre prétexte pour exempter Parfois. Le pape est à Rome et peut menacer son âme, mais Isambard est à portée de main et menace plutôt sa chair.

— Quoi qu'il en soit, cela ne m'étonnerait pas que tu me battes, dit Gilleis en enroulant ses doigts dans les courtes boucles de la nuque de Harry. Tu as bien failli le faire autrefois, le soir où tu m'as surprise en train de t'espionner dans la salle où tu jouais de la citole. Tu m'as ordonné d'aller au lit et...

— Je refuse d'en entendre davantage! protesta Harry en la soulevant pour la porter dans l'embrasure de la fenêtre.

Elle lui arrivait au menton et avait la légèreté d'un roseau. Il rencontra moins d'opposition de sa part qu'autrefois, mais Gilleis ne se priva pourtant pas de lui remémorer tous les détails.

— Cette fois-là aussi, tu as failli me lâcher.

Il s'assit sur le siège lambrissé et l'installa sur ses genoux.

— Maintenant la mémoire va me revenir! Donc je te tenais sur mes genoux, et tu braillais et m'insultais.

Il la serrait contre lui en riant. Il lui semblait que l'amour n'avait d'autre langage que le rire.

— Tu ne portais rien sous ta cape, poursuivit-il. Et tes cheveux étaient dénoués.

Il tira sur le ruban doré et laissa cascader les longs cheveux noirs sur ses épaules, lourds, soyeux, doux.

— Voilà qui est mieux! Dans mon souvenir, c'est toi qui me

battais, pas moi. Tu me bourrais de tes petits poings comme une furie. D'ailleurs ce n'était pas la première fois !

— Pourtant tu m'aimes, exulta Gilleis.

— Je ne te l'ai pas encore dit !

— Trop tard pour reculer. J'ai vu ton visage quand tu m'as reconnue. Tu étais à deux doigts de crier de joie ou bien de fondre en larmes sur ma poitrine.

— Cela, je peux encore le faire maintenant, dit Harry en posant ses lèvres dans l'échancrure de sa robe, entre ses petits seins ronds et fermes. Je t'aime de tout mon cœur, Gilleis. J'ai eu l'intelligence de m'en apercevoir en devenant adulte. Oh oui, Gilleis, épouse-moi ! Mon seigneur est en Irlande avec le roi et restera absent encore un mois ou plus, mais dès son retour je lui parlerai de notre mariage. Il nous donnera un appartement dans le château, j'en suis certain, et la noce aura lieu dans la chapelle. Oh, mon amour, je ne sais comment je vais supporter de repartir sans toi, demain, maintenant que je t'ai retrouvée. Mais je dois m'occuper des préparatifs et reprendre mon travail. Tu seras mieux ici avec ma mère, en attendant que tout soit prêt pour t'accueillir.

— Je peux attendre, assura Gilleis. Si j'ai patienté jusqu'à aujourd'hui, sans jamais me plaindre, je peux attendre encore quelques semaines.

— Tu ne t'envoleras pas dès que j'aurai le dos tourné ?

— Et toi, tu n'oublieras pas de revenir me chercher ?

Il enfouit son visage dans ses cheveux, baisa ses yeux, ses joues, son menton à travers le rideau soyeux, son cou rond et tendre, sa bouche gourmande. Les lèvres pressées dans le creux délicat à la base de sa gorge, il recommença à rire, rire, rire, rire sans pouvoir s'arrêter. Elle prit son visage entre ses mains et le secoua pour le ramener à la raison.

— Oh, Gilleis ! Je dois m'attendre à une terrible réprimande ! Que dira ma mère en apprenant que je lui vole le trésor qui lui fait de si belles robes ?

Harry revint à Parfois en chantant, l'épaule encore humide des larmes de sa mère, les lèvres encore brûlantes des baisers de Gilleis. Ebrard l'avait escorté à cheval jusqu'aux limites du domaine. Son soulagement était si expansif, après que Harry lui eut consenti les droits de propriété pleins et entiers sur la châtellenie, qu'il l'étreignit et l'embrassa avec plus d'affection qu'il ne lui en avait témoigné depuis leur enfance. Pour son second départ, le fils prodigue emporta avec lui les bons vœux de chacun, même ceux du jeune clerc, dont la jalousie n'avait pas désarmé pendant tout le temps de sa présence à Sleapford.

Dans la sacoche de sa selle, il y avait un parchemin, rédigé par ce même clerc et signé par Ebrard, attestant que William Boteler, Alison sa femme et tous leurs descendants seraient désormais affranchis de leur servage, et que tous les services en échange desquels ledit William Boteler avait exploité ses trente arpents de terre étaient commués en une redevance annuelle de cinq shillings.

Perché en haut de l'échafaudage, Adam surveillait le maître charpentier qui dictait ses ordres pour le décintrement de l'arc renfoncé du portail ouest. Harry se hissa jusqu'à sa hauteur, s'approcha de lui à son insu, tendit un bras par-dessus son épaule et brandit le parchemin devant ses yeux. Adam sursauta, interrogateur, et lut deux fois le texte avant d'en saisir le sens. Il déglutit, les yeux écarquillés, les lèvres tremblantes. Harry le prit dans ses bras et l'étreignit avec fougue.

— Je voulais aller leur annoncer la nouvelle, mais je me suis ravisé. C'est à toi d'aller leur dire, et aujourd'hui même. J'aimerais t'accompagner, mais nous ne pouvons nous absenter tous les deux en ce moment. Dis-leur que j'irai les voir bientôt et leur envoie mes respects et mon affection. J'espère que ce parchemin les consolera de toutes les années où ils ont été privés de toi.

Adam, dont la nature n'était que gaieté, Adam qui, même enfant, n'avait presque jamais pleuré, était trop bouleversé pour parler. Ses mains tremblaient sur la précieuse feuille de parchemin. Il posa sa tête sur l'épaule de Harry et pleura à chaudes larmes, un court moment mais de tout son cœur.

— Eh! Je ne voulais pas te bouleverser à ce point! s'écria Harry, déconcerté de se voir attribuer un rôle aussi inhabituel. Tout s'est déroulé mieux que je n'aurais pu le rêver. Je n'ai eu aucun mal à obtenir ce parchemin, et je jure que ma joie a été aussi grande que la tienne. J'imagine ce que tu vas ressentir en le donnant à ton père! Mets-toi vite en route, à présent. Fais-toi beau et file pour profiter du jour. Tout va bien chez toi, je te le promets. J'ai aperçu les deux garçons, j'ai entendu la voix de ta mère dans la maison, et on m'a dit que ton père est en bonne santé. N'aie aucune appréhension. Je crois bien que Ranald est plus grand que toi, et Dickon à peine moins. Quant à ma famille, je ne lui ai guère manqué, et s'ils ont eu de la peine, elle n'a pas duré. Je suis heureux que tu m'aies forcé à y aller. Ebrard se réjouit seulement que j'aie renoncé à tous mes droits sur la châtellenie, et ma mère envisage un second mariage. Elle est gaie comme une alouette, avec ou sans moi. Pourtant elle a une raison de m'en vouloir. Je lui vole sa chambrière.

Adam redressa la tête et s'essuya les yeux d'un revers de manche. Son visage était bizarrement déformé par un mélange de rire, de larmes et d'ahurissement.

— Pour l'amour du ciel, Harry, ou bien tu as perdu l'esprit, ou je suis trop troublé pour comprendre un mot. Sa chambrière ? Que veux-tu faire de sa chambrière ?

— C'est que tu ne l'as pas vue, Adam ! s'exclama Harry en le secouant joyeusement par les épaules, les yeux pétillant d'étincelles bleues et vertes sous le soleil. Elle n'est pas une chambrière ordinaire. Elle s'appelle Gilleis Otley. Je vais l'épouser.

Isambard rentra à Parfois à la fin du mois d'août, éclatant de vigueur et de bonne humeur après l'avancée victorieuse de Jean à travers l'Irlande et les Galles du Sud, où il avait mis ses ennemis en déroute. Mieux encore, des petites graines de suspicion quant à la loyauté de Llewellyn avaient germé dans l'esprit du roi, et trois mois de bons soins assidus avaient porté la plante vers la floraison. L'accusation n'aurait probablement jamais à être prouvée. C'était dans l'enclos de son esprit que Jean accusait et jugeait, en silence et sans appel. Le monde ne verrait jamais de sa justice que l'exécution de la sentence. C'était un être retors, même avec ses intimes, n'accordant sa confiance à l'un que pour contrer les miettes de confiance qu'il avait été obligé de placer dans un autre. Mais s'il devait se fier à un homme entre tous, cet homme était Isambard. Or, pendant toute la marche depuis Fishguard jusqu'à Bristol à travers le Pays de Galles — démonstration de force destinée à soumettre totalement les populations locales —, ce même Isambard n'avait pas manqué d'instiller dans l'esprit de Jean l'idée d'un règlement de comptes définitif avec le prince de Gwynedd.

L'incursion dans les territoires de ce dernier par le comte de Chester, approuvée mais non ordonnée ouvertement par le roi pendant sa campagne d'Irlande, avait permis d'encourager plusieurs adversaires de Llewellyn au sein même des chefs gallois. Le coup le plus rude, et le plus simple, que pouvait porter Jean à son ennemi, était de relâcher Gwenwynwyn et de le rétablir dans le sud de sa principauté de Powis, dont il n'aurait de cesse de reconquérir la moitié nord. Libérer Gwenwynwyn à l'automne afin qu'il harcèle Llewellyn par le sud, et tout serait en place dès le printemps suivant pour lancer une attaque des troupes royales à l'ouest, sur le Conway, et forcer le faucon à quitter ses rochers, au-dessous de Snowdon.

Isambard rentra chez lui satisfait de son ouvrage de l'été. Il ramena intacts ses soixante chevaliers et sa compagnie d'archers, troqua promptement sa cotte de maille contre de la soie et prit place dans la grande salle du château pour entendre les plaids et rendre sa justice. La nouvelle de son retour se répandit chez les paysans, qui avaient sué sang et eau pour lui procurer les subsides de son expédition, et qui se tapirent entre les collines comme le lièvre dans un sillon, dans l'attente des exactions[1] qui ne tarderaient pas à s'abattre.

— Un mariage? s'écria Isambard quand Harry lui fit part de ses projets. Ma foi, je vous croyais marié à votre planche à tracer!

Son regard allait de l'arc maintenant achevé du portail ouest aux grandes poutres que les charpentiers toupillaient déjà en prévision de la couverture des nefs latérales, et revint, brillant de plaisir, se poser sur Harry.

— Il est clair que l'amour n'a pas entamé vos capacités, même si vous avez chevauché pour rejoindre votre belle tous les dix jours. Je n'ai jamais vu un édifice de cette grandeur s'élever si vite. D'accord, Harry. Amenez-la à Parfois quand vous le souhaiterez. Si elle demeure sur place, vous perdrez moins de temps à courir la voir. Benedetta prendra soin d'elle jusqu'aux noces, et vous disposerez d'une chambre dans la tour du Roi pour vous deux! Et sous quel nom avez-vous l'intention de vous marier, maître Henry? Lestrange ou... Talvace?

L'expression de stupéfaction de Harry était si enfantine qu'Isambard éclata d'un grand rire qui effraya les oiseaux.

— Ne me regardez pas ainsi, je ne suis pas un magicien! Je suis au courant depuis près d'un an. Vous rappelez-vous, l'automne dernier, quand je vous ai rapporté que Hugh de Lacy vous envoyait son bon souvenir? Il m'avait écrit pour me remercier du

---

1. Au Moyen Age, on entendait par exactions les redevances diverses levées par le seigneur : taille, cens, écuage, banalités, etc. *(N.d.T.)*

vin que je lui avais fait parvenir après son rétablissement. Sous quel nom vous a-t-il mentionné, selon vous ?

— Oui, bien sûr, dit Harry. Je n'y avais pas songé. Il ne me connaissait que sous un seul nom puisqu'il ne m'est jamais venu à l'idée de lui indiquer l'autre. Mais pourquoi ne m'avez-vous pas questionné ?

— Pour quelle raison ? Si vous aviez eu quelque chose à me dire, vous l'auriez fait. Le nom d'un homme ne concerne que lui, bien que, pour ma part, je préfère qu'il n'en ait qu'un, et que ce soit le vrai.

— Moi aussi, acquiesça Harry, même si cela ne m'a pas troublé d'en changer. Très bien. Talvace je suis, Talvace je serai désormais.

Gilleis arriva à Parfois la deuxième semaine de septembre. Deux jours plus tard, le mariage fut célébré dans la chapelle de la tour de la Reine par le chaleureux, subtil et complaisant vieux chapelain d'Isambard, qui avait servi son père avant lui.

Le soir des noces, Harry et Gilleis étaient assis à la haute table entre Isambard et Benedetta, trop pleins de leur bonheur pour manger, boire ou parler. A la gauche d'Isambard, lady Talvace, resplendissante dans la plus somptueuse robe que Gilleis lui eût confectionnée, jouissait des attentions empressées de son voisin. A la droite de Benedetta, Ebrard portait sa plus belle cotte de velours bleu et buvait comme deux. Plus bas, dans la grande salle, tous les habitants de Parfois bavardaient et festoyaient. Mais au milieu de cette bruyante assistance, quatre personnes étaient seules.

Benedetta jeta un regard de côté et vit les trois profils surimposés, comme trois têtes sur une pièce de monnaie. Isambard, le plus éloigné, le teint échauffé par le vin sous son hâle, mais sujet à une exaltation que l'alcool n'aurait jamais pu lui procurer, surveillait les allées et venues des domestiques avec des regards étincelants et des mouvements éloquents de la tête et de la main. Lorsqu'il riait et projetait vers le monde sa fougue et son intelligence, comme maintenant, il brillait d'une beauté telle qu'il aurait charmé les oiseaux. Benedetta percevait, avec sa chair plus qu'avec son esprit, l'une des raisons de sa bonne humeur. Isambard se félicitait de voir un homme de son entourage follement amoureux d'une autre femme qu'elle. A cela se mêlait le plaisir de ses implacables intrigues contre le prince gallois. Mais il émanait de lui autre chose, comme la satisfaction d'avoir abouti à une décision heureuse, une jubilation qu'elle ne s'expliquait pas.

Contre son teint sombre se détachait le profil lumineux de la jeune épousée, blanc rosé, clair et diaphane comme une perle. Une créature gracile et belle, avec de grands yeux noirs qui regardaient sans crainte, et derrière eux un esprit sagace qui jugeait sans pitié, à la manière des enfants. Lorsque je l'ai accueillie et embrassée, à son arrivée, songea Benedetta, ces yeux-là m'ont percée jusqu'au cœur, et cet esprit-là a deviné une part de ce qui m'anime. Je savais qu'elle serait jeune. Je pensais qu'elle serait douce, tendre et timide, or elle est gaie, courageuse et assurée. Je croyais qu'elle ne serait pas à la hauteur de Harry et qu'un jour il en chercherait une autre, mais elle est de sa trempe et de la mienne. Elle ne le décevra pas. Elle est la mort de l'espoir, si c'était de l'espoir que j'avais, et que je n'ai plus.

Et maintenant, Harry, que me reste-t-il ?

Sur le troisième visage, le plus cher, si proche qu'elle aurait pu effleurer de ses lèvres la joue rosie en tournant la tête, Benedetta s'attarda plus longuement, avec une attention passionnée et émerveillée. Il y avait dans les yeux de Harry une lumière, un éclat changeant, étincelant comme la topaze et l'aigue-marine, et les traits impétueux de son visage étaient soulignés par la pâleur tranchante de son exaltation. Il s'était mis en peine pour faire honneur à sa dame. Lui qui ne se souciait pas de plaire et se moquait de porter de vieux habits était impeccable et avait le chef couvert. Ses épais cheveux bruns étaient coupés de frais, il avait rasé de près ses joues finement dessinées et son menton arrogant, lisses comme l'ivoire, et un collier de pierres brunes ceignait son cou, dans le haut col de son surcot doré. Talvace était redevenu Talvace. Auprès de lui, malgré sa belle tournure, Ebrard paraissait balourd.

Où qu'on le touche, songeait Benedetta, en se réjouissant de la tendresse et de la fierté qui embrasaient son cœur et consumaient la jalousie torturante que lui inspirait Gilleis, aussi longtemps qu'on s'appuie sur lui, il reste solide. On peut le faire sonner, il sonne juste. Qui d'autre que lui n'aurait lâché pied devant moi ? Jamais il ne s'est caché derrière un masque de froideur, jamais il n'a tenté de contourner l'obstacle par un mensonge tendre ou cruel, d'éviter ma compagnie, de me faire honte par un compliment évasif ou une caresse trompeuse, jamais il n'a choisi la voie de la facilité dans les liens qui nous unissaient. Qui d'autre que lui serait venu me trouver afin de m'avouer son amour pour une autre et son intention de se marier? A sa place, tous ces preux chevaliers qui se croient des héros m'auraient fuie comme la peste, alors que lui est un simple artisan qui a choisi l'ombre. Il est venu me parler non par civilité ou par pitié, il est venu parce que, à ses yeux, mon amour pour lui me donne des droits. Le droit d'être regardée dans les yeux, le droit à la vérité. Il m'a fait plus d'honneur dans sa manière de me repousser que n'importe quel homme en m'offrant son cœur. Je ne regrette pas de l'aimer, je m'en réjouis. J'ai donné mon amour à qui le méritait, et jamais je ne le reprendrai!

Je n'ai rien perdu, se raisonnait Benedetta, tout en prêtant une attention distraite aux galanteries d'Ebrard. Ni Harry, car il n'a jamais été mien. Ni l'espoir de le conquérir un jour, car cet espoir n'a jamais existé. Sinon peut-être l'illusion de l'espoir. Si cette jeune fille avait une personnalité moins forte, je conserverais peut-être encore cette illusion. Mais elle est son égale, et j'en suis heureuse, même si cela me dépossède de mon dernier bien. Un être aussi noble doit se marier noblement. S'il avait choisi une épouse indigne de lui, il m'aurait rabaissée autant que lui-même. Ainsi l'illusion s'est évanouie, et mon sentiment de perte est à la mesure de l'admiration et de la vénération que m'inspirent son amitié et son respect.

Désormais il n'y a plus rien à conquérir. Désormais, songea Benedetta en souriant par-dessus son verre de vin, nous verrons, Benedetta, si tu es venue en Angleterre pour prendre ou pour donner.

Assise devant le miroir poli de sa chambre à coucher, Benedetta peignait ses longs cheveux. Sur la surface luisante, ses yeux avaient un sombre éclat métallique. Ses mains parcouraient ses lourdes boucles rousses avec langueur. Jamais elle ne s'était sentie aussi lasse.

Dans la chambre que l'on venait de préparer pour eux dans la tour du Roi, les jeunes époux reposaient enlacés, entre veille et rêverie. L'armure imprenable de leur bonheur les isolait du monde, ils planaient tellement haut que rien ne pouvait les atteindre. Pourtant un peu de leur joie se distillait dans l'air, l'imprégnait d'une sensibilité dérangeante qui exacerbait tous les désirs.

Isambard, nu sous la robe de fourrure qu'il portait dans l'intimité de sa chambre, approcha dans le dos de Benedetta et enfouit les mains dans sa chevelure. Elle entendit sa respiration s'accélérer, son long soupir de bien-être quand il posa la joue contre sa nuque. Là-haut, dans leur citadelle, Harry enroulait-il ses doigts dans les cheveux noirs, caressait-il de la paume les bourgeons de la jeune et ronde poitrine, l'ivoire de ses flancs? Une main sans expérience, certes, mais le talent est inné, l'art ne fait que le sophistiquer et le perfectionner. Je leur souhaite tout le bien possible, songea Benedetta. Outre le reste, je leur souhaite la jouissance. Comment lui en voudrais-je de prendre son plaisir avec elle, moi qui lui donnerais le monde si je pouvais? Leur bonheur est ma joie, autant que mon chagrin. Que la vie lui procure tout ce qu'elle a à offrir.

Elle rendit son sourire au visage sombre qui l'épiait par-dessus son épaule.

— Benedetta! souffla Isambard à voix basse en pressant les lèvres contre sa joue.

Elle leva la main et glissa les doigts dans ses cheveux.

— Messire?

— Ce mariage est une étrange chose. Combien d'amis ai-je vus prendre femme, en n'éprouvant pour eux que pitié parce qu'ils se livraient à des étreintes ennuyeuses avec des partenaires déplaisantes, à seule fin d'ajouter quelques champs ou un manoir à leur fief! Seul un homme sans terre peut se permettre de se jeter dans le mariage comme ce garçon, sans un seul arpent à gagner. Qu'adviendra-t-il de notre moralité si les jeunes se marient pour rien de plus substantiel que l'amour?

— Et qu'adviendra-t-il des femmes comme moi? renchérit Benedetta. Il faut avoir l'esprit très pratique quand il s'agit de mariage. On dit que messire Ebrard mène de longues et prudentes négociations pour épouser la fille de son voisin. Le fils de Tourneur étant mort, elle apportera trois manoirs à son mari. Elle a treize ans et la peau grêlée par la variole, sinon elle serait déjà promise, même avec une dot moins importante. De son côté, Ebrard a déjà été engagé, semble-t-il, mais la fille est morte avant d'atteindre l'âge de convoler. Ce Talvace-là ne se laisse pas séduire par des yeux noirs et une bouche rose. Aucune famille ne peut se permettre d'avoir plus d'un fou comme votre maître Harry!

— Aucune famille ne peut espérer en avoir plus d'un, remarqua Isambard en souriant. Je suis content d'avoir assisté à son bonheur. Apparemment il avait quelque chose à m'apprendre sur la façon d'aborder la question controversée de l'amour.

Il la saisit aux épaules pour la plaquer contre lui. Dans le miroir, leurs regards se croisèrent.

— Benedetta, je m'aperçois que je me suis leurré moi-même en déniant le terme de mariage à notre union, qui pourtant ne manque ni de paix, ni d'assurance, ni de continuité. Je ne veux pas d'autre femme que vous, ni maintenant ni jamais. Je désire de tout cœur que vous m'épousiez.

Le visage de Benedetta ne bougea pas, ne changea pas d'expression, mais il sembla à Isambard qu'un voile ternissait l'éclat de ses yeux. Immobile sous ses mains, elle le regardait à travers ce voile, et demeura silencieuse si longtemps qu'un froid glacial s'empara de lui.

— Qu'y a-t-il? Pourquoi ne répondez-vous rien? Etes-vous fâchée que j'arrive si tard à cette simplicité, à cette évidence qui aurait dû m'apparaître depuis longtemps? Je ne suis pas un homme simple, Benedetta. Il fallait la droiture de ces enfants pour que je me laisse séduire par la simplicité. Qu'était le mariage, pour moi, quand il confinait au marchandage et à la convoitise de quelques domaines improductifs? Ceci est une nouvelle vision du paradis des innocents, où le baiser vient du cœur. Je ne vous aurais pas fait honneur, ni à moi-même, en vous proposant un mariage selon la coutume habituelle. Mais si vous y consentez maintenant, nous serons peut-être comme ces enfants.

Il vit les larmes dans ses yeux, les premières, et ne comprit pas qu'elles étaient pour lui. Il se jeta à genoux et l'enlaça entre ses longs bras.

— Vous ai-je blessée? Qu'y a-t-il? Ma très chère, dites-moi, qu'ai-je fait?

— Rien! Vous m'avez honorée. Vous m'avez rendue plus redevable encore envers vous. Vous m'avez charmée jusqu'au plus profond. Vous ne m'avez fait que du bien. Mais je ne suis pas et ne puis être comme ces enfants, à moins que le temps ne fasse marche arrière. Et je ne puis ni ne veux vous épouser. Ni vous ni personne!

Les braises dans les yeux d'Isambard se ranimèrent sous le soufflet.

— Pourquoi non? Expliquez-vous! Vous m'avez accepté, pourquoi refuser mon nom et ma fortune? Encore cet autre homme ? Lui êtes-vous toujours attachée ? Vous a-t-il jamais témoigné un amour aussi fort que le mien ?

Benedetta prit le visage d'Isambard entre ses mains et l'attira contre le sien, les yeux dans les yeux.

— Vous avez ma promesse. Jamais je ne me suis sentie aussi proche de vous par l'esprit que maintenant, ni aussi émue. Le vœu que je vous ai fait à Paris, je vous le répète, et je tiendrai parole, sur cet honneur que le monde me dénie mais que vous me reconnaîtrez. Si je devais épouser un homme, ce serait vous, mais j'ai en moi une chose qui m'empêche d'épouser quiconque. N'êtes-vous pas satisfait de moi telle que je suis ? Ne vous ai-je pas donné sincèrement mon corps, mon conseil, les quelques talents que je possède ? Laissons les choses en l'état. Laissez-moi.

— Il y a un endroit en vous que je ne peux atteindre, grogna Isambard en écartant son visage pour se relever d'un bond et l'obliger à se lever avec lui. Vos mains sont douces, votre poitrine accueillante, votre corps s'offre à moi, mais votre cœur se dérobe.

— Inutile d'y accéder. Je vous en ai donné un morceau il y a longtemps. Il ne me reste rien que vous ne possédiez. Soyez content ! Si vous pouviez le mesurer et dire ce qu'il contient, vous vous y verriez sûrement.

— Alors donnez-moi ce que je demande ! Epousez-moi !

Mû par un désir soudain, désespéré, il la couvrit de baisers, du front à la gorge, lui ferma les yeux sous ses lèvres, baisa si longuement sa bouche qu'elle dut se débattre pour reprendre souffle.

Quand il se redressa, les lèvres blanchies de Benedetta recouvrèrent peu à peu leur incarnat. Et elles ne se rouvrirent que pour répéter, avec une détermination et une véhémence aussi inflexibles que la sienne :

— Non.

11

«Madame et très honorée châtelaine, écrivait Walter Langholme dans une missive apportée d'Aber par un courrier au
mi-temps de la moisson, cette campagne étant parvenue à
une heureuse conclusion, mon seigneur m'a confié la tâche
de vous en dresser un exposé complet, car ses devoirs auprès
de la personne du roi ne lui laissent aucun répit, et de vous
transmettre ses salutations sincères et ses respects. Sa santé
est bonne et il n'a subi aucune blessure dans la bataille,
laquelle ne nous a par ailleurs coûté que de faibles pertes,
tandis que d'autres troupes, moins bien commandées que la
nôtre, ont souffert des talents des archers gallois.

«Comme vous le savez, nous nous sommes rassemblés à
Chester au début de mai, le roi ayant mandé là-bas tous les
chefs gallois, à la seule exception du prince de Gwynedd,
contre qui était dirigée notre campagne. Les Gallois ont
répondu à son injonction presque comme un seul homme,
même ceux d'entre eux qui avaient jusqu'ici soutenu le
prince Llewellyn, mais j'ignore si c'est par devoir envers notre
roi ou par jalousie à l'égard de Llewellyn, car en vérité beaucoup l'envient et se réjouiraient de sa chute. Toutefois, pour
ce premier rassemblement, le roi n'a pas eu la sagesse d'écouter le conseil de mon seigneur, et a marché sur Tegaingl sans
délai, bien que nous l'eussions averti que notre approvisionnement serait insuffisant pour une expédition si précoce.
Nous avons néanmoins avancé, tandis que les Gallois se retiraient devant nous selon leur coutume, préférant le harcèle-
ment de nos flancs à la bataille rangée, et emportant avec eux

tous leurs biens, bétail et chevaux, dans les montagnes. Nous avons atteint le Conway à Degannwy, ayant épuisé l'essentiel de nos réserves à cause de la saison, car la nature ne pouvait nous fournir assez de nourriture, et le gibier y est inexistant. Il est donc apparu que nous ne pourrions survivre à une campagne prolongée, puisque déjà les maigres provisions trouvées sur place exigeaient un bon poids d'or plutôt que d'argent. Poursuivre plus avant nous eût menés à la famine. Lors notre roi a ordonné le repli vers l'Angleterre, et nous avons mangé les chevaux dont nous pouvions nous passer en tant que montures, avant de finir la route affamés.

«Quoi qu'il en soit, cela n'a pas détourné notre roi Jean de son projet contre le prince de Gwynedd, mais l'a encouragé à se mieux préparer. Il a de nouveau convoqué l'ost[1] dès la première semaine de juillet, à Arllechwedd. Les Gallois combattaient comme des Gallois, par escarmouches volantes, avec des archers légèrement armés, le gros de la troupe se dissolvant devant nous, ce qui nous empêchait d'avoir la moindre prise sur eux et leur épargnait de lourdes pertes. Mais cette tactique ne pouvait arrêter notre avance, aussi avons-nous fait une entrée triomphale dans la cour du prince Llewellyn à Aber et pris possession de la ville, après que lui-même eut battu en retraite dans les montagnes.

«Le prince Llewellyn est maintenant revenu, avec sa dame, et la paix fait l'objet d'âpres marchandages. Notre roi éprouve une sincère affection pour sa fille, et je ne doute pas qu'elle obtienne pour son époux les meilleures conditions qui puissent être. Mon seigneur l'eût volontiers dépouillé de tous ses biens, mais pareille chose sera impossible tant que la princesse Jeanne vivra, puisque ce serait la ruiner aussi. Le prince ne se comporte nullement en vaincu, mais en homme fier, malgré l'amertume que lui cause l'invasion de son royaume, et j'ai vu de mes yeux à qui il l'impute. En présence du roi, le prince s'est tourné vers mon seigneur Isambard et lui a dit :

---

1. *Ost* : Tout d'abord, à l'époque franque, l'ost était l'armée, l'expédition militaire («convocation à l'ost»), et l'acquittement par un homme libre de l'obligation d'y participer. Plus tard, c'est devenu une des formes du service militaire dû par le vassal, et qui avait pour objet une guerre aux enjeux importants : défense en cas d'invasion par exemple. A l'ost s'ajoutait la *chevauchée*, plus brève, qui visait à une expédition punitive ou une opération de pillage sur un territoire voisin. (*N.d.T.*)

«Je sais, messire, que c'est à vous que je dois d'avoir été calomnié devant le roi. C'est vous qui lui avez mis en tête que je conspirais contre lui avec Breos. Et me voilà aujourd'hui, ici même, réduit à être le plaideur dans ma propre cour, sans pouvoir vous poursuivre devant un tribunal. Mais un jour je demanderai réparation. Jusque-là, gardez ceci pour moi.» A ces mots, le prince Llewellyn a ôté son gant et l'a jeté aux pieds de messire Isambard. Mon seigneur l'aurait ramassé et on aurait tiré les épées, car, vous le savez, il n'est pas homme à se retenir même en présence du roi. Mais certains barons les ont maîtrisés l'un et l'autre, le roi a interdit que le défi fût relevé, et leur a imposé de renoncer à leur querelle. Néanmoins, ni l'un ni l'autre n'a juré obéissance, et ils se sont séparés sans ajouter un mot. Le défi est donc toujours en vigueur, et ce sera la tâche majeure du roi d'éviter qu'ils se rencontrent tant que l'armée sera en place ici. Pour ma part, et ce n'est là que mon opinion propre, je crois volontiers le prince Llewellyn quand il jure n'avoir ourdi aucun complot avec Breos, lequel est ruiné et en fuite, même si le prince a été approché dans ce but, et peut-être même tenté.

«On ne connaît pas encore les termes de la paix, ni quand nous lèverons le camp, mais il est certain que le roi est fort satisfait de son ouvrage, et soutient que le Pays de Galles tout entier peut désormais être considéré comme soumis, ce qui lui laisse le champ libre pour le projet qui lui tient tant à cœur, à savoir la reconquête de la Normandie.

«Croyez, madame, qu'aux salutations et respects de mon seigneur j'ajoute les miens, et prie pour votre santé et votre sécurité.

«Votre très dévoué et très humble serviteur,

Walter LANGHOLME.

Fait en ce huitième jour d'août, en la treizième année du règne de notre roi, an de grâce 1211 de Notre-Seigneur Dieu, à Aber, comté d'Arllechwedd.»

«Ecrit en hâte avant le départ du courrier.

«Madame, on sait désormais quelles conditions le roi a consenties, et je dois vous informer qu'elles déplaisent à mon seigneur, qui y voit une trop grande liberté laissée au prince de Gwynedd pour un prochain mauvais coup. Les quatre districts du centre du pays sont soumis au roi, et le prince Llewellyn ne conserve que les terres situées au-delà du Conway. Gwynedd doit payer au roi un tribut ruineux, en bétail, chevaux, chiens et faucons, et remettre des otages parmi les enfants nobles. J'ai entendu dire que le fils naturel du prince est du nombre, un beau garçon d'une douzaine d'années, très aimé des Gallois parce que sa mère était une dame de qualité, fille d'un seigneur de Rhos. Mais il n'est pas encore certain que le jeune Griffith ait été désigné comme otage pour garantir la soumission de son père. Une trentaine d'autres enfants de la noblesse l'accompagneront.

«Mon seigneur est très courroucé, pour le moins, de ce qu'il considère comme une victoire gaspillée, et il a déclaré ouvertement qu'il faudrait recommencer toute l'entreprise d'ici un an. J'espère néanmoins que son jugement se révélera trop prudent.

«Je vous salue avec respect et forme le vœu de vous trouver en bonne santé à notre retour.»

— Il existe au moins une chose en bonne voie et un homme qui connaît son métier, déclara Isambard. C'est rare de nos jours. Comptez-vous couvrir toute la nef avant l'hiver ?

— Oui, messire. Et avec votre permission, j'aimerais garder tous mes tailleurs et asseyeurs de pierres cette année. La construction de la voûte les occupera à satiété. Nous ne perdrons rien en les payant pendant les gelées. Au contraire, nous gagnerons des mois. Et nous gagnerons aussi leur ardeur au travail, en leur offrant la sécurité. Croyez-moi. C'est important, pour un maçon, d'avoir devant lui douze mois d'ouvrage assurés. Il vous en donnera pour votre argent.

— A vous de voir, Harry. Pour moi, vous gâtez trop vos ouvriers, dit Isambard d'une voix tranchante, comme s'il mordait les mots avec mauvaise humeur.

— Non, messire, ce n'est pas vrai. Beaucoup de mes hommes doivent nourrir toute une famille avec leurs quelques pence journaliers. L'emploi que vous leur assurez les soulage de leur anxiété. Et ne croyez pas que cela n'importe que pour eux. Ils ont ainsi l'esprit libre pour se consacrer à leur travail avec tout l'enthousiasme que vous espérez d'eux. Et ils vous respectent. Cela ne compte-t-il pas ?

— Vous voilà encore sur votre cheval de bataille. Faire l'artisan dès votre prime jeunesse vous a donné des yeux d'artisan. Mais je vous reconnais le mérite de construire selon mon goût, ajouta Isambard en examinant l'arc double du portail et la verrière qui le surmontait, mise en retrait par huit rangées de délicates voussures. La variation des couleurs, de l'aube au crépuscule, est inimaginable. Lorsque la lumière tombe en oblique sur ces voussures de pierre, elle vibre comme les cordes d'une harpe, tant est forte leur tension. Quelquefois, quand je chevauche tôt le matin, elles chantent telles des notes de musique.

Isambard vit le rouge monter au visage de Harry et le plaisir enflammer ses yeux. Il sourit.

— Vous complimenter est un bonheur. Vous rayonnez. Vous ressemblez à un enfant qui a réussi sa tâche mieux qu'il ne le pensait et reçoit des félicitations quand il attendait des reproches.

— Non, ce n'est pas cela, répondit Harry en riant. Ce sont les termes de vos louanges. Vous êtes content de votre maçon, et moi de mon maître. Venez voir l'intérieur.

Il le guida entre les gracieuses sculptures du portail. A hauteur du regard d'Isambard, les délicates colonnes jaillissaient dans un feuillage luxuriant. Il s'arrêta, face à face avec lui-même, saisi une fois encore par la beauté et la sauvagerie de cette image stylisée, avec ses cheveux dressés et ses pommettes farouches, la sérénité minérale de ses yeux, dont le regard perçait entre les feuilles de l'arbre du ciel. Ange, homme ou démon, cette créature pouvait être les trois à la fois.

Sur l'autre revers du portail figurait le visage de Benedetta, qui soutenait l'abaque et la naissance des voussoirs sur la masse relevée de sa chevelure. Il sembla à Harry qu'Isambard allait passer devant sans y accorder un regard, mais ce fut plus fort que lui. Ses pieds traînèrent sur le seuil, il pivota d'un mouvement impulsif, et sa main caressa la courbe splendide et droite de la gorge de pierre. Les longs doigts s'y attardèrent dans un geste de souffrance si involontaire et si intense que Harry continua d'avancer pour l'attendre plus loin, ému, dévié de sa concentration, mal à l'aise. Le regard d'Isambard s'enflammait sur le visage bien-aimé, le fouillait avidement mais n'y puisait aucun réconfort. Il s'arracha à sa contemplation d'un mouvement brusque, comme s'il lui en coûtait de s'en délivrer, et pénétra sans un mot dans la coquille béante de l'église.

Les bas-côtés, qui n'avaient pas encore de voûte, étaient abrités par leurs toits en bois. La nef principale était à ciel ouvert, mais les transepts étaient couverts, et la base de la tour se dressait, bien carrée, contre les nuages. Les verrières des bas-côtés et les fenêtres hautes du clair-étage imprimaient leurs découpes vides sur le ciel, entrelacées par les armatures de fer forgé sur lesquelles les vitraux peints seraient un jour fixés.

— Pour l'instant vous n'apercevez que les formes et les proportions, dit Harry. Donnez-moi jusqu'à la fin de l'hiver et vous verrez la voûte en place. Tout au moins les ogives. Le printemps prochain, il faudra installer l'appareil de levage dans la tour. Nous avons demandé celui de Shrewsbury. Il sera apporté par bateau. Pourquoi en construire un neuf alors que le leur est sans emploi ? Pour cette année, je peux me contenter des deux appareils plus légers que j'ai ici. Richard Smith, le ferronnier, a devant lui tout un hiver de travail au chaud, pour préparer les tringles, les crampons et les tampons de scellement pour les voûtes. Transpirer au-dessus de ses cuvées de suif pour enduire le fer sera un plaisir pendant les frimas. C'est un brave homme et il connaît son art. Je n'ai qu'à lui montrer le genre de dispositif que je veux, même s'il n'en a jamais utilisé de semblable, et il le met en forme selon le tracé exact. Cette ligne vous plaît ? C'est tout ce qui importe. Lignes, formes, proportions, c'est cela le corps de la beauté. Le reste n'est que l'habillement.

Isambard se tenait sous la verrière ouest, admirant devant lui le beau cadre enclos d'air et de lumière. Il entendait le fracas des marteaux dans les échafaudages supérieurs, les voix des poseurs de pierres qui travaillaient à la base de la tour, les cris des hommes qui hissaient les pierres de taille avec le levage à bras. Le chantier tout entier bourdonnait de bruit et d'agitation comme un essaim d'abeilles ; pourtant il semblait à Isambard que la voix du maître d'œuvre, le bâtisseur, éclatante d'ardeur, couvrait toutes les autres.

— Vous êtes un homme heureux, Harry, dit-il avec émerveillement et envie. Vous aimez ce que vous faites. Vous créez, et ce que vous avez créé tient debout. Les sottises des autres ne peuvent le démolir, et il n'est point besoin de recommencer, encore et encore, et toujours en vain.

— Je connais ma chance.

— Le plus heureux des hommes dans votre métier, poursuivit Isambard en tournant son visage vers l'ombre, la main appuyée sur le pilastre qui se trouvait entre eux. Mais dans vos amours, l'êtes-vous également?

— Oui, en amour aussi.

— Avoir tout! s'exclama Isambard avec un mélange d'étonnement et de désespoir. Tout ce que la vie offre, même le plus rare! De quel droit un seul homme possède-t-il autant? Où est la justice divine?

Ils arrivaient là sur un terrain instable, et Harry serait volontiers revenu sur un sol plus ferme, mais c'était impossible.

— Je crois bénéficier de la grâce divine plus que de justice, dit-il lentement. Et je ne prétends nullement recevoir selon mes mérites.

— Je vous demande pardon. Il n'est personne d'autre que vous dont le bonheur me donne plus de joie. Toutefois je ne peux m'empêcher de vous jalouser. Tôt ou tard on envie à autrui la bonne fortune que l'on ne partage pas. Si, Harry, vous la méritez. Je le pense sincèrement.

Isambard se détourna brusquement et, entre eux, l'atmosphère vibra de sa véhémence, de son angoisse inexplicable.

— Et pourtant, Harry, comment pouvez-vous savoir? Comment pouvez-vous être certain...

Un pas léger et vif, une ombre soudaine sur le seuil retinrent la question sur ses lèvres. La silhouette de Gilleis se découpait devant la porte. La vigueur et la rapidité de ses mouvements évoquaient un oiseau, l'éclat et l'audace de son regard en avaient un peu l'effronterie délurée. Elle jeta un bref coup d'œil à chacun des deux hommes, puis avança dans l'espace ouvert et lumineux de la nef.

— Messire, Madonna Benedetta est ici, avec Langholme et le fauconnier. Vous pourrez la rejoindre quand il vous plaira.

Gilleis s'adressait à Isambard mais elle regardait Harry. Quelque chose qui dépassait l'entendement circulait entre eux quand ils étaient ensemble. Son visage animé paraissait s'illuminer de la fière et pénétrante image de Harry. Même ses grands yeux, largement ouverts à lui, reflétaient la brillance mouvante de la mer. Et la douceur, l'éclat de Gilleis imprégnaient tellement Harry qu'il donnait l'impression d'absorber en lui un peu de sa féminité, en échange d'un peu de sa force. Isambard vit le bouton de rose qu'était la bouche de la jeune femme frémir et s'entrouvrir, s'attendrir, comme si elle embrassait son mari par-delà l'espace chargé de tension. «Comment pouvez-vous être certain que vous êtes aimé?» s'apprêtait-il à demander à Harry. Il suffisait de regarder Gilleis pour lire la réponse.

— Je viens, répondit Isambard en pivotant vers la porte.

— Vous alliez me poser une question, lui rappela Harry.

S'il n'avait eu l'esprit et le regard attirés par Gilleis, sans doute aurait-il eu la perspicacité de laisser le sujet en suspens.

— Ah oui? Aucune importance. Je l'ai déjà oubliée.

A la limite du chantier, là où le sentier traversait le plateau herbeux, Benedetta attendait sur sa haute jument rouanne. Langholme tenait son cheval et celui de son seigneur; en retrait, silencieux, John le Fléchier les observait, juché sur un cheval gris efflanqué. Le fauconnier était parti en avant avec les oiseaux, mais Benedetta levait sur le poing son petit émerillon mantelé. Perchée sur sa selle de dame à haut pommeau, elle arborait un sourire chaleureux mais las. Son visage était devenu un peu plus mince, un peu plus grave. L'éclat rieur qui brillait dans les profondeurs de ses prunelles d'un gris limpide avait toujours une étincelle ironique, mais tendre aussi.

— Je ne voulais pas vous interrompre, Ralf. Si vous avez des sujets à débattre avec Harry, j'attendrai.

— Non, je suis prêt, répondit Isambard, en sondant intensément le visage de Benedetta, où ne se reflétait pas sa propre image.

Il prit la bride que lui tendait Langholme et, sans attendre son aide, sauta d'un bond souple et gracieux sur sa selle, fit partir son cheval d'une simple pression des genoux, sans même songer à utiliser ses éperons. Benedetta lui emboîta le pas, sa coiffe blanche ajustée brillant dans le soleil. Ensuite, à distance respectueuse, suivirent Langholme puis John le Fléchier. Le martèlement sourd des sabots descendant le chemin palpita jusque dans le rocher avant de s'estomper.

Gilleis les suivit pensivement du regard.

— Je m'étonne qu'elle ait choisi un homme à la mine aussi bourrue comme serviteur. Il la suit comme son ombre.

— Elle a de bonnes raisons de se fier à sa fidélité et il a de bonnes raisons de la protéger et de la chérir. Il lui doit la vie.

Gilleis glissa un coup d'œil rapide à son mari et ses dents blanches mordirent sa lèvre inférieure.

— Elle monte bien à cheval, observa-t-elle d'un ton impartial.

— Oh oui, acquiesça Harry avec une chaleur inconsciente.

— Elle fait tant de choses à la perfection !

Harry perçut le sous-entendu et se tourna pour sonder son expression.

— Elle est aussi d'une intelligence remarquable, insista Gilleis. Il suffit de voir l'intérêt qu'elle porte à tes épures et toutes les visites qu'elle te rend dans ton atelier.

Du coin de l'œil, elle vit le doute et la consternation se succéder sur les traits de Harry.

— Madonna Benedetta s'intéresse à l'église depuis le commencement. Pourquoi ne le ferait-elle pas ? Elle est aussi avisée qu'un homme et j'apprécie ses jugements. En outre elle est notre châtelaine, par droit ou par coutume, et elle va où il lui plaît. Elle s'est montrée généreuse et bonne envers moi.

— Et elle se montrerait volontiers plus généreuse encore si tu la laissais faire ! rétorqua Gilleis sans ménagement.

Le rouge monta aux joues hâlées de Harry et jusqu'à la racine de ses cheveux.

— Gilleis, tu ne penses tout de même pas... Ma chérie, à quel moment t'ai-je donné l'occasion de...

Il voulut lui prendre les mains mais elle les retira brusquement et lui tourna le dos. Il dut se contenter de lui enlacer les épaules et de l'attirer contre lui, sa joue contre la sienne. Elle sentit sa peau brûlante et se repentit aussitôt de son jeu méchant.

— Grand nigaud !

Gilleis pivota vivement et lui déposa un baiser au hasard, sur l'angle de la mâchoire, puis elle se pencha pour remonter ses jupes et courut comme un lièvre vers l'orée du bois, tout en riant de lui par-dessus son épaule. Partagé entre le soulagement et la colère, Harry abandonna son travail et s'élança à sa poursuite. Elle avait le pied sûr et léger, mais, arrivée au milieu des arbres, elle trébucha, peut-être intentionnellement, ce qui lui permit de la saisir par la taille et de la coucher au sol, dans l'herbe que l'automne commençait déjà à sécher et à décolorer.

— Tu te moques de moi ! Tu me ridiculises, jeune damoiselle !

— Jeune dame ! corrigea Gilleis en trouvant sa prise favorite dans les boucles de Harry.

Il se libéra, non sans difficulté ni douleur, et lui plaqua les poignets dans l'herbe bruissante en la maintenant sous lui. Leurs souffles haletants se mêlèrent dans un rire un peu sauvage.

— Comment vais-je te punir, mâtine, de harceler un bon mari tel que moi ?

Elle lutta pendant un moment de toutes ses forces, puis l'étreignit et le pressa contre sa poitrine. Allongés, enlacés, ils s'embrassèrent et rirent et murmurèrent des mots doux jusqu'à épuisement, avant de sombrer brièvement dans une agréable torpeur.

— Tout de même, tu t'es défendu avant d'être accusé, reprit enfin Gilleis, refermant doucement ses dents sur le lobe de l'oreille de Harry. Je n'ai jamais dit que tu avais des sentiments pour elle, j'ai dit qu'elle...

Il lui imposa le silence par le moyen le plus efficace qu'il connaissait, et il refit surface avec juste assez de souffle pour haleter, dans un sursaut de culpabilité :

— Je dois retourner travailler. Que va-t-on penser de nous si on nous aperçoit ?

Gilleis demeura un instant immobile après qu'il l'eut soulagée de son poids, sa main dans la sienne, souriante. Puis elle l'attira de nouveau contre elle et lui tendit ses lèvres.

— Harry !

— Je t'aime, Gilleis. Toi seule et toujours. Tu le sais.

— Je le sais. Et je t'aime aussi.

Mais il comprit à son sourire qu'elle avait vu avec satisfaction ses soupçons confirmés. Cette Vénitienne, qui pour elle ne représentait rien, aimait son mari, et celui-ci en était conscient. Comment avait-il réussi à les séduire toutes les deux avec autant de facilité ? Harry n'était pas de taille à garder un secret face à Gilleis, car elle faisait partie de sa chair et de son sang. Cependant, si elle était trop féminine pour être compatissante, et peut-être trop jeune pour avoir en elle de la pitié, elle était aussi trop sûre de son bonheur pour être jalouse. N'avait-elle pas raison d'être sûre ?

Il la remit doucement debout. Le petit nid creusé dans l'herbe haute par leurs deux corps enlacés paraissait conserver l'empreinte de leur passion et sa chaleur propre. Aucune neige ne pourrait plus se fixer ici, aucune gelée blanchir l'herbe. Harry songea à Benedetta, qui respectait le silence promis et s'abstenait de toucher fût-ce sa manche. Il se remémora la voix d'Isambard, son cri étouffé de désir et de désespoir : « Avoir tout ! De quel droit un seul homme peut-il posséder autant ? »

— Qu'y a-t-il ? s'inquiéta Gilleis en l'enlaçant de ses deux bras dans un élan de tendresse anxieuse. Tu trembles! Cher amour, que se passe-t-il?

— Rien, se défendit-il en chassant ses fantômes. Rien du tout! Une oie sauvage vole au-dessus de ma tombe!

Dès avant la fin de l'année, les prophéties d'Isambard concernant le Pays de Galles commencèrent à se vérifier, mais ce ne fut pas Llewellyn qui rompit la paix. Les chefs de clan qui avaient pris de leur plein gré le parti du roi Jean contre le prince s'étaient vite réveillés devant certaines découvertes troublantes. Il était compréhensible que le roi eût jugé nécessaire d'élever des châteaux dans le centre du pays, afin de maintenir les positions prises au prince de Gwynedd. Mais de nouvelles places fortes et des donjons construits à la hâte s'érigèrent bientôt également dans Powis et d'autres régions galloises, au point que les chefs de clan s'accordèrent à penser que ce pouvoir envahissant, dont ils avaient aidé à instaurer la suprématie, pointait désormais sa lance non sur la gorge du prince de Gwynedd mais sur le cœur même du Pays de Galles. Une fois les châteaux forts anglais dressés dans tout le pays, il n'y aurait plus d'endroit sûr pour aucun prince gallois sur sa terre natale. Avant même la chute des feuilles, Rhys Gryg et Maelgwyn, frères de la lignée de Deheubarth, avaient pris d'assaut et brûlé le château inachevé d'Aberystwyth, tandis que Cadwallon de Senghenydd se révoltait à Glamorgan. Le prince de Gwynedd n'avait pas levé le petit doigt pour briser la paix imposée à ses dépens pendant l'été, mais nombre de ceux qui s'étaient ralliés au roi, ouvertement ou secrètement, avaient désormais changé de camp.

— Pour la Normandie, Jean va gaspiller le Pays de Galles et mettre l'Angleterre en péril, commenta Isambard devant Harry, dans la chambre de trait. Il reste encore un Gallois capable de réunir tout le pays contre lui, et pourtant, dans sa précipitation à protéger la frontière, il fait le jeu de cet homme en offensant le menu fretin. Il aurait dû les courtiser plus longtemps, au lieu de les effrayer trop tôt avec cette éruption de châteaux forts.

— Vous conviendrez néanmoins que le prince de Gwynedd a loyalement respecté la paix. Ce n'est pas lui qui a brûlé Aberystwyth.

— Pourquoi s'en donnerait-il la peine puisque d'autres font la besogne à sa place? Mais il n'ignore sans doute rien des événements. Quand il jugera le moment venu, il prendra la tête de la révolte galloise et retournera contre nous l'arme que nous lui avons forgée.

— Alors même que le roi détient je ne sais combien d'otages, et parmi eux le jeune Griffith ?

— Les otages ! Jean détient tant et tant d'otages, gallois et anglais, qu'il n'y a pas une maison dans les deux pays qui n'ait à perdre un fils au moindre écart de conduite. Cela dure depuis des années, sans que personne sache comment rester au-dessus de tout reproche. Certains, comme Breos, sont conduits à la ruine et à la mort sans qu'aucun acte de trahison ait été perpétré. Alors ceux qui ont des fils retenus en otages commencent à désespérer de trouver le moyen de les garder en vie. Il arrive un jour où il paraît moins risqué d'agir, avec quelque espoir de réussite, que de rester inactif et d'être quand même accusé de trahison et d'en subir le châtiment. Ce n'est pas tout ! De tous les otages capturés par le roi, le seul qu'il n'ose pas toucher est le fils de Llewellyn. Ce n'est pas par peur, mais par respect envers l'homme, malgré la haine qu'il lui inspire. Je peux compter que rien de ce que je vous dis ne sortira d'ici, n'est-ce pas ?

— Vous pouvez, messire, s'offusqua Harry avec hauteur.

— Ah, maintenant je vois tous les Talvace bouillonner en vous ! A bien y réfléchir, vous avez trahi votre lignée bien avant que l'abbé ne me dévoile votre nom. Quand nous chevauchions vers Calais, un jour de mauvaise humeur je vous ai dit que vous montiez à cheval comme un paysan. Vous avez ri et répondu : «C'est ce que mon père me disait !» Vous en souvenez-vous ? J'aurais dû comprendre alors, à votre impudence autant qu'à vos paroles, où chercher votre père. Eh bien, soyez satisfait, Harry, je ne parle à nul autre comme à vous.

Isambard se mit à faire les cent pas à travers la pièce et reprit, sans tourner la tête :

— J'étais très souvent avec Jean, quand nous étions plus jeunes. J'avais une certaine affection pour lui. Il aurait pu devenir un bon roi et un homme heureux, mais il n'est ni l'un ni l'autre. Richard, avec son insouciance et sa vaillance gratuite, qui considérait l'Angleterre comme une source qu'il pouvait tarir pour ses guerres saintes, était encensé et vénéré. Jean, s'il a lui aussi épuisé les richesses du pays, a au moins commencé à le comprendre et à s'en soucier, et il aurait pu en faire une grande puissance s'il avait été ne fût-ce qu'un peu aimé. Mais lui, ils le haïssent. Il est trop tard pour revenir en arrière. Quant à sa vie personnelle, jamais il ne trouvera la paix. Il n'accorde sa confiance à personne. Et il ne peut se remettre de la perte de ce qui fut à lui. Dans quel dessein croyez-vous qu'il réclame ces nouveaux subsides, qui donnent tant de labeur à mes intendants? Pour équiper sa flotte et son armée en vue de l'invasion de la Normandie! Dans quel dessein a-t-il accepté le risque de cette pression imprudente sur les Gallois? Pour protéger ses arrières d'une attaque pendant qu'il vogue vers la Normandie!

— Apparemment, il obtient l'effet inverse, remarqua Harry en s'affairant sur sa table à tracer, et néanmoins attentif.

— Bien entendu, car il a réveillé le démon qu'il croyait avoir ligoté, avant même que les chaînes soient prêtes. Mais croyez-moi, Harry, si ces rebelles gallois peuvent embraser la frontière au point de détourner le roi de son aventure normande — s'ils parviennent à cela, et à temps — ils auront rendu à l'Angleterre un immense service.

— A temps! A quand évaluez-vous cet «à temps»?

— L'été prochain, car c'est la période où le roi projette de prendre la mer. Et s'il dépense autant d'énergie à se raccrocher désespérément à ce qui est déjà perdu, ce n'est pas seulement le Pays de Galles qui lui échappera, mais aussi l'Angleterre.

Dans les bosquets de la forêt minérale de Harry, dont le feuillage s'épanouissait par magie avant les gelées hivernales, ces échos du tumulte du monde parvenaient de manière étrange et distante, amortis avant même d'atteindre l'oreille. Les vassaux du roi se plaignaient du fardeau qu'ils supportaient, et si l'un d'eux provoquait son mécontentement, sans doute risquait-il de voir sa dette commuée en peine de mort. Mais les petits fermiers et les serfs dans leurs champs n'avaient aucun moyen d'échapper à leur fardeau. Non du fait d'un caprice du roi, mais par la loi sociale qui reportait sur eux, en bout de course, tout le poids des redevances royales. De baron en tenancier, de tenancier en fermier, les exactions pesaient sur les plus pauvres, et à travers eux sur leur terre.

De combien d'autres équipements, de combien d'autres expéditions pourraient-ils encore supporter la charge? Quand trouveraient-ils enfin le bon sens de condamner non seulement l'exaction en soi, mais la futilité de l'honneur au nom duquel ils étaient rançonnés? Ils se lamentaient de la taille qui les saignait, mais l'instant d'après ils fulminaient comme des princes outragés contre le roi Philippe de France qui avait spolié leur roi, et se vantaient de vouloir reconquérir ce qui lui avait été confisqué. Et s'il y en avait certains pour penser autrement, ils gardaient leur opinion pour eux. Seules les femmes, qui luttaient pour nourrir leur nombreuse famille, laissaient parfois percer leur exaspération. La Normandie? Que représentait la Normandie à leurs yeux? Elles n'avaient qu'une idée très vague de sa situation géographique. Elles ne pouvaient pas vendre la Normandie pour acheter du drap, et l'honneur ne donnait pas de pain à leurs enfants.

Avant Pâques, le courrier du roi arriva de Cambridge, porteur d'une lettre convoquant Isambard à la cour, lors des fêtes pascales. Le seigneur de Parfois reçut son hôte avec prodigalité, mais n'esquissa pas le moindre geste pour se préparer au voyage. Il voulait d'abord savoir quels étaient les invités, et il coupa court à la liste grandiose de noms et de titres par une question brutale concernant le prince de Gwynedd. Oui, le prince Llewellyn et son épouse feraient partie de l'entourage du roi.

— Dans ce cas, le roi perd son temps en requérant ma présence, décréta Isambard. Il sait pourtant que j'ai juré de ne jamais paraître à sa cour lorsque le prince de Gwynedd y sera reçu. Dites-lui qu'il peut compter sur mon appui et mon service en toutes matières, mais que sur ce point il devra m'excuser.

— Je ne peux lui rapporter pareil message, objecta le courrier abasourdi.

— Vous le lui remettrez scellé. Ainsi vous ne pourrez être tenu pour responsable de ce que j'écris.

Isambard convoqua un clerc et dicta une lettre d'une courtoisie tellement alambiquée et d'une insolence tellement inflexible que le clerc lui-même tenta de le raisonner.

— Messire, ne pourrait-on tourner cela autrement? Ne puis-je simplement écrire qu'une indisposition vous empêche de vous y rendre?

— Ecrivez cela, répondit Isambard avec un sourire carnassier, et vous serez pendu pour trahison. Après avoir été flagellé pour insubordination, bien entendu. Veuillez écrire ce que je vous dicte, et sachez que je lirai la lettre avant que vous ne la scelliez. Veillez donc à être précis. Qu'il soit clair que je ne veux pas venir. Ajoutez aussi que lorsqu'il me mandera pour l'escorter dans une prochaine campagne contre le prince de Gwynedd, ce que je lui prédis pour bientôt, il me trouvera prêt.

Le clerc terrifié rédigea la lettre conformément aux ordres, du mieux que le lui permettait sa main tremblante, et le courrier la prit pour l'emporter, bien qu'Isambard ne fût pas certain qu'il la remettrait.

Il n'eut pas à attendre longtemps les échos de sa prophétie. Quoi que Llewellyn eût vu ou entendu à la cour de son beau-père lors des fêtes pascales, rien ne lui fit craindre une opposition efficace contre l'action que les chefs gallois indignés pourraient entreprendre. Au contraire cela l'inclina à envisager de se joindre à eux. Les nouveaux châteaux forts sur lesquels toute la population galloise tournait des regards soupçonneux ne figuraient pas dans l'accord conclu à Aber. Qui avait le premier rompu les termes de la paix?

Toutefois ce fut une autre voix, une voix infiniment plus lointaine mais aussi intime et impérieuse que celle de l'âme, qui émit la note décisive. Le pape Innocent, cet empereur manqué, s'embrasa avec un empressement opportuniste dès la première étincelle de l'insurrection galloise, et lança sa plus irrésistible et dernière flèche enflammée contre son irréductible ennemi.

— Ne l'avais-je pas prédit! tonna Isambard en faisant irruption dans l'atelier de Harry, partagé entre la rage, le mépris et la satisfaction devant la complexité et la cruauté de l'intelligence pontificale. Ne vous ai-je pas dit, à Paris déjà, que nous avions créé un dangereux précédent avec notre croisade contre un monarque chrétien? Ne vous ai-je pas dit que cette arme serait trop tentante pour ne pas être brandie de nouveau avant longtemps? Eh bien, le pape a tiré profit de l'exemple et cédé à la tentation. Il n'est en Occident de gredin plus roué ni plus intelligent que notre Innocent!

Isambard éclata de rire en voyant le visage ébahi de Harry se détourner du chapiteau auquel il travaillait, même si son étonnement était davantage dû au choc que lui causait toujours l'intrusion du monde extérieur dans son cocon paisible plutôt qu'à la franchise d'Isambard.

— L'émissaire de Dieu sur terre a prêché la guerre sainte contre l'ennemi de Dieu : Jean. Il a non seulement encouragé le roi de France à envahir l'Angleterre, mais il a absous les princes gallois de leur allégeance et levé l'interdit qui pesait sur leur pays. Les cloches sonneront à nouveau de l'autre côté de la frontière, Harry, et l'on chantera la messe. Les filles pourront se marier, et les vieillards être enterrés en sol béni. Si les Gallois hésitaient encore, que reste-t-il pour les retenir? Ils ont pris les armes, de

Gwynedd à Glamorgan, au nom de Dieu. Llewellyn se déchaîne sur le centre, balayant tout devant lui. Tout ce que nous avons eu tant de mal à lui prendre est tombé comme une prune bien mûre entre ses mains. Rhys a brûlé Swansea, et le prince de Powis est aux portes de Mathrafal. Adieu la Normandie! A présent, si Jean parvient à conserver ses esprits, nous allons régler notre différend avec Llewellyn une fois pour toutes.

— Avez-vous reçu la convocation à l'ost du roi? s'enquit Harry, emporté malgré lui par le tourbillon.

— Pas encore. J'ai envoyé un messager pour lui demander combien d'hommes il veut, où et quand. Oh, seigneur Dieu! s'enflamma Isambard en étreignant l'épaule de Harry de ses doigts durs comme le fer. Mets-nous face à face, cette fois, et sans le roi! Donne-moi Llewellyn. Quel qu'en soit le prix, ici bas ou au purgatoire, je le paierai avec joie!

La convocation du roi ne faisait aucune allusion au refus insolent d'Isambard. La situation était trop urgente pour garder grief de pareilles peccadilles. Il fixait le rassemblement à Chester, le 19 août, et précisait les forces qu'il exigeait d'Isambard. Celui-ci s'empressa d'enrôler plus que le nombre requis de chevaliers et d'archers, le double d'hommes d'armes, et d'extorquer aux fermiers de toutes les tenures de son vaste fief de lourdes tailles pour financer l'expédition. Il était littéralement possédé. Captures, emprisonnements, flagellations et pendaisons indiquaient la force avec laquelle il avançait sur l'ennemi. Lorsqu'il prit la tête de son armée de Parfois à la fin de juillet, les villages étaient saignés de presque toutes leurs provisions, de leurs hommes les plus solides, de leurs meilleurs chevaux. Même leurs réserves de fer avaient été réquisitionnées pour les armes. Avec la moisson qui approchait, ils avaient perdu la moitié de leurs moyens pour la récolter.

Harry, sourd aux voix tonitruantes du monde, entendit les murmures étouffés des petites gens d'une oreille infaillible. Et même si elles lui avaient échappé, Adam aurait veillé à les relayer jusqu'à lui. Il était exclu de demander de l'aide à FitzJohn. En l'absence d'Isambard, il était la voix de son maître et jamais il n'oserait transgresser ses ordres, même s'il en avait envie.

— Le pire est le manque de bras, dit Adam. Mais cela, au moins, nous en avons largement. Et Isambard n'a pas touché aux réserves de fer de Richard Smith. Ce n'est pas mon genre de chaparder du matériel, mais là, c'est toute leur nourriture pour l'hiver qui est en cause. Le forgeron peut se passer de quoi faire quelques fléaux et faucilles plus facilement qu'eux.

Harry et Adam échangèrent un regard songeur, puis esquissèrent un sourire.

— Nous ferons passer le mot aux manouvriers par les maîtres, dit Harry, et nous leur demanderons d'en libérer le plus possible, tous ceux qui veulent aller aux champs. Plaise à Dieu qu'Isambard reste absent de Parfois au moins deux mois. Toute la récolte sera rentrée quand il reviendra.

Mais le 20 août, bien avant que le blé eût fini d'être moissonné, Langholme accourut à Parfois pour annoncer que l'armée avait été congédiée, l'expédition galloise annulée et que le gros de la troupe le suivait à une journée. Il prit juste le temps de changer de cheval et repartit porter la nouvelle au manoir d'Erington, tandis que Parfois préparait en hâte le retour incompréhensible de son seigneur, retour qui ne pouvait guère présager qu'un désastre.

Harry et Adam moissonnaient dans l'un des villages du versant anglais de Long Mountain lorsque Gilleis vint elle-même les avertir afin qu'ils appellent aussitôt leurs moissonneurs bénévoles à reprendre leur travail de maçons. Harry, torse nu, la peau brunie et écorchée comme tout paysan, leva les yeux du chaume et posa sur Gilleis un regard atterré, puis il courut la rejoindre sur la tournière. Il l'embrassa d'un air presque absent et s'écria :

— Quoi? La campagne annulée? Pas même reportée? Mais pourquoi? Que s'est-il passé?

— Je sais seulement que tout le monde rentre. C'est à peine si Langholme a posé pied à terre. Et si FitzJohn sait quelque chose, il est bien le seul et n'en a pas soufflé mot. Une chose est sûre, ils seront là demain.

— Cela suffira. Tous les hommes auront regagné le chantier avant le matin. Mais c'est dur de laisser le travail inachevé, soupira-t-il en contemplant les champs blonds. Il y a longtemps que je ne me suis autant échiné. Avec les hommes et les chevaux qui vont rentrer, ils pourront terminer la récolte, mais j'aurais aimé finir ce que j'ai commencé. Enfin, mieux vaut ne pas donner à Isambard l'occasion de déverser sa colère sur eux. Je vais rentrer endosser ma tunique de maçon, et il n'en saura jamais rien.

— Crois-tu? Il lui suffira de voir la couleur de ta peau pour deviner que tu as joué au paysan, objecta Gilleis d'un ton maternel, en lui passant les doigts dans les cheveux pour ôter les brins de paille piqués dans ses boucles. Montre-moi donc la fille avec qui tu es allé te rouler à l'arrière d'une charrette, pour avoir ainsi la tignasse pleine de paille ! Je savais bien que j'aurais dû t'accompagner.

— Tu te méprends grandement sur mon compte, se défendit Harry, vexé. Demande à Adam si je n'ai pas travaillé sans relâche. Mais maintenant que tu m'en donnes l'idée, il me reste un peu de temps pour la mettre en pratique. Tu rentres tout de suite, ma chérie, n'est-ce pas ?

— Toi aussi, tu rentres, décréta fermement Gilleis. Demander à Adam ? Tu penses ! Après toutes les excuses que tu lui as fournies pour le couvrir ! Je ne partirai pas d'ici sans toi. Remets ta chemise.

Ils chevauchèrent joyeusement dans le soleil déclinant de l'après-midi, tantôt faisant la course comme des enfants, tantôt flânant comme des amants. Le ciel était sans nuage, et leur plaisir d'être ensemble sans ombre. Ce fut seulement en gravissant le sentier escarpé de Parfois qu'ils sentirent le froid du monde agité leur étreindre le cœur, les questions et les doutes troubler la surface de leur bonheur. La surface seulement, car leur certitude intérieure était inaltérable.

Isambard arriva le lendemain vers midi, avec une simple poignée de chevaliers comme escorte. Il mit pied à terre dans la basse cour, abandonna son cheval écumant avant même que les palefreniers aient eu le temps d'accourir, se dépouilla de sa cape et de ses gants sur les marches de la tour de la Reine, laissant à Langholme, qui se précipitait pour l'aider, le soin de les ramasser. L'écuyer était rentré d'Erington à peine une heure avant lui, et il le suivit, fébrile et essoufflé, dans ses appartements privés, pour déboucler le ceinturon, délacer le haubert, et emporter hors de sa vue tout l'accoutrement guerrier. Isambard tournait entre les mains tremblantes de Langholme, muet comme la pierre, abandonnant à ce rituel symbolique un corps dont l'esprit s'était déjà retiré.

Une fois débarrassé de tout ce harnachement inutile, il s'enveloppa de sa longue robe et d'un geste bref congédia Langholme, qui s'empressa de quitter la pièce avec soulagement. Aucun mot n'avait été prononcé. Benedetta vint lui offrir du vin, et se posta bien en face de lui afin qu'il ne pût imaginer qu'il était seul.

— Ainsi donc, rien n'est réglé avec Llewellyn, remarqua-t-elle.

Isambard, qui avait jusqu'alors regardé très loin, au travers d'elle, rétrécit son champ de vision, prit conscience de la pièce, du vin, et enfin de son visage. Il saisit la coupe offerte, marcha jusqu'à la fenêtre et contempla la vallée.

— Pour une fois, les plans étaient bien préparés, dit-il d'une voix sèche et mesurée. Nous n'avions pas besoin de faire halte à Aber et nous aurions pu lui arracher jusqu'au dernier lopin de terre. Le roi devait nous rejoindre le 19 mais j'ai quitté Chester avec Guichet pour aller à sa rencontre, à Nottingham. C'est là que tous les jeunes garçons gallois avaient été conduits. Le jour de son arrivée, avant même de déjeuner, il les a fait pendre.

Arrivé à ce point de son récit, Isambard ne changea pas de ton, mais quelque chose dans la rectitude de son dos, dans la rigidité de ses larges épaules, dans la tension de sa nuque, révélait son dégoût. Ce n'était pas la sauvagerie de l'acte qui le révoltait, mais sa petitesse et sa maladresse. Selon lui, on ne devait pas gaspiller d'énergie ni de haine dans une revanche aussi mesquine quand Llewellyn était en vie. Sa mort, au contraire, eût permis de faire preuve de magnanimité. Isambard considérait l'exécution des enfants comme un égarement méprisable et inutile.

— Tous ? murmura Benedetta.

Le rire bref et dur d'Isambard claqua comme un cri :

— Oh non, pas tous ! Pas Griffith ! Si Jean éprouvait vraiment la nécessité de tuer, il devait tuer Griffith. J'aurais au moins conservé une étincelle de respect pour lui. N'avais-je pas prédit qu'il n'oserait jamais ? La main du père était étendue au-dessus de l'enfant comme un dais qui le rendait intouchable. Et Jean avait juste assez de finesse pour deviner que s'il en épargnait un seul, *celui-là*, il attirerait sur lui le mépris des plus malheureux. Mais non ! Il en a épargné une poignée d'autres avec Griffith. J'ignore combien ont survécu. Je n'ai pas compté les petits cadavres.

— Ce n'est pas une surprise, dit Benedetta d'un air sombre. En votre absence, nous avons reçu des nouvelles de Shrewsbury qui concordent. Il semble que Robert de Vieuxpont détenait là-bas un prince gallois. Il a reçu l'ordre du roi de le pendre, et l'ordre a été exécuté.

— Robert de Vieuxpont est le lieutenant du roi. Il doit obéir au roi, ou quitter son office. Mais le fin mot de l'histoire, le comble de tout, c'est que trois jours après cette stupide et lamentable boucherie, le roi a annulé les préparatifs de la campagne, congédié les troupes et s'est isolé de nous tous. Il s'est écoulé deux jours avant qu'il me reçoive, toujours aussi confiant. Il avait des lettres, notamment de la princesse de Gwynedd, qui toutes allaient dans le même sens. A les croire, Jean entreprenait cette expédition galloise à ses risques et périls, car certains de ses propres vassaux conspiraient afin de profiter de l'aubaine pour le trahir auprès de son ennemi ou de le faire prisonnier. Jean l'a cru et il a congédié l'ost.

— Si sa fille est l'auteur d'une des lettres, il n'est pas difficile de deviner son but, remarqua Benedetta avec un sourire triste. Avec cette invention, elle sauve un père et un mari.

— C'est ce que j'ai expliqué à Jean, en l'implorant de poursuivre son projet sans y prêter attention. Il m'a rétorqué que d'autres confirmaient ces allégations, sans me préciser qui, et que si c'était exact il ne gagnerait rien en s'entêtant. D'autres occasions se présenteraient. Le danger, c'est qu'ils désirent l'abattre. Car si cela s'avère exact, ils auront toutes facilités pour réussir. Ce qui ne s'écroule pas seul, ils le feront tomber. Or en supposant que Jean soit cerné d'ennemis, il pourrait triompher quand même en avançant courageusement pour écraser le plus rebelle d'entre tous. Malheureusement il est resté inflexible. Il aurait pu se sauver lui-même. Il aurait pu commencer la campagne et les défier de passer à l'action, les affronter sur leur propre terrain. C'était le seul moyen d'éviter ce gâchis. Il y avait tout à gagner et rien à perdre. Mais il ne l'a pas fait ! Je l'ai supplié, pour son bien, pour le bien de l'Angleterre, et même par simple justice envers ces malheureux enfants pendus que l'on enterrait en hâte, envers leurs pères qui méritaient le droit de tirer l'épée contre lui. Je me suis agenouillé devant lui ! Je me suis mis à genoux pour l'implorer de ne pas renoncer. Il n'a pas voulu ! Désormais, il n'y aura plus de confrontation avec Llewellyn. Ni maintenant ni jamais. C'est terminé.

L'automne et l'hiver passèrent. Les ogives de la voûte s'arquèrent sous le toit de bois, gracieuses, impétueuses, aériennes, et la nef se mit à ressembler, pour justifier son nom, au squelette magnifique et étrange d'un fabuleux navire retourné, quille en l'air. Avant la fin des frimas, ils avaient complété les cantons de la voûte, et le splendide squelette se para de chair.

Dans son monde protégé, Harry, comblé, entendait à peine les rumeurs confuses de l'extérieur. Les hésitations fantasques du roi pour trouver un champion apte à mener la guerre galloise à sa place, les dons de châtellenies qu'il ne possédait pas à divers cousins de la maison de Gwynedd, ses promesses de leur en octroyer d'autres s'ils les gagnaient — promesses dont les Gallois riaient autant que de ses menaces —, tous ces expédients méprisables et absurdes par lesquels Jean espérait acheter son destin survolaient les maçons comme des feuilles mortes emportées par le vent. Ils avaient des choses bien plus importantes en tête.

Ce fut seulement lorsque Isambard sortit pour voir l'église et les regarder travailler, comme il le faisait chaque jour, qu'un peu de son inépuisable chagrin vint les troubler.

Pâques revint et passa. En France, selon des sources fiables, le roi Philippe armait une flotte et des troupes pour sa guerre sainte contre l'Angleterre, réponse ironique aux plans d'invasion de la Normandie. Si Jean ne réagissait pas rapidement, l'Angleterre allait lui échapper, comme la Normandie, comme le Pays de Galles, mais il n'avait plus aucun moyen d'action.

Ou plutôt il lui en restait un, le dernier et le plus irréparable. Le 15 mai, il décida de l'utiliser. Dans ses effets immédiats ce fut un coup de maître, à long terme ce serait un coup fatal. Quelque deux semaines auparavant, le roi Jean avait reçu certains chevaliers du Temple arrivés de France, entrevue dont aucun de ses officiers ne connaissait la teneur. Après l'audience, les Templiers avaient regagné la France, pour revenir aussitôt à Douvres avec le légat du pape, Pandulf, vicaire du vicaire de Dieu. Le fils rebelle de l'Eglise lui avait cédé, en échange de la protection de ladite Eglise, le royaume d'Angleterre et d'Irlande ; et il l'avait reçu à nouveau comme fief, en tant que vassal de l'Eglise, en même temps qu'il acceptait l'archevêque qu'il avait si longtemps refusé de reconnaître.

Cette passation de la couronne eut un effet magique. Elle transforma d'un coup les croisés gallois en simples rebelles contre l'oint du Seigneur. Elle priva Philippe du prix qui lui avait été promis. Elle interposa l'autorité protectrice de l'Eglise entre Jean et ses vassaux mécontents. Elle lui procura la sécurité, l'établit solidement dans ses droits amoindris, confondit ses ennemis.

Mais en même temps elle le déshonora et lui brisa le cœur.

— S'agenouiller devant lui, Harry ! S'agenouiller et lui offrir la couronne ! C'était l'Angleterre qu'il mettait à genoux. Comment a-t-il osé ? Comment a-t-il pu nous abaisser ainsi, lui et nous ? S'il avait défié Innocent, nous n'aurions pu que mourir, nous serions morts sans honte. Qu'est-ce que la mort ? Chaque homme doit l'affronter, nul ne doit la craindre. Mais nous émasculer tous de la sorte, c'est bien pire que la mort.

Après sept jours d'absence de l'église et du monde, Isambard reparaissait à nouveau dans la nef, entre les arbres du ciel pétrifiés, dans le silence du crépuscule. Les splendides rangées de fenêtres du clair-étage, ouvertes sur un ciel vert tendre, le regardaient comme des yeux pâles et lumineux, sertis dans des visages sombres, attentifs et interrogateurs. Les yeux disaient qu'il n'avait pas mangé depuis quatre jours, ni bu, ni prononcé un mot depuis le cri étouffé qu'il avait poussé en apprenant la reddition de Jean, avant de perdre connaissance et d'être transporté dans son lit.

Son hâle doré d'Orient s'était terni depuis longtemps, les étés anglais ne lui ayant laissé que l'ocre des hommes qui vivent au grand air. Mais l'ocre mat aussi s'était délavé, transformé en une pâleur grise, et la chair s'était creusée. Son visage n'était plus qu'un masque d'os, mais comme son ossature était ample et finement dessinée, sa beauté s'en trouvait rehaussée plutôt qu'altérée. Les yeux, immenses dans leurs orbites caverneuses, étaient des fenêtres sur sa folle souffrance, et l'intensité de cette souffrance découlait de l'intelligence désespérée qui était la sienne. Son corps s'était émacié au point que le plus passionné des ascètes de Clairvaux n'aurait pu rivaliser avec lui. Sept jours de jeûne ne pouvaient expliquer pareille décomposition : elle venait de l'esprit.

— Harry, Harry, la nuit je la vois. Je ne cesse de la voir. La couronne gît au sol, à ses pieds, et il la foule. Il a reporté l'instant de la rendre pour en revendiquer la possession. L'Angleterre ! Nous n'avons pas consenti à cela. Jamais nous ne pourrons nous laver de cette souillure.

Isambard avait atteint le point central de la nef lorsqu'il commença à parler. La solitude et la sérénité des lieux invitaient à la parole, au moment où l'approche de la nuit transformait toute la joyeuse et bourdonnante agitation en silence et en paix. Les premiers mots jaillirent de lui comme les premières larmes d'un homme qui n'a jamais pleuré de sa vie, par spasmes, épuisant les cordes tendues de sa gorge, puis plus librement, et enfin à flots. Il leva son visage déformé vers ce qui restait de lumière et respira comme s'il ne pouvait inhaler assez d'air pour garder la vie en lui, tandis que le reste de son corps demeurait immobile, les mains pressées devant sa poitrine.

274

— Messire, ce n'est pas à moi de l'accuser ou de le défendre, dit Harry, bouleversé par l'intensité de sa douleur. Pourtant je sais que le roi aussi souffre. Au milieu de tous les dangers qui menaçaient l'Angleterre, il a choisi sa voie et ce choix est le sien, de même que le fardeau l'était. Il a voulu délivrer l'Angleterre. Ma raison et mon cœur, comme les vôtres, me crient qu'il a eu tort, pourtant je sens que ses intentions n'étaient pas mauvaises. Il cherchait la délivrance, par un moyen qu'au prix même de ma vie je ne pourrais employer. Ne l'oubliez pas, et pardonnez.

— Il ne m'appartient pas de pardonner, et l'Angleterre ne lui pardonnera jamais. J'aurais craché à la face de Pandulf plutôt que de m'agenouiller devant lui.

— Moi aussi, acquiesça Harry. Mais qui peut affirmer que nous aurions eu raison ?

— Tout s'écroule, Harry. L'Angleterre que j'aimais, il l'a tellement souillée que je ne peux plus la regarder sans répulsion. La chrétienté en laquelle je croyais et que je vénérais, voilà par quelle voix elle parle, ce régent de Dieu, ce tortueux comploteur qui souffle tantôt à l'ouest, tantôt à l'est, selon son avantage. Et sans aucune honte ! L'année dernière, c'était l'interdit sur les cloches, le livre saint et les chandelles, et le salut éternel pour tous ceux qui prenaient les armes contre l'ennemi de Dieu, Jean. Cette année, les mêmes princes doivent déposer les armes sous peine d'excommunication. Est-ce pour le Dieu d'un misérable effronté tel que lui que nous avons bâti une maison digne des archanges ?

Isambard serrait le bras de Harry. La prise convulsive des doigts osseux, longs et habiles, désormais impuissants, les veines tendues comme des cordes bleues entre la peau rétrécie et les os saillants allèrent droit au cœur de Harry. Il sentit la fébrilité d'Isambard passer de son corps au sien, et fut submergé par une affection tellement inattendue et incontrôlable qu'elle balaya toutes les barrières du formalisme. Il passa un bras autour des épaules raides et décharnées de son seigneur et l'étreignit avec chaleur.

— Innocent n'a rien à voir dans ceci. Bien souvent je me suis surpris à me poser les mêmes questions. Mais toujours, quand je sentais les choses naître entre mes mains, mes interrogations s'envolaient. Je bâtis et je ne sens aucune intervention du pape ou du prêtre entre Dieu et moi, je n'ai aucun doute sur la justification de cet acte de foi. Le roi a pu vous trahir, mais pas l'Angleterre. Innocent a pu distribuer ou retirer ses petites bénédictions et ses interdits sans scrupule, comme des dés pipés, mais non pas Dieu, j'en jurerais. Ce n'est pas pour le pape, l'évêque ou le prêtre que je bâtis. Cette maison est pour les archanges.

— Cela vaut pour vous, qui traitez avec l'honnête pierre. Moi, je suis lié à jamais non à l'Angleterre mais à Jean. Je suis lié à lui par mon serment de fidélité, par les fiefs que je détiens, par les nombreuses fois où j'ai posé mes mains entre les siennes. Je suis son homme, que je le veuille ou non. Il m'a avili et couvert de honte, mais je demeure son homme. Qu'il se conduise comme un ver de terre, je n'en suis pas pour autant dégagé de mon serment et ne le serai jamais. Mon allégeance me déprave et m'écœure, mais je ne puis m'en affranchir. Je suis son homme jusqu'à la mort, je ne peux me libérer !

La voix rauque, fiévreuse, haletante de rage douloureuse lâchait les mots avec des efforts convulsifs, tel du sang s'échappant d'une blessure. Il rejeta la tête en arrière et la tourna de droite et de gauche, comme pour fuir la contrainte et la fidélité. Le bras resserra son étreinte. Il ferma les yeux un instant, puis les rouvrit pour voir le visage jeune, grave et troublé, empreint de tendresse, qui le regardait comme un enfant aimant regarde un parent submergé par un chagrin incompréhensible.

Isambard poussa un grand soupir et reposa un instant sa tête dans le creux de l'épaule vêtue d'étoffe grossière.

— Oh, Harry, Harry, je suis si las !

12

Madonna Benedetta se présenta seule à l'atelier, où Harry et Adam inspectaient les voussoirs qui venaient d'être taillés pour la dernière des fenêtres de la tour. Il avait plu, les rayons de soleil alternaient avec les averses, fidèles aux caprices d'avril, et le bas de sa cotte verte était assombri par l'herbe mouillée. La jeune femme fit courir ses doigts sur les faces goujonnées des pierres calibrées, taillées en vagues profondes et lisses, et s'enquit avec curiosité :

— Pourquoi les coupez-vous ainsi ?

— Pour qu'elles se tiennent ensemble plus solidement. Regardez, elles sont fabriquées pour si bien s'imbriquer l'une dans l'autre, une fois montées, que vous ne verrez pas le joint.

Benedetta caressa les moulures de la main, tout en écoutant le grincement de la roue, dans la tour, la pierre que l'on hissait, et, sur les échafaudages, les éclats de voix rabattus par le vent.

— Combien de temps encore ? Un an ?

— Peut-être un peu plus.

— Il paraît impossible que cela soit fini si tôt.

Malgré elle, la tristesse perça dans sa voix. Sous ses paupières baissées, elle observa Adam prendre maillet et poinçon, et retourner en sifflotant à l'encorbellement sur lequel il travaillait.

— Quand aurez-vous achevé le gros œuvre ? Avant l'hiver ?

— S'il plaît à Dieu ! Nous en sommes au dernier étage de la tour. Mais il restera assez d'ouvrage à l'intérieur pour l'hiver. Nous avons les carreaux de pavage à poser, les grilles de chœur et les stalles à fixer, la pierre d'autel et les sièges du clergé à installer. Je doute que le verrier ait fini toutes ses fenêtres avant le printemps, et l'échafaudage restera en place jusqu'à l'année prochaine. Vous devriez lui demander de vous montrer les vitraux finis, qui sont déjà dans leurs résilles. C'est une merveille.

— Donc, l'été prochain, l'église sera terminée, conclut Benedetta.

Elle laissa son regard errer sur les pierres entassées, les féeries de végétation jaillissante et bourgeonnante, les crochets, couvre-joints et bosses, et sur les tronçons de la cloison d'aérage destinée à la corniche de la tour.

— Et ensuite, que ferez-vous ?

— Je n'y ai pas encore songé. Messire Isambard a suggéré de me garder à son service. On peut bâtir à l'infini sur un fief aussi vaste. J'aurai de l'ouvrage à foison.

— Oui.

Benedetta laissa en suspens ce oui solitaire, estropié, bien qu'elle parût vouloir en dire davantage. Elle écouta Adam siffloter. Apparemment elle attendait quelque chose. Mais quoi, Harry l'ignorait.

— Vous savez que le roi Jean est de nouveau reparti en France ?

— Je l'ai entendu dire. Rien ne peut le guérir de son ambition de reconquérir la Normandie. Depuis que sa flotte s'est débarrassée des navires français en un tournemain, l'année dernière, au large de la Flandre, il a repris courage et ce n'est guère étonnant. Les prélats ont beau affirmer que c'était le jugement de Dieu contre Philippe, le châtiment de l'attaque lancée contre l'Angleterre par des voies détournées après l'interdiction du pape de l'attaquer de front, pour ma part je crois que l'énergie et l'adresse du roi Jean ont facilité la tâche de la providence. Mais il aura plus de mal à vaincre Philippe sur son propre sol. Et l'empereur Othon n'est pas l'allié que j'aurais choisi. Qu'en pense mon seigneur ?

— C'est à vous que je devrais le demander, dit Benedetta avec amertume. Il y a bien longtemps que Ralf ne m'entretient plus de ces questions. Mais vous savez qu'il considère les possessions françaises comme perdues et préfère qu'elles le restent, même s'il déplaît à ses pairs d'être privés de la moitié de leurs rentes. Selon lui, accepter la perte de la Normandie est le seul espoir de l'Angleterre. Une victoire en France pourrait permettre au roi Jean de remonter dans l'estime du peuple, je suppose, tout au moins pour un temps. Mais je suis certaine que Ralf prie pour la défaite.

— D'ailleurs le roi ne l'a pas requis à son côté, remarqua Harry.

— Dieu soit loué! Non, le roi se méfie trop des Gallois. Il préfère que Ralf défende la marche en son nom. Il se défie de cette trêve que l'archevêque a arrangée entre Anglais et Gallois.

Benedetta pivota d'un mouvement vif en entendant le pas léger du jeune clerc qui sortait de la chambre de trait en courant, selon son habitude. Il s'élança entre les pierres empilées puis, voyant Harry occupé, se replia sur Adam et lui glissa quelques mots à l'oreille d'une voix essoufflée.

— Le démon! s'écria Adam. Il aurait tout de même pu choisir un meilleur moment. Bon, je viens.

Adam posa ses outils et s'en fut aussitôt avec le jeune garçon, sa main sur son épaule.

A peine furent-ils hors de portée de voix, Benedetta abandonna sa contemplation des pierres ouvragées et reprit d'un ton pressant :

— Harry, il faut éloigner Adam!

Harry sursauta et la dévisagea sans comprendre.

— Eloigner Adam? Mais pourquoi?

— Parce que, ici, il est en danger. Ou il peut l'être à tout moment. Je pensais qu'il serait à l'abri jusqu'à la fin, mais je n'en suis plus aussi sûre et il ne faut pas le mettre en péril. Vous pouvez certainement l'employer ailleurs? L'envoyer à votre place chez le verrier, ou chez le potier qui fabrique vos tuiles? En tout cas, évitez de le laisser en permanence à Parfois, sous les yeux de Ralf.

— Messire Isambard?

Harry avait posé son maillet et son ciseau au milieu de tout l'assortiment d'outils étalés sur l'établi et examinait Benedetta avec perplexité.

— Quelque chose va-t-il de guingois entre eux? Je ne suis au courant de rien. Mon seigneur ne s'est pas soucié de lui, depuis tout ce temps. Pourquoi serait-il dangereux maintenant?

— Parce que Ralf s'est mis à ressasser certains souvenirs. Il s'est notamment rappelé que, un jour, pour une chanson, j'ai reçu Adam dans mon lit, répondit Benedetta sans détour. Le moment viendra sûrement où cette image lui sera intolérable. Et quand ce moment viendra, mieux vaudrait qu'Adam ne se trouve pas à sa portée.

C'était une chose difficile à dire, pénible à entendre, et la seule façon de la rendre supportable était de l'énoncer crûment. Mais Harry manifesta un étonnement choqué et une réserve qui arrachèrent un sourire à Benedetta. Elle l'avait tiré si abruptement des paisibles clairières de sa forêt de pierre qu'il se sentait désorienté devant les complexités d'un monde moins parfait.

— N'avez-vous pas remarqué que Ralf a sombré dans une jalousie désespérée à mon égard? reprit-elle. Il parle avec vous plus qu'avec quiconque. N'a-t-il jamais fait allusion à moi en des termes... étranges?

— Jamais!

Aussitôt Harry se rendit compte que, au cours de ces années, Isambard n'avait que très rarement mentionné le nom de sa maîtresse. Puis lui revinrent en mémoire les conversations où il avait effectivement tenu des propos curieux, qui ne la mettaient pas directement en cause mais la touchaient de très près. Harry était alors trop absorbé par son propre bonheur pour prêter attention aux insatisfactions des autres. Maintenant il se reprochait son aveuglement. «Et dans vos amours aussi, Harry?» La voix lointaine d'Isambard revenait le narguer. «Avoir tout! Même le plus rare! De quel droit un homme peut-il tout posséder?»

— Je vois que vous vous ravisez, remarqua Benedetta.

— Quel imbécile j'ai été! grommela Harry en secouant la tête. J'aurais dû deviner que ses humeurs cachaient une contrariété plus grave. Mais en vérité il disait peu de chose, et jamais rien sur vous. Chacun savait qu'il avait ses moments sombres. Pourtant je n'arrive pas à croire qu'il soit jaloux. Il n'en a jamais rien montré, j'en jurerais. Il sait que vous respectez honnêtement votre engagement, il ne peut douter de votre sincérité.

— Ah, la sincérité! soupira Benedetta. Vous commettez la même erreur que moi, Harry. Ralf voulait beaucoup plus que la sincérité.

De ses longs doigts elle lissa les cheveux qui bouclaient sur ses tempes. Harry vit combien ils étaient minces, pâles dans le roux sombre, et s'étonna de n'avoir pas remarqué plus tôt qu'elle avait maigri. Peut-être la friction de leur double passion malheureuse, qui les séparait en même temps qu'elle les unissait, rongeait-elle Benedetta de l'intérieur comme elle rongeait Isambard?

— Mieux vaut que vous sachiez où en sont les choses, dit-elle presque brutalement. Il vous faudra agir en conséquence. Lorsque Ralf m'a demandé de l'accompagner en Angleterre, je lui ai avoué que j'en aimais un autre, d'un amour qui n'existe qu'une fois. Je lui ai dit que s'il voulait accepter ce que j'avais encore à donner, je serais sienne et ne le quitterais jamais, sauf pour cet autre. Et Dieu sait que je n'ai pas menti en affirmant qu'il y avait peu de chances qu'il m'appelle ! Ralf m'a donc prise en connaissance de cause, et j'ai toujours honnêtement honoré notre pacte. C'était moi la plus insensée, de croire que lui pourrait l'honorer ! Avez-vous jamais vu Ralf se contenter de la seconde place ? J'aurais dû prévoir que cela ne pourrait durer.

Benedetta prit sa tête entre ses mains d'un geste las. Harry garda ses distances. Souvent, auparavant, il lui était arrivé de la toucher, en toute innocence. Maintenant il mesurait le pouvoir terrifiant qu'elle lui avait donné sur elle — pouvoir de lui apporter à la fois chagrin et plaisir — et il retint sa main, de crainte que le chagrin ne fût plus grand que le plaisir. Or cette contrainte même, entre eux, lui sembla incongrue, mais il ne savait comment la surmonter.

— Je commence à percevoir comment il a été dupé, dit-il à voix basse. Oh, pas par vous, bien sûr. Il s'est accommodé de ce que vous aviez à lui offrir, mais il pensait finir par obtenir tout le reste, avec le temps, confiant en sa propre valeur. Il ne pouvait deviner qu'il emmenait en Angleterre celui-là même qu'il espérait chasser de votre esprit. Cela au moins, je pense, vous ne le lui avez pas avoué.

— Vous, les hommes, vous êtes tous les mêmes ! réagit Benedetta, de nouveau maîtresse de ses émotions, avec un sourire ironique et tendre. Pas plus que Ralf vous n'avez foi en la constance d'une femme. Il était inutile que je le lui dise. Que vous soyez loin ou proche, mort ou vivant ne changeait rien à l'affaire. Ce que je vous ai donné une fois, je vous l'ai donné pour toujours. J'ai dit à Ralf l'entière vérité. Que jamais il ne pénétrerait dans cet ultime sanctuaire de mon cœur. J'ai péché non par tromperie, mais par manque de perspicacité. J'aurais dû pressentir que cela l'obligerait à maintenir le siège à jamais. Je ne le connaissais pas aussi bien que maintenant. Il est trop tard pour remettre les choses d'aplomb.

— Je ne sais quoi faire, Benedetta. Si je partais d'ici...

— Vous ne pouvez partir tant que votre travail n'est pas terminé. Vous vous y êtes engagé. Mais à supposer que vous puissiez, le mal est déjà fait. Ralf sait qu'il n'est pas... Non, je ne puis dire qu'il n'est pas aimé. Comment pourrais-je ne pas avoir d'amour pour lui après tout ce qui s'est passé ? Mais il sait qu'il n'atteindra jamais ce qu'il désire. Il sait que mes sentiments n'ont pas changé à l'égard de cet autre dont je lui ai parlé, et qu'ils ne changeront jamais. Ralf est incapable de résignation. La lutte se poursuivra jusqu'à la destruction de l'un de nous. Ou des deux. Je crains seulement que d'autres se trouvent impliqués et je voudrais épargner Adam. Eloignez-le de sa vue!

— Il n'y a rien de plus simple. Je peux l'envoyer s'occuper de la carrière. Vous savez sans doute que les attaques de Cynllaith ont repris, et nous aurons encore besoin de pierres pendant les prochains mois. Mais vous, Benedetta, votre sécurité? S'il ne peut mettre la main sur... cet autre homme, ne finira-t-il pas par se retourner contre vous?

— Quelle importance? dit-elle avec indifférence.

Elle ne cherchait pas à le provoquer, elle écartait simplement un sujet qui lui semblait hors de propos. C'était à elle d'assumer les conséquences de ses propres actes.

— C'est important et vous le savez, s'emporta Harry. Je crois que vous devez le quitter.

— Otez-vous cette idée de l'esprit, car je ne le ferai pas.

— Non, je sais. Ce serait peine perdue d'essayer de vous convaincre. Mais, pour l'amour du ciel, que peut-on faire pour vous? Je ne peux rester inactif. Je pensais que vous auriez pu l'aimer, car il le mérite, et maintenant voyez ce qu'il advient de vous deux. Oh, Benedetta, si vous étiez moins entière, la vie eût été plus facile pour nous tous.

— Je pourrais en dire autant à votre sujet, rétorqua-t-elle avec un éclair indomptable dans le regard, fantôme fatigué de son ancienne témérité. Croyez-vous que j'aurais suivi un homme moins entier que vous à travers l'Europe? La vie est toujours plus facile pour ceux qui ont l'esprit et le cœur petits. Mais vous n'avez rien à craindre pour moi. Ralf m'aime. Il a confiance en moi. Il ne me fera aucun mal à moins d'être fou de désespoir, et je crois que le désespoir lui est aussi impossible que la résignation. Ce n'est pas par orgueil que je garde confiance, ajouta-t-elle doucement. Ralf est à moi, même si je ne peux l'aimer de la façon dont il comprend l'amour. Quant à moi, je ne sais plus ce qu'est l'amour. Il a tant de visages. Même si... l'autre m'appelait maintenant, je ne pourrais le rejoindre. Ce que j'ai fait à Ralf, je l'ai fait sans intention, mais cela me lie à lui si solidement que seule la mort me délivrera. A moins que lui-même ne tranche mes liens et me renvoie. Vous voyez, il ne sert à rien de s'inquiéter de moi. Cependant, ajouta-t-elle avec un sourire dans ses yeux gris, je suis heureuse que mon sort vous importe. Cela me redonne un peu d'estime pour moi-même.

— J'aimerais en avoir un peu pour moi aussi, marmonna Harry. Quel piètre ami j'ai été ! Promettez-moi au moins que si vous avez besoin d'aide, vous m'enverrez quérir le premier.

— Volontiers, si vous me promettez de même. Je crains de ne plus pouvoir vous approcher aussi souvent ni aussi librement que par le passé. Mieux vaudrait avoir d'autres moyens de correspondre. J'ai souvent souhaité mieux connaître votre femme. Voulez-vous plaider ma cause auprès d'elle ? Dites-lui que je me sens seule et que je lui serais reconnaissante de me consacrer un peu de temps chaque jour.

Elle rit en voyant le rouge empourprer les joues de Harry, lui si mûr, si déterminé, si grave.

— Ce n'est pas de la haute stratégie, je vous en donne ma parole. Si Gilleis m'y autorise, je pourrais l'aimer. Cependant il y a une arrière-pensée dans cela, je vous l'accorde. Les épouses et les maîtresses ne se lient pas. Notre amitié vous mettrait à l'abri des soupçons de Ralf, et par votre femme j'aurais un lien sûr avec vous, en cas de besoin. Donnez-lui les explications qu'il vous plaira. Dites-lui tout, si vous le souhaitez. Ce que vous lui tairez, je pense qu'elle le devinera.

— Je parlerai à Gilleis. Elle ira vous voir. Je crois qu'elle en sera heureuse.

— Qu'elle vienne demain, quand Ralf vérifiera les comptes du manoir avec l'intendant. Et occupez-vous d'Adam. Je dois rentrer. Je me suis attardée plus que je ne le prévoyais.

— Benedetta ! rappela impulsivement Harry, alors qu'elle s'apprêtait à lui tourner le dos. Quelle est la raison du changement soudain de mon seigneur ?

Elle tressaillit et le dévisagea curieusement, étonnée qu'il eût percé à jour ce qu'elle dissimulait. Il insista :

— Quand nous sommes arrivés ici, il était heureux. Aussi heureux que sa nature lui permet de l'être. Je m'en veux de n'avoir pas remarqué à quel moment il a commencé à changer, mais j'ai le sentiment que ce n'était pas une altération progressive. Isambard a une trop haute conscience de ses mérites pour n'avoir pas douté que vous finiriez par lui céder. Et il l'espérerait et le croirait encore si un incident ne lui avait révélé la vérité. Qu'était-ce, Benedetta ?

Ce fut la seule fois où elle eut la tentation de lui mentir. Harry vit ses yeux gris se voiler et s'éloigner un bref instant, puis ils recouvrèrent leur limpidité et il sut qu'elle avait chassé l'ombre.

— Votre mariage, répondit-elle à voix basse. Ralf a eu la subite révélation que le mariage pouvait être le couronnement de l'amour, et non le résultat d'un marchandage dans le dessein d'acquérir des terres, des richesses ou une alliance par le sang. Le soir même il m'a offert un présent princier. Il m'a offert de l'épouser.

Harry scrutait Benedetta sans bouger. Le sang se retira de son visage, il ne pouvait plus parler. Il n'y avait rien à dire. Depuis le début il était le fou de Dieu qui bouleversait la vie de Benedetta par ses maladresses, brisait sans le vouloir ce qui lui tenait à cœur, abattait les murs de sa tranquillité, rendait tortueuses les voies qu'elle traçait droites.

— J'ai refusé, reprit Benedetta avec simplicité. Je ne pouvais faire autrement. Et lui ne pouvait faire autrement que de comprendre.

Elle tourna la tête et aperçut Adam qui revenait. Son sifflement léger et gai le précédait comme le chant exubérant d'un merle. Adam n'avait aucun souci au monde.

— Jamais je n'aurais dû intervenir dans votre vie, gronda Harry à voix basse. Je ne vous ai apporté que du chagrin. J'implore votre pardon !

— Mon pardon ?

Elle lui fit face, éclatante et farouche comme une flamme, ses yeux agrandis par la stupéfaction. Oubliant sa prudence, elle ouvrit la bouche pour épancher tout l'or en fusion qui débordait de son cœur. Mais déjà le pas léger d'Adam résonnait sur la terre battue de l'appentis, bientôt suivi par une voix qui se lamentait sur le manque de sérieux des jeunes gens d'aujourd'hui. Benedetta tourna les talons et quitta l'atelier sans un mot.

Ce printemps-là, on n'eut à déplorer aucun mort lors de la petite guerre privée de Cynllaith, malgré les nombreux coups échangés, quelques blessures légères par flèches, et la perte fort irritante de chevaux et de bœufs. Apparemment, Llewellyn cherchait seulement à taquiner l'ennemi. De temps à autre, les clans lançaient une attaque. Ils coulèrent un chargement de pierres dans la Tanat, ce qui interrompit les opérations pendant dix jours, le temps de dégager la rivière. Ils effectuèrent un raid de reconnaissance sur les chariots chargés après l'arrivée d'Adam, pour voir à quel genre d'hommes ils avaient affaire, et se retirèrent avec les honneurs. Mais en général ils préféraient franchir les postes de garde en pleine nuit pour chaparder un ou deux chevaux, ou bien abattre un arbre en travers du chemin pour bloquer les chariots, ou encore voler les attelages. Le vol, crime méprisé et sévèrement puni en Angleterre, était un divertissement respectable de l'autre côté de la frontière.

Hormis ces activités folâtres, le prince de Gwynedd n'avait pas entamé la trêve que l'archevêque Langton, une fois établi sur son siège épiscopal, s'était efforcé de prolonger entre l'Angleterre et le Pays de Galles. Ces coups d'épingle ne pouvaient guère être considérés comme des infractions. D'ailleurs, pourquoi Llewellyn aurait-il voulu relancer les hostilités alors qu'il avait consolidé toutes ses acquisitions en évitant les contestations? En fin de compte, Innocent n'avait pas oublié les services rendus par ces montagnards qu'il n'avait jamais vus.

Mais au milieu de l'été, Adam, qui avait pris goût à ces escarmouches comme un canard à l'eau, réagit avec un peu trop de zèle face à une expédition ennemie près de la rivière. Il fit trois prisonniers, qu'il envoya sous escorte à Parfois. Sans la moindre hésitation, et sans même avoir posé les yeux sur eux, Isambard les fit pendre. Dès lors ce fut *Galanas*, la guerre privée, mais sans possibilité de réparation. Les clans des trois hommes, tous natifs de la région, se mirent à capturer les retardataires des convois de pierres, et ceux qui commettaient l'imprudence d'approcher d'un peu trop près la frontière s'exposaient à recevoir une flèche tirée depuis les buissons de la rive opposée. Avant la fin de juillet, il devint évident que le prince de Gwynedd avait repris la vendetta à son compte. Il possédait un pays en paix, une vigoureuse petite armée de cent cinquante soldats qui brûlaient d'en découdre, et plusieurs centaines d'hommes libres, dans les différents clans, pleins de bonne volonté et disposés à lui fournir tous les subsides nécessaires. En d'autres temps, jamais une haine personnelle ne l'aurait détourné des affaires plus générales de son pays, mais il avait désormais le loisir de s'y adonner sans mettre les Galles en péril. La petite guerre privée de Cynllaith avait dépassé le simple stade du jeu.

Adam maintint ses positions malgré deux assauts et envoya un courrier informer Isambard que les troupes personnelles de Llewellyn s'étaient montrées à Cynllaith, sous le commandement du capitaine de la garde du prince, sinon du prince en personne.

— Fort bien! s'écria Isambard. Cette fois, il n'y aura ni roi ni cour pour s'interposer entre nous. Nous allons le mener si loin qu'il ne pourra plus reculer.

— Dois-je envoyer des renforts à la carrière ? s'enquit Guichet.

Parfois ne disposait alors que de ses compagnies d'hommes d'armes régulières, mais c'était un déploiement de forces déjà impressionnant.

— Pas un homme ! se récria Isambard. Conduisez une compagnie par la route de l'intérieur jusqu'à Oswestry, je mènerai la seconde par Careghofa. Nous y resterons jusqu'à qu'il fasse mouvement, puis nous l'encerclerons ensemble par le nord et par le sud.

La carrière poursuivit ses activités sous une pression croissante, mais sans subir d'assaut direct, et les deux compagnies gagnèrent leurs positions sans rencontrer d'obstacle au nord et au sud des collines, en attendant que le prince de Gwynedd tombe dans le piège. Leurs éclaireurs infiltrés de l'autre côté de la frontière n'aperçurent aucun homme armé. Isambard, qui trépignait à Careghofa, se rongeait les sangs et patientait.

Deux messagers arrivèrent à Parfois le 7 août. Le premier pour annoncer que le roi de France Philippe avait remporté à Bouvines une victoire retentissante sur l'empereur Othon, démantelé la coalition, mis ses troupes en déroute et forcé Jean à entamer des négociations pour une longue trêve. Le second messager arriva du sud sur un cheval écumant et se laissa glisser à terre, à bout de souffle, pour délivrer une nouvelle qui touchait Parfois de plus près. Tandis qu'Isambard guettait Llewellyn dans le nord, celui-ci avait transféré ses troupes au sud et attaqué le manoir d'Erington, à la frontière du Herefordshire.

En une heure, FitzJohn rassembla tous les hommes valides du château aptes à manier les armes et constitua une compagnie bigarrée. Il avait immédiatement envoyé un courrier à Isambard, sur le cheval le plus rapide de l'écurie, mais Erington ne pouvait attendre que les compagnies, retenues au loin par un leurre, se déportent vers le sud. Les Gallois avaient percé une brèche dans la palissade avant que le messager force le passage pour aller chercher des secours, et la garnison retranchée dans le donjon de bois était vulnérable. Harry lâcha ses outils et offrit son concours, imité par une partie de ses hommes. Il n'excellait pas à l'épée, mais il savait manier une lame en cas de nécessité, et les armes ne manquaient pas

Ils quittèrent donc Parfois et galopèrent sous un ciel sans nuage, qui vibrait légèrement sous la brume de chaleur.

— Août ! s'exclama FitzJohn avec amertume en montant à cheval. Il n'y aura pas de pluie avant un mois, et messire l'abbé s'enorgueillit du succès de ses prières pour avoir beau temps pour la moisson. S'il avait tous ses esprits, il se mettrait à genoux pour implorer la pluie.

De nouveau les cloches carillonnaient en Angleterre. Ils entendirent toutes les églises de la vallée sonner les vêpres alors qu'ils franchissaient la Clun à gué, ralentissant à peine l'allure pour assurer leur pas au milieu du cours d'eau réduit à un filet.

— Toutes les rivières sont à sec et le puits du manoir est très bas, s'inquiéta FitzJohn. S'ils sont à court de flèches, ils devront tenter une sortie ou griller dans le donjon.

De la crête des collines, ils aperçurent la fumée qui s'élevait dans le ciel bleu pâle, noire et menaçante. De longs plumets dérivaient et se dissipaient lentement dans l'air immobile, suspendus comme un toit gris au-dessus de l'horizon. Ils pressèrent leurs chevaux, déjà en sueur d'avoir galopé toute la journée.

Mais en dépit de leur hâte ils arrivaient trop tard. Llewellyn avait joué son jeu avec adresse, et c'était un homme expéditif. En dégringolant ventre à terre les collines basses et rondes, ils virent la large enceinte de la motte qui vomissait de la fumée, ils entendirent les craquements du bois dévoré par les flammes, et il leur sembla que le château tout entier était en feu. Puis, alors qu'ils dévalaient les champs en hurlant avant de se lancer à l'assaut des flancs escarpés de la forteresse, ils virent les Gallois jaillir des fossés pour se précipiter vers leurs chevaux attachés. L'un d'eux s'effondra, le corps transpercé d'une longue flèche. Cela signifiait que les archers réfugiés dans le donjon n'étaient pas démunis. Le plus étonnant était qu'ils parviennent encore à ajuster leurs cibles.

Les Gallois se retirèrent dans les bosquets derrière le manteau de fumée, mais les Anglais fondirent sur eux avant que tous aient eu le temps de détacher leur monture et de se mettre en selle. De grandes langues boisées descendaient de Radnor Forest entre les collines. Ceux des Gallois qui avaient forcé le passage et retrouvé leurs chevaux devinrent, dans cette végétation, aussi insaisissables que des renards.

Harry se coucha le long de sa selle pour éviter une lance, et il transperça de son épée le bras de son adversaire, qui dut lâcher son arme. Le Gallois se jeta en avant pour lui enserrer la taille de son bras valide et le désarçonner, mais Harry, retournant son épée, lui assena un violent coup de pommeau sur le front, et, l'homme étourdi ayant un peu relâché sa prise, il dégagea un pied de son éperon, releva le genou sous le menton barbu et le propulsa comme il l'eût fait d'une pierre avec sa fronde. Le Gallois s'effondra sur les racines d'un chêne et resta étendu, le souffle coupé. Harry hésita une seconde devant le corps affalé et haletant, puis s'en alla chercher un adversaire plus valide.

Dans la confusion de cette bataille fugitive à l'orée du bois, Harry ne blessa aucun autre ennemi. Par deux fois il poursuivit des ombres fugaces, plaquées sur l'encolure de leur cheval, qui filaient à couvert. Les Gallois étaient aussi audacieux et furtifs que des loups. Le premier le distança aisément, et il abandonna le second en entendant la sonnerie de rappel de la corne de Fitz-John. Les Anglais ressortirent groupés de la forêt et convergèrent vers la coquille noircie d'Erington en traînant avec eux six prisonniers. Tous les autres Gallois s'étaient repliés, et, sans chevaux frais, il était inutile de songer à les rattraper. Le plus urgent était de s'occuper de la garnison ou de ce qu'il en restait.

Les portes de la palissade pendaient sur leurs gonds, affaissées sur les piquets fumants. Ils se frayèrent un chemin à la hache, à l'intérieur de la cour, et entreprirent d'abattre les poutres qui brûlaient encore, d'éteindre les flammes là où le feu était moins avancé. Les écuries et les magasins, le long du mur d'enceinte, avaient été mis à sac et incendiés. Il n'y avait plus rien à sauver ; la seule chose à faire, quand il était possible de s'en approcher, était de les raser. Le donjon, lui, était intact, seulement noirci par la fumée et un peu consumé du côté où soufflait le vent. La charpente de fondation était brûlante au toucher ; l'archer qui ouvrit la porte surélevée et se pencha pour les héler était fumé comme un hareng. Mais, à l'intérieur, les hommes de la garnison étaient vivants. Ils abaissèrent l'échelle et sortirent avec leurs blessés, enroués, desséchés, prenant avidement les gourdes d'eau qu'on leur offrait.

— Sans de bonnes réserves de flèches et sans quatre fins tireurs parmi nos archers, il y a longtemps qu'ils nous auraient réduits en cendres, remarqua le maître de la forteresse. Vous êtes arrivés à temps, car il ne nous restait que quelques douzaines de traits. Ils ont emmené le bétail depuis des heures, dès qu'ils nous ont acculés là-dedans.

Ils comptèrent leurs pertes, alignèrent les morts et les blessés dans la prairie, loin de la chaleur et de la fumée suffocante de la motte. Sept cadavres anglais et quatre gallois gisaient côte à côte sur l'herbe fraîche. Trois Anglais étaient gravement blessés, cinq plus légèrement. Deux Gallois furent retrouvés encore vivants et rejoignirent les six prisonniers capturés à l'orée du bois.

— Nous allons devoir passer la nuit ici, dit FitzJohn en regardant le crépuscule qui pointait.

Il donna rapidement ses instructions. Trois groupes allaient parcourir les villages avoisinants — où il y avait fort à parier que les habitants s'étaient barricadés dès l'annonce de l'attaque galloise — afin de réquisitionner des chevaux frais et de la nourriture. Une ligne de postes de garde surveillerait l'approche des Gallois, pour le cas où ceux-ci seraient tentés par une seconde visite nocturne. Un courrier léger, sur un cheval frais, filerait sur la route de Parfois à la rencontre d'Isambard pour le prévenir. Enfin, une demi-douzaine de volontaires fouilleraient la forêt jusqu'à Radnor afin d'essayer de découvrir le chemin emprunté par les conducteurs de bestiaux avec le bétail volé. Les bœufs sont les animaux les plus lents qui soient. Tant mieux si l'on pouvait les récupérer.

Harry entreprit gaiement sa patrouille dans la forêt. Puisqu'il devait s'absenter une seconde journée de son atelier, autant jouir de la liberté et de l'exercice qui s'offraient.

— Profitez autant qu'il vous sera possible de ce qui reste de jour, mais cessez les recherches à la tombée de la nuit, leur conseilla FitzJohn. Nous attendrons votre retour dans une heure ou deux.

Le domaine d'Isambard jouxtait le pays gallois, ici comme à Parfois, mais sans rivière pour les séparer. Harry parcourait les bois seul, dans un silence si profond que le tumulte flamboyant d'Erington lui paraissait irréel. Il rencontra par deux fois des hameaux forestiers, mais leurs habitants n'avaient ni vu ni entendu les pillards. Ou bien ils avaient coutume de fermer les yeux et les oreilles quand de tels visiteurs venaient par hasard troubler leur solitude. De ce côté-ci de la frontière, une bonne quantité de sang gallois coulait dans les veines, et même les plus incontestablement anglais devaient vivre en paix avec les deux communautés s'ils voulaient prendre souche. Harry tomba même sur une petite clairière cultivée, dotée d'une triste masure. Sans doute un essart illégal. Par les temps qui couraient, la loi boitait des deux pieds. A quand remontait la dernière tournée du tribunal royal dans ces comtés frontaliers? Des années sans doute. Et la situation avait peu de chances de s'améliorer maintenant que l'on parlait ouvertement d'une alliance des barons pour mettre fin aux violations de leurs droits seigneuriaux par le roi. Quand Corbett, FitzAlan et leurs semblables se mettaient à discuter de la défense de leurs privilèges, les droits des plus humbles mortels n'attiraient plus guère l'attention.

Harry chevauchait en silence sur le sol spongieux, heureux de sa solitude. Il ne souhaitait pas réellement retrouver la piste des Gallois. Qu'ils emportent leur butin! Ils avaient perdu assez d'hommes pour l'obtenir, et c'était Isambard qui le premier avait transformé la rivalité en guerre sans pitié. Il s'apprêtait à tourner bride pour revenir au manoir lorsqu'il entrevit une petite silhouette furtive courant dans l'ombre qui tombait, avalée par un fourré. Le frémissement des branches s'estompait lorsque son cheval passa devant le buisson. Celui qui avait plongé à couvert était maintenant tapi dans les broussailles.

Harry doubla le buisson d'un pas, puis il dégagea ses pieds des étriers et sauta presque sur le dos du fugitif. Un cri aigu de frayeur lui claqua dans les oreilles. Un petit corps mince, glissant comme une anguille, se mit à gigoter pour lui échapper et faillit réussir. Il entrevit l'éclat soudain de l'acier dardant sur son torse, et sa main, lancée en parade, se referma sur un poignet si frêle qu'il manqua lui filer entre les doigts. Une voix haletante, crachant comme un chat en colère, baragouina des jurons en gallois. Il eut bien du mal à empoigner la sauvage petite créature, tant elle bataillait et se débattait, mais bientôt ses ruades commencèrent à faiblir et des sanglots entrecoupèrent les invectives. Harry ôta la dague de la main défaillante, la jeta dans les buissons, et, enlaçant de son bras droit le corps mince du jeune garçon, il le hissa hors du fourré et le reposa, debout, sur le sentier.

— Chut! Calme-toi. Je ne te ferai aucun mal. Comprends-tu l'anglais?

Pas de réponse. L'enfant continuait de trembler entre ses mains, prêt à détaler comme un lièvre à la première occasion. C'était un petit garçon aux cheveux noirs, vêtu de chausses et d'une tunique brunes, avec une capote de bure attachée à l'épaule par une boucle d'or. Le visage semblait dévoré par les yeux, qui l'observaient de biais, des yeux vifs, luisants comme la lune dans la pénombre qui s'épaississait, farouches et défiants comme ceux d'un renard. L'enfant, âgé de neuf ou dix ans, était assez petit pour son âge. Sa capote était déchirée, sa joue gauche meurtrie et griffée. Harry mit un genou en terre pour se placer à sa hauteur et lui demanda d'une voix douce :

— Tu comprends ce que je dis ? Ne crains rien, je ne te ferai pas de mal. Que fais-tu ici tout seul, dans la forêt ? Es-tu tombé de cheval ?

La tête sombre acquiesça lentement, puis le jeune garçon répondit en anglais :

— J'ai essayé de le rattraper, mais il s'est enfui.

Il tremblait plus violemment, pourtant il avait moins peur.

— Es-tu blessé ?

La question de Harry visait davantage à établir la sympathie qu'à obtenir une information, car, à en juger par la vigueur avec laquelle il s'était débattu, l'enfant était simplement sous le coup de la peur.

— Bon. Maintenant explique-moi comment tu es arrivé ici tout seul. Ils ne t'ont certainement pas emmené avec eux pour faire leur coup de main ?

Là, curieusement, l'enfant fondit en larmes. De toute évidence, le sujet l'angoissait plus encore que de se retrouver seul et surpris par la nuit du mauvais côté de la frontière. Harry se vit contraint de lui offrir une épaule réconfortante et de le cajoler pendant qu'il déversait son chagrin, dans un jargon où se mêlaient l'anglais et le gallois. Après tout, cela n'avait rien de bien surprenant, car les garnements désobéissants poussent partout.

— Si je comprends bien, ton père t'a laissé en sécurité à Llanbister, en t'ordonnant d'y rester et de ne pas en bouger. Il s'attend à te retrouver là-bas sain et sauf à son retour. Et voilà comment tu lui as obéi !

— Je voulais voir, répondit l'enfant avec une étincelle de cette audace qui l'avait plongé dans ses ennuis actuels.

— La curiosité est la mort du chat. Tu ne le savais pas ? Si tu avais obéi, tu te serais épargné une chute et une belle frayeur. Quoi qu'il en soit, nous devons te trouver un endroit pour passer la nuit et de quoi te remplir le ventre.

— Mon père me battra, dit le petit garçon en redoublant de larmes.

— C'est bien possible, et tu l'auras mérité. Mais pas ce soir. Et puis, qui sait ? En te revoyant, peut-être sera-t-il tellement heureux qu'il oubliera tes péchés. Allons, viens, je te ramène avec moi. N'aie pas peur. Je te promets que tu seras en sécurité.

La tête noire s'écarta nerveusement de l'épaule de Harry, à la manière d'un jeune cheval rétif.

— Vous êtes un Anglais !

— En effet, mais je ne suis tout de même pas un monstre. Que t'arrivera-t-il si je t'abandonne ici ? Allons, viens et fais-moi confiance. De toute façon, je vaux mieux que les loups.

Il hissa l'enfant sur sa selle devant lui et rentra ainsi à Erington. Il faisait nuit lorsqu'ils émergèrent dans l'odeur âcre de fumée et le faible rougeoiement de la palissade effondrée qui finissait de se consumer. L'air vibrait encore de la chaleur de l'incendie. Le jeune garçon, dont la tête avait dodeliné contre l'épaule de Harry pendant le trajet, s'était éveillé et regardait autour de lui avec de grands yeux craintifs. Il s'agrippa à sa manche lorsque Harry le fit descendre à terre, au milieu d'étrangers.

— Bonté divine, Harry ! s'exclama FitzJohn. Que nous ramenez-vous là ?

— Un imprudent qui s'est aventuré là où on lui avait commandé de ne pas aller et qui s'est perdu dans les bois. Il est bouleversé, égratigné, mais rien de plus grave. Je partagerai mon manteau avec lui cette nuit et veillerai à le ramener chez lui demain. Si vous lui donnez à manger, vous aurez droit à sa reconnaissance éternelle, je le lis dans ses yeux.

— Un Gallois ? demanda FitzJohn en plissant les yeux.

— Dieu merci ! s'écria impulsivement le petit garçon, sans laisser à Harry le temps de répondre.

Il se raidit et redressa la tête comme un chien relevant ses babines.

— Et un tempérament fougueux, renchérit Harry en riant. Viens, on va te nourrir pour entretenir ton caractère. A-t-on des nouvelles de notre seigneur ?

— Il a envoyé Guichet depuis Clun avec le gros de ses troupes pour essayer d'intercepter Llewellyn, mais il est manifeste qu'il n'en attend pas grand-chose, sinon il y serait allé lui-même. Le reste des hommes d'armes a regagné Parfois, à l'exception de son escorte rapprochée. Il sera ici demain matin.

— Au moins sait-il maintenant que l'essentiel de la garnison est sauve, remarqua Harry en entraînant le jeune garçon à travers le camp.

Il lui donna des galettes d'avoine, un peu de bœuf que l'on avait déjà cuit, et le regarda manger de bon appétit. Ensuite il coupa des brassées d'herbes hautes des tournières et les entassa en guise de matelas sur le sol moelleux à l'orée du bois. L'enfant s'assit, les épaules arrondies, les genoux relevés sous le menton, surveillant les visages étrangers qui l'entouraient, méfiant et solitaire. Sans un mot, Harry s'enveloppa dans son manteau et s'allongea. Les yeux noirs ne tardèrent pas à glisser vers lui un regard d'envie et le petit garçon se rapprocha un peu. Harry se redressa sur un coude en souriant et ouvrit son manteau. L'invitation était suffisante. L'enfant se coula avec reconnaissance dans le creux de son bras et se pelotonna contre lui. Le manteau se referma sur eux.

— Comment t'appelles-tu, chenapan? J'ai oublié de te le demander.

— Owen ap Ivor ap Madoc, murmura la bouche à demi endormie contre son épaule, avant de bâiller largement.

— Bonne nuit, Owen ap Ivor ap Madoc! N'aie pas peur. A ton réveil, je serai là.

Isambard arriva à l'aube, avant que le soleil fût levé et le camp réveillé. Il avait laissé son armure à Clun, pour ne garder que son haubert et son épée. Trois chevaliers l'escortaient. Il examina ce qui avait été démoli et ce qui subsistait de son manoir avec un calme égal, le visage impassible, maigre et farouche comme un masque. Il toisa les six prisonniers vivants et les deux à demi morts, puis ordonna :

— Pendez-les!

— Tous, mon seigneur? Ces deux-là ne tiennent pas debout.

— Vous n'aurez pas à aller loin pour les pendre, répondit Isambard de la même voix neutre, avec un regard indifférent vers l'orée du bois. Il y a suffisamment d'arbres.

Le regard froid s'arrêta sur le tas d'herbe sèche sur lequel les deux corps endormis étaient enveloppés d'un manteau.

— Qui est-ce? Où avez-vous trouvé cet enfant?

Il avança pour mieux voir et fronça les sourcils en découvrant le visage rosi du petit garçon, avec sa tignasse ébouriffée, lové dans le bras de Harry. FitzJohn approcha.

— Harry l'a surpris dans la forêt, près de la frontière. Apparemment, le petit a suivi le groupe de pillards par curiosité, et il a dû tomber de cheval au moment de leur débandade. Je crois que sa capture peut nous être profitable.

— Il est gallois?

— Oh oui, et cela nous sera fort utile! s'esclaffa FitzJohn. Quand je lui ai posé la question, il m'a littéralement craché au visage. Mais c'est seulement au chant du coq que je l'ai reconnu. Ne vous rappelez-vous point son visage, messire?

Isambard réfléchit en fronçant les sourcils.

— Il me semble l'avoir déjà entrevu, en effet, mais j'ignore où. Eh bien, parlez! Qui est-il?

— Vous l'avez aperçu à Aber. Oh, bien sûr, vous n'aviez aucune raison particulière de le remarquer. Vous étiez en pour-parlers avec des hommes, non avec des enfants. Mais après votre départ je suis resté là-bas pour votre service, et souvent j'ai croisé ce garçon à la cour, en compagnie du fils de la princesse Joan. Il est l'héritier d'Ivor ap Madoc, qui était le *penteulu* du prince, le capitaine de sa garde, jusqu'à sa mort, il y a quelques années. Le petit est le fils adoptif de Llewellyn.

— Certains prétendent même qu'il est davantage, intervint Langholme avec un regard en coin vers son seigneur, mi-respec-tueux, mi-entendu.

— Que voulez-vous dire? Je me souviens très bien d'Ivor ap Madoc. Il était normal que Llewellyn recueille son fils. C'est la coutume, chez eux.

— Oui, messire, mais ce n'est pas tout.

— Je peux me fier à vous pour connaître tous les ragots de cui-sine d'Aber, même après une seule visite, lança Isambard avec une moue dédaigneuse.

Il ne l'en écouta pas moins avec une lueur d'intérêt.

— Personne n'a l'audace de le clamer à voix haute et moi-même je ne l'affirmerais pas, fût-ce à voix basse. Ivor a été marié près de sept ans à une dame de Lleyn. A leur grand chagrin, ils n'ont pas eu d'enfant. Il se refusait à la répudier car il en était très épris. Néanmoins il avait besoin d'un héritier pour préserver son fief des visées de trois ou quatre cousins querelleurs. Je crois qu'ils étaient très près de rompre leur union lorsque la dame s'est trou-vée grosse. Ainsi tout s'est réglé au mieux. Le prince de Gwynedd était un ami intime des deux époux, et lui aussi avait avantage à ce qu'ils aient un fils, afin de garder intacte la seigneurie. On raconte que tous trois se sont entendus. Mais la rumeur la plus fréquente est que le prince et la dame ont conspiré ensemble pour le bonheur d'Ivor. Celui-ci est mort quand l'enfant avait à peine deux ans, mais il est mort content.

— Il se peut que cela soit vrai, commenta FitzJohn à voix basse en dévisageant le jeune garçon. Il est aussi noir de cheveux que Llewellyn, et aussi fier. En outre, à Aber, il m'a paru que le prince aimait autant son fils adoptif que son propre enfant. Cependant je n'ai entendu aucune rumeur sur la façon dont il en a eu la garde.

— Oui, ce pourrait bien être exact, dit Isambard d'un air songeur. Ce ne serait pas la première femme à se débrouiller pour enfanter un héritier avec le concours d'un autre homme. Pourtant, si l'on en juge par la fierté avec laquelle Llewellyn a reconnu son bâtard, Griffith, il ne serait pas dans sa nature de cacher celui-ci.

— Llewellyn ne peut agir autrement, messire, fit observer Langholme. Par égard pour Ivor et sa dame, et même après la mort d'Ivor. Le garçon hérite d'un joli fief du père qui l'a reconnu, puisqu'il a des terres à Arfon et Ardudwy, et n'a donc aucun besoin d'être doté par le prince. Quant au désir de ce dernier de garder l'enfant auprès de lui, vous pouvez constater que Llewellyn a pleine satisfaction. La mère a été remariée par son clan à un seigneur d'Eifionydd, dont elle a eu deux autres enfants. On dit que Llewellyn lui a proposé d'adopter son premier fils. Cela se passait peu après la naissance du jeune David, et les deux garçons ont été élevés ensemble. Que l'histoire soit vraie ou non, le prince les aime tous les deux pareillement, si j'en crois ce que j'ai vu à Aber. Je pense, messire, que pour retrouver celui-ci, Llewellyn vous accorderait une paix durable et verserait une indemnité pour Erington.

Le soleil levant étirait de longs doigts de lumière sur les prairies pentues de l'est, et filtrait à travers les branches au-dessus des dormeurs, caressant les tendres lèvres entrouvertes d'Owen, puis ses joues rondes, ses longs cils et ses paupières lisses. La clarté pénétra son sommeil. Il remua dans le bras protecteur de Harry, s'étira et bâilla comme un chiot avant d'ouvrir les yeux. L'éclat dur du soleil reflété par les bagues d'Isambard lui fit plisser les yeux et détourner la tête. Il reprit conscience brutalement.

Owen découvrit des visages inconnus, un ciel pâle, des branches s'agitant mollement au-dessus de lui, il sentit un corps musclé d'homme à côté du sien et un sol dur en dessous, à la place de son lit bruissant, parfumé, et de la chaleur de son frère de lait. Il poussa un petit cri de frayeur et se redressa, réveillant du même coup Harry, qui avait la faculté de recouvrer ses esprits dans l'instant où il ouvrait les yeux. Son bras rassurant se referma autour du garçon et l'étreignit. Sa voix, déjà familière au milieu de toutes ces choses étrangères, l'apaisa :

— Allons, du calme, Owen ap Ivor ap Madoc. Pourquoi crier par un si beau matin ?

Il tourna la tête pour sourire au petit garçon et avisa les trois hommes silencieux penchés au-dessus d'eux, qui les examinaient d'un regard étrange et de mauvais augure. Du moins fut-ce l'impression qu'il eut. Reconnaissant Isambard, Harry rejeta son manteau et se leva d'un bond joyeux.

— Mon seigneur ! Je ne savais pas que vous étiez là. Vous me prenez au dépourvu. J'espère que mon sommeil était décent ?

— Comme celui d'un enfant, le rassura Isambard sans sourire. On m'a parlé de votre prisonnier, Harry. Il semble que vous ayez capturé une prise importante.

Harry suivit le regard, la voix, et parvint à la vérité par sauts tâtonnants. Son sourire s'effaça. Il attira Owen contre lui.

— Je ne l'ai pas… considéré comme un prisonnier, messire.

— Dans ce cas vous feriez bien de commencer, car c'est ce qu'il est.

— Il n'a pas participé à l'attaque contre le manoir. Je l'ai trouvé dans la forêt, à la nuit tombante, et j'ai l'intention de le renvoyer chez lui sain et sauf.

— Bien au contraire, vous allez le ramener avec vous à Parfois, et sous bonne escorte. Je crains que vous ne vous égariez, si je vous laissais rentrer seuls tous les deux.

Isambard n'était pas en colère. Il était même capable de sourire, mais sur son visage décharné le sourire était étrangement cruel.

— Cela ne vous ressemble pas, messire, de guerroyer contre les enfants, dit Harry en soutenant son regard.

— Pas contre eux, Harry. Avec eux, peut-être. Vous ignorez sans doute que vous détenez le prix de la paix sur cette frontière. Dis-lui, petit, ajouta Isambard à l'adresse d'Owen, en donnant à sa voix un ton de gentillesse froide. Quelle est ta parenté avec le prince de Gwynedd ?

Owen, soit par égard pour son peuple, soit parce qu'il se sentait offensé d'être l'objet de leur discussion, choisit de répondre en gallois, avec un éclair de défi dans les yeux.

— N'a-t-il pas dit «père»? s'enquit Isambard, qui ne comprenait que quelques mots de la langue barbare.

— Non, rectifia Harry. Il a dit «père adoptif».

— Pour un Gallois, la différence est minime. Ils peuvent combattre à mort pour leurs frères de lait, et pour leurs enfants adoptifs, en cas de besoin. Vous n'étiez pas au courant de sa parenté?

— Non, je l'ignorais. Mais cela ne change rien. L'enfant n'est en rien responsable de ce conflit, quel qu'il soit. Il n'est pas une prise de guerre.

— C'est discutable. Il a été capturé sur mes terres, et il est lié, même de loin, aux auteurs de ce saccage. Il est le prisonnier du roi, puisqu'il a été pris sur un domaine que je tiens du roi, et en violation de la trêve. Donc il rentre avec vous à Parfois.

— Je lui ai promis asile et sécurité, protesta Harry. En ferez-vous autant, messire?

— Je ne fais aucune promesse à mes prisonniers ni à mes subalternes.

A la sécheresse de sa voix et à la pâleur de ses lèvres crispées, on pouvait craindre qu'Isambard ne fût très près de perdre patience. Harry était le seul à bénéficier d'une telle tolérance de sa part, mais le point de rupture était dangereusement proche.

— Si vous voulez le prendre, prenez-le. Sinon, Langholme s'en chargera. L'important pour moi est qu'il soit sauf. Llewellyn devra payer très cher pour le récupérer. Je lui ferai suer sang et eau.

C'était sans appel. Le jeune garçon se tenait bien droit, dans un silence courroucé, mais sa petite main s'agrippait à la manche de Harry avec une anxiété désespérée.

— Très bien. Je le ramènerai, puisque je le dois. Mais accordez au moins que ma femme et moi veillions sur lui pendant son séjour à Parfois.

— A votre guise, acquiesça Isambard avec un sourire vaguement méprisant. FitzJohn, trouvez un cheval pour ce garçon et choisissez six archers pour les escorter. Des archers, Harry! insista-t-il. Je vous reverrai tous les deux à Parfois à mon retour. Morts ou vifs.

— Je me suis engagé à le ramener!

— Fort bien. Dans ce cas je vous conseille de partir rapidement, avant que nous nous occupions de ses amis.

Harry comprit, et il sentit son cœur se serrer à la pensée du Gallois barbu qu'il avait blessé. Bien qu'inamicale, leur rencontre avait été un affrontement d'homme à homme, mais pour Isambard, ses ennemis n'étaient pas des hommes. Harry se hâta de faire déjeuner le jeune garçon et de le mettre en selle. Ils ne différeraient pas leur sinistre besogne pour ménager Owen. Celui-ci, malgré ses appréhensions, mangea de si bon appétit que Harry jugea prudent de garnir sa sacoche de provisions. Les petits garçons ont toujours faim. L'enfant s'égaya dès qu'ils furent en route. La journée ensoleillée, la promenade à cheval, la présence d'un homme qu'il sentait bienveillant estompaient son égarement et sa peur. Encore silencieux et nerveux dans les basses collines, il reprit courage dès qu'il perçut le soulagement de Harry, quand la coquille noircie d'Erington disparut derrière la crête, avec la forêt et ses arbres utilisés à des fins sinistres.

— Qui est cet homme terrible ? Est-ce le seigneur de Parfois ?

— C'est lui. Mais tu auras rarement l'occasion de le croiser. Tu seras avec nous. Ma femme veillera sur toi. Ne t'inquiète pas de lui.

— Vais-je rester là-bas longtemps ?

— Pas très longtemps, répondit Harry avec plus de conviction qu'il n'en éprouvait. Ils se mettront rapidement d'accord à ton sujet et on te renverra chez les tiens.

— Mon père adoptif n'apprendra ma disparition qu'en arrivant à Llanbister. Et il ne saura pas où je suis. Personne ne le sait ! dit-il avec une moue tremblante qui annonçait les larmes. Il va s'inquiéter à mon sujet.

— Ne te soucie pas. Ils le préviendront, lui assura Harry d'une voix enjouée.

Il eût voulu en être certain. Laisser Llewellyn, fou d'angoisse, parcourir Radnor Forest et la frontière de long en large à la recherche de son fils adoptif était un jeu qui pouvait tenter Isambard.

— Imagine que tu viens rendre visite à un oncle à Parfois et que tu rentreras bientôt chez toi, pardonné de tous tes péchés. Mais promets-moi de ne plus jamais désobéir.

Owen promit, mais avec une ferveur moins marquée qu'une heure plus tôt. Il commençait à prendre goût à l'escapade et il lui tardait presque d'arriver à Parfois. Il trouvait convaincantes les paroles rassurantes de Harry parce qu'il avait envie d'être rassuré. Au passage du gué, il avait recouvré sa gaieté et s'enorgueillissait de son escorte princière d'archers, qui chevauchaient en arrière, à distance respectueuse mais vigilante. Et, bien avant d'atteindre le chemin verdoyant qui montait à Parfois, il babillait et chantait comme un merle. Les deux premières tours de garde dressées en haut de la côte lui imposèrent de nouveau le silence, mais lorsqu'ils émergèrent sur le plateau et virent le château, puis l'église, dorée par le soleil, qui étirait sa haute tour vers le ciel dans son filet d'échafaudages, ses yeux s'arrondirent d'émerveillement et d'excitation. Il était dévoré par une curiosité trop insatiable pour avoir peur. Même la haute forteresse de Llewellyn à Aber ne ressemblait pas à cela. Il tournait la tête de droite et de gauche pour ne rien perdre du spectacle. Les questions viendraient plus tard, en un flot intarissable. Pour l'instant, il était sans voix.

Gilleis traversait la haute cour en direction de la tour du Roi lorsque Harry et Owen franchirent côte à côte, à pied, la main de Harry sur l'épaule d'Owen, le guichet sombre qui communiquait avec la basse cour. En les apercevant, elle se figea, stupéfaite, émue comme sous l'effet d'une vision prophétique.

Souvent depuis leur mariage, et plus récemment avec une envie insistante et croissante, elle avait songé au bonheur de porter l'enfant de Harry. Ils en avaient parlé fréquemment, toujours comme d'un événement qui adviendrait sûrement, mais depuis quelque temps elle s'interrogeait. Après quatre années de mariage infructueux, une femme commençait à être jugée stérile. L'amour demeurait toujours, un amour sans tache, mais un amour sans couronne. Et voilà que, soudain, à l'improviste et sans ses compagnons d'armes, Harry surgissait devant elle avec un enfant ouvert, robuste, émerveillé, comme s'il lui apportait un cadeau miraculeux. Un garçon hardi, noir de cheveux, au pas décidé, qui avait hérité des yeux sombres et de la bouche rose de sa mère, du teint mat, de la ténacité et de la fierté de son père. Ils venaient droit vers elle, Harry souriant, l'enfant grave et appliqué.

Gilleis souriait, elle aussi, sans s'en rendre compte, d'un sourire interrogateur et ébloui, comme si le soleil l'aveuglait.

Harry lui prit la main et dit :

— Gilleis, je t'amène un invité. Voici Owen ap Ivor. Il vivra avec nous quelque temps. Souhaite-lui la bienvenue !

L'enfant, soucieux de faire honneur à son nom et aux siens, s'inclina avec une solennité que seule l'obéissance absolue à un roi semblait pouvoir égaler, mais il se racheta en levant sur Gilleis un regard qui avait la candeur d'une fleur, et lui tendit son front. Gilleis prit ses deux joues entre ses mains et l'embrassa.

— Tu es le bienvenu dans mon cœur, Owen. Je suis sincèrement heureuse de te connaître.

Dans ses bras, le petit corps crispé fondit contre la tiédeur et la douceur de sa poitrine. Il lui enlaça le cou et posa sa joue crasseuse contre la sienne. Gilleis se sentit submergée par un torrent de joie silencieuse.

Dans les colonnes du portique sud, que Harry sculptait *in situ*, apparut d'un côté un petit ange hilare, et de l'autre un petit diable rebelle mais séduisant, qui avaient tous deux le visage d'Owen ap Ivor. Tantôt ange turbulent et gâté, tantôt diablotin affectueux et généreux, nul ne savait jamais laquelle des deux figures le caractérisait.

Vers la mi-septembre, Owen se sentait chez lui à Parfois, même si ses allées et venues étaient limitées aux deux cours du château et s'il s'irritait d'être intercepté chaque fois qu'il suivait Harry jusqu'au pont-levis. L'enceinte du château ne suffisait pas à son énergie ni à ses jeux, et il n'était pas le seul à trouver son confinement pénible. Les fauconniers, notamment, dont il appréciait la fréquentation, ajoutèrent leurs prières à celles de Harry lorsque celui-ci demanda pour le petit garçon l'autorisation d'aller au moins jusqu'à l'église. Ils admettaient volontiers que, pour son âge, il connaissait bien les oiseaux. Mais il était si dangereusement dénué de peur qu'il traitait les grands gerfauts comme de jeunes émerillons de dames, et les fauconniers vivaient dans la crainte de lui voir perdre au moins un pouce, sinon un œil.

— Il n'a aucun projet de fuite, affirma Harry. Et même s'il en avait, il n'existe qu'une seule voie pour partir d'ici. Vous pourriez aussi bien le limiter au poste de garde du bas qu'à celui de l'entrée. Et il serait plus docile si vous le laissiez monter à cheval de temps à autre. Avec deux archers pour l'escorter, vous n'auriez aucune crainte de le perdre. Il suffit de veiller à ce qu'ils aient une monture plus rapide que la sienne.

— Vous débordez de sollicitude à son égard, remarqua Isambard en retroussant les lèvres sur ce sourire empreint de hargne qui lui venait si aisément.

— Je sais comment j'aurais réagi à son âge si l'on m'avait ainsi claquemuré pendant si longtemps. J'aurais tout démoli.

— Vous m'étonnez! Très bien, qu'il monte à cheval, si cela peut vous contenter. Je dirai à FitzJohn de le confier à la garde de deux hommes sûrs, et il pourra aller s'ébattre jusqu'au premier poste de garde.

Harry le remercia et s'apprêtait à se retirer, impatient de porter la bonne nouvelle à l'intéressé, lorsque Isambard le rappela.

— Vous interroge-t-il ? Cherche-t-il à savoir quand on le renverra chez lui ?

— Oui. Mais moins souvent. Pas tous les jours.

— Que lui répondez-vous ?

— Que puis-je lui répondre ? Bientôt. Messire, Llewellyn sait-il qu'il se trouve ici ? demanda Harry après une hésitation, en regardant la main osseuse d'Isambard sur laquelle les bagues flottaient.

Le sourire se propagea aux yeux caves et y alluma deux flammes rouges d'amusement amer, qui semblèrent brûler dans une vaste étendue de haine.

— Il l'apprendra demain. Le messager est en route. Ne savez-vous pas qu'un de ses courriers est arrivé ici il y a trois jours ? Qui eût imaginé qu'il faudrait si longtemps à Llewellyn pour songer à s'enquérir de son fils auprès de moi ? La route est longue d'Erington à Llanbister, et le cheval de ce garçon avait parcouru presque tout le trajet de retour quand ils l'ont retrouvé, si bien qu'il était impossible de deviner quel chemin il avait pris. Depuis lors, ils n'ont cessé de fouiller le pays de fond en comble. Il y a encore des loups à Radnor.

— Pas seulement à Radnor, dit Harry crûment.

Isambard rejeta la tête en arrière pour lâcher un rire bref, et son mouvement brutal, autant que la sauvagerie du son, tenait du hurlement du loup.

— Vous voulez toujours être ma conscience, n'est-ce pas ? Ne vous ai-je pas dit un jour qu'en jouant au prêtre de bas clergé vous couriez le risque de connaître la même fin ?

— Il est des fins pires que la leur, répondit Harry. Vous rendrez son fils à Llewellyn, n'est-ce pas, messire ? Maintenant que vous l'avez informé qu'il est ici, je suppose que vous avez fixé les conditions de la rançon ? Pour être sincère, j'avoue que je serai heureux pour vous, autant que pour Owen, lorsqu'il sera rentré chez lui sain et sauf. Dût-il manquer à Gilleis.

— Votre épouse pourra profiter de lui un certain temps encore, assura Isambard avec une amère satisfaction. Ce n'est pas la bourse de Llewellyn qui achètera son fils, ni une indemnité pour Erington, ni sa promesse de maintenir la paix. Je n'ai pas encore posé mes conditions. Il est trop tôt, Llewellyn n'a pas assez souffert. Un grand nombre de messagers circuleront entre Aber et Parfois avant que je fixe mon prix. Ensuite viendront les questions de délai. Et le doute. Le prince de Gwynedd dansera sur ma musique pendant tout l'automne. Puis, quand nous aurons fini l'extraction de pierres à la carrière, je le ferai venir ici en personne m'implorer à genoux pour que je lui rende son fils.

Isambard se tut pour scruter le visage de Harry, mais seul le silence lui répondit.

— Vous me décevez, reprit-il d'un ton moqueur. Je pensais que vous alliez vous écrier : « Il ne s'agenouillera pas ! »

— Mais si, il s'agenouillera. Il l'a déjà fait pour le Pays de Galles, il le fera pour Owen. Et ce n'est pas lui, alors, qui s'abaissera.

Harry tourna les talons et sortit, à pas lents parce qu'il s'attendait à être rappelé, mais aucune voix, douce et froide, ne prononça son nom, aucun cri de rage ne l'arrêta. Il ferma la porte derrière lui et descendit l'escalier de pierre en guettant un rugissement rageur, l'espérant presque, mais en vain.

Harry obtint malgré tout les concessions demandées. Owen chevauchait joyeusement avec ses deux gardes, qu'il considérait comme un juste tribut dû à un prince gallois, et quand il ne parcourait pas la campagne pour faire voler le petit faucon bien dressé qu'ils lui avaient confié, il traînait généralement entre les pieds de Harry, dans l'église ou l'atelier, fourrait son nez partout, déplaçait les outils, tripotait les appareils de levage, empruntait des épures pour gribouiller au verso, le tout avec une innocence désarmante. Le seul moyen de l'obliger à rester tranquille était de l'utiliser comme modèle. Il suffisait à Harry de lui demander de s'asseoir pour poser, et l'enfant était capable de supporter l'immobilité une heure durant, avec bonne humeur et dévotion. Sur les pierres frontales du maître-autel, il apparaissait sous les traits de chacun des douze petits anges qui jouaient et chantaient un concert séraphique. Rebec, harpe, citole, chalumeau, cistre, bugle, cornemuse, orgue, il jouait de tous les instruments avec une solennité émerveillée, tandis que quatre autres représentations de lui chantaient à pleine poitrine devant un grand psautier.

Inévitablement, il voulut manier le ciseau et le maillet sur une pierre qu'il n'aurait pas dû toucher, mais il se tapa sur les doigts avant de causer trop de dommages à la pierre. Gilleis le gronda et le consola, baigna sa main blessée, et le laissa retourner auprès de Harry dès que la douleur fut apaisée.

Il lui était interdit, sous peine d'une punition à laquelle il ne croyait pas réellement, de mettre le pied sur l'échafaudage en dehors de la présence de Harry, mais là non plus il ne résista pas à la tentation de mener sa propre expérience. Personne n'eut de soupçon en ne le voyant pas à l'atelier, car il allait et venait librement, mais, le soir, quand tous les maçons furent redescendus de la tour, Owen manquait à l'appel, et les recherches ne prirent fin que lorsqu'un cri aigu, mélange de frayeur et de bravade, attira leurs regards sur la plus haute galerie des claies qui entouraient le parapet à demi achevé, à plus de cent pieds du sol. Le cri leur parvint faiblement, dans l'air clair et immobile, comme celui d'un oiseau, et ils virent Owen ap Ivor, agrippé des deux bras à l'un des mâts de l'échafaudage, les pieds suspendus au-dessus du vide.

Réprimant le besoin instinctif d'exprimer sa peur par un cri qui aurait risqué de faire basculer Owen, Harry lui ordonna d'une voix ferme et calme de rester assis où il était et monta lui-même le chercher. Une fois l'enfant en sécurité sur la terre ferme, Harry entra dans une colère d'autant plus impressionnante qu'elle avait été différée, expédia le fautif dans la chambre de trait et lui infligea la correction promise.

Pour rien au monde Owen n'aurait pleuré à cause de la punition, mais il l'eût volontiers fait pour des raisons moins évidentes. Remis sans cérémonie sur ses deux pieds, une fois la badine de noisetier jetée dans un coin, Owen tourna le dos à Harry et sortit à grands pas, la tête haute, en digne fils de prince, méprisant les coups reçus. Mais dix minutes plus tard il était de retour. Il glissa un coup d'œil timide à la porte. Il mit un pied dans la pièce, puis le second, et longea le mur avec une indifférence étudiée, hésitant encore à savoir s'il voulait ou non être remarqué.

Harry était penché sur ses tables, occupé à assembler les épures réalisées pour l'autel de la Vierge. Il observa du coin de l'œil l'approche en biais mais n'en montra rien. Owen s'appuya contre l'extrémité du chevalet et entreprit de dessiner sur le bois avec le bout du doigt, puis il prolongea ses lignes imaginaires de façon à se rapprocher peu à peu de Harry. Mais le poisson ne mordit pas. Un instant plus tard, l'épaule du jeune garçon se pressait contre Harry. Celui-ci baissa enfin les yeux sur la tête bouclée qui se détournait obstinément, mais qui finit pourtant par revenir vers lui, juste assez pour lui décocher un regard de reproche. Harry sourit, lâcha ses compas et ouvrit ses bras. Owen s'y jeta et l'étreignit avec fougue. Sans un mot, il enfouit son nez dans la cotte de Harry et fit silencieusement amende honorable.

— Owen ap Ivor ap Madoc, dit cérémonieusement Harry en l'enlaçant, tu es un garnement! Obéis-moi, à l'avenir, et ne me cause plus jamais pareille frayeur. Tu le promets?

La tête noire acquiesça.

— J'ai eu peur que tu te fasses mal, alors je t'ai fait mal. Curieuse logique, n'est-ce pas?

Pourtant Owen parut ne voir là rien de déraisonnable. La mésaventure lui était sans doute déjà arrivée. Rassuré sur l'état de leurs relations, il se libéra en gigotant et courut rejoindre Gilleis avec un petit sifflement dissonant.

Désormais il se laissait rarement aller à la nostalgie et posait moins souvent la sempiternelle question.

— Quand vais-je retourner chez moi?

— Bientôt, répondait hâtivement Harry, cherchant autour de lui un sujet de distraction. Très bientôt.

Owen fit un cauchemar et s'éveilla, saisi de panique, dans les ténèbres palpitantes où il lui semblait que les personnages de son rêve continuaient de le pourchasser. Désireux d'une présence amie mais trop orgueilleux pour la réclamer à voix haute, il commença à pousser de petits gémissements et de lourds soupirs, feignant un sommeil agité, et finit par obtenir satisfaction. Un pas léger franchit le seuil de sa petite chambre. La porte qui le séparait de celle de Harry restait toujours ouverte la nuit afin que Gilleis pût l'entendre s'il l'appelait. Il ne l'avait jamais fait. A Aber, il dormait hors de portée de voix de ses parents adoptifs mais, làbas, tout lui était familier et la présence de David dans le même lit l'empêchait d'avoir peur.

Ses cheveux dénoués sur les épaules, Gilleis tenait à la main une chandelle. Elle examina le dormeur agité et sourit devant les paupières un peu trop serrées et l'expression vigilante qui le trahissaient. Elle se baissa et l'embrassa sur la joue afin qu'il pût s'éveiller et jouir de son succès. Owen ouvrit les yeux avec reconnaissance, tendit les bras à Gilleis, et tous les méchants personnages qui peuplaient son rêve disparurent aussitôt.

Agenouillée près du lit, elle le tint contre sa poitrine, à demi endormi, tandis qu'il bredouillait ses souvenirs confus de poursuite et de terreur. La confiance d'Owen, la chaleur et le poids de son corps l'emplirent de joie, de ce contentement profond qui fait paraître la joie légère et éphémère. Owen reposait contre son cœur et elle eut l'impression que le nouveau venu, la merveilleuse créature qui palpitait en elle, respirait déjà avec lui.

— Nigaud que tu es! Comme si nous allions laisser quiconque te faire du mal! Personne ne peut t'atteindre, ici. Il n'y a que nous trois. Et Dieu. Tu es en sécurité. Tu ne risques rien, pas plus la nuit que le jour. Je suis tout à côté. Il te suffit de m'appeler. Rendors-toi, maintenant.

Une fois Owen assoupi, elle l'installa confortablement dans son lit, où il se retourna, s'étira, s'enfonça un peu plus profondément dans le sommeil. Elle guetta sa respiration légère et régulière pendant un moment, et nota que tous les signes annonciateurs de la virilité, si manifestes sur son visage éveillé, s'effaçaient avec le sommeil, le laissant aussi innocent et vulnérable qu'un bébé.

Elle l'avait depuis neuf semaines. Une semaine pour chaque année de son âge. Elle ne pouvait espérer le garder plus longtemps. Les courriers de Llewellyn chevauchaient sans relâche entre Aber et Parfois pour apporter offres de rançon et promesses de paix dans les marches. Quand il aurait torturé le prince assez longtemps, Isambard lui renverrait sûrement sa brebis égarée. Gilleis ne redoutait plus le départ d'Owen. Le germe miraculeux que son esprit avait semé lors de son arrivée avait poussé triomphalement et prenait déjà la forme arrondie du fruit. Et le vide qu'Owen laisserait dans son cœur serait comblé par l'enfant dont il avait annoncé la venue.

Gilleis remonta la couverture sur les épaules dénudées du petit garçon, car octobre était déjà à mi-cours et les nuits fraîches. Le contact de sa main, loin de le déranger, le fit rire dans son sommeil — un don étonnant qu'il avait — et elle se sentit submergée par ce rire comme par une source d'eau douce jaillissant de son cœur. Elle plaignait tous ceux, de par le monde, qui n'avaient pas les mêmes raisons qu'elle de se réjouir. Benedetta, sans enfant et éprise d'un homme qu'elle ne pouvait posséder. Isambard, qui brisait tous les êtres sur qui il s'appuyait et leur reprochait ensuite d'avoir cédé. Le roi en personne, récemment débarqué dans le Sud après une humiliation pour en affronter une autre, ce roi sournois, malade, courroucé, harcelé, qui avait perdu son ultime pari sur la Normandie. Elle plaignait même un peu Harry, car son rôle était de procréer, non d'enfanter, et parce qu'il ne connaissait pas encore son bonheur ; et en même temps elle l'enviait parce qu'il l'ignorait et que c'était une joie qui ne pouvait se goûter qu'une seule fois.

Owen dormait profondément, les lèvres encore arrondies par le rire. Gilleis regagna la chambre où Harry reposait, et, masquant avec sa main la flamme de la chandelle afin que la lumière ne lui frappe pas le visage, elle se tint à côté du lit et le contempla avec ferveur.

Sur le visage de Harry aussi le sommeil ôtait les années, mais les traits de la virilité, une fois gravés, ne s'effaçaient plus. Harry possédait une touchante dualité, enfant et homme à la fois. L'innocence et la sérénité, qui naissent de la connaissance et de l'expérience plutôt que de l'enfance et de l'émerveillement, n'appartiennent qu'aux saints, or Harry n'était pas un saint. Pourtant, dans son sommeil, c'était cette innocence sereine qu'il reflétait.

Gilleis abaissa la chandelle. Elle sentait le monde secoué par un de ces instants de déséquilibre et de légèreté qui survenaient désormais en elle sans avertissement. Elle était là, debout, les deux mains pressées sur son ventre, le visage bizarrement éclairé d'en bas par la faible lueur, lorsque Harry ouvrit les yeux et s'assit dans son lit en poussant un petit cri étonné.

— Gilleis, mon amour ! Que se passe-t-il ? s'écria-t-il en lui prenant les mains pour l'attirer vers lui. Mon cher cœur, es-tu malade ?

— Non, je ne suis pas malade, répondit Gilleis avec un sourire. Je suis allée voir Owen. Il a eu un mauvais rêve mais il s'est rendormi. Tout va très bien.

— Tu m'as effrayé. Tu avais l'air si étrange !

Souriant toujours, elle souffla la chandelle et laissa tomber le manteau dont elle s'était enveloppée. Harry rabattit les couvertures et elle s'allongea à son côté, chassant d'un bref tremblement le froid de la nuit, avant de se détendre dans sa chaleur. Il l'enlaça.

— C'est vrai, je suis étrange, souffla-t-elle, les lèvres contre sa joue. Je suis un prodige. Je porte un enfant.

— Gilleis !

Son cri de joie fusa, mais il le réprima vite et poursuivit à voix basse, à cause d'Owen :

— En es-tu certaine ? Tout à fait certaine ? Oh, Gilleis, depuis quand le sais-tu ? Pourquoi me le cachais-tu ?

Il était incohérent, tremblait de jubilation. Elle rit, l'étreignit, le pressa sur son cœur comme elle avait tenu Owen, et lui répondit dans un murmure :

— Chut, tu vas le réveiller! Oui, j'en suis sûre. J'attendais de l'être. Il y a un mois je m'en doutais, maintenant je le sais. Nous avons dû le concevoir en août, peu après l'arrivée d'Owen. Harry, te souviens-tu du jour où tu l'as ramené? Je ne savais pas qui il était, ni comment tu l'avais trouvé. Il m'est apparu comme un présage. Et depuis lors, c'est comme si l'ultime recoin secret de mon être s'était ouvert à toi. Ce recoin t'appartenait depuis toujours, il t'espérait, mais c'est Owen qui en a ouvert la porte.

— Oh, Gilleis, dit Harry avec un profond soupir de contentement, en posant une main sur le ventre de son épouse, où elle s'immobilisa. Mon agneau, mon amour, ma rose. Je serai bon pour lui. Je lui sculpterai un berceau digne d'un prince. Il sera aussi beau que toi.

— Et aussi fou que toi, ajouta-t-elle tendrement en mêlant sa main à la sienne sur son ventre. Et aussi cher à mon cœur.

Elle tourna la tête sur l'oreiller et embrassa doucement Harry, comme elle aurait embrassé l'enfant.

— Es-tu heureux?

— Heureux? J'ai tout!

Il reposait à côté de Gilleis, leurs mains entrelacées sur le prodige, dans une caresse pleine d'adoration. Il semblait à Harry que les ténèbres et le froid de cette nuit d'automne se réchauffaient, s'adoucissaient sous le flot de bonheur qui débordait de lui.

— Je suis si reconnaissant! O combien!

13

Isambard entra dans l'atelier par une journée ensoleillée, au début de l'après-midi, et observa à son insu Harry, qui ciselait, à coups de maillet mesurés et habiles sur le plus fin de ses poinçons, les ailes de l'ange de l'Annonciation. Le gracile personnage agenouillé levait vers la Madone un visage sur lequel on ne pouvait se méprendre, bien qu'il n'appartînt encore à aucun homme. C'était le visage d'Owen ap Ivor à l'âge adulte.

— Dommage qu'il ne vous soit plus possible de l'achever d'après le modèle vivant.

Harry jeta un coup d'œil par-dessus son épaule. «Plus possible de l'achever?» Il donna à ces paroles le sens qu'il voulait entendre et ses yeux s'illuminèrent, la joie embrasa d'or le vert océan.

— Vous voulez dire que vous le renvoyez chez lui? J'en suis bien aise! Je savais que vous finiriez par renoncer à le tourmenter. Je n'ai pas besoin de la présence d'Owen, car je connais chaque trait de son visage mieux que sa propre mère. Il me manquera, mais je suis heureux qu'il parte.

— J'en doute, objecta Isambard. Pas de la façon dont il va partir. Cependant vous pourrez y assister, si vous le souhaitez, Harry.

Cette fois, les paroles d'Isambard immobilisèrent le maillet dans la main de Harry, mais ce fut l'intonation de la voix qui effaça son sourire et lui fit tourner la tête d'un mouvement brusque.

— Expliquez-vous, messire. Qu'avez-vous en tête à son sujet?

Il posa ses outils et s'écarta du groupe de pierre en s'essuyant les mains sur sa tunique, de ce geste enfantin qu'il n'avait jamais perdu et qui lui valait toujours les remontrances de Gilleis.

— Cela ne vient pas de moi, répondit Isambard du même ton neutre, délibéré. Je vous en donne ma parole. J'ai reçu mes ordres du roi.

— Le roi? Comment le roi a-t-il eu connaissance de la présence d'Owen? Il était fort occupé dans le sud avec Langton et la coalition des barons qui se préparent à l'achever, maintenant qu'il est à terre. Quelle importance présente cet enfant à ses yeux?

— Harry, je tiens cette marche pour le roi. Tout ce qui s'y passe touchant les Gallois et ses rapports avec eux, je dois l'en informer. Dès son retour de France, mon messager est allé lui porter un rapport complet sur ce qui est survenu en son absence. Le petit garçon était simplement mentionné avec le reste, et la missive du roi ne contient qu'une seule ligne le concernant, mais elle est très précise.

Isambard tenait le parchemin à la main. Harry ne l'avait pas remarqué jusqu'alors, car il était dissimulé dans les plis du surcot bleu.

— Cela vient d'arriver, dit-il en tenant le parchemin de telle façon que Harry pût entrevoir le sceau royal. Désirez-vous que je vous le lise? «Quant au jeune ap Ivor, suivez votre inclination, mon désir et mes intérêts. Pendez-le et envoyez son corps à Llewellyn.»

— Seigneur Dieu! s'écria Harry en se retenant au mur.

Isambard leva la tête du rouleau, mais il n'y avait rien dans son regard, ni regret ni plaisir, ni répugnance ni approbation. Les yeux caves brûlaient, mais le feu était leur élément naturel. Ils devaient brûler derrière les paupières lisses et translucides même pendant son sommeil. Harry fut incapable de prononcer un mot ou d'ébaucher un geste. C'était si inattendu qu'il n'arrivait pas à comprendre.

— Vous ne le ferez jamais! parvint-il à dire au prix d'un effort aussi douloureux que s'il avait dû arracher les racines de son cœur. Le roi lui-même se ravisera. Il ne vous saura pas gré d'avoir exécuté un ordre donné sous le coup de la colère. Enfin, messire, l'enfant est le frère de lait de son petit-fils! Et songez que, maintenant que tant de barons se rebellent contre lui, Jean va chercher des alliés partout où il peut en trouver. Imaginez qu'il sollicite son gendre avant que l'année soit écoulée, et que le meurtre de l'enfant se dresse entre eux parce que vous aurez agi trop hâtivement. Pensez-vous qu'il vous sera reconnaissant?

— Quand ai-je jamais recherché la gratitude? rétorqua Isambard en roulant le parchemin. Jean est ce qu'il est, mais il est mon souverain. Ce qu'il ordonne, je l'exécute. Et puis il ne se repentira pas. Sa haine pour Llewellyn est presque aussi forte que la mienne.

— Et il l'assouvira sur un enfant de neuf ans, qu'il n'a jamais vu et qui n'est même pas de la lignée de Llewellyn, seulement son fils adoptif et très cher à son cœur...

— Je vois que l'on ne vous a pas conté toute l'histoire, sourit Isambard. La rumeur prétend que Llewellyn a engendré un fils pour son ami, qui avait besoin d'un héritier mais ne pouvait en fournir un lui-même. Pour ma part, je pense que cette rumeur est fondée. Même pour Griffith, jamais Llewellyn ne nous a autant harcelés que pour ce garçon.

— Vous allez dans mon sens ! Ce n'est pas de la politique, c'est du dépit. Le roi n'ose pas toucher à Griffith, bien qu'il le tienne en son pouvoir, parce qu'il a été reconnu par Llewellyn et que l'aura de son père naturel le protège. Mais le petit Owen est vulnérable et ne bénéficie d'aucune protection. Le roi peut éliminer Owen et blesser Llewellyn au cœur, tout en feignant d'ignorer son forfait. Owen paiera pour l'immunité de Griffith. Vous n'allez pas vous prêter à un acte aussi vil ?

— Nommez cela comme bon vous semble, coupa Isambard, les pommettes enflammées. J'ai mes ordres.

— Vous ne le pouvez pas. Jamais je ne croirai cela de vous ! Vous n'êtes pas un assassin dont on loue les services. Le roi lui-même n'a pas le droit de vous demander cela.

Harry saisit le poignet maigre d'Isambard, aussi froid, dur et rigide dans sa main que la garde d'une épée.

— Messire, c'est un enfant, un garçon qui m'a été confié, que vous-même avez souvent vu courir dans les cours. Sa mort ne sert aucun dessein...

— Sa mort assouvit une haine, trancha Isambard en dégageant son poignet sans colère ni impatience. Où est-il ?

— Il se promène à cheval, répondit Harry en se passant une main sur les yeux. Je voudrais qu'il ne revienne jamais.

— Dans ce cas, les deux gardes qui le surveillent seraient pendus à sa place. Mais il reviendra. Dès son retour, il passera un bref instant avec le père Hubert, puis nous en terminerons. Je suis l'homme du roi, Harry. J'exécute son ordre à la lettre !

La voix avait conservé le même calme sinistre, le visage la même immobilité de fer. Pourtant, entre les deux hommes, l'atmosphère se chargea soudain d'une odeur aigre de chagrin et de rage si intense et si irrémédiable que Harry redressa brutalement la tête pour regarder avec horreur ce qui l'avait engendrée, et il se trouva face à un démon. Ce fut Isambard qui détourna les yeux, mais trop tard pour contenir l'éclat bref et aveuglant d'une voracité capable d'engloutir les enfants.

— Mon Dieu! hoqueta Harry dans un souffle. Vous êtes heureux! C'est ce que vous vouliez! C'est ce que vous aviez prévu! Ce n'est pas le roi qui se sert de vous, mais vous qui vous servez du roi. Vous aurez la joie, et lui la honte éternelle! Combien d'autres, combien en ont fait un bouc émissaire?

Isambard voulut tourner les talons et le fuir, mais Harry leva le bras pour lui barrer le chemin.

— Montrez-moi l'ordre de Jean ou je ne le croirai pas. C'est vous, non lui, qui en êtes l'auteur. Vous avez l'âme malade...

— L'âme malade! répéta Isambard à voix basse, le torse arrêté par le bras de Harry. Dieu sait que je suis malade, en effet! Tenez. Lisez! Voyez si vous trouvez une échappatoire que je n'aurais pas décelée.

Les mots étaient bien là. Isambard n'avait même pas tout lu. «Mon petit-fils est trop jeune pour le pleurer longtemps», écrivait le roi. Comment un homme pouvait-il avoir cette pensée et exiger encore la mort? Harry laissa retomber son bras. Il n'y avait plus rien à ajouter, aucune supplique qui pût être entendue, rien qui pût détourner Isambard de son effroyable devoir. Sa fidélité ne s'arrêterait pas à la mort d'un enfant, et il en éprouverait de la joie, qu'il le reconnût ou non. Tuer l'enfant apaiserait momentanément le diable qui lui rongeait le cœur, la haine qu'il vouait à la vie qui l'avait déçu, à l'amour qui l'avait fui, à la beauté et à l'innocence qui l'avaient abandonné.

— Dieu m'est témoin, Harry, que je suis désolé, reprit Isambard avec une douceur lasse. Je demanderai à Benedetta de garder Gilleis à l'intérieur du château le moment venu. Dites-lui que ce garçon a été renvoyé chez lui, si vous le jugez utile.

Harry ne répondit pas. Il fixait sans la voir la tête de l'ange inachevé, puis il entendit le bruissement du brocart d'Isambard contre l'encadrement de la porte de l'atelier, et le claquement incisif de ses pas qui s'éloignaient sur le terre-plein, vers le corps de garde.

Les mots avaient perdu de leur pouvoir et il n'était plus temps de réfléchir, à moins, comme Benedetta l'avait dit un jour, que l'acte ne soit aussi la pensée. Tout prit forme. Il n'y avait pas d'autre moyen.

Harry abandonna son ouvrage, ses outils, et se rendit de l'atelier à la basse cour, où son clerc s'affairait à nettoyer des parchemins.

— Trouve John le Fléchier, Simon. Et dis-lui de me rejoindre à l'atelier.

Le jeune homme partit en courant. A cette heure, Gilleis était en compagnie de Benedetta. Elles travaillaient ensemble aux draperies de l'autel. Les rejoindre eût été simple, mais c'était s'exposer à susciter la surprise, et donc le soupçon. John le Fléchier était tout entier dévoué à sa maîtresse et avait accès à Benedetta à tout instant. Ses allées et venues ne soulèveraient aucun commentaire.

«Mettez-la hors de son atteinte, car je m'apprête à faire une chose pour laquelle il n'existe pas de pardon», écrivit-il à sa table, dans l'atelier. Il ne signa pas. Benedetta connaissait son écriture. Il n'était ni temps ni besoin d'en dire davantage. A peine avait-il apposé son sceau que John le Fléchier se frayait déjà un chemin entre les entassements de pierres.

— Vous m'avez demandé, maître Talvace?

— Veux-tu porter ceci immédiatement à Madonna Benedetta? Ne lui dis rien, elle comprendra. Si messire Isambard est là, remets-lui quand même le message, mais veille à ce qu'il n'en sache rien. Je te confie un bien plus précieux que ma vie.

— Elle l'aura, assura John le Fléchier. Et mon seigneur n'en saura rien car il est dans la grande salle, où il entend les plaids de deux de ses tenanciers. Ensuite il jugera un autre litige. Ça le tiendra une bonne heure.

— Parfait! Si ces dames sont seules, John, dis à ma femme que je lui envoie mon amour et mes respects. Tu le feras?

— Je le ferai, promit le barbu, dont les yeux le scrutaient avec attention. Rien d'autre?

— Rien.

— En cas de besoin, maître Talvace, Madonna Benedetta me prêtera à vous pour vous seconder.

— Je te remercie, refusa Harry, surpris et ému. Je peux me débrouiller seul.

— Alors, que Dieu vous garde.

John le Fléchier ne posa pas de question. Il dissimula le message dans sa tunique et s'en fut.

De son côté, Harry se rendit au magasin situé à proximité du versant anglais du plateau. Il y avait là l'une des cordes à nœuds utilisées par les jeunes maçons pour descendre rapidement des échafaudages, et que l'on mettait au rebut dès les premiers signes d'usure. Il chargea la corde enroulée sur son bras et se faufila sans se faire voir jusqu'à la lisière des arbres. En contrebas de la face rocheuse escarpée se trouvait le vallon boisé où les deux hommes sans maître avaient lancé leur butin de bois, lors du premier été de Harry à Parfois. C'était la seule occasion où il avait prêté attention à la falaise, mais il s'en souvenait très bien. Une chute d'environ cinquante pieds, puis quelques saillies où s'accrochaient un ou deux arbres rachitiques, juste en bordure de l'herbe grasse et douce du vallon. De là, la descente jusqu'au hameau était aisée. Harry attacha solidement la corde au tronc d'un mélèze proche du bord, puis la laissa filer au bas de la falaise et se pencha pour la dégager des arbres rabougris. La corde se plaqua contre la paroi et disparut, invisible sur la roche, qui avait la même couleur paille. Il réfléchit un moment pour savoir s'il devait prendre le risque d'emprunter ce chemin et de prendre un cheval au village, mais la rapidité d'action était plus vitale qu'une discrétion absolue. Comment être certain qu'il trouverait une bonne monture? Il avait besoin d'un cheval auquel il pouvait se fier. En outre, sa fonction lui offrait maintes raisons valables de quitter Parfois à sa guise et nul ne pouvait les lui contester.

Hormis Isambard, personne ne s'étonnerait de voir maître Talvace seller son cheval et s'en aller à cette heure. Il choisit la plus rapide des montures à sa disposition, franchit le pont-levis et descendit le plateau, sans autre obstacle que le maître charpentier, qui le héla devant les ateliers.

— Harry! Voulez-vous jeter un coup d'œil avec moi sur le jubé, maintenant qu'il est en place? A mon avis la ligne pourrait être améliorée.

— Nous verrons cela à mon retour. Je descends au quai. Avec un peu de chance, ils devraient débarquer les carreaux engobés avant ce soir.

Les gardes de l'avant-poste ne lui accordèrent même pas un regard. Maintenant, restait à savoir jusqu'où il pouvait galoper tout en restant certain d'intercepter Owen et son escorte. L'enfant avait pris l'habitude de lui préciser où il avait l'intention de se promener. Ce jour-là, il avait prévu d'aller à l'est, entre les collines, jusqu'à la voie romaine, puis au sud, jusqu'à la plaine où le vieux fortin de terre dressait son tertre annelé. Le petit faucon pourrait faire ses preuves dans le ciel clair, immobile et sans soleil, au-dessus du sol spongieux et blanchi par l'automne. Il était peu probable que de là ils descendent dans la vallée et imposent aux chevaux la montée de la côte escarpée. Même s'ils modifiaient leur itinéraire de retour, ils resteraient à cette hauteur, et suivraient donc le chemin entre les crêtes pour regagner Parfois. Harry prit position à la lisière du bois, sur un monticule herbeux qui dominait les passes battues par les vents.

Il n'eut pas longtemps à attendre. Ils apparurent en contrebas, chevauchant en file le long d'un étroit sentier verdoyant car l'herbe touffue était traître et pleine de terriers. Il descendit à leur rencontre. Dès qu'il l'aperçut, Owen piqua des deux en poussant un cri de joie. Harry se demanda pour la première fois ce qu'il ferait si les gardes se défiaient de lui. Il n'avait sur lui que sa dague.

— Mon seigneur m'a envoyé vers vous, annonça-t-il en interrompant d'un geste péremptoire le babillage d'Owen, sans quitter les archers des yeux. Quelque chose est survenu et messire Isambard juge préférable que vous ne rentriez pas au château avec ce garçon. Il m'a demandé de vous dire que, comme Robert de Vieuxpont, il a reçu un ordre auquel il préférerait ne pas avoir à obéir.

Harry souligna ses paroles d'un regard significatif vers Owen, que les archers comprirent. Après tout, pourquoi auraient-ils douté de lui? Il était devenu plus proche d'Isambard que n'importe quel membre de son entourage. Si leur seigneur souhaitait échapper à une tâche pénible, Talvace était le mieux désigné pour lui servir d'émissaire et le soulager de son fardeau.

— Alors c'est donc ça? grommela le plus vieux des archers en regardant l'enfant. Qu'a-t-il décidé?

— Que j'emmène le petit jusqu'à la clairière de Bryn et le fasse reconduire chez lui.

A ces mots, Owen dressa l'oreille. Il poussa un cri et applaudit de ses deux mains gantées. Sur son poing, le petit faucon s'effaroucha, hérissa ses ailes et siffla avec indignation.

— Silence, chenapan, pendant que tes aînés parlent, dit Harry en lui saisissant les cheveux, avant de s'adresser à nouveau aux gardes. Messire Isambard a toujours voulu que cela se termine ainsi, et vous savez qu'il a des façons très personnelles d'obtenir ce qu'il veut.

— Pour sûr. S'il le faut, il choisit des chemins de traverse plutôt que de marcher droit pour y arriver. Mais nos ordres sont clairs. Hors du château, nous ne devons pas quitter le garçon de l'œil.

— Vous ai-je demandé de le quitter? Vous venez avec nous à Bryn. Comprenez-moi bien. Hormis mon seigneur, moi, et vous deux maintenant, nul n'est au courant. Il m'a envoyé parce que le petit logeait chez moi et me fait confiance. Il ne voulait pas perdre de temps à écrire ou sceller des créances. Sa parole, par ma bouche, devrait vous suffire, ajouta Harry en faisant avancer son cheval. Viens, Owen ap Ivor ap Madoc, une longue route t'attend.

Harry se serait presque convaincu lui-même. Son explication avait un tel accent de vérité que l'on pouvait se demander si, au fond, elle n'en contenait pas le germe. Pourquoi Isambard est-il venu tout droit m'avertir? s'interrogeait Harry. Par un élan de courtoisie envers moi, le gardien de l'enfant? Pour me tourmenter parce que je suis pleinement heureux? Ou bien encore pour que je réagisse exactement comme je l'ai fait, et lui épargne ainsi une horrible besogne? Peut-être pour toutes ces raisons à la fois, sans que lui-même sache laquelle est la plus forte. Dieu seul peut le savoir. Quant à moi, je fais ce que je dois, et c'est assez.

Les gardes lui emboîtèrent le pas. Harry ne se retourna pas mais il sentit que leur hésitation s'était envolée. Il pensa aux paradoxes avancés par Benedetta quand elle parlait de l'honneur et de la foi : l'honneur consistait quelquefois à s'abaisser, et la foi à rompre sa parole. Eh bien, je suis en bonne voie pour illustrer ce précepte, se dit-il avec un sourire forcé, mais nul ne sait comment cela va finir. Oui, les gardes suivaient et ils étaient satisfaits. Ils avaient pris leur place habituelle, six ou sept longueurs en arrière. Avec quelle autorité il avait imposé à Owen de ne jamais essayer de s'éloigner d'eux ou de leur échapper! Dieu merci, l'enfant n'avait jamais compris pourquoi.

— Vais-je réellement rentrer chez moi? s'enquit Owen avec impatience, en bondissant sur sa selle.

— Assurément.

— Mais je n'ai salué personne. Ils penseront qu'on ne m'a pas enseigné les bonnes manières, se renfrogna Owen, sincèrement inquiet car la réputation des Gallois lui incombait. J'aurais au moins pu dire adieu à dame Gilleis. Elle a été si bonne avec moi!

— Tout s'est décidé à la hâte. Il nous a fallu remettre les politesses. J'ai salué Gilleis pour toi.

Et pour moi-même, songea Harry, sentant l'évidence se refermer sur son cœur telle une main de fer. Lorsque je suis retourné l'embrasser, sur l'escalier, avant d'aller travailler, sans savoir ce qui me poussait à revenir sur mes pas, c'était un baiser d'adieu.

— Son amour et ses respects! dit Gilleis, rigide et pâle dans l'embrasure de la fenêtre, les plis de la tapisserie tombant autour de ses pieds. Parti! Pourquoi? Pourquoi? Ne pouvait-il m'adresser ce message directement?

— Parce que John pouvait m'approcher librement. Et peut-être parce qu'il se doutait qu'il faudrait vous convaincre. C'est à vous qu'est destiné le message que j'aurais volontiers reçu. Il vous reste maintenant à lui obéir, et vite.

— Je refuse de partir! se récria Gilleis en lui saisissant les mains. S'il court un danger, je veux rester auprès de lui. Que serait ma vie sans Harry?

— Vous partirez, Gilleis. Parce que Harry le demande, et parce que lui seul sait ce qu'il a fait et ce qu'il compte faire. Vous partirez parce que ce serait pour lui le coup le plus cruel si, demeurant ici, vous deveniez l'instrument de sa perte. Vous partirez non parce que vous avez peur, ou ne l'aimez pas assez, mais parce que vous n'avez pas peur et l'aimez plus que vous-même. Jusqu'à vivre sans lui. A cette différence que, désormais, séparés ou réunis, vous ne serez plus jamais seule, ajouta Benedetta en pliant le parchemin pour le cacher contre son sein.

Gilleis tourna le dos à la pièce et regarda le vide par la fenêtre. Elle repoussa la tapisserie d'un mouvement de sa jupe verte.

— Vous l'aimez aussi.

— Seigneur! s'exclama Benedetta. Est-ce un secret? Depuis l'instant où je l'ai vu et jusqu'à ma mort. Je vous l'aurais dit il y a longtemps si j'avais pensé que cela méritait d'être énoncé à voix haute.

— Vous vous méprenez, dit Gilleis. Je voulais dire que... c'est une raison de me fier à vous. Si je pars, si je dois vraiment partir, vous demeurerez son amie ici...

— La sienne et la vôtre.

Benedetta vit Gilleis serrer l'angle de pierre de la fenêtre, et la bague de mariage étinceler sur sa main fine agrippée à la cordelière verte. Elle s'élança pour la prendre dans ses bras et la soutint jusqu'à ce que le malaise fût passé. Des larmes s'écoulaient lentement des grands yeux de Gilleis et tombaient lourdement sur l'ouvrage de broderie qui gisait à ses pieds.

— Ceci non plus n'est pas un secret, dit Benedetta. Du moins pas pour moi. Et c'est pourquoi vous allez partir. Vous avez deux otages à sauver, et l'un d'eux est un morceau de la vie même de Harry. Allez vite chercher votre manteau pendant que j'envoie John seller les chevaux.

Ils demandèrent à manger dans une ferme entre les deux rivières. La maîtresse de maison leur trouva quelques galettes d'avoine, des pommes, des œufs, et apporta pour Owen un grand bol de lait encore tiède. Harry lui donna ses trois pence d'argent pour le repas, et Owen lui offrit, au grand plaisir de la brave femme, un baiser de sa bouche laiteuse. Ils traversèrent Vrnwy Owen continuait de bavarder sans relâche et de chanter, plus souvent en gallois qu'en anglais, mais la fatigue finit par le gagner et il se mit à somnoler sur sa selle.

— Prenez ce pauvre faucon, dit Harry à l'un des archers en souriant, et donnez-moi l'enfant pour qu'il puisse dormir en chemin.

— Je ne dors pas, protesta Owen avec indignation quand il le souleva de sa selle.

Harry l'installa devant lui, entre ses bras, protégé du vent froid par son manteau. Le petit garçon soupira, gigota un peu jusqu'à ce qu'il eût trouvé une position confortable, la tête calée dans le creux de son épaule, la joue contre son torse.

— Et puis je ne suis pas un enfant, reprit-il en s'agrippant solidement aux plis de la cotte verte qui lui servait d'oreiller. Je suis un garçon, bientôt un homme.

— Tu es un diable, mais tu as tout pour devenir un homme. Ne sois pas trop désireux de quitter l'enfance. Ce n'est pas un si grand bienfait d'être adulte.

Owen dormait, le visage en feu et les lèvres humides dans la chaleur du manteau, lorsqu'ils arrivèrent à la carrière, dans le crépuscule d'octobre. De l'obscurité du bois qui enveloppa le chemin, une voix les interpella.

— Talvace, s'annonça Harry, en refermant un bras rassurant sur l'enfant, que le cri avait éveillé en sursaut. Ne crains rien, ce sont des amis. Où est Adam?

La grande barbe de William de Beistan jaillit des ténèbres.

— C'est bien vous, maître Talvace? Qu'est-ce qui vous amène à cette heure? Des nouvelles de Parfois?

— Aucune encore. Bientôt. Où est Adam?

— Aux baraques. Après les arbres, la lumière du feu vous éclairera.

Les parois de la clairière se dressaient, pâles dans la lumière vacillante du foyer abrité par des pierres. Owen s'éveilla tout à fait, jeta un coup d'œil hors de son nid sur les visages inconnus, venus de tous côtés pour les encercler. Adam sortit des baraques en courant et saisit l'étrier de Harry.

— Prends le petit, dit celui-ci en coupant court aux paroles de bienvenue. Et laisse-moi descendre. J'ai besoin de chevaux frais, Adam. Et j'accepterais volontiers le boire et le manger.

Il mit pied à terre, et une petite main anxieuse s'accrocha à sa manche. Harry la détacha et l'enveloppa dans la chaleur de la sienne.

— Je suis là, petit, ne crains rien. Ces gens sont mes amis, et les tiens.

— Entrez, les invita Adam. Nous allons vous restaurer avec joie. Et tu auras tes chevaux. Mais pourquoi les veux-tu ce soir?

— Je te le dirai pendant que nous mangerons. Il n'y a pas de temps à perdre. Quant à toi, Owen ap Ivor, c'est l'occasion de montrer que tu es un homme. Veux-tu bien attendre ici près du feu et ne pas t'inquiéter si je m'éloigne un moment? Tiens, Robin, occupe-toi de lui pendant que je discute avec Adam.

Tout en se régalant de bière, de viande et de pain, Harry confia à Adam ce qu'il avait à lui dire, et vite.

— Owen est le fils adoptif du prince de Gwynedd. Je veux que tu selles un cheval et que tu le conduises toi-même à Aber, où tu le remettras à Llewellyn en personne. Ceci accompli, ne reviens en aucun cas.

Harry s'adressa ensuite aux deux archers, par-dessus la flamme de la chandelle.

— Je dois vous demander pardon de la ruse que j'ai employée pour vous attirer ici. Je n'ai pas menti en disant que le roi avait envoyé l'ordre à messire Isambard de mettre l'enfant à mort. Mais j'ai menti en prétendant que mon seigneur voulait s'épargner le devoir d'obéir. Il était prêt à pendre l'enfant, et il l'est encore. C'est moi qui ai décidé de l'éloigner pour le renvoyer chez lui. Je ne pouvais pas vous le prendre par d'autres moyens, et je ne pouvais pas vous permettre de rentrer à Parfois et d'y conter votre mésaventure, car la meute se serait aussitôt lancée à nos trousses. Maintenant, à vous de décider. Mais oubliez vos arbalètes! Ici, tous les hommes suivront mes ordres, non ceux d'Isambard, et mieux vaut pour vous ne pas les braver. Si vous voulez mon conseil, joignez-vous à Adam et accompagnez le petit à Aber. La gratitude de Llewellyn vous est acquise, il vous accueillera comme des princes, assura Harry avec un bâillement en frottant ses joues engourdies. Je suis désolé d'avoir dû vous mentir. Je n'avais pas le choix.

Les deux archers et Adam le dévisageaient en silence.

— Qu'y a-t-il? Qu'avez-vous?

— *Nous*! s'exclama Adam. Et *toi*, Harry, qu'as-tu en tête?

L'intonation d'Adam et l'expression de son visage, sur lequel le sourire s'était effacé, montraient clairement qu'il connaissait déjà la réponse à sa question.

— Je rentre, dit Harry.

— Non! Au nom de Dieu, non! jura Adam en se levant. Dussé-je te ligoter sur un cheval pour t'emmener avec nous au Pays de Galles. Es-tu fou? Isambard va te pendre sur-le-champ!

— Tu te trompes. Il a promis qu'il ne me déposséderait jamais du travail qu'il m'a confié tant qu'il ne serait pas achevé. Tu sais qu'il tient parole. Et je me suis engagé à ne pas quitter son service tant que l'ouvrage ne serait pas terminé. Moi aussi, je tiens ma parole. Je rentre pour l'honorer.

— Ta parole! C'est de ta vie qu'il s'agit! Crois-tu qu'il te laissera vivre après que tu auras fait de lui un traître? Crois-tu qu'il existe encore dans ce pays une loi assez puissante pour t'arracher à ses mains? Je t'en supplie, Harry, ne mets pas ta vie en jeu par scrupule! Viens avec nous.

— Je vivrai jusqu'à ce que l'église soit achevée. Encore quelques mois. Je suis seul à en fixer le terme. Qui sait? Messire Isambard et le roi lui-même peuvent avoir disparu d'ici là. Je ne veux pas y réfléchir, trancha-t-il en vidant sa corne à boire et en se levant. Réfléchir est vain. Donne-moi un cheval, Adam, et cesse de te tourmenter. Pars, je le veux. Il n'y a pas de temps à perdre. Et ne cherche pas à ruser pour mon bien! Je m'en remets à toi.

Conduis l'enfant à l'abri auprès des siens, sinon tu auras gâché mes efforts et ma vie. Et cela, je ne te le pardonnerais jamais.

— Je m'y engage sur mon âme, dit Adam en plongeant ses yeux dans les siens. Il sera mon unique souci. Mais une fois que je l'aurai remis à Llewellyn, mes actions m'appartiendront.

— Fort bien. Et vous deux, êtes-vous décidés à continuer ? J'espère que vous n'avez ni femme ni enfants là-bas, sous l'emprise d'Isambard, mais je vous promets de faire tout mon possible pour vous mettre hors de cause et protéger vos familles de sa colère.

— Mes enfants sont grands et bien loin de la maison, et ma femme est morte il y a sept ans, dit le plus âgé. Harald, lui, a des galantes dans tout le comté mais point d'épouse. Nous suivrons votre conseil, maître Talvace. Nous irons avec le garçon. Je ne sais pourquoi, mais il se pourrait que le service de Llewellyn me convienne mieux que celui d'Isambard. Et nous jouirons assurément de ses bonnes grâces.

— Alors je ne vous aurai causé aucun tort et j'en remercie Dieu, dit Harry en leur tournant le dos pour sortir, Adam sur les talons.

Assis près du feu dans le grand manteau de Harry, Owen mangeait avec voracité, entouré d'une demi-douzaine de carriers et d'hommes d'armes qui le dévisageaient curieusement. Il s'était déjà lié d'amitié avec eux, et son étrange voyage, cessant de l'effrayer, lui apparaissait désormais comme une aventure passionnante. Ses grands yeux étincelaient dans la lueur des flammes.

— C'est un caractère sauvage mais droit, dit Harry. Sois bon avec lui.

Il traversa le cercle qui s'était formé autour du petit garçon et s'assit dans l'herbe à côté de lui.

— Owen, c'est ici que je te quitte. Tu restes avec Adam. Il est mon frère de lait, comme David est le tien. Il te ramènera chez toi. Ses ordres seront mes ordres, et tu devras lui obéir. Maintenant donne-moi un baiser, et que Dieu veille sur toi. Eh ! Essuie d'abord ta bouche ! J'aime les baisers propres. Voilà qui est mieux ! Demain, à cette heure, tu dormiras dans ton lit. Présente mes respects au prince de Gwynedd et dis-lui que s'il engendre des fils aussi braves que ceux qu'il élève, le Pays de Galles aura un prince de sa lignée.

Harry serra très vite Owen dans ses bras et se leva.

— Où est le cheval que tu me donnes ? lança-t-il à Adam.

Harry avait la main sur la bride lorsque Adam lui chuchota à l'oreille :

— Harry, ne changeras-tu vraiment pas d'avis ? Pense à Gilleis...

— Par le Christ ! grommela Harry dans un murmure douloureux. Qui d'autre qu'elle occupe mes pensées, le jour et la nuit ?

Il enfouit un instant son visage dans le paleron de l'alezan, puis sa faiblesse passa et il recouvra son calme.

— Je fais ce que je dois, Adam. Cela rend tout plus aisé. J'espère bien te revoir, dans ce monde ou dans l'autre, poursuivit-il, de nouveau maître de ses émotions, en se penchant pour embrasser son frère. J'ai eu tort de m'asseoir. Aide-moi, Adam, je suis raide comme un piquet.

Adam lui présenta l'étrier et l'aida à se mettre en selle.

— Mets-toi en route après moi. Adieu, Adam.

Il fit tourner son cheval et partit au trot vers la trouée sombre qui entaillait les parois de la carrière.

— Adieu ! répondit Adam d'une voix à peine audible.

Owen, sensible à la tension ambiante, s'était écarté du feu et regardait l'un après l'autre les deux hommes qui se séparaient. Il perçut la cassure dans la voix d'Adam, il vit le chagrin envahir son visage ; il fondit en larmes et s'élança derrière Harry en criant :

— Maître Talvace ! Maître Talvace !

Harry pivota sur sa selle et les petites mains s'accrochèrent désespérément à sa cheville. Il se baissa avec résignation, prit l'enfant sous les aisselles, et le hissa devant lui. Owen lui enlaça la nuque et enfouit la tête dans son cou en sanglotant. Harry sentait le cœur de l'enfant tambouriner.

— Je ne veux pas que vous partiez ! Ne partez pas ! Ils vont vous faire du mal ! J'ai peur pour vous !

— Allons, allons, Owen ap Ivor ap Madoc. Est-ce ainsi que se conduit un prince ? Est-ce le même garçon qui m'a affirmé être presque un homme ? Je ne cours aucun danger, affirma-t-il en tapotant les épaules secouées de sanglots. Ote-toi cette pensée de l'esprit. Le voyage et tous ces changements t'ont épuisé, et tu imagines le pire sans raison. Regarde-moi. Ai-je l'air effrayé ? Ou triste ?

Il glissa l'index sous le menton frémissant qui se pressait contre lui et força le visage baigné de larmes à se découvrir.

— Les corbeaux vont avoir peur en te voyant ! Voyons si l'on peut arranger cela.

Il sécha les joues humides avec un coin de son manteau et lissa en arrière les cheveux ébouriffés.

— Il ira mieux dès que nous serons partis, assura Adam en tendant les mains vers Owen.

— Il est fatigué. Tu devras le porter pendant la nuit, mais je préfère que vous attendiez d'être bien engagés à l'intérieur du pays avant de prendre le temps de vous reposer.

— J'y veillerai.

— Plus de larmes ? Bien, cette fois je te reconnais, Owen ap Ivor. Sois courageux et obéis à Adam.

Il baisa une dernière fois le front de l'enfant et le tendit à Adam, qui tint entre ses bras son corps frêle tandis que le cavalier s'enfonçait dans l'obscurité. Le piétinement des sabots alla décroissant, puis se tut brusquement, happé par la paroi. Owen se résigna à glisser les mains autour du cou d'Adam et transféra l'allégeance sur lui.

Ils revinrent dans la carrière sans jeter un regard en arrière. Pendant quelques instants de communion, avant que, à sa manière enfantine, l'enfant se libère de son fardeau d'amour et de perte, et que l'homme, à sa manière virile, refuse d'admettre l'évidence, chacun comprit que plus jamais il ne reverrait Harry.

La chasse était lancée et ne se relâcha pas avec la nuit, mais Harry y était préparé. La plupart de ses poursuivants emprunteraient la vallée, certains de le voir gagner directement le pays gallois avec son protégé. Ce fut seulement en contrebas des Breiddens que lui parvint le martèlement des sabots sur la route, et il les évita en s'engageant dans le bois. Quand il revint sur le chemin, il prit garde de suivre l'accotement herbeux, où il pouvait chevaucher presque sans bruit, et chaque fois que l'abri des arbres se présentait, il en profitait. Il se refusait à être ramené comme un captif. Il rentrait de son plein gré, et ce serait de son plein gré qu'il pénétrerait dans Parfois pour reprendre ses outils là où il les avait abandonnés la veille.

Le voyage lui avait laissé tout le loisir de réfléchir, et aussi de se rebeller, au fond de son cœur, contre le hasard fantasque qui l'avait précipité dans cette aventure, lui plutôt qu'un autre. Pourquoi Dieu lui imposait-il un choix cruel pour la seconde fois, et de manière si capricieuse, au moment où son bonheur était en plein épanouissement ? Mais il devinait qu'il n'y avait là, en un sens, aucun caprice, aucun hasard, et que c'était au moins la centième fois, non la seconde, qu'il se voyait confronté à un tel choix. Ou plutôt, si l'on considérait les choses d'un point de vue différent et sans doute plus fidèle, ce n'était que l'ultime confirmation d'un choix qui avait été fait depuis longtemps, une fois pour toutes.

De la main d'Adam à la tête d'Owen, il n'y avait aucune incohérence, aucune intervention du hasard. La prise délibérée de responsabilités, l'affirmation, le défi devaient être répétés sans cesse, car le monde était toujours ce qu'il avait été, et Harry lui-même était tel qu'il était autrefois et serait jusqu'à sa mort. Une fois arrêté son jugement personnel, contraire au jugement du monde, l'issue était implicitement contenue dans le commencement. Dans le tréfonds de son cœur, Harry avait toujours pressenti que son dernier défi au pouvoir, aux privilèges, à la loi, lui serait fatal et que, malgré cela, il ne pourrait ni ne voudrait éviter de le lancer.

Ainsi il n'avait pas de légitime grief envers Dieu ni envers l'homme, et il n'en émettait aucun. Il récoltait ce qu'il avait semé, et il n'était pas homme à barguigner.

Par deux fois pendant son ascension prudente de la colline il avait dû s'écarter et gagner le taillis au moment du passage des cavaliers, mais ensuite le calme était revenu. Ils le recherchaient sans doute plus loin, probablement sur les terres galloises. Il parvint sans incident ni encombre au pied du sentier herbeux qui menait à Parfois. Là, il mit pied à terre, noua les rênes sur l'encolure du cheval, et, d'une claque sur l'arrière-train, le fit partir au galop vers le château. De son côté il gravit à pied la pente douce qui contournait le vallon au bas de la falaise, et trouva la corde suspendue là où il l'avait placée. La clarté d'avant l'aube distinguait tout juste les nuances des couleurs, séparait le sombre du pâle. Il se hissa à la force du poignet, une main après l'autre, puis rampa dans les hautes herbes au bord de la falaise en halant la corde derrière lui.

Le silence pesait sur Parfois. Le pont-levis était haut et, dans le calme ambiant, Harry entendit le piétinement du sergent du guet sur le chemin de ronde entre les tours du corps de garde.

Après s'être débarrassé de la corde, il se rendit à l'atelier et y demeura assis un long moment, le front posé contre la poitrine lisse et froide de la Madone de l'Annonciation. La somnolence le gagnait et il s'ébrouait chaque fois qu'il se surprenait à s'assoupir. Dès que la lumière du jour fut suffisante il prit ses outils, mais le sourire de Gilleis sur le visage de pierre était plus qu'il n'en pouvait supporter. Il se rappela avoir promis de s'occuper de quelque chose dès son retour à Parfois. Mais quoi ? Ah oui, le jubé. Le maître charpentier n'en avait jamais apprécié les proportions ni la hauteur modeste, les croisillons délicats et peu abondants le frustraient de son désir d'exhiber sa virtuosité, et enfin il n'arrivait pas à se remettre de l'absence de croix. Harry, pour sa part, était sûr de son jugement. Il ne tolérait rien qui pût briser ce vaste volume d'air et de lumière, qui était sa plus belle réussite, mais il aimait ce fragile et solide édifice parce qu'il jouait avec la lumière sans lui opposer d'obstacle, et ses motifs verticaux, filigranés, formaient autant de fontaines lumineuses qui jaillissaient vers la voûte. Toutefois il avait promis d'y jeter un regard critique, et cette vue, au moins, lui donnerait de la joie. Il se leva, le corps gourd, et se rendit dans l'église, maillet et poinçon à la main.

La lumière de l'aube était pâle mais limpide dans la haute voûte de la nef. L'espace protégé emplit Harry de paix et de contentement. Il avait l'impression d'être entouré de deux mains en prière. Il se tint dans le portail ouest pour s'imprégner les yeux et le cœur de toute cette sérénité, longtemps, tandis que la lumière grise croissait et s'avivait. Il entendit les premiers cavaliers revenir bredouilles mais n'y accorda pas d'attention. Ils passèrent près de son sanctuaire, puis l'homme du guet abaissa le pont-levis. Harry demeura indifférent, charmé par la quiétude du lieu, libéré de toute anxiété. A l'est, le ciel s'était éclairci, et les premiers rayons du soleil levant, dardant à travers la vallée, étincelèrent comme des oiseaux dorés sur le plateau rocheux de Parfois. Ils pénétrèrent par les grandes lancettes des fenêtres vides orientées à l'est, transpercèrent de part en part l'église à l'horizontale, et frappèrent d'or le mur ouest. Qui oserait ériger une barrière sur la route aérienne des colombes de Dieu ? Qui oserait les enfermer derrière un treillage de bois et de pierre, comme dans une cage ornementée ? Soudain, la nef elle-même s'emplit d'une lumière réfléchie qui trembla sur les tendres nervures de la voûte comme des doigts sur des cordes de harpe, et, dans les bosses, les chérubins aux joues rondes s'illuminèrent et exprimèrent leur joie.

Le jubé bas était parfait, délicat, austère. Maître Matthew ne devait plus y toucher, n'ajouter aucune enjolivure à sa sobre simplicité. Ses tiges élancées sculptaient la lumière en échelles d'or sur les carreaux engobés de la nef. Jamais aucune croix, aucune représentation de deuil ne jetterait ses longues ombres asymétriques sur ce champ de lumière, ne briserait son unité. Malgré son amitié pour le maître charpentier, Harry ne le laisserait pas déparer tant de beauté. Il était ébloui, incommensurablement heureux, lui qui avait jeté tout ce qui lui restait de vie et qui aurait dû se sentir incommensurablement triste.

Il monta dans le triforium et longea l'étroite galerie menant à l'extrémité est. Il avait laissé là toute une rangée d'encorbellements à sculpter sur place, et n'y avait pas encore touché parce que c'était un travail aisé et accessible auquel on pouvait s'atteler à loisir pendant l'hiver. Il s'arrêta dans la dernière ouverture trilobée du triforium, juste assez haute pour qu'il s'y tînt debout, tout près des fenêtres est et au-dessus du maître-autel, et observa le cheminement aérien de la lumière. Certaines des fenêtres du clair-étage, de ce côté, étaient déjà embrasées par les rayons du soleil qui les transperçaient à l'oblique, bordant la voûte de joyaux étincelants : émeraudes, rubis, saphirs, topazes, chrysobéryls, améthystes. Harry était dans l'ombre, mais toute cette lumière lui appartenait.

Il se tenait toujours là lorsque dans le portail ouest, celui par lequel il était entré, se découpa la silhouette sombre d'un homme. Celui-ci avança lentement, les bras tombant lourdement le long du corps, jusqu'à ce que la lumière réfléchie l'extraie de l'anonymat de l'obscurité, et que se lève vers le splendide rayonnement le visage ravagé d'Isambard.

Le seigneur de Parfois était certain d'être seul. Comment ne fut-il pas alerté par ses sens ou son esprit? Il regarda la voûte emplie de lumière matinale et, telle une fleur au soleil, son expression amère se réchauffa, se colora, s'épanouit. Il s'ouvrit, béant, jusqu'au cœur, et dévoila une telle angoisse, une telle douleur, un tel désespoir que l'air même de l'église en frissonna et s'imprégna de sa souffrance. Il émanait de lui de l'amour, aussi, de l'adoration, mais un amour sans compassion, une adoration sans paix. Noirs, creusés, ses yeux vénéraient la beauté et la splendeur dont il avait permis la réalisation, n'y trouvaient aucun défaut et n'y puisaient aucune joie. Il découvrit ses dents, inclina la tête de côté, et, fermant ses mains décharnées, qui recelaient encore une force si brutale, s'en frappa violemment la poitrine.

— Même lui! cria-t-il d'une voix de démon tourmenté. Lui aussi! Traître envers moi, et parjure envers toi, mon Dieu!

La voûte, fidèle, porta son cri amplifié mais non déformé jusqu'à Harry, et le prolongea en échos tristes et décroissants d'un bout à l'autre de la nef. Harry se pencha entre les redents de l'ouverture, ses outils à la main.

— Qui ose prétendre que je suis parjure?

Il avait parlé d'un ton assez calme, mais la proximité de la voûte le transforma en un cri de défi. Isambard rejeta la tête en arrière, le chercha des yeux et, l'ayant repéré dans la découpe trilobée du triforium, tel un saint dans sa niche, le fixa un long moment dans un silence et une immobilité absolus. Puis il porta une main devant ses yeux. Contre la lumière ou une image qu'il ne désirait pas voir? Harry ne put le deviner.

— Pourquoi êtes-vous revenu? cria Isambard.

Comment interpréter cette question? Pourquoi êtes-vous revenu m'imposer l'obligation de vous tuer? Pourquoi êtes-vous revenu m'infliger le plaisir terrible et la douleur plus terrible encore de la vengeance? Pourquoi ne m'avez-vous pas soulagé de ce fardeau?

— Pour achever ce que j'ai entrepris, répondit Harry. Ainsi que je m'y suis engagé, et que je le ferais même si je n'étais pas lié par ma parole. Je me souviens de ma promesse. Dois-je vous remettre la vôtre en mémoire?

Isambard découvrit son visage. Derrière l'abri de sa main il s'était recomposé le masque minéral, beau et farouche qu'il arborait en public. Il leva sur Harry un regard fixe et sourit.

— Vous achèverez votre tâche. Moi aussi, j'ai une excellente mémoire. Tout sera scrupuleusement accompli selon vos paroles et les miennes. Intégralement! Vous rappelez-vous vos mots exacts, Harry? Je l'espère. «Je jure sur ce cœur vivant que je ne vous trahirai point.» Or vous m'avez trahi, puisque vous m'avez obligé à trahir.

Pas une fois Isambard ne s'enquit de l'enfant, pas une fois il ne mentionna son nom ni celui de Llewellyn. Peut-être, en cet instant, son cœur brisé était-il partagé entre la gratitude parce que le garçon était sain et sauf, et la rage à l'encontre de l'instrument de son évasion. La désobéissance forcée à l'ordre du roi était impardonnable, mais il ne se serait pas davantage pardonné l'exécution de l'enfant. De toutes les haines qui le dévastaient, la plus féroce était celle qu'Isambard se vouait à lui-même.

— Descendez! cria-t-il sèchement. Je suis las de m'adresser à vous comme à un dieu!

Harry descendit l'escalier en colimaçon, traversa la nef baignée de soleil et vint se poster devant son seigneur. Maintenant c'était lui qui devait lever les yeux. Il sourit, absolvant mentalement Isambard de profiter de ce petit avantage.

— L'enfant est en sécurité, dit Harry avec douceur. Je pensais que vous aimeriez le savoir. Et je me souviens très précisément de mes paroles.

— Tant mieux. Vous aurez tout le temps nécessaire pour achever votre ouvrage. Mais une fois celui-ci terminé, vous mourrez comme un traître, vous qui avez fait de moi un traître. J'exigerai le paiement plein et entier de votre engagement. Je prendrai votre cœur vivant et le brûlerai sous vos yeux.

14

Les sergents entraînèrent Harry sur le pont-levis et à l'intérieur du corps de garde alors que le chantier était encore désert, de crainte que ses hommes tentent de le secourir, bien que Harry leur eût affirmé qu'ils n'avaient rien à redouter des manouvriers et des artisans, soucieux de leur propre sécurité. Cependant les gardes ne voulaient courir aucun risque avec un prisonnier aussi précieux que Harry Talvace, dont ils devraient répondre sur leur vie. Ils lui octroyèrent une geôle dans le corps de garde, dûment fermée à clef et verrouillée, lui entravèrent les chevilles de fers pour faire bonne mesure, et le laissèrent enfermé presque toute la journée. Toutefois il eut droit à un lit de planches et à de la nourriture. Il mangea d'assez bon appétit et s'endormit à peine allongé. Maintenant que c'était fini, qu'il n'avait plus à agir, seulement à subir sa sentence, le sommeil lui était permis.

Il dormit toute la matinée et une grande partie de l'après-midi, tandis que des cavaliers se rendaient à Fleace et Mormesnil afin de ramener des autres seigneuries d'Isambard certains hommes mieux qualifiés pour exécuter les ordres et surveiller un prisonnier inconnu d'eux. En effet, trop de gens à Parfois, hommes d'armes, archers ou palefreniers, étaient peu fiables en raison de leur sympathie pour Harry.

Le premier arrivé fut un forgeron de Mormesnil. Il se planta devant la couche où dormait Harry et ne cacha pas son étonnement.

— C'est donc lui? Un jeunot! Vous auriez pu lui attacher un de vos collets autour de la taille et m'épargner le dérangement. Je croyais avoir affaire à un taureau sauvage, avec tout le tintouin qu'on fait autour de lui!

Le forgeron ne s'en installa pas moins dans l'armurerie pour façonner le harnais commandé. Maître Talvace devait être libre de ses mains pour travailler la pierre, et de ses mouvements pour escalader à volonté les échafaudages, mais néanmoins solidement assujetti. Une chaîne, reliant deux ceintures en fer articulées par des charnières et dotées de serrures masquées et incrochetables, devait l'unir à son indissociable gardien, un sergent poitevin à la forte carrure, maître dans le maniement de l'épée et de la dague, venu de Fleace, dans le Flintshire.

— Ne confondez pas les deux ceintures, ironisa le forgeron en voyant l'épaisse charpente de Guillaume le Poitevin. Sinon le petit gars pourrait se faufiler et vous glisser entre les doigts.

— S'il y arrivait, grommela le Poitevin dans sa barbe noire et broussailleuse, mon camarade ici présent ne lui laisserait pas faire cinq cents pas. Je serais bien étonné qu'il nous fausse compagnie à tous les deux, à moins qu'un ange ne vienne l'enlever d'un coup d'aile dans un nuage.

— Les saints viennent rarement à Parfois, sourit le ferronnier.

Harry ne quitta pas le corps de garde de la journée. Pendant ce temps, diverses rumeurs se succédaient parmi ses hommes, et pas un carreau ne fut posé, ni une pierre touchée dans l'église. Parfois tremblait de la secousse de la trahison de Harry et cent versions différentes couraient sur son sort. Il était captif. Mort. Sain et sauf avec Owen au Pays de Galles. Owen était mort mais Harry en fuite. Il avait été capturé à la frontière puis conduit à Fleace.

John le Fléchier rapporta ces rumeurs à Benedetta une douzaine de fois au cours de l'après-midi, mais toujours avec la même conclusion :

— On raconte beaucoup de choses, mais on ne sait rien. Personne ne l'a vu depuis qu'il s'est enfui avec l'enfant, en tout cas personne qui ose parler.

— Le cheval! s'exclama Benedetta lorsque John revint une nouvelle fois, au début de la soirée. Va t'informer aux écuries. Quelqu'un sait peut-être quel cheval il a pris.

John obtint la réponse, mais ne put la lui communiquer avant le souper dans la grande salle, car Isambard se trouvait avec elle dans leurs appartements privés. Il parvint à l'approcher au moment où elle quitta la table et lui murmura à l'oreille :

— Un cheval de la carrière est revenu sans cavalier.

— Alors il est ici, répondit-elle avec certitude en pressant une main sous son cœur.

Mais elle conserva son calme et son impassibilité, et n'en souffla pas un mot à Isambard. La vérité se ferait jour toute seule. Elle ne voulait ni se trahir ni plaider la cause de Harry prématurément.

A la nuit tombée, ils sortirent Harry de son lit et l'enfermèrent, débarrassé de ses fers, dans une geôle située sous la tour de garde. On y accédait par une antichambre, dans laquelle il fit la connaissance de ses deux cerbères, le Poitevin massif et basané, et l'arbalétrier rouquin, longiligne et morose, dénommé Fulke. Ils le toisèrent d'un regard impartial de professionnels, semblable à celui qu'il aurait posé sur le tracé de l'édifice d'un confrère, sans en tirer de plaisir particulier sinon la satisfaction de trouver des solutions aux problèmes qu'il présentait. Harry vit comme un compliment qu'Isambard eût pris soin de le confier aux mains d'étrangers.

Sa geôle était petite mais sèche, et, étant taillée dans le roc, plus chaude que les abords de la grande salle, exposés à tous les vents. Il n'y avait pas de fenêtre, mais un étroit goulot oblique apportait de l'air à travers l'épaisseur de la muraille et, dans la journée au moins, un faible filet de lumière parvenait jusqu'à lui. Harry disposait d'un lit et de couvertures. De toute évidence, il ne fallait pas que le maître d'œuvre de messire Isambard pût mourir de froid ou souffrir de rhumatismes avant d'être éviscéré par le bourreau. Pour les mêmes raisons, il était bien nourri et on lui fournissait tout ce dont il avait besoin pour être actif et présentable. Il était encore le maître d'œuvre de Parfois et devait continuer d'imposer le respect à ceux qui travaillaient sous ses ordres. Harry s'était attendu à passer une nuit sans sommeil, assailli de pensées fiévreuses, de sentiments amers, à ressasser les étapes qui l'avaient conduit à sa perte. Or il dormit paisiblement et s'éveilla frais et dispos. Il y avait quelque chose de surnaturel dans l'apparition de Fulke près de son lit, une chandelle à la main et un tranchoir garni de nourriture dans l'autre. L'arrivée de Guillaume fut plus étrange encore. Il apporta de l'eau, une serviette, et lorsque Harry eut fini de se laver, il lui offrit de le raser. Harry le dévisagea un instant, interloqué, puis éclata de rire.

— Je comprends! On ne veut pas que je me serve moi-même d'un rasoir. Précaution inutile, mais c'est un luxe auquel je n'ai jamais goûté! Qu'en est-il de mon maillet et de mes ciseaux? Ont-ils pensé à cela? Serai-je autorisé à travailler, aujourd'hui?

Apparemment il l'était, puisqu'ils apportèrent le harnais fabriqué par le forgeron et fixèrent la plus étroite des deux ceintures autour de sa taille.

Harry tira sur la chaîne pour la tester.

— Lequel de nous est le chien? Lequel tient la laisse?

— Vous avez la langue bien pendue, grogna Guillaume sans se laisser impressionner. On verra si vous êtes toujours aussi fringant à la fin de la journée.

Le Poitevin en avait rencontré beaucoup, de ces prisonniers insolents et effrontés, mais pas un seul qui eût conservé longtemps ses airs fanfarons.

— Vérifions l'efficacité de cet instrument, dit Harry en pivotant. C'est bien conçu. J'aime qu'un homme tire fierté de son travail. Mon seigneur m'a promis ma liberté d'action et le temps d'achever mon ouvrage. Cela tient-il toujours?

— Nous devons vous accompagner où que vous alliez. Tant qu'il s'agit de l'église, vous êtes le maître. Mais attention, personne ne doit vous adresser la parole pour un autre motif que le travail. Vous feriez bien de les avertir, sinon ce sont eux qui en pâtiront.

Pour la première fois Harry sentit un pincement de terreur. Il se tourna vers la porte, aspirant de toutes ses forces à la dernière et inaltérable joie qui lui restait, travailler, et à son unique espoir de réconfort, avoir des nouvelles de Gilleis. Etait-elle à l'abri? Se portait-elle bien? Le soutenait-elle dans la voie qu'il avait prise? Avait-elle compris et pardonné la brutalité forcée de ses adieux? Inutile d'interroger les deux gardiens, qui étaient étrangers à Parfois et avaient sans doute reçu l'ordre de rapporter ses moindres paroles à Isambard. Mais une fois dans l'église, Harry savait que Benedetta trouverait un moyen de lui transmettre un message. Même s'il devait rester à l'écart du monde, ses geôliers laisseraient un jour passer un mot. Harry ne croyait pas, refusait de croire, que l'on pût exiger de lui qu'il souffrît et mourût sans savoir si Gilleis était sauve — Gilleis et son fils, ce fils qu'il ne connaîtrait jamais.

— Je vois que vous changez déjà d'avis, ricana Guillaume. Avez-vous compris de quel côté de la laisse vous êtes?

— Je réfléchissais à ce dont j'ai besoin dans la chambre de trait, afin que nous n'ayons pas à revenir dans la cour, mentit Harry sans hésitation, en posant un bref instant les mains sur la froide ceinture de fer qui lui enserrait la taille.

Les portes s'ouvrirent devant lui une à une, telles les couches de pierre qui l'isolaient du monde. Il sortit dans la triste, grise et pourtant splendide lumière du jour, fraîche et blême après le magnifique soleil de la veille, et traversa la basse cour en direction de la chambre de trait, de son habituelle démarche impétueuse. Il existait une seule attitude possible face aux chaînes : les chasser de son esprit. Il marchait vite et obligeait Guillaume à courir derrière lui en maintenant de son mieux le poids ballant de la chaîne. Fulke fermait la marche, l'arbalète sur l'épaule. C'était lui qui conservait les clefs du harnais, de telle façon que si d'aventure Harry réussissait à mettre le Poitevin hors de combat, ou à le tuer, il ne puisse se débarrasser de son corps.

La réapparition de maître Talvace dans le château de Parfois fit sortir les cuisiniers et les apprentis de l'office, et les palefreniers des écuries. Hommes d'armes, chambellans, clercs, écuyers et pages, tous abandonnèrent leurs occupations pour assister au spectacle et s'apitoyer. Harry Talvace n'était donc pas au loin, en sécurité ! Il était ici, prisonnier, mais il se dirigeait vers la chambre de trait avec son autorité coutumière, enchaîné mais non pas soumis, entravé mais non pas honteux. Il passa parmi eux, insensible au frisson de crainte et d'admiration qui les parcourait à sa vue, indifférent aux deux gardes qui le talonnaient. La nouvelle de son retour se répandit tel un feu dans l'herbe sèche. Le cortège évoquait une comète dont la queue jetait des étincelles.

Dans la chambre de trait, le jeune Simon était penché sur les comptes, la tête entre les mains, mais il n'écrivait ni ne lisait. A en juger par ses yeux boursouflés, il s'était presque rendu aveugle à force de pleurer. Quand il découvrit Harry sur le seuil, son visage s'éclaira d'une telle joie incrédule que tout parut s'illuminer autour de lui. Il ouvrit la bouche pour se lancer dans un discours enflammé, mais au même instant il aperçut l'escorte et la chaîne. Dans son regard la lumière s'éteignit. Le sourire de joie se figea dans une grimace horrifiée. Il s'arracha de son tabouret et se serait jeté dans les bras de Harry, comme un enfant cherchant un réconfort, si Guillaume ne s'était interposé et ne l'avait repoussé brutalement contre la table à tracer.

— Bas les pattes ! Tu peux lui dire ce que tu as besoin de lui dire concernant le travail, mais pas un mot de plus. Et si tu veux être fouetté, tu n'as qu'à le toucher.

— Laissez-le! s'emporta Harry sèchement. C'est mon aide. C'est à moi de lui expliquer ce qu'il doit et ne doit pas faire.

Harry regarda le visage frémissant du jeune homme par-dessus l'épaule du Poitevin et lui sourit.

— Ne pleure plus jamais à cause de moi, Simon. Comme tu vois, je me porte comme un charme et je suis toujours le maître d'œuvre. Nous allons poursuivre notre travail et le terminer aussi bien que nous l'avons commencé. Toi et moi. Une fois l'église achevée, il sera temps de se préoccuper d'autre chose, mais pas avant. Pour l'heure, fais comme il te dit, ne me parle que du travail en cours. En cette matière, tu peux t'exprimer librement. D'ailleurs, ajouta-t-il gentiment, quel besoin aurais-tu de me dire ce que tu ressens pour moi et de me jurer que tu seras, comme tu l'as toujours été, un bon garçon et un ami loyal? Je sais tout cela et m'en réjouis.

— Surveillez vos paroles, grommela Fulke en guise d'avertissement. Vous dépassez les limites autorisées.

Harry éclata de rire.

— Quelles limites? Croyez-vous pouvoir m'imposer le silence? Comment? Par le fouet? Qui serait perdant dans l'affaire? Je ne mourrai qu'une fois, mais si je meurs trop tôt, messire Isambard ne verra pas son église terminée. Et si vous m'estropiez à coups de bâton ou sur le chevalet de torture non plus. Vous n'oserez pas porter la main sur moi sans un ordre de lui, et vous le savez. Jamais parole n'a été plus libre que la mienne.

Il leur tourna le dos et se dirigea vers le coffre qui contenait ses épures.

— Knollys a-t-il examiné les rôles, hier, Simon?

— Oui, maître Harry. Et il les a acceptés. Les carreaux nous ont coûté moins que la somme allouée.

La voix de l'adolescent était mal assurée mais il la maîtrisa. Lui aussi avait sa fierté.

— Il y avait tant d'incertitudes, hier, à cause de votre absence. Vous feriez bien de vérifier ce que maître Matthew a en tête. Vous parti, il considérait de son devoir de prendre la responsabilité du chantier, mais vous savez qu'il a des idées un peu différentes des vôtres.

— Matthew est un brave homme, sourit Harry. Mais il encombrerait l'église de boiseries somptueuses si on le laissait faire. Ne crains rien, je défendrai mon jubé. Matthew a eu le champ libre pour les stalles.

Harry rassembla ses épures et revint à la porte.

Les frémissements de terreur et de compassion le précédèrent au passage du corps de garde et du pont-levis telle une fanfare, et les manouvriers, les carreleurs, les plombeurs, les verriers, les menuisiers qui s'affairaient sur les stalles du chœur, tous le regardèrent bouche bée lorsqu'il entra dans l'église, le pas alerte et le regard fier comme à son habitude. Maître Matthew était justement en train de se masser le menton et de méditer sur le jubé qui le décevait tant. Un petit groupe de sympathisants l'entouraient, qui anticipaient l'ascension de son étoile si maître Talvace était en fuite, mort ou tombé en disgrâce, quelle que fût la version exacte de sa disparition. Au lieu de ces lignes verticales et de ces feuillages sobres et élancés, maître Matthew imaginait une forêt d'ornements riches et luxuriants. Or on ne pouvait rien tirer du jubé existant, sinon le démonter et le remplacer entièrement.

— Il faudra attendre que je sois mort! tonna Harry en débarquant à l'improviste au milieu de la conversation. Cela pourrait se produire bientôt, mais pas dans l'immédiat je pense.

Ils firent volte-face, abasourdis, déconcertés mais ravis. Toutefois la vue de la chaîne et de la ceinture de fer leur causa un choc et figea les mots sur leurs lèvres. Leur réaction étonna Harry lui-même, qui dut poser une main sur sa ceinture pour se rappeler la cause de leur stupeur.

— Oh, ne vous laissez pas impressionner. C'est le moyen qu'a trouvé l'esprit consciencieux de mon seigneur pour s'assurer qu'il ne serait pas privé de mes services. Apprenez que je suis encore le maître d'œuvre de cette église, et quiconque mettra mon autorité en question fera bien de s'en référer au jugement de messire Isambard. Je suis désolé d'avoir perdu une journée de travail, hier. Les événements ont échappé à mon contrôle. Mais je ne doute pas que vous ayez utilement employé votre temps.

Confondus, soulagés, hébétés, horrifiés, ils se remirent à l'ouvrage comme si de rien n'était. Le ton mordant de Harry, ses regards critiques déniaient le changement. Même les heures du jour, qui s'écoulaient dans les tâches ordinaires, conspiraient à le contester. Seul le cliquetis de la chaîne était un rappel continuel. Ils l'entendirent toute la journée, à intervalles, venant du triforium où Harry avait attaqué la dernière série de sculptures. Le cliquetis faisait un contrepoint discordant aux coups de maillet mesurés et au tintement léger des éclats de pierre qui tombaient.

John le Fléchier, qui avait assisté à l'étrange procession à travers la basse cour, se présenta sur le chantier aux alentours de midi et marcha avec assurance vers l'entrée de l'église, comme s'il était investi de la plus haute autorité. A l'intérieur du portail, deux hommes d'armes sursautèrent. Une lance lui barra le passage et une grande main s'aplatit contre son torse.

— Pas ici, John ! Seuls ont le droit d'entrer ceux qui travaillent.

— C'est nouveau, remarqua John d'un ton égal. Je suis venu hier. Madonna Benedetta veut les mesures de l'autel de la Sainte Vierge pour les draperies. Mais si tu te sens de taille à la contrarier, tu en répondras sur ta tête. Je le lui dirai.

Ce n'était pas une mince affaire que de s'opposer à la châtelaine de Parfois, mais ils avaient sans doute des ordres stricts car ils ne s'effacèrent pas et n'abaissèrent pas leur lance.

— Si tu es venu hier, pourquoi n'as-tu pas pris les mesures ?

— Parce que l'autel n'est pas encore posé et que maître Talvace n'était pas là. Lui seul connaît les détails que demande Madonna Benedetta. Et je ne tiens pas à toucher à leurs pierres ouvragées. Suppose que je sois accusé d'avoir causé un dommage ? Avec lui, il y en a pour un instant. Madonna Benedetta m'a envoyé parce que nous avons appris qu'il était revenu.

— C'est justement parce qu'il est revenu que personne ne peut entrer. Personne, John !

Il haussa les épaules avec une indifférence feinte et retourna informer Benedetta. S'il fallait livrer bataille pour pénétrer dans l'église, elle avait plus de chances de triompher que quiconque. Elle décida donc de venir en personne aussitôt, traversa le vaste terre-plein et se présenta devant le portail, le visage hautain et impérieux, le regard sévère. Des lances se croisèrent devant elle pour lui interdire l'entrée. Dans le beau visage diaphane et décomposé, les yeux gris avaient la dureté du verre.

— Plaît-il ? Qui vous autorise à m'empêcher d'aller où bon me semble ? Messire Isambard en aura connaissance.

— Madame, c'est de lui que nous tenons nos ordres. Nous ne devons admettre que les ouvriers, et mon seigneur lui-même. Il ne tolère aucune exception. Je comprends qu'il ne songeait sûrement pas à vous bannir aussi, madame, mais sans sa permission nous n'osons vous laisser le passage.

— Je vais entrer, rétorqua Benedetta, le regard flamboyant. Si vous m'arrêtez, vous en répondrez.

Elle souleva à deux mains le bas de ses jupes et fit deux pas audacieux vers les marches, la poitrine offerte aux lances croisées.

Celles-ci frémirent devant elle, prêtes à s'écarter pour ne pas la toucher, mais les gardes redoutaient davantage de transgresser leurs ordres que de l'offenser. Bien que tremblants, ils tinrent bon. Benedetta s'appuya contre les lances, mais ne put aller plus loin.

Devant elle, les portes étaient ouvertes. Elle aperçut Harry entre les stalles du chœur, ses deux ombres sur les talons. Comme si ses yeux avaient eu le pouvoir d'attirer les siens, il tourna la tête et la vit, pressée contre la barrière de lances. Il quitta les menuisiers et traversa la nef à grands pas, avec une telle hâte que Guillaume devina, avant même de remarquer la femme à la porte, qu'il devait s'opposer à ce déplacement. Le Poitevin ne dit pas un mot mais s'arc-bouta solidement, souriant, et laissa Harry aller sans retenue jusqu'au bout de l'allonge. La chaîne se tendit et lui imposa un arrêt brutal. Le souffle coupé, il porta les deux mains à sa ceinture. Benedetta vit l'éclat du fer. Elle entendit le rire guttural du Poitevin et eut un haut-le-cœur d'impuissance. Ils étaient trop loin l'un de l'autre, même pour se transmettre un message par le regard, même pour signifier par un hochement de tête qu'elle avait accompli sa tâche. La pénombre automnale obscurcissait leurs visages, leurs efforts pour correspondre par le cœur ou les yeux étaient vains. Et trahir leur alliance trop ouvertement les eût privés d'une seconde chance.

Benedetta demeura un instant immobile, dévorant du regard le contour des épaules de Harry, l'inclinaison désespérée de sa tête, tout ce que la lumière grise lui montrait de lui. Puis elle se retourna, avec un de ses mouvements majestueux, et son humiliation tomba comme la poussière secouée de l'ourlet de son bliaud. Elle sortit sans un mot, sans un regard en arrière.

— C'est une longue laisse ! s'esclaffa Guillaume. Mais elle a ses limites. Notre chien de chasse n'est pas encore habitué à son collier. Donnons-lui du temps, il finira par obéir au doigt et à l'œil.

Bien que livide de rage et submergé par la douloureuse conscience de son impuissance, Harry s'abstint de répondre. Benedetta essaierait encore, un millier de fois, jamais elle ne renoncerait. Elle se plaindrait avec hauteur de son mauvais traitement auprès d'Isambard, et ce dernier refuserait avec une courtoisie hypocrite. Si elle insistait sur l'offense subie, il ferait fouetter les gardes, et cette injuste punition lui incomberait, si bien que plus jamais elle ne pourrait tenter de forcer le passage. Elle enverrait d'autres messagers, différemment, ingénieusement, mais aucun ne parviendrait jusqu'à Harry. Toutes les précautions seraient prises pour contenir Benedetta. Harry devait être gardé au secret, ne plus connaître que le travail pour lequel on le conservait en vie. Hormis cela, il était déjà un homme mort. Il n'avait ni femme ni amis, aucun droit parmi les vivants, pas même de nationalité ni de biens, pas de roi, pas d'intérêts dans les événements du monde. Il ne pourrait plus jamais échanger un mot avec Benedetta, ni demander à Simon ou à un autre de ses subordonnés de prendre le risque de lui témoigner de la pitié.

Il ne lui restait donc qu'une ressource, une seule. Lui-même. Obéir au doigt et à l'œil? Non. Ni à votre dressage, ni au sifflet du seigneur de Parfois, se promit Harry. Puisque je dois chercher mes satisfactions là où je puis et me débrouiller seul, voyons comment mes dresseurs s'habitueront.

Les verriers travaillaient sur l'une des fenêtres de la tour. C'était l'occasion de monter sur le plus haut niveau de l'échafaudage et ses gardes n'avaient d'autre choix que de le suivre. L'allure qu'il leur imposa aurait terrifié même certains de ses propres maçons. Contraints par la nécessité, ils haletaient derrière lui, suant de peur. Il dut revenir en arrière une fois pour dégager Fulke d'un angle exposé où il s'était figé, le teint verdâtre, incapable d'avancer ni de reculer. Enfin parvenus sur la galerie culminante, Harry s'approcha du bord des claies et ils s'agrippèrent désespérément au mur, tremblants, malades, pris de vertige. Le Poitevin marmonna une litanie de jurons dans sa barbe drue et frémissante. Harry riait, les orteils au-dessus du vide. Dans la lumière décroissante, car le soir tombait vite, le château formait une masse grise. Tout en bas, la vallée était un corsage de velours lacé d'un ruban d'argent. A l'approche lente de la nuit, l'air devenait froid et calme.

Soudain, Harry fut submergé par une vague de désolation telle que son corps entier en fut endolori. Il ramassa un caillou minuscule sans doute apporté sous la semelle d'un ouvrier, et le lança dans le néant.

— Qu'est-ce qui m'empêche de le suivre? dit-il en tournant vers Guillaume un sourire féroce. Délie ton chien, Poitevin, si tu ne veux pas tomber avec lui.

Guillaume eut un regard terrorisé et lui empoigna le bras, mais Harry se dégagea et fila le long des claies en souriant, puis, saisissant la chaîne à deux mains, il commença à haler son compagnon de fers. Le Poitevin enserra des deux bras l'un des mâts d'échafaudage et s'y accrocha désespérément, tremblant de la tête aux pieds.

— N'aurais-tu pas mieux fait de lui ôter sa chaîne, Fulke? A moins que tu veuilles nous suivre? Plutôt sauter qu'affronter Isambard sans nous?

Ils le maudirent, le supplièrent.

— Ah, soupira Harry, autant lassé de son jeu que fatigué d'eux, vous n'avez rien à craindre. Avec moi, vous ne courez pas grand risque. Si je voulais vous tuer, j'aurais déjà pu me débarrasser de Fulke. Il me suffisait de le laisser trembler de frayeur tout près du bord, jusqu'à ce qu'il bascule tout seul dans le vide. Allons, redescendons, si vous avez encore le courage de bouger. Suivez mes conseils et vous serez aussi en sécurité que dans votre lit.

Il les guida jusqu'en bas. A peine touché le sol, Guillaume se jeta à genoux pour vomir. Harry laissa pendiller la chaîne en riant, bien que l'envie de rire l'eût déjà fui.

Ce soir-là, de retour au cachot, quand ils lui apportèrent son repas, tous trois demeurèrent abattus et silencieux. Harry s'allongea sur son lit, délivré de ses fers, les mains nouées derrière la nuque. La colère dissipée, ne restait que la désolation.

— C'était injuste de tirer avantage de vous, admit-il avec un sourire réticent. Je n'en suis pas fier. Il faut un long apprentissage à un homme pour se mouvoir avec adresse sur un échafaudage. N'ayez point honte de n'être pas nés avec ce talent. Je n'ai pas d'autre choix que de vous emmener à nouveau là-haut, en toute bonne foi, mais nous monterons à votre allure, je vous en donne ma parole.

Abasourdis, ils le considérèrent longuement sans rien dire. C'était la première fois qu'un prisonnier leur demandait pardon.

— Y a-t-il une chose qui vous ferait plaisir? s'enquit Guillaume d'un air bougon avant de l'abandonner à ses ténèbres.

— Une seule, répondit Harry en se dressant sur un coude. Je n'aurais à me plaindre de rien, si j'avais des nouvelles de ma femme. Si vous pouviez au moins m'apprendre si elle se trouve encore à Parfois, ou bien en sécurité loin d'ici...

Leurs visages se fermèrent et Harry comprit, à leur coup d'œil oblique, qu'il était inutile d'insister. Ils étaient chargés de se surveiller mutuellement et aucun d'eux n'osait le rassurer, par crainte pour sa propre vie.

— Tant pis! soupira Harry en s'étendant. C'était trop demander.

Une fois la porte verrouillée, cette porte qui évoquait une pierre scellant un tombeau, il se tourna sur le ventre et enfouit la tête entre ses bras repliés. La légèreté d'esprit, le vide, l'irresponsabilité qui avaient obscurci son jugement lorsque toute possibilité d'action lui avait été retirée étaient maintenant dissipés, tel l'engourdissement consécutif à une blessure. Le besoin dévorant de Gilleis l'envahit à la façon des douleurs du poison, lui investit le corps jusqu'à ce qu'il sente son cœur se vider de son sang. Il gisait là, embrassant sa souffrance, les dents enfoncées dans la chair de son avant-bras, puis la crise passa dans une brève explosion de larmes brûlantes.

Alors commencèrent l'agonie de l'esprit, l'angoisse interminable, la peur, qui ne prendraient fin qu'avec la mort.

Le dernier grand ouvrage de Harry Talvace à Parfois, après les chapiteaux de la nef, était la galerie de têtes sur les encorbellements du triforium. Le fruit de sa captivité.

Comme il était encore un homme vivant, au sang chaud, bien que relégué dans un monde de solitude assez semblable à la tombe, son énergie et sa passion, bannies de tous les autres moyens d'expression, s'engouffrèrent en un flot irrésistible dans cette ultime voie. Il lui restait un bonheur, une joie, la seule qui lui fût désormais permise, et c'était l'édifice splendide qu'il avait créé. Tout son talent s'épanchait dans la pierre, s'épanouissait en une fleur.

Le jour, il se déplaçait parmi les siens, attentif, compétent, exigeant. Et à mesure que s'écoulèrent les semaines et les mois de cet hiver long et obscur, ce qui avait paru étrange et terrible devint familier et admis. L'homme est capable de s'habituer à tout. Après quelques jours passés ensemble, les ouvriers s'accoutumèrent à ses chaînes, se faisant brutalement rembarrer s'ils tombaient dans le piège de trop l'approcher ou de lui adresser des paroles amicales sans rapport avec le travail. Ils le plaignaient, mais la pitié aussi s'estompait à l'usage. Ils la surmontaient, ils survivaient, tout comme Harry semblait avoir survécu à la peur et aux regrets, peut-être même à son désir. Le cœur ne peut supporter longtemps tant de souffrance.

Mais la pierre, elle, ne le trahissait pas.

Il délaissa ses épures et en traça de nouvelles. Tous les encorbellements des arcs intérieurs du triforium, entre les lancettes, devinrent les chapitres de l'histoire de sa vie. Là, dans ce lieu obscur, loin des regards, il pouvait graver son testament. Il commença avec détachement, posément. Tant qu'un encorbellement resterait inachevé, lui-même resterait en vie. Il avait la promesse de son juge. Peu importait que les sols fussent carrelés, les autels dressés, les stalles assemblées, plus de la moitié des fenêtres vitrées et les autres en attente d'être garnies au printemps, Harry ne mourrait pas avant que la dernière sculpture fût terminée, et à sa pleine satisfaction. Il pouvait donc faire durer son travail, longtemps, très longtemps, puisque sa vie en dépendait.

Mais les images naissaient avec aisance et jaillissaient de ses mains avec une telle insistance qu'il ne pouvait les contenir. Jamais têtes ne furent sculptées avec autant de soudaineté, d'efficacité. Guillaume et Fulke le quittaient des yeux une heure ou deux pour jouer aux dés sur les dalles du triforium, et quand ils relevaient la tête, un autre visage de pierre les contemplait. Les traits naissaient tout naturellement et Harry ne pouvait les mutiler en les retravaillant quand il les savait achevés. Il y avait là son père, sa mère — désormais mariée au jeune chevalier de Gloucester, Dieu merci —, son frère Ebrard, et Adam, son frère de lait. Pauvre Adam, qui devait enrager au Pays de Galles et tenter d'obtenir des nouvelles fiables, denrée rare dans un pays bouleversé. L'abbé Hugh de Lacy était là, lui aussi, austère et aristocratique, normand jusqu'au bout des ongles, ainsi que frère Denis, l'hospitalier, sans doute occupé à chercher des excuses pour les plus désobéissants des chérubins de tout le chapitre céleste. Nicholas Otley, drapier et notable de Londres, homme d'une générosité princière dont les princes eux-mêmes témoignaient si rarement. Gilleis et l'enfant. Apollon et Elie, enveloppés dans le manteau qu'ils possédaient en commun. Benedetta. Le prévôt de Paris, Ralf Isambard, John le Fléchier, Owen ap Ivor Madoc, sous sa véritable apparence, cette fois. Tous affluaient de sa mémoire et bondissaient dans la pierre qui les attendait.

L'autoportrait qui entamait la fresque et les quelques autres visages qu'ils identifièrent éveillèrent chez Fulke et Guillaume une curiosité inattendue. Ils suivaient Harry d'un encorbellement à l'autre pour guetter qui allait apparaître, et l'assaillaient de questions sur ceux qu'ils ne connaissaient pas. Si Harry avait surmonté sa colère, ses gardiens avaient surmonté leur indifférence. De laisse, la chaîne était devenue un lien. Il était tard pour entamer une relation nouvelle, pourtant cela se produisit à leur insu.

Gilleis émergea de la pierre au premier jaillissement du printemps, telle une fleur.

— C'est le même visage que celui de l'autel en bas, remarqua Guillaume en regardant par-dessus l'épaule de Harry.

Le Poitevin avait perdu toute sa solde aux dés contre Fulke et n'avait plus rien à jouer. Le gagnant, confortablement assis le dos au mur dans un halo de soleil, à quelque distance, somnolait derrière ses paupières closes, mais il était difficile de savoir s'il dormait profondément.

— Oui, le même.

Le ton de sa voix fit tressaillir Guillaume, qui l'enveloppa d'un regard bienveillant.

— Une beauté. Elle existe donc réellement?

— C'est ma femme.

Guillaume retint son souffle et jeta un coup d'œil à son acolyte. La main de Fulke s'était relâchée lentement et avait glissé de son genou. Sa tête reposait mollement en arrière contre la pierre. Il avait les yeux fermés.

— Je n'ai pas de nouvelles sûres de votre dame, chuchota Guillaume à l'oreille de Harry. Certains disent qu'elle a disparu. D'autres qu'elle est enfermée ici. Personne ne l'a vue.

Etonné et ému, Harry fit face à son geôlier. Le seul fait d'évoquer Gilleis, d'entendre parler d'elle, avait sur lui l'effet d'un festin après un long jeûne, et de savoir que son gardien s'était souvenu de sa requête et avait essayé de le réconforter l'emplit de gratitude et lui rendit sa foi dans le monde et les hommes. La compassion pouvait passer au travers des parois de son cachot.

— Ami, murmura-t-il, c'est gentil à toi...

Guillaume lui plaqua doucement une main sur la bouche en jetant un coup d'œil à Fulke et se rapprocha de lui.

— Encore un mot, tant qu'il est temps. Chaque soir, quand vous êtes enfermé, l'un de nous doit aller rendre compte à Isambard de votre journée. Pas un jour ne passe sans qu'il cherche à savoir si vous avez demandé à le voir. Je crois qu'il n'attend que cela. Je suis sûr que si vous l'implorez il vous accordera sa grâce.

— Jamais il ne le fera, le détrompa Harry avec conviction. Il m'a trop donné de lui-même pour pardonner ma trahison.

— Alors pourquoi pose-t-il la question? Adressez-lui un message, demandez-lui de vous recevoir. Essayez, au moins. S'il veut vous voir à genoux devant lui, votre vie n'en vaut-elle pas la peine?

— Il devra attendre longtemps avant de me voir à genoux, grommela Harry.

— Mais si cela vous sauve la vie! Pour l'amour du ciel, vous êtes aussi fou que le plus fou de tous ces seigneurs des marches.

— Ce qu'il y a entre lui et moi nous interdit de nous agenouiller. Jamais il ne se priverait du plaisir de me tuer, même si je lui baisais les pieds. Crois-moi, je le sais.

— Alors, au moins, travaillez lentement et vivez plus longtemps. Vous hâtez vous-même l'issue.

Harry ouvrit la bouche pour expliquer qu'il avait bien tenté de retenir sa main au cours des dernières semaines, mais avant qu'il eût dit un mot Guillaume le fit taire en lui signifiant que Fulke s'était réveillé. Il recula au bout de la chaîne. Fulke s'était redressé et s'ébrouait. Harry n'avait plus le temps d'exprimer ses remerciements à Guillaume, même du regard. Il revint à son ouvrage, maillet et poinçon en action.

— Il en reste quatre, dit Guillaume, avec sa rudesse de ton coutumière. Qui seront-ils?

— Ça, tu le verras en temps voulu.

Harry souriait en donnant forme à la bouche bien-aimée au dessin de rose. Deux des quatre têtes restantes représenteraient les deux geôliers. Peut-être, si Guillaume avait somnolé à sa place, Fulke lui aurait-il glissé le même conseil à l'oreille. La bonté, la compassion et l'amitié vont jusqu'au bord de la tombe, comme les pissenlits jaunes qui parviennent à pousser vers la lumière même entre les pierres scellées des sépultures. La troisième des quatre têtes appartenait à un homme que Harry n'avait pas encore aperçu mais qui, selon ses gardes, était déjà arrivé.

Il le découvrit le lendemain. Un homme assez élégant, vêtu de rouge vif et de noir, qui se tenait avec Isambard non loin de la chambre de trait, un bras appuyé sur le paleron de son cheval. Il était là pour observer Harry, pourtant il fut un peu décontenancé quand celui-ci s'arrêta pour l'examiner avec attention. Isambard lui-même, qui aurait dû être plus perspicace, prit cela pour un geste de bravade.

— C'est lui? demanda Harry en se remettant en marche.

— C'est lui, acquiesça Guillaume.

— Français, dis-tu? Une belle tête, sinistre. Un Normand?

— Gascon, paraît-il. On le dit très habile.

Harry rejeta la tête en arrière et éclata de rire sans la moindre amertume. Guillaume ne parlait jamais à double sens. Il avait dit cela en manière de consolation.

— Si cela signifie qu'il est expert dans ce nouvel art qui consiste à arracher les entrailles d'un homme en le conservant en vie, je préférerais qu'ils m'octroient un honnête bourreau anglais, qui exécute rapidement sa besogne. Allons, Guillaume, ne te soucie pas, ajouta Harry en lui posant un bras sur l'épaule. C'est du pareil au même. Arrange-toi pour le faire venir à la chambre de trait, ce soir. J'ai besoin de l'examiner de près. Je voudrais dessiner son portrait.

Quant à la quatrième tête, la toute dernière, Harry y songeait avec un tel amour secret qu'il se réjouissait à la pensée que personne ne saurait l'identifier. Ils y verraient un autre autoportrait clôturant l'histoire, et ne tiendraient pas compte de ce qui le différencierait de Harry. Personne n'aurait l'idée de fondre le visage de Gilleis avec le sien et de reconnaître leur fils.

L'envie de prolonger sa vie s'était effacée derrière le besoin plus impérieux de parfaire son œuvre. Harry ne pouvait ni différer ni altérer ce qui naissait de ses mains, pas plus qu'il n'aurait pu modifier ce qui allait advenir de son corps. Chaque jour sa vie s'écoulait dans la pierre sacrée, de même que le fruit doit tomber et pourrir afin que la graine puisse germer et l'arbre grandir. L'arbre du ciel de son œuvre. Harry était le sacrifice humain scellé à l'intérieur des murs, il était le sang rituel mêlé au mortier. Il ne lui restait rien que le talent de ses mains totalement dévouées à son métier, la fureur passionnée de son rêve créateur. Mais le jour vint où tout fut accompli.

15

Elle vint à lui un soir de mai dans sa chambre à coucher, alors qu'il changeait d'habits après sa promenade à cheval. Elle attendit en silence près du large lit que son page se fût retiré, puis approcha pour s'agenouiller à ses pieds. Ses cheveux étaient dénoués, ses pieds nus, elle ne portait aucun joyau. Jusqu'à cet instant jamais elle ne lui avait rien demandé. Elle lui entoura les chevilles de ses mains, le front posé sur ses poignets, et le flot de sa chevelure se répandit sur les tapis de peau comme une effusion de sang. Sur sa nuque, les petites vrilles délicates de ses cheveux s'enroulaient comme des bagues.

— J'ai longtemps attendu ce moment, dit Isambard en inclinant vers elle son visage impassible. Auparavant c'était moi qui vous suppliais à genoux. Mais ma supplique a été rejetée. Eh bien, parlez, si vous voulez quelque chose de moi.

— Pourquoi parlerais-je, quand vous savez déjà ce que je souhaite ? Vous avez fait de moi une part de vous-même. Ecoutez vos propres prières, et je serai silencieuse.

— J'agis comme il me plaît.

— Je n'en doute pas. Mais vous vous haïssez pour cela, et la haine que vous vous inspirez vous poursuivra à jamais. Je vous demande de vous délivrer vous-même, car nul autre ne le peut. Renvoyez le Gascon et libérez Harry Talvace.

— Il n'existe pas de prix que quiconque, même vous, puisse m'offrir pour acheter sa vie, répondit Isambard en souriant dans le miroir.

Elle releva la tête, joignit les mains et dit :

— Je ne vous offre pas d'acheter. Je vous demande de donner.

— Poursuivez! Vous avez sûrement d'autres arguments. Je veux les entendre tous.

Benedetta comprit que ses efforts étaient vains. Néanmoins elle lui enlaça les genoux et lui rappela tout ce qui pouvait être dit des six années qu'il avait passées en étroite relation avec Harry Talvace, de l'amitié qui les avait unis, de l'ouvrage incomparable que Harry avait bâti pour lui, des circonstances atténuantes, d'affection et de compassion, qui faisaient que son crime n'en était pas un. Elle plaida avec des paroles mesurées, d'une voix basse et posée, sans larmes ni reproches. Même en s'abaissant, sa dignité égalait celle d'Isambard. Peut-être aurait-elle crié, pleuré, déversé sur lui des supplications hystériques si elle avait su le faire, mais c'était un talent qu'elle ne possédait pas. D'ailleurs le résultat eût sans douté été le même. Le seigneur de Parfois avait choisi la destruction. Non seulement la destruction de Harry, mais celle de Benedetta et la sienne, en faisant crouler sur eux l'édifice de leur vie.

Isambard se dégagea de l'emprise de ses bras, sans impatience, mais avec une détermination qui confirma Benedetta dans son désespoir. Elle le laissa aller et demeura agenouillée où elle était, les mains jointes.

— Le dernier échafaudage est démonté. Aux alentours du 10 de ce mois, les ateliers seront démolis et le chantier nettoyé.

Benedetta continuait de se taire et de ne pas bouger.

— Le matin du 11, peu après l'aube, nous en terminerons.

Dans le silence qui suivit, elle reprit la parole, presque avec douceur.

— Vous pensez guérir de votre enfer lorsque vous aurez répandu l'enfer partout autour de vous. Mais c'est votre cœur que le Gascon arrachera. Ensuite vous devrez continuer de vivre, tandis que Harry, lui, pourra au moins mourir.

— Cela lui prendra plus longtemps que vous ne le pensez, dit Isambard en agrafant un collier d'ambre autour de son cou. Perronet me dit que, un jour, il a tenu un client vivant et conscient pendant plus d'une demi-heure après l'éviscération. Pour le cœur, c'est plus difficile, mais Harry vivra assez pour en ressentir le manque. Oh, bien sûr, Perronet exagère peut-être ses talents. C'est un Gascon.

Isambard tourna la tête vers Benedetta, qui n'avait pas changé de position, et ajouta :

— A quoi songez-vous?

— Je me demande quelle terrible pénitence vous vous infligerez un jour à vous-même pour vos actes présents.

Seul le silence lui répondit. Elle demeura immobile jusqu'au moment où elle entendit la porte se fermer derrière lui.

C'était fini. Elle n'y avait jamais cru, pas plus qu'elle n'avait cru aux lettres que Gilleis avait écrites sous sa dictée à plusieurs seigneurs des marches, pour les implorer de secourir Harry. Dans cette Angleterre bouleversée, c'était chacun pour soi. Qui se mêlerait des affaires d'un homme tel qu'Isambard ?

Restait à sauver ce qui pouvait l'être. Benedetta se leva, s'habilla, et envoya quérir John le Fléchier. Elle se tenait assise devant le miroir lorsqu'il entra. Leurs yeux se croisèrent dans la glace et se comprirent.

— Le matin du 11, à l'aube, annonça Benedetta. Isambard ne veut pas que Knollys renvoie les hommes avant l'exécution. Il y aura foule. Cela devrait nous aider. As-tu réfléchi à l'emplacement ?

— Le toit de la tour est le seul endroit sûr. De là-haut, on domine tout le parvis, de la porte à la potence, et la portée est facile.

— Mais la retraite difficile. Je peux faire préparer une corde le long de la falaise, du côté gallois, et un cheval qui t'attendra dans le bois. Nous devrons repérer les lieux ensemble. Descendre de la tour et sortir de l'église te prendra un temps périlleux.

— Je profiterai de la confusion. L'église sera entre eux et moi, et le bois est tout près. Je prends le risque. C'est l'emplacement idéal.

— Tu auras le soleil à main droite. Es-tu sûr de toi ? Te sens-tu capable de faire la chose proprement ?

— Oui, madame.

— Bien. Je veillerai à te procurer de l'argent. Tu devras quitter le comté aussi vite que possible.

Elle tordit la masse de ses cheveux en un grand rouleau brillant qu'elle recouvrit d'un filet de soie. Le miroir donnait à ses yeux un éclat d'argent sombre, rehaussé par les larmes. Pourtant, un léger sourire flottait sur ses lèvres.

— Lorsque Harry franchira la porte, la lumière de l'aube portera sur son église. J'espère qu'il y aura du soleil. Il lèvera la tête pour lui adresser un dernier adieu et s'arrêtera pour contempler son œuvre. Ce sera le moment. Tu dois me promettre, John, qu'il ne détournera pas les yeux de l'église pour regarder la potence.

— Aussi sûr que j'espère en la grâce de Dieu, il ne la verra pas.

Il restait à Benedetta une dernière démarche à entreprendre, mais qui devrait attendre le dernier soir. Bien que vieux et malin, le père Hubert était naïf à certains égards, travers dont elle pouvait tirer avantage mais qui pouvait profiter à d'autres. Si elle le sollicitait avant l'heure, le chapelain aurait grandement le temps de trahir son projet par mégarde, ou, ce qui ne serait pas moins désastreux, d'y réfléchir à tête reposée et de renoncer à intervenir. Le moment propice surviendrait le dernier soir, peu avant le souper dans la grande salle.

La garde avait maintenant déserté l'église. Harry avait admiré une dernière fois son enclos d'air et de lumière en forme de prière, entre les deux mains de pierre jointes, et il n'était plus besoin de lances devant le portail. Benedetta s'y rendit seule, à la fin de l'après-midi, pour prier devant l'autel de la Vierge qui avait le visage de Gilleis. De l'autre côté du plateau, la potence attendait, arbre de mort opposé à l'arbre de vie. Au lieu d'en détourner les yeux en repassant le pont-levis, Benedetta la mesura du regard, tel un soldat évaluant l'épée de son adversaire. Puis elle rentra s'habiller avec un soin de jeune épousée, d'une cotte de velours bleu foncé et d'un surcot de voile doré, et enroula ses cheveux sur sa tête avec un étroit bandeau d'or. Le temps du désespoir était révolu, le temps du deuil à venir. Ce soir, si elle avait bien joué ses cartes, était le temps du triomphe.

Elle alla seule à la chapelle trouver le père Hubert. Le vieil homme, qui avait passé presque toute sa vie au service de Parfois, était traité en privilégié, état dont il n'était pas peu fier.

— Mon père, commença-t-elle avec douceur en jouant avec ses bagues, je suis préoccupée au sujet de maître Talvace. Vous savez que mon seigneur a coutume, comme sans doute son père avant lui, d'offrir à tout condamné, la veille de sa mort, le réconfort ou le divertissement de son choix pour sa dernière nuit. Or, pour maître Talvace, il ne l'a pas mentionné et je crains que ce ne soit un oubli de sa part et qu'il regrette ensuite cette omission. Mais je n'ose le lui rappeler moi-même. Il y verrait une critique, ce qui ne l'est pas. Mais vous, mon père, pouvez lui en parler plus opportunément, puisque c'est votre office. Vous visiterez le prisonnier après souper, je suppose?

— Telle est mon intention, acquiesça le vieil homme.

— Ne pourriez-vous alors soulever cette question au souper, et dire à mon seigneur que, s'il lui plaît, vous serez le messager de sa gracieuse clémence? Je pense qu'il mettra un point d'honneur à ne point exclure maître Harry de sa compassion, et qu'un manquement le blesserait profondément.

— Mon seigneur est toujours très scrupuleux, approuva le père Hubert en bombant le torse. Il est de mon devoir de veiller à ce que tout soit fait selon son souhait. Je lui parlerai avant d'aller à la prison.

— Par ailleurs, mon père, vous serait-il possible de rapporter de ma part à maître Harry que j'approuve la dispense clémente de mon seigneur, et que je prie pour qu'il l'utilise au mieux et en tire consolation, avec l'aide de Dieu? J'aimerais qu'il sache que je l'y encourage.

— Il est juste et séant d'accorder une pensée aux prisonniers et aux infortunés. Je lui rapporterai vos paroles.

— Vous m'êtes d'un grand réconfort, mon père, le remercia Benedetta.

Souriante, elle se dirigea vers la grande salle. Maintenant, songea-t-elle, si je n'ai pas surestimé l'amour qui nous unit, Harry saura quelle requête présenter. Et toi, Ralf, qui honores toutes tes promesses, bonnes et mauvaises, tu auras la main forcée et ne pourras battre en retraite.

Isambard parut à table, vêtu avec une magnificence aussi étourdissante que celle de Benedetta, le regard luisant, le teint coloré, son sourire oblique figé sur les lèvres. La présence de tous les habitants du château n'affectait jamais son humeur; il était tellement habitué et indifférent à eux qu'il créait une solitude autour de lui. Toutefois il était bon qu'il y eût tant de témoins. Isambard mangea peu et but beaucoup, lui qui était un buveur mesuré. La manche de Benedetta frôlait la sienne, dans des bruissements de brocart et de velours, délicates étoffes flamandes qu'il appréciait tout particulièrement. A chaque frôlement elle se sentait gagner par la contagion de l'excitation dangereuse d'Isambard et de son effroyable tristesse.

Le chapelain se leva de table de bonne heure et se pencha sur l'épaule de son seigneur. Le père Hubert avait une voix tonnante. Une bonne douzaine de chevaliers ne purent faire autrement que d'entendre ses paroles.

— Messire, je vais visiter le prisonnier. Tout doit-il se dérouler selon l'usage ? Je connais votre magnanimité et je sais que vous attendez de moi que j'observe les coutumes en vigueur à Parfois.

— C'est un cas semblable à tous les autres, répondit Isambard. Il a les mêmes droits que n'importe quel condamné.

— Alors je lui demanderai, comme le veut l'usage, quel privilège ou réconfort il désire pour sa dernière nuit.

— Faites donc, mon père !

Isambard sourit, pas du tout chagriné de ce rappel à l'ordre.

L'offrande d'une miette de pain à un homme qui meurt de faim serait l'ultime raffinement de sa revanche.

— Hormis la liberté, il aura ce qu'il demandera.

C'était dit. Sa voix puissante l'avait engagé trop loin pour lui permettre de reculer. Maintenant c'était à Harry de jouer sa partie, et à Dieu de donner à ce vieux benêt de messager le courage de rapporter sa réponse à voix haute.

Le père Hubert étant un prêcheur intarissable, Benedetta prévoyait que son absence serait longue. Or elle ne pouvait rester inactive et préférait ne pas se trouver à portée d'Isambard quand le chapelain lui transmettrait la réponse de Harry. Elle voulait lui faire face, mais à distance, afin de bien voir son visage. Elle se leva, contourna la table jusqu'à l'angle du dais où étaient assis les musiciens, et tendit la main vers la citole que tenait négligemment le plus jeune. L'adolescent lui apporta un tabouret rembourré d'un coussin. Benedetta s'y assit calmement et entreprit d'accorder l'instrument. Isambard avait tourné la tête et suivi ses mouvements avec attention, sans rien laisser transparaître de ses pensées. Elle laissa ses doigts s'égarer dans la mélodie oubliée d'Abélard, guettant une crispation sur la bouche d'Isambard, un cillement des paupières, mais il resta de marbre. Il n'y a pas d'urgence, songea Benedetta, je t'éperonnerai plus tard, Ralf.

Trois quarts d'heure après, le père Hubert réapparut enfin au bout de la table haute. De quoi souffre-t-il ? s'inquiéta Benedetta en jouant une fausse note. La nervosité du chapelain était normale, mais là c'était la peur qui transpirait de lui. Il triturait sa vénérable tonsure et jetait des coups d'œil obliques à son seigneur. Quoi que lui eût dit Harry, cela dépassait les espérances de Benedetta, et bien plus encore les prévisions du vieil homme. Au point même peut-être de le pousser à mentir. Elle n'avait pas jugé utile d'envisager cette éventualité, mais elle se demanda si le père Hubert redoutait autant l'enfer qu'Isambard. Certes il avait coutume de prendre quelques petites libertés à son endroit, mais savait toujours où s'arrêter. Cependant, trahir un condamné à mort était une chose terrible.

— Alors ? lança Isambard, agacé par le silence hésitant du chapelain.

— Messire, le jeune homme n'est pas dans un état d'esprit approprié. C'est un caractère entêté, inflexible...

— Il paie pour son entêtement, coupa Isambard, le sourire plus amer que jamais. C'est son droit. Il a rejeté mon offre, je suppose ?

Non, songea Benedetta, les mains inertes sur la citole, ce n'est pas un refus, c'est pire.

— Eh bien, non, messire, pas précisément. En vérité, ce qu'il a demandé est tellement insolent et malveillant...

— Venez-en au fait ! A-t-il présenté une requête, oui ou non ?

— Oui, messire, mais...

Le père Hubert était plus effrayé de rester silencieux que de parler, et trop confus pour un mensonge convaincant.

— Alors répétez-la ! Rapportez-moi ses paroles, père Hubert !

— Messire, il demande... Dieu le pardonne !... il demande que Madonna Benedetta partage sa couche cette nuit.

Ses paroles parvinrent jusqu'à la moitié de la grande salle, d'où elles furent ensuite répercutées, en un flot de murmures fébriles sifflant comme des serpents, à ceux qui n'avaient pas entendu. Le pied du verre vénitien se brisa dans les doigts d'Isambard, la coupe délicate roula parmi la vaisselle d'argent, et le vin se renversa sur la table comme du sang. L'assistance était devenue une forêt d'yeux dilatés. Les murmures se turent et le silence s'abattit sur la grande salle, comme si tout le monde avait été changé en pierre.

Les espoirs de Benedetta étaient dépassés, c'était un coup en plein cœur. Son cœur à elle bondissait tellement de joie qu'elle pouvait à peine le contenir. Elle se leva, attirant tous les regards, et lentement, très lentement, elle commença à traverser la salle, la citole à la main. Pendant un instant, personne, pas même Isambard, ne devina ses intentions. Mais lorsqu'elle longea le dais et arriva à sa hauteur sans s'arrêter, il comprit. Il bondit, poussant un cri comme elle n'en avait jamais entendu ni imaginé dans cette gorge impérieuse. Sa chaise haute bascula en arrière avec fracas et ses poings s'abattirent sur la table, faisant tinter les tranchoirs d'argent.

— Vous n'irez pas !

Elle tourna vers lui ses yeux innocents et soutint son regard fou avec résignation.

— J'irai, messire, dit-elle à voix haute et claire. Il en va de votre honneur. Que suis-je, à côté de l'inviolabilité de votre parole ?

Sa remarque laissa Isambard sans voix et figea sa réplique sur ses lèvres. Il était pris au piège de sa propre inflexibilité. L'orgueil l'empêchait de se dédire, de reprendre ce qu'il avait donné. Devant tous ses gens, il était réduit au silence et à l'impuissance. A moins de la tuer, il n'y avait aucun moyen d'arrêter Benedetta.

Elle le regardait droit dans les yeux, sans fléchir, et soudain, comme dans un éblouissement, elle sourit. Le gris tourterelle de ses yeux s'obscurcit, vira au violet, brilla d'un éclat triomphant. Sa bouche charnue s'arrondit de plaisir. Elle redressa les épaules et passa devant Isambard dans un tel élan de joie provocante que le plus obtus des témoins n'aurait pu ne pas comprendre. Elle n'allait pas au sacrifice mais à la victoire. Elle dévoilait la vérité délibérément, avec un délice barbare dans l'opulence du geste. Bon nombre d'observateurs songèrent alors que si elle avait baissé les yeux, si elle avait feint le dévouement et le sacrifice, elle aurait pu avoir la vie sauve. Mais elle jeta sa vie comme on lance les dés, pour le seul plaisir de frapper Isambard en plein cœur.

Pour ce dernier, ce regard de joie pure et nue dévoila un bien plus grand mystère. La dissolution de leur union lui était assenée sans un mot. Benedetta avait décrété leur pacte rompu, il n'y avait aucune réparation possible. Elle l'abandonnait pour suivre celui qu'elle aimait plus que sa vie, et il devait s'incliner sans une plainte.

— Mon père, dit Benedetta en se voilant à nouveau le visage, j'ignore où est sa geôle. Voulez-vous m'y conduire ?

Elle s'éloigna au bras du vieil homme, et, dans le silence et l'immobilité, tous les regards stupéfaits suivirent son départ. Seul Isambard, qui n'avait pas bougé, se couvrit des mains le visage, et nul n'osa l'approcher pour redresser la chaise tombée.

Benedetta fit halte dans l'antichambre du cachot et scruta les deux gardes qui s'étaient écartés avec respect, impressionnés par ses habits d'or autant que par son autorité.

— Attendez ! ordonna Benedetta. Avant de m'ouvrir la porte, écoutez-moi. Lorsque vous aurez tourné la clef derrière nous, pour votre propre sécurité je vous conseille de quitter cette anti-chambre et de verrouiller également la porte extérieure. Dormez sur le seuil si bon vous semble, mais restez aussi loin de nous que possible afin de n'être pas soupçonnés d'avoir vu ou entendu quelque chose. Mon père, dites-leur ce qu'il adviendrait d'un homme qui oserait être le témoin de cet accouplement.

— C'est un bon conseil, acquiesça le vieil homme en tremblant. Mon seigneur vous taillerait en pièces.

Moi aussi, plus tard, il me taillera en pièces, songea Benedetta sans étonnement ni inquiétude. Mais cela n'aura plus la moindre importance.

— Mon père, demeurez avec eux et soyez leur témoin si leur bonne foi est mise en doute.

— Je le ferai, Madonna, promit le père Hubert en serrant sa main tiède et apaisée dans la sienne pour calmer son propre tremblement.

— Et priez pour nous.

Guillaume tourna la clef dans la grande serrure.

— Maîtresse, quand faudra-t-il vous ouvrir?

— Quand ils viendront le chercher, répondit Benedetta en rassemblant ses longues robes pour entrer dans la cellule.

Pour sa dernière nuit, ils avaient laissé à Harry une grande chandelle dans un chandelier en fer, sur le rebord de pierre à côté de sa paillasse, qui vacillait doucement dans le courant d'air.

Il était allongé sur le dos, la tête sur ses bras repliés. En entendant la porte s'ouvrir, il pivota sur le côté et se dressa sur un coude pour contempler le scintillement d'or sur le seuil. Il n'avait pas cru qu'on la laisserait venir. La flamme de la chandelle brilla dans ses yeux étonnés, dont le bleu sombre se changea en vert, puis le vert en or satiné sous le reflet de la splendeur de Benedetta. Entre les cils noirs, sous les sourcils bruns et droits, cette lumière dansante surprit Benedetta et l'émut comme l'apparition d'étoiles dans une nuit d'orage. Harry fit basculer ses jambes sur le rebord du lit dans une hâte fébrile pour se mettre debout, et le mouvement précipité de son bras ébranla la chandelle. Il l'empoigna à pleine main pour la stabiliser et Benedetta vit à quel point il tremblait.

La porte se ferma dans son dos. La clef tourna. La lumière de la chandelle frissonna sur la paroi rocheuse en vagues pâles, puis s'apaisa lentement.

Harry essaya de dire son nom, mais sa bouche était trop sèche.

Il déglutit et humidifia ses lèvres tremblantes d'une langue presque aussi desséchée. Il n'avait pas cru qu'elle viendrait, et maintenant qu'elle était là, elle qui était la seule à pouvoir lui dire ce qu'il brûlait de savoir, il redoutait de la questionner, de crainte que la réponse ne fût plus dure à supporter que l'interrogation.

— Gilleis est en sécurité, s'empressa de le rassurer Benedetta. Elle va bien. Elle vous envoie son amour.

— Oh, Benedetta! dit Harry dans un long et doux soupir.

La tension reflua. Son ombre portée sur le mur parut s'adoucir et s'amenuiser.

— *Nunc dimittis!* reprit-il dans un murmure.

Tout à coup, il mit sa tête entre ses mains et fondit en larmes. Avec soulagement, librement, à la manière d'un enfant épuisé. Benedetta le prit dans ses bras et l'attira avec elle sur le lit. La brève tempête s'épuisa sur l'épaule de son splendide surcot. Elle repoussa les cheveux bruns et drus de son front et posa la main dans sa nuque, attirant doucement sa tête contre sa poitrine. Elle tenait le monde entier entre ses mains.

— Là... là. Reposez-vous. Nous avons le temps. Nous pouvons parler sans crainte, toute la nuit. Personne ne nous dérangera. Personne ne nous espionnera. J'y ai veillé.

— Où est-elle? demanda Harry lorsqu'il eut recouvré sa voix.

— A l'abri, chez les sœurs recluses de l'oratoire de Sainte-Winifrede, dans la montagne, près de Stretton. Elles sont bonnes et loyales, et tellement saintes que nul n'oserait se mêler de leurs affaires. Excellentes infirmières aussi. Vous pouvez être rassuré sur ce point, quand le moment viendra. Bientôt elle aura un enfant qui sera sa raison de vivre, et tous deux ne manqueront pas d'amis.

— J'aurais donné ma main droite pour venir jusqu'à elle, ce jour-là. Mais le temps pressait, la vie d'Owen était menacée. J'avais peur! Gilleis est obstinée. Je craignais qu'elle refuse de partir.

— Elle ne voulait pas vous laisser. Ce n'est pas dans sa nature de se protéger au moment où vous courez un danger. Mais nous ne connaissions pas vos intentions et, pour le bien de l'enfant qu'elle porte, elle n'avait d'autre choix que de vous obéir.

— Cela a dû être dur pour elle, dit Harry en frissonnant. Surtout ne sachant pas pourquoi j'exigeais tant d'elle...

— Elle le sait, à présent. Elle vous appuie de toute son âme. «Etant ce qu'il est, que pouvait-il faire d'autre?» disait-elle. Le plus difficile pour Gilleis a été de rester cachée pendant tout ce temps, connaissant le sort qui vous est réservé.

— Elle est au courant ? De tout ?

— Non, pas de tout. Elle sait que c'est la mort, mais elle ignore que c'est maintenant. Dieu sait que je n'avais pas le droit de lui dissimuler quoi que ce soit, mais cela, je n'ai pas pu le lui dire. Pas avec l'enfant si près du terme. Je lui ai dit... ah, comme j'espérais que ce serait vrai ! Je lui ai dit que vous feriez traîner le travail qui vous restait pendant plusieurs mois. J'espérais que la rage d'Isambard finirait par s'estomper, ou bien que le roi l'appellerait à son côté et qu'il vous oublierait. Car un grand litige oppose Jean à ses barons, et Langton y est impliqué. Ils exigent que le roi rétablisse leurs anciens droits. FitzAlan et FitzWarin eux-mêmes ont pris parti contre Jean, et désormais cela devra se régler par les armes. Encore quelques mois, et on n'aurait peut-être plus pensé à vous. Oh, Harry, pourquoi n'avez-vous pas retenu votre main afin de laisser un peu de temps à vos amis ?

— J'en avais l'intention. Je l'avais promis à Adam. Mais, le moment venu, je m'en suis trouvé incapable. Les choses naissaient toutes seules, si vite que je ne pouvais contrôler mes mains. Pas même pour sauver ma vie ! Benedetta, Gilleis connaît-elle... le détail de la sentence ?

— Non ! s'écria Benedetta en refermant jalousement ses bras autour de lui. Jamais. D'ailleurs, nul ne peut savoir, Harry. Seul Dieu.

— Ne lui dites jamais. C'est inutile. Lorsqu'elle l'apprendra, mes tourments seront terminés. Je ne veux pas qu'elle souffre après. L'avez-vous revue depuis que vous l'avez conduite là-bas ?

— Trois fois. Je n'ai pas osé y aller plus souvent. Mais John m'a servi de messager plusieurs fois.

— Est-ce qu'*il* l'a cherchée ?

— Oui, bien qu'il ne m'en ait rien dit. Il m'a simplement demandé si je l'avais aperçue, le jour où vous avez emmené l'enfant. Je lui ai répondu qu'elle avait passé la matinée avec moi et qu'ensuite je ne l'avais plus revue. Il a fouillé Parfois de fond en comble pour la trouver. Même après votre retour il a continué de la chercher dans les villages avoisinants. Mais cela n'a pas duré.

— Parlez-moi d'elle, implora Harry avec avidité. Dites-moi tout ! Parle-t-elle de moi ?

— Si elle parle de vous ? Oh, mon très cher Harry, sourit Benedetta en pressant sa joue contre ses cheveux, vous êtes son soleil et sa lune. Vous êtes son printemps et son été.

Souriant par-dessus la tête de Harry, Benedetta lui parla de Gilleis jusqu'à ce qu'elle eût épuisé tous les détails des moments qu'elles avaient passés ensemble à l'aimer.

— Il n'y a que l'enfant qui la fasse tenir tranquille. Dès qu'elle aura mis votre fils au monde, je sais, je sens, qu'elle voudra revenir et se battre pour vous...

— Je le crois volontiers, dit-il avec fierté et tendresse. Mais ce ne sera plus nécessaire.

Il se tourna un peu dans les bras de Benedetta et posa la joue sur sa poitrine.

— Benedetta...

Il hésita et elle, baissant la tête, vit ses yeux qui la scrutaient.

— Lorsque vous la verrez... dites-lui que je l'aimerai toujours. Et embrassez mon fils pour moi.

— Mon très cher ami, vous savez que je le ferai.

— Vous me soulagez d'un tel fardeau! dit-il avec un long soupir las. Maintenant que j'ai sa bénédiction et la vôtre, le reste devient presque aisé. Dieu en soit remercié! J'ai été le plus heureux des hommes, le plus comblé, ajouta-t-il après un silence. L'oublier serait ingrat.

— Depuis quand n'avez-vous pas dormi? demanda-t-elle en passant le bout de ses doigts frais sur les arcs bleutés de ses paupières. Deux nuits? Trois?

Il secoua la tête avec un léger sourire. Il ne savait plus.

— Dormez, maintenant. Je veillerai.

— Oh non! protesta Harry en l'enlaçant plus étroitement. Bientôt je dormirai à satiété.

L'ombre du terrible portail ouvrant sur ce sommeil s'abattit lourdement sur son visage. A travers la chemise chiffonnée, Benedetta perçut le battement puissant et indigné de son cœur menacé.

— Laissez-moi jouir de votre présence tant que je le peux. Je ne pensais pas qu'Isambard vous laisserait venir. C'était le seul trait que je pouvais lui décocher et j'espérais qu'il trouverait sa cible, mais jamais je n'ai imaginé gagner le trophée.

— Il avait engagé sa parole devant toute l'assistance et ne pouvait se dédire. «Il y va de votre honneur, lui ai-je fait remarquer. Que suis-je à côté?» Mais je lui ai ri en pleine face. Même aux dépens de ma vie je n'ai pu me retenir. Harry, si vous ne dormez pas, au moins étendez-vous.

— A condition que vous vous allongiez près de moi. Pour deux c'est un lit étroit, mais nous ne sommes pas si grands l'un et l'autre pour avoir besoin de beaucoup de place.

— C'est vrai, j'avais oublié, sourit Benedetta. Vous avez demandé une compagne de lit.

Elle se leva, ôta ses chaussures, puis se dépouilla de son surcot, qu'elle laissa tomber dans un coin de la geôle.

— Prenez la place intérieure, Harry, je me placerai entre le monde et vous.

Il s'étendit contre le mur et la regarda enlever l'étroit bandeau d'or de ses cheveux enroulés, qui se déversèrent en cascade sur ses épaules.

— Dieu sait que je devrais demander votre pardon pour ceci, dit-il d'un air penaud. Je ne suis plus très fier de moi.

— Vous avez bien fait ! Je voulais que vous lui demandiez un entretien avec moi, mais ceci est plus que je n'espérais. Vous l'avez atteint en plein cœur.

Harry lui ouvrit ses bras. Benedetta s'allongea à son côté, dans sa cotte de velours, et l'enlaça. Il emplit sa main de ses cheveux et les en recouvrit tous deux comme d'un couvre-lit en soie. Tout à coup elle entendit et sentit un rire vrai et franc sortir de la gorge de Harry, dont le souffle fit de nouveau vaciller la flamme de la chandelle.

— Il est clair qu'Isambard n'a pas l'expérience de ma situation, sinon il aurait deviné que je ne suis pas en mesure de vous donner du plaisir cette nuit. Tout bien considéré, c'est une vie étriquée que la sienne.

— Ne craignez rien, le rassura Benedetta en se calant confortablement dans le creux de son bras. Je ne vous obligerai pas à tenir votre engagement.

— Ne vous moquez pas ! C'était une piètre plaisanterie, je le sais, mais je manque de pratique. Si vous saviez comme mon dernier rire me semble loin !

— Vous ne me devez rien, Harry, répondit Benedetta avec sa franchise coutumière. Je ne manque de rien. J'ai tout.

De fait, depuis un certain temps (quand exactement, elle était incapable de le préciser), elle avait surmonté sa souffrance de ne pouvoir représenter davantage pour Harry. Cela s'était produit à son insu. Un jour elle avait compris dans son cœur, sinon dans son esprit, que la place de Gilleis n'était pas plus importante que la sienne, simplement différente. Désormais ils reposaient ensemble, merveilleusement en paix, non pas la paix de la résignation mais la paix suprême de l'accomplissement. Tout ce qu'elle désirait de lui, elle l'avait. Peu importait si cela paraissait dérisoire à autrui, du moment que cela emplissait sa vie et lui avait été donné avec une générosité aussi absolue que l'amour lui-même.

— Harry, avez-vous peur de la mort ?

— Quel être sensé n'en a pas peur, au moins un peu ? Nous sommes tous effrayés par les ténèbres quand elles approchent. Mais ce n'est pas la mort qui me terrifie, c'est l'agonie ! dit Harry en se raidissant contre le tremblement qui le secouait. J'ai peur de souffrir. J'ai peur de cette ignoble violation de mon corps. J'ai peur d'être un spectacle, longtemps après avoir cessé d'être un homme. Ah, pourquoi m'avez-vous posé cette question ? Je voulais vous épargner cela.

Elle posa une main sur sa joue et dit avec une gravité enflammée :

— Harry, je vous demande de toute mon âme de me faire confiance. Cessez de raisonner, cessez de vous préparer, cessez d'avoir peur. Vous ne serez pas humilié. Il ne triomphera pas de vous. Jamais il ne vous verra brisé. Je vous le jure ! Nous ne pouvons éviter la mort, mais elle est dans les mains de Dieu, non dans celles d'Isambard.

— Ah, femme ! s'écria Harry avec un doux rire. Vous m'allégez l'esprit. Si vous pouviez me parler ainsi jusqu'au moment de votre départ, je crois que je ne faiblirais pas.

— Je ne vous quitterai pas, Harry. Et vous ne faiblirez pas. Fiez-vous à moi et n'ayez pas peur.

Harry lui sourit avec, dans les yeux, une tendre, pesante et confiante lassitude.

— Un miracle ! Vous chassez la peur d'une simple caresse de vos doigts. Je peux presque croire que Dieu, sur votre demande, me rendra les choses faciles et me prendra intact. Après... Ah, la peur de l'après est une peur saine, à peine plus terrible que lorsque j'ai dû me présenter devant mes maîtres, à Paris, et leur soumettre mon chef-d'œuvre. La nuit précédente, j'étais malade de peur. Le pauvre Adam en a vu de dures avec moi. Mais ils m'ont donné leur approbation.

— Je ne doute pas que vous obteniez celle de Dieu, dit Benedetta en le caressant doucement.

Peu importait de savoir laquelle, de l'église ou de sa vie, passerait en jugement, car les deux formaient une seule entité, l'une et l'autre étaient de même qualité, et Dieu saurait les évaluer.

— Et vous, Benedetta, que ferez-vous ensuite? Vous ne songez pas... à mourir? Vous ne feriez pas cela?

— Pas tant que je pourrai aimer et servir votre enfant.

Il poussa un profond soupir de contentement et d'émerveillement.

— Qu'ai-je fait? Qu'ai-je jamais fait pour mériter votre amour?

— Vous m'avez aimée, répondit-elle dans un sourire. A votre façon. Et c'est une bonne façon. Je n'en voudrais pas d'autre.

Il tourna la tête sur l'oreiller, prit le menton de Benedetta dans une main, et lui baisa tendrement les lèvres. Ils demeurèrent ainsi longtemps, envahis par une joie tranquille, douce, paisible. Quand il s'écarta, aussi doucement qu'il s'était approché, Benedetta s'abandonna sans bouger au bonheur qui la submergeait.

— Ce n'était pas un baiser pour une épouse, une amante, une mère, une sœur, ni une enfant, reprit-elle enfin, étonnée.

— Non, c'était un baiser pour vous seule. Pour ma tendre amie. Du plus reconnaissant à la plus vraie, la plus chère de toutes.

Elle eût volontiers parlé, épanché son cœur sur lui comme une libation, mais la paix de Harry était un bien beaucoup trop précieux et fragile pour être ébranlé. Elle resta dans ses bras sans bouger, l'étreignant contre son sein, en silence. Finalement, d'une voix déjà embrumée par le sommeil, Harry murmura :

— La mort est dans les mains de Dieu! Si elle pouvait venir maintenant!

Bientôt, à l'alanguissement de son bras, à son souffle profond et régulier contre sa joue, elle sut qu'il s'était assoupi.

Harry dormit jusqu'aux dernières heures de la nuit dans les bras de Benedetta, qui le berça et le garda aussi jalousement qu'une mère. Quand les premières lueurs pâles de l'aube percèrent jusqu'à eux par le goulot dans la paroi, elle prit son visage empourpré par le sommeil entre ses mains et lui baisa les lèvres pour le réveiller. Il ouvrit les yeux et sourit largement. Puis la conscience lui revint brutalement et son sourire s'évanouit.

— Oui, dit-il. Que vous êtes bonne! Oui, je dois m'apprêter.

Il s'assit et lissa les manches froissées de sa chemise.

— Ils vont m'apporter des vêtements propres. Je dois faire

bonne impression. Je ne vous ai rien dit de ma vie ici. C'est dommage, mais il est trop tard maintenant. C'est plus intéressant que vous ne pourriez le penser. Guillaume me rase chaque jour. Je n'ai jamais eu le menton si lisse.

— Pour l'instant, il est plutôt piquant, remarqua Benedetta en l'effleurant du dos de ses doigts.

— Ce n'est pas grave. Vous m'embrasserez quand il m'aura rasé. Si seulement sa main pouvait glisser ! Mais il y a peu de chances. Oh, voyez votre surcot jeté par terre ! Quelle honte.

Il le ramassa et brossa la poussière avec ses mains.

— Mettez-le, Benedetta. J'aime vous voir élégante. Laissez-moi être votre dame d'atours.

Il l'aida à glisser la tête et les bras dans le surcot et le fit descendre sur le velours de sa cotte avec un regard admiratif. Puis, ayant lissé le tissu étincelant, il prit Benedetta par les épaules, se pencha et lui baisa le front.

— Tendre amie. Maintenant vous devez partir. Ils vont venir m'habiller.

— Je vous attendrai dans l'antichambre.

— Non, partez. Partez loin, hors de vue et d'oreille, afin de vous souvenir de moi tel que je suis maintenant. Je ne veux pas que me voyiez tailladé et étripé. Je ne veux pas finir sous vos yeux comme un animal hurlant, une tripaille de boucher.

— Avez-vous oublié mes paroles ? Cessez de mettre votre courage à l'épreuve, c'est une honte de cingler un si beau cheval. N'ayez plus peur, ce ne sera pas tel que vous le redoutez. Je serai avec vous tant que vous vivrez.

La crut-il, maintenant que le matin était venu et l'épreuve si proche ? Elle n'aurait su le dire. Lui non plus, peut-être. Il émanait de Harry une sorte de grâce et de légèreté, qui tenaient pour moitié de sa fierté, pour moitié d'une sérénité irréfléchie, comme s'il avait puisé dans la conviction de Benedetta un certain degré de réconfort et d'assurance. Mais Benedetta pensa qu'il était simplement apaisé d'avoir épanché son cœur devant une personne qui l'aimait, et parlé tout son soûl d'une femme qu'il aimait.

Guillaume et Fulke arrivèrent avec l'aube pour lui apporter ses plus beaux habits. Ils prirent la précaution de tourner bruyamment la clef dans la serrure, puis attendirent quelques instants avant d'ouvrir la porte. Benedetta s'avança, enveloppée de ses cheveux comme d'une cape cramoisie et moirée. Fulke la héla timidement du seuil.

— Maîtresse, vous oubliez ceci.

C'était le bandeau d'or qu'elle portait sur ses cheveux noués. Il lui paraissait désormais inconcevable d'en avoir encore besoin. Elle y jeta un regard indifférent puis leva les yeux sur les gardes. Les deux visages méfiants, endurcis par force dans un monde dur, gênés devant elle, exprimaient à l'égard de Harry une gentillesse bourrue et affligée. A leur façon, ils s'étaient montrés bienveillants.

— Gardez le bandeau, dit Benedetta, et partagez son prix entre vous. Vous boirez à la mémoire de Harry.

Le père Hubert attendait dans l'antichambre. Il commença à bredouiller des paroles de commisération et des civilités qui lui causèrent d'abord une certaine surprise, jusqu'à ce qu'elle comprît qu'il espérait ses confidences. Elle accueillit ses prévenances avec un léger sourire. Il ignorait si Madonna Benedetta valait encore la peine d'être entourée d'attentions, ou bien si son étoile avait pâli, mais elle n'était pas d'humeur à lui faciliter la tâche.

— Madame, n'allez vous pas quitter cet endroit ? Mon devoir me retient ici, mais vous avez noblement accompli le vôtre.

Amusée, Benedetta s'aperçut qu'il pariait encore sur elle. Mieux valait l'avertir que le vent avait tourné.

— Non, mon père. J'attendrai Harry. Où est mon seigneur ?

— Il a déjà pris place.

A proximité de la potence, du brasero et de la dalle de pierre du boucher, songea Benedetta. Elle imagina le pré, vert et frais sous l'arbre, le grand carré dégagé et le chemin qui y conduisait, bordé de gens d'armes, leurs lances tendues devant les poitrines des curieux. Au-delà de cette barrière armée, tous les habitants de Parfois seraient rassemblés, ainsi que tous ceux qui avaient travaillé à l'église, plombeurs, verriers, maçons, menuisiers, clercs et traceurs, manouvriers. Le vieil homme qui avait convoité la place de Harry (mais jamais jusqu'à ce prix) serait là lui aussi, et le pauvre garçon de la chambre de trait, qui avait maculé de larmes les comptes de Knollys. Sur les côtés du carré dégagé et le long de la faille rocheuse, des compagnies d'archers seraient déployées afin d'entrer en action en cas de troubles. Et, seul à l'intérieur de cet enclos, se dresserait le grand fauteuil sur lequel Isambard siégerait comme sur un trône. Il l'aurait fait placer à l'endroit d'où il pourrait surveiller non seulement les gestes du bourreau, mais aussi tout le passage allant du pont-levis à la potence. Il voudrait tout voir, chaque étape du cheminement vers la mort. Mais serait-ce pour jubiler à la vue de son ennemi, ou bien pour se crucifier au spectacle de son ami? Benedetta elle-même ne le saurait jamais.

— Et le Gascon?

— Il est prêt.

Il y aurait donc des hommes de Parfois pour escorter Harry vers la mort. Perronet, tout en noir, l'attendrait au pied de l'échelle. Avec cet orgueil qu'il tirait de ses effroyables talents, le Gascon faisait à Benedetta l'effet d'un monstre, non d'un homme. L'homme procrée. Or la fonction de cette créature était de détruire, et pas seulement la chair, de réduire la plus belle œuvre de Dieu à une chose mutilée, miaulante et agitée de soubresauts aussi longtemps que possible avant de laisser son âme s'en aller. Benedetta regretta de n'avoir pu poster une demi-compagnie d'archers en haut de la tour, plutôt qu'un seul homme. Au moins le monstre ne serait-il jamais reparti de là vivant.

Bientôt la porte intérieure s'ouvrit et Harry parut entre ses gardes. Net et soigné, lavé, rasé, coiffé à la perfection, il était presque méconnaissable. Aussi pâle que sa chemise de lin, mais très calme. Il subsistait dans ses yeux déconcertants quelque chose de ce sourire lumineux et imprévisible, ce regard qui répondait aux éclats de rire de Benedetta face au cérémonial de Parfois.

— Bonjour, mon père! J'espère que nous ne vous avons pas trop fait attendre?

— Nous devrions nous retirer un instant dans votre cellule, suggéra le père Hubert. Ils ne sont pas encore arrivés et vous avez le temps de soulager votre âme.

— Mon âme est en paix, je vous en remercie, mon père. C'est mon corps qui se sent mal à l'aise. Je me suis confessé hier soir. Certes je suis faillible, mais je ne me souille pas aussi vite.

Harry savait fort bien, évidemment, ce que le vieil homme avait en tête. Il croisa le regard de Benedetta, et un éclair de joie espiègle passa entre eux comme une étincelle de chaleur dans un monde glacé. Si le père Hubert voulait absoudre son supposé péché, il lui faudrait le nommer en termes clairs et précis, or c'était une indiscrétion qu'il n'oserait pas commettre, dans l'éventualité où Benedetta serait miraculeusement encore en faveur. Son dilemme était comique. D'ailleurs elle avait toujours trouvé le vieillard risible, et lui en vouait à présent une certaine reconnaissance.

— Voulez-vous vous agenouiller avec moi ? demanda Harry, son rire envolé.

Il lui tendit la main et ils s'agenouillèrent sur le sol de pierre tandis que le père Hubert effectuait son dernier office. A côté de Benedetta, le profil impétueux et lumineux était grave, les paupières closes et les mains jointes lui conféraient la dignité hiératique d'un gisant sur un tombeau. Lorsqu'ils se relevèrent, l'escorte les attendait déjà à la porte.

Ce fut Langholme qui vint chercher Harry. Il avait l'air malheureux, écœuré, compatissant. Guichet, lui, n'aurait pas sourcillé : il n'avait que trop souvent rempli pareille besogne.

— Je suis prêt, annonça Harry, en se tournant pour tendre la main à ses geôliers. Vous avez été de bons compagnons. Je ne vous ai jamais voulu aucun mal, et pas davantage maintenant. Avec un peu plus de temps, j'aurais pu faire de vous des réparateurs de clochers.

— Je voudrais que tous les hommes aient le cœur aussi bon que le vôtre, grommela Guillaume.

Il grimaça aussitôt de sa maladresse. Utiliser le mot « cœur » justement ce matin-là ! Harry éclata de rire et lui donna une tape amicale sur l'épaule. Combien de ses dernières forces lui coûtait-il de rire ainsi ? Il pivota vers Benedetta et, devant tout le monde, la prit par les épaules et la serra contre lui. Sa joue était froide contre la sienne, le battement régulier de son cœur défaillit un bref instant. Puis il lui baisa les lèvres.

— Adieu, Benedetta.

— Adieu, Harry. Mais je ne vous dis adieu maintenant que pour le faire dans le calme. Je viens avec vous.

Il l'examina, intrigué, hésitant, mais vaguement réconforté à la pensée qu'elle pût avoir connaissance d'une chose sur laquelle il n'avait pas besoin de l'interroger.

— Madame, intervint Langholme, je n'ai pas d'ordres vous concernant.

— Donc vous ne désobéirez pas en me laissant marcher à côté de Harry jusqu'au pré. Je ne demande rien d'autre.

Elle savait qu'elle aurait gain de cause, car personne n'avait la certitude de pouvoir contester sans risque son autorité. Isambard n'avait visiblement pas été capable de prononcer même son nom, sinon ses hommes auraient su comment la traiter.

Ils sortirent du cachot et gravirent les marches de pierre pour émerger dans la basse cour. L'ombre violette du mur d'enceinte s'étirait sur toute la cour, mais le ciel était bleu pâle et sans un nuage, et le soleil rasait les merlons ouest. Harry leva la tête, huma l'air, et son désir de vivre embrasa son visage pâle comme une flamme. Mourir en mai!

Elle lui prit la main afin que personne ne vînt s'interposer entre eux. La basse cour était silencieuse et déserte. Seul un vieil aveugle, assis sur un montoir devant les écuries, suivit leur passage de sa tête inclinée et attentive. On n'avait pas jugé utile de le conduire au spectacle puisqu'il ne pourrait l'apprécier. Une colonne de six sergents ouvrait la marche, en rangs de deux, puis venait le père Hubert, les mains crispées sur son bréviaire. Suivaient Harry et Benedetta, main dans la main, puis six autres hommes de l'escorte, et enfin Langholme. On aurait pu croire à une procession de noces. Dans ses atours d'or, Benedetta avait la splendeur d'une mariée. Elle serrait la main de Harry et priait.

Ils pénétrèrent dans le passage obscur du corps de garde. De l'autre côté, le soleil matinal était radieux. Un murmure indistinct leur parvint de la foule massée sur le plateau, et devant eux la lumière parut miroiter et scintiller avec les reflets des couleurs et des mouvements, comme un frisson d'excitation fébrile. Ils s'engagèrent sur le pont. Benedetta ralentit le pas, de façon à creuser la distance entre le prisonnier et l'avant-garde. Le plateau s'ouvrit devant eux quand ils apparurent d'entre les deux tours basses. Venant de leur gauche, l'immense murmure de pitié, d'horreur et d'appréhension souffla sur eux comme une bourrasque. Mais devant eux, seule, magnifique, comblant tous les désirs, l'église s'élevait dans l'aube.

— Regarde! dit Benedetta. L'arbre est en fleur.

Elle recula d'un pas et lui lâcha la main. Les premiers rangs de l'escorte avaient obliqué à gauche, en direction de la potence. Rien ni personne ne séparait plus Harry de son chef-d'œuvre. Il s'arrêta et son regard quitta l'obscurité du sol pour monter le long des lignes effilées des contreforts, puis des murs, et enfin de la tour. Le soleil levant caressait la pierre grise et l'enflammait d'or. Chaque pinacle était une flamme qui s'élevait. Etage après étage, la tour hissait ses parois étincelantes, ses reliefs de lumière et d'ombre, purs et fiers, jusqu'à ce que la tige dorée éclate dans la pâle et luisante fleur du ciel.

Le visage levé, ébloui de bonheur, vénérant son œuvre, Harry était debout, immobile. La mort avait relâché son emprise sur lui.

Il la fuyait par une tour d'or, un escalier d'ambre, un puits de cristal.

Jaillissant du rai de lumière, un rai de ténèbres plongea, invisible, déchira l'air avec un son qui évoquait la vibration d'ailes gigantesques. Il le frappa en pleine poitrine, à gauche, et le projeta en arrière dans les bras ouverts de Benedetta. Elle entendit le bruit sourd de l'impact. Il lui sembla même percevoir le déchirement des chairs quand la flèche transperça le cœur tant convoité, et elle poussa un cri à l'instant fugitif de son agonie. Pourtant Harry n'émit aucun son. Le poids de son corps entraîna Benedetta à terre, et elle se laissa tomber à genoux dans l'herbe pour amortir sa chute, afin qu'il vînt reposer dans le berceau de ses bras, comme dans un lit. La convulsion de la douleur était déjà passée. Souriant et pleurant, Benedetta marmonnait des mots entrecoupés de sanglots, sans même s'en rendre compte.

— Mon amour, mon petit, mon tendre cœur...

Les yeux vert océan, tachetés d'or par le soleil, la saluèrent avec un dernier éclat de triomphe et de rire, puis s'égarèrent, étonnés et émerveillés, dans les radieuses immensités de l'éternité qui s'épanouissaient au-dessus de la tige d'or. En prenant grand soin de ne pas toucher la flèche, Benedetta pencha la tête pour embrasser son front, sa joue, sa bouche souriante et enchantée. Lorsqu'elle se redressa, la lumière s'éteignait dans les yeux de Harry, et la main qui s'était refermée sur le trait sortant de son torse relâcha son emprise. Le bras glissa dans l'herbe et y reposa. Benedetta le serra, mort, contre sa poitrine.

La flèche, en transperçant le corps de Harry, avait déchiré sa robe et éraflé son bras. Elle ôta les franges de velours déchiré, et son sang s'égoutta dans l'herbe avec celui de Harry. A présent qu'il ne risquait plus de souffrir, elle le serra plus étroitement dans ses bras et le berça doucement, sa joue contre ses cheveux. Le monde reprit lentement forme autour d'elle, grotesque, dépourvu de sens. Les sergents l'encerclèrent, en désordre, indécis. Le père Hubert priait comme un dément. Langholme lui secouait l'épaule. Dans le pré baigné de soleil, les gens couraient et hurlaient, les gardes les repoussaient. Au milieu des cris, dans la confusion et la précipitation, les sergents cherchaient d'où avait été tirée la flèche. Accroupie dans l'herbe, Benedetta était au cœur du tourbillon. Et là, tout était silencieux, immobile, serein.

Ce fut seulement lorsque la longue ombre solitaire s'étira sur le corps de Harry, et que toutes ces silhouettes insignifiantes qui avaient tambouriné contre les portes de sa tour de silence se retirèrent, frappées d'effroi, que Benedetta redressa la tête. Sous la masse enflammée de ses cheveux, son visage était farouche et triomphant. Levant les yeux de son mort, elle réclama dans un cri exalté et exultant :

— Donnez-moi son corps ! Il est à moi !

Isambard les toisait en silence. Son regard s'attarda sur le visage sans vie, encore figé dans l'émerveillement et l'avidité de la vie. Il remarqua le mince cercle de sang sombre qui suintait de la poitrine transpercée, et la peau pâle du bras de Benedetta qui luisait entre les lambeaux de sa manche.

— Vous l'aurez, puisque tel est votre souhait, dit-il. Vous aurez son corps et vous pourrez l'enlacer, l'étreindre jusqu'à la fin de vos jours.

Ils cassèrent la tête de la flèche, épointée, sanglante et bordée de minuscules fragments d'os, puis la retirèrent. Une effusion de sang s'ensuivit, les lèvres de la plaie béèrent un moment, puis se refermèrent, scellant le cœur transpercé.

Ils le manipulaient doucement, comme s'il leur inspirait de l'effroi, car quelqu'un dans la foule avait déjà murmuré le mot « miracle ». Etait-ce un homme qui avait bandé l'arc ? On n'avait découvert personne dans l'église ni dans les arbres, et il ne manquait pas de voix pour jurer que le trait avait été tiré d'un point culminant beaucoup plus élevé que la tour. Il leur faudrait dénombrer tous les habitants du château et déterminer s'il y avait un absent, avant d'être certains que ce n'était pas Dieu qui avait enlevé le maître maçon au nez et à la barbe de ses ennemis.

Ils enveloppèrent le corps dans une cape et le hissèrent sur un cheval, la femme sur un autre, et les menèrent ainsi, à la suite d'Isambard, jusqu'à la rive de la Severn. Avec les pluies de printemps abondantes, la rivière était haute et brune, pommelée par les remous, charriant des branchages et des buissons arrachés. Debout sur la jetée à demi démantelée qui avait servi au déchargement des pierres, Isambard contemplait le flot qui courait à une aune à peine sous ses pieds, et happait les piles du débarcadère au point d'ébranler le plancher. De chaque côté, les prairies verdoyantes avaient la couleur des fondrières, étincelant ici et là dans les affaissements où s'attardaient des mares. En aval, où la forêt dévalait le flanc escarpé de Long Mountain, toute la rive anglaise était masquée par des arbres en surplomb.

Isambard pivota pour longer la berge et contempla longuement le mort que l'on avait déposé dans l'herbe. La chair était encore à sa merci, mais il n'avait pas de querelle contre la chair. Peut-être était-il un oiseau de proie, mais non un charognard. Jamais encore il n'avait vu Harry inerte. Eveillé, son visage avait toujours la mobilité de la lumière. Et il ne l'avait surpris qu'une seule fois endormi, à l'orée du bois d'Erington, avec le jeune garçon lové dans son bras. On lui avait fermé les yeux, pourtant il ne donnait pas l'impression de dormir. L'enfance retrouvée se lisait sur son visage, l'innocence sereine, mais non pas l'abandon. Il était invulnérable, maintenant, et cela se voyait.

— Déshabillez-les !

Nul ne bougea. Les hommes d'armes regardaient Isambard, effrayés, réticents, refusant de croire ce qu'ils avaient entendu.

— Vous avez compris ? Dénudez ce cadavre. La femme aussi.

Ils se mirent à genoux et entreprirent de défaire la cotte de Harry, arrachèrent la chemise ensanglantée de son corps docile. Mais ils hésitaient à toucher Benedetta. Elle attendait, un léger sourire moqueur aux lèvres. Le soleil faisait étinceler ses atours et assombrissait la tache de sang sur sa poitrine.

— Avez-vous donc peur d'elle ? s'écria Isambard avec un rictus.

Il saisit le col de la cotte de Benedetta et tira. Le velours se déchira avec un bruit de tendons rompus, mais le surcot d'or résista. Alors il sortit sa dague, posa la pointe dans le creux de sa gorge, fendit le vêtement jusqu'à la taille, et arracha ensemble le lin et le velours de ses épaules. Benedetta évoquait un bouleau secoué et maltraité par le vent, et subissait son sort avec une indifférence égale. Il n'y avait rien qu'Isambard pût faire désormais pour l'émouvoir. Il rengaina sa dague, saisit à pleines mains les étoffes tombées sur ses hanches et les déchira presque jusqu'à l'ourlet. Tous les vêtements s'affaissèrent à ses pieds. Souriant toujours, Benedetta enjamba les vestiges et se débarrassa de ses souliers de cuir fin. Isambard s'humiliait lui-même. Elle était somptueusement drapée dans son triomphe et son indifférence, et cela, il ne pouvait l'en dépouiller.

— Ligotez-les ensemble, face à face. Ils dormiront dans les bras l'un de l'autre jusqu'à ce qu'ils pourrissent.

Frappés de stupeur mais trop effrayés pour désobéir, ils mirent debout le corps nu de Harry et soulevèrent ses bras ballants pour les placer autour du cou de Benedetta. Deux des sergents, bien qu'intimidés par sa blancheur, s'apprêtaient ensuite à prendre les poignets de la jeune femme. Elle les devança. Le visage empreint d'une tendresse farouche, elle enlaça avec joie le tronc mince qui conservait encore un léger hâle de l'été précédent. Elle l'étreignit étroitement, poitrine contre poitrine, cuisses contre cuisses, et, avant que les cordes se resserrent, elle l'installa confortablement, la joue droite de Harry sur son épaule. Ils le maintenaient debout pour empêcher son poids mort de s'affaisser sur elle, mais il était si léger qu'elle aurait pu le soutenir seule. Elle plaça ses mains dans son dos et le pressa contre elle. Ainsi les deux plaies verticales étaient cachées, devant par sa poitrine, derrière par ses paumes. Les avant-bras de Harry furent solidement attachés derrière les épaules de Benedetta, puis leurs genoux ensemble, leurs chevilles, jusqu'à ce qu'ils forment une colonne de marbre, maintenue à la verticale par les gardes aussi pâles qu'eux.

— Jetez-les à l'eau! ordonna Isambard. Qu'ils sombrent ou nagent ensemble.

Jusqu'à la fin Benedetta ne songea qu'à Harry. Alors qu'on les tirait sur le ponton, Isambard la vit, bien que ligotée et impuissante, hausser l'épaule et incliner la joue pour stabiliser la tête de Harry qui roulait. Et lorsqu'on les maintint un moment debout à l'extrémité du quai, elle tourna la tête pour lancer à Isambard un regard de pitié distante, puis elle rit et baisa l'angle de la mâchoire de Harry, seul endroit que ses lèvres pouvaient atteindre.

Dès lors elle ne releva plus les yeux. Elle veillait sur le dernier sommeil de son bien-aimé, insensible au froid, à la violence, à la honte, à la mort, à l'inapaisable supplice de haine et d'amour qui viciaient l'air autour d'elle. Jamais, vivant ou mort, Isambard ne pourrait la ramener à lui. Eût-il rampé à genoux jusqu'au bord de l'eau pour l'implorer de le prendre en pitié, de le craindre, de pleurer, de vivre, elle aurait refusé.

— Poussez-les! Qu'on en finisse! hoqueta Isambard.

Il s'élança à longues enjambées sur le quai, arracha Harry et Benedetta des mains hésitantes qui les tenaient, et les fit basculer dans la rivière.

Le courant rapide les accueillit avec à peine une frange d'écume mais les engloutit avidement, et des tourbillons suivirent leur sillage. Sous la surface plombée de l'eau, Isambard discerna un instant la pâleur de leurs corps, tel un grand poisson argenté, puis ils émergèrent de nouveau à une trentaine de pas, entraînés à vive allure en direction de Breidden. La longue chevelure rousse flottait, s'enroulait autour d'eux, tandis que le courant fantasque les chahutait, les faisant tournoyer.

Dans l'abri de la forêt envahissante, une autre silhouette pâle se laissa glisser de la berge sans être vue et s'engagea jusqu'à mi-torse dans la rivière, arc-boutée contre la force du courant, guettant la forme flottante cramoisie qui dérivait vers l'abri des arbres.

De son côté, Isambard la suivit des yeux sans bouger jusqu'à ce qu'elle eût disparu. Puis il fit demi-tour et revint à pas lents au rivage. Ses hommes s'écartèrent devant lui, livides, terrorisés, mais il n'en regarda aucun. Il avait le visage pétrifié, gris. Il traversa la pelouse comme s'il se croyait seul, enfourcha son cheval et prit le chemin qui montait à Parfois. Son escorte lui emboîta le pas, mais il ne la voyait pas. Il chevauchait dans une solitude sans limite de temps ni d'espace. Il avait dépeuplé le monde.

16

La première sensation fut la douleur, et dans cette douleur un abandon qui n'était pas totalement déplaisant. Benedetta était empoignée par de grandes mains qui lui meurtrissaient les flancs et la forçaient à prendre de pénibles respirations jusqu'au tréfonds de son corps, respirations qui la poignardaient comme des dagues et la brûlaient comme des flammes. Plus tard, ce fut la chaleur ambiante, un bien-être somnolent, le contact d'une étoffe rugueuse qui lui picotait la peau. Ensuite, le sommeil.

Elle ouvrit les yeux sur un visage barbu, penché au-dessus d'elle avec anxiété et qui, voyant une légère rougeur colorer ses joues et un éclair de conscience luire dans ses yeux hébétés, versa sur elle des larmes inattendues. Il régnait une pénombre chaude, une odeur de bois, de fumée et de présence humaine, et le reflet du feu vacillait sur les poutres d'un plafond bas. Les mains qui l'avaient malmenée remontèrent les couvertures de peau sur sa poitrine nue.

— John !

— Dieu soit loué ! Restez tranquille, maîtresse, je vais vous apporter du lait. Je pensais ne jamais réussir à vous ramener à la vie.

John apporta une cruche de lait encore tiède et souleva Benedetta dans ses bras pour l'aider à boire.

— Où sommes-nous ? demanda-t-elle en jetant un coup d'œil circulaire sur la petite cabane.

— Dans un essart forestier, au pied de Parfois.

— Tu m'as sortie de la rivière ?

Elle se laissa aller contre son épaule, avant de poursuivre d'une voix plus forte :

— Où est-il ?

— Ici. A l'abri.

Le mot lui arracha un faible sourire, pourtant il était juste. Harry était à l'abri, inviolé, inviolable.

— Il est enveloppé dans mon manteau, dans le petit clos, avec mon arc et le cheval que vous m'avez donné. Le fermier m'a aidé à vous tirer hors de l'eau, et sa femme vous cherchera des vêtements quand elle aura fini de traire.

— Je n'ai rien pour la payer.

— Moi, si. J'ai l'argent que vous m'avez remis.

— C'est pour ta fuite, John.

La vie revenait en elle, et la volonté. Benedetta avait des choses à faire, puisque Dieu avait voulu qu'elle continue son chemin.

— Je t'avais dit de quitter le comté. Pourquoi n'es-tu pas parti ?

— En vous laissant entre ses mains ? Sans savoir ce qu'il allait faire de vous ? Non, maîtresse. Je suis votre homme, aussi longtemps que je vivrai, et je n'irai nulle part sans être sûr que vous ne risquez rien. J'avais prévu de me cacher dans les bois pour attendre de vos nouvelles, mais il vous a amenée sur la berge juste sous mes yeux. Si Dieu me prête vie, je jure de lui trancher un jour la gorge pour ce qu'il a fait. Par bonheur, je suis né au bord d'une rivière et j'ai appris à nager en même temps qu'à marcher. Reposez-vous, maintenant, et restez bien au chaud. Le fermier est allé nous acheter un autre cheval.

— Tu seras aussi démuni que moi si nous vivons à deux sur ta bourse.

Benedetta se tut. John le Fléchier vit de grosses larmes rouler sur ses joues. Il s'agenouilla près d'elle et prit sa tête entre ses grosses mains rugueuses. Etre tenue ainsi lui fit l'effet d'un luxe inouï, une sorte de retour à l'innocence. Puis John sécha ses larmes, et son geste la toucha au cœur.

— Ai-je réussi ? demanda-t-il d'un ton bourru.

Il connaissait la réponse, car il avait vu le corps de Harry, mais il voulait l'entendre de la bouche de Benedetta pour être pleinement satisfait.

— Parfaitement, John. Rapide et propre. Aucun homme n'aurait pu mieux faire.

Les yeux fixés sur les poutres noircies par la fumée, Benedetta recouvrait peu à peu sa détermination, sa volonté, sa maîtrise.

— Il nous reste à l'enterrer dignement, avant d'aller chercher les vivants, dit-elle.

Elle lava de ses propres mains le sang et les salissures de la rivière sur le corps de Harry, lui démêla les cheveux, et, avec l'aide de John, l'habilla et le prépara pour les obsèques. Ils le déposèrent en aval dans une barque, près du moulin, et le conduisirent à la rame sur la rive galloise, à Strata Marcella. Quand les moines descendirent à minuit, pour matines, ils trouvèrent un mort soigneusement emmailloté dans une cape d'étoffe grossière, posé aux pieds des marches du chancel, encadré par deux inconnus vêtus de bure qui priaient agenouillés devant lui, l'un à sa tête, l'autre à ses pieds. Ce dernier était un homme d'âge mûr, un paysan barbu. L'autre avait un visage jeune, pâle et avenant sous sa capuche. Le prieur s'apprêtait à lui ordonner sèchement de se découvrir lorsqu'il entrevit le renflement d'une poitrine.

Benedetta joignit les mains devant le prieur, en un geste de supplication.

— Mon père, pour l'amour du Christ, accueillez cet enfant de Dieu, mort prématurément, jusqu'à ce qu'il puisse reposer en paix dans l'église qu'il a lui-même édifiée. Et ayez la bonté de marquer l'emplacement où vous l'ensevelirez, afin que nous puissions le retrouver, même dans plusieurs années. Je ne me relèverai pas tant que vous n'aurez pas accepté que je vous le confie.

Le prieur examina le défunt et constata sa jeunesse. La sérénité marmoréenne de la mort, loin d'éteindre l'ardeur et l'énergie du visage, les avait au contraire figées, agissant comme un charme. Il semblait que s'ils avaient haussé la voix, le jeune homme se serait éveillé.

— Ma fille, dit le prieur, comment puis-je accueillir un homme qui visiblement a connu une mort violente et dont la personnalité m'est inconnue ?

— Il était noble, répondit Benedetta. De naissance et par la vie qu'il a menée. Son travail était noble, et il est mort noblement à la place d'un autre, dont il a sauvé la vie. Est-ce suffisant ?

C'était suffisant. Néanmoins, pour des raisons qui lui étaient personnelles, le prieur demanda un nom.

— Il se nomme Harry Talvace. Maître maçon.

Le prieur prit une profonde inspiration.

— Bien, bien, dit-il. Il est le bienvenu dans notre maison. Il aura un service et une tombe dignes de lui.

Benedetta ne s'étonna pas que le nom de Harry fût connu. Au contraire, elle eût été surprise si ce nom n'avait pas provoqué des échos glorieux dans toute la chrétienté. Harry emplissait à ce point son univers qu'elle jugeait naturelle cette reconnaissance.

Elle remercia le prieur en termes simples puis se pencha pour baiser tendrement le front glacé de Harry.

— Repose en paix, mon âme, jusqu'à ce qu'elle ou moi te ramenions chez toi.

Lorsqu'elle fut partie, ils emportèrent le corps avec respect et le déposèrent sur une civière devant l'autel. Après laudes, ils veillèrent Harry Talvace toute la nuit. A l'aube, un domestique laïc partit à cheval pour Aber afin d'avertir Llewellyn, mais il arriva trop tard. Le prince de Gwynedd était déjà en marche.

La sœur tourière du couvent avait été éveillée au point du jour par l'enfant. Elle le berçait d'une voix ensommeillée en tournant en rond dans sa petite cellule. Le martèlement étouffé des sabots sur l'herbe du chemin de la vallée parvint nettement à ses vieilles oreilles, bien que ce fût une vibration plutôt qu'un son. Elle dressa la tête et se figea.

Qui chevauchait à pareille heure ? Les sœurs recluses de Sainte-Winifrede, pelotonnées autour de leur petite chapelle de bois en pleine nature, avaient peu à craindre des vagabonds en temps ordinaire, car la Vierge martyre était aussi prompte à envoyer au diable ceux qui lui manquaient de respect qu'à dispenser ses bienfaits aux âmes pieuses. Mais les temps n'étaient pas ordinaires. Le roi avait pris les armes dans le Sud, et la plupart de ses barons s'étaient alliés contre lui derrière l'archevêque. Shrewsbury, qui avait jadis profité des besoins d'argent du roi pour accroître ses libertés civiles par des chartes successives, honorait ses engagements en prenant parti pour Jean. Mais, dans le nord du Pays de Galles, les hommes de Gwynedd se massaient sous la bannière du prince Llewellyn, favorable aux rebelles. Selon la rumeur, les insurgés avaient pris Londres. Un cavalier arrivant ainsi à l'aube venait peut-être avertir de l'imminence d'attaques galloises sur la frontière.

La sœur écouta frapper à la porte, compta les coups et les intervalles, et sut qui était le visiteur. Elle alla au portail de l'enclos avec le bébé sur son bras, souleva la clavette et ouvrit le battant.

La vue de deux hommes l'alarma momentanément, mais le plus âgé était John le Fléchier, qu'elle connaissait bien, et le second, repoussant son capuchon, découvrit la rousse chevelure de Madonna Benedetta. La jeune femme avait revêtu des chausses et une tunique de paysan en toile de bure brune, qui lui auraient donné l'air d'un fils de tenancier, n'était cette peau laiteuse sur laquelle ni le soleil ni le vent ne semblaient avoir prise.

En voyant l'enfant, Benedetta pressa les mains sur son cœur et ses salutations s'envolèrent avant qu'elle pût les énoncer. Elle le prit doucement dans ses bras et l'examina avec un sourire admiratif. Il avait un duvet de cheveux noirs, comme ceux de sa mère, et des yeux d'une couleur encore indéterminée, qui pouvait fort bien virer au vert océan tacheté d'or.

— Quand est-il né?

— Il y a quatre jours, aux alentours de prime.

A peu près l'heure de la mort de son père.

— Et Gilleis?

— Elle a souffert mais elle se remet. Vous lui apportez certainement des nouvelles...

La sœur s'interrompit. La pâleur de Benedetta révélait clairement que les nouvelles seraient de peu de réconfort pour Gilleis.

— Mort?

— Mort. Dieu merci, Gilleis a son double parfait!

Benedetta regarda les deux petits poings serrés sous le menton du bébé. Jamais elle n'avait vu un être humain aussi jeune. Il lui semblait impossible qu'il pût receler dans ce corps infinitésimal toutes les potentialités d'un homme. Elle songea que les hommes arrivent au monde parfaits. Une main à peine plus grosse qu'une primevère, aussi fragile, et pourtant elle contient toutes les lignes, les jointures, les ongles, toute cette machinerie merveilleuse qui bâtira un jour une cathédrale, jouera du luth, maniera armes et outils, écrira des chansons à faire fondre la glace d'hiver, touchera les cordes du cœur d'une femme et l'entraînera derrière lui à travers le monde.

— Je dois parler à Gilleis. Il faut l'emmener en lieu sûr avec le bébé. Si un tel lieu existe. La frontière de Powis est déjà à feu et à sang. Et je ne serai pas tranquille tant qu'elle et Isambard se trouveront dans le même comté. S'il venait à apprendre qu'elle a un enfant...

— Jamais il ne toucherait à une innocente créature! protesta la sœur tourière avec incrédulité.

— C'est sans doute aussi ce que des âmes charitables pensaient d'Hérode. Ma sœur, il est peu de choses qu'Isambard n'oserait faire, sauf rompre sa parole. Mieux vaut lui épargner la tentation. Si nous parvenons à conduire Gilleis à Shrewsbury, nous serons saufs. Mais est-elle en état de monter à cheval?

— Pas encore. Pas toute seule. John pourrait s'occuper d'elle si vous preniez l'enfant. Elle-même n'est guère plus grande qu'une enfant. Néanmoins il serait préférable qu'elle garde le lit encore deux ou trois jours. Dois-je aller voir si elle est éveillée? Vous devrez le lui annoncer tôt ou tard.

— Oui, allez. Mais si elle dort, laissez-la.

La sœur tourière tendit les bras pour reprendre l'enfant mais Benedetta se récria :

— Non! Laissez-le-moi. Voyez comme il est content. Il ne pleure pas.

Benedetta le portait encore dans ses bras lorsqu'elle fut introduite dans la cellule où reposait Gilleis. Les grands yeux noirs et cernés se levèrent dans une question muette. Benedetta se plaça à côté du lit. Les mots lui manquèrent.

— Il est mort, conclut Gilleis sans s'interroger plus longtemps.

— Il est mort, acquiesça Benedetta d'une voix basse, presque inaudible.

— J'en étais sûre. Je l'ai senti s'en aller de moi.

Elle tourna la tête face au mur.

— Il vous envoie son amour indéfectible. Et il m'a chargée d'embrasser son fils pour lui.

Un sourire infime erra un instant sur la bouche tendre et charnue de Gilleis.

— Cela lui ressemble bien, cette certitude que ce serait un fils!

Sur la couverture, ses doigts se crispèrent et ses ongles s'enfoncèrent dans ses paumes.

— A-t-il... cruellement souffert? L'a-t-on humilié?

Cette dernière question, ce n'était pas pour elle qu'elle la posait, mais parce qu'elle savait à quel point Harry aurait été blessé dans son âme de déchoir à la beauté.

— Non! Jamais! C'est lui qui a triomphé. Il n'a jamais baissé la tête, ni ployé un genou. Il est mort selon la grâce de Dieu, non de celle d'Isambard. Très vite et proprement, comme un trait tiré du ciel sous leurs yeux. Un éclair, et il était parti. Les bourreaux n'ont pas posé la main sur lui.

Le visage tourné vers le mur était immobile, légèrement empourpré, attentif, avide.

— Racontez-moi.

Benedetta lui dit tout, même l'horreur du supplice auquel Harry avait échappé, puisque la victoire n'en était que plus grande et sa mort plus supportable. Elle omit seulement ce qui s'était passé entre eux. Il suffisait à Gilleis de savoir qu'il avait demandé à s'entretenir avec elle afin de pouvoir envoyer et recevoir les ultimes messages d'amour.

— Si j'avais pu le revoir au moins une fois! murmura Gilleis, la voix et le cœur serrés par une douleur intenable.

Elle gisait telle une morte, le visage tourné. Benedetta se pencha pour poser l'enfant dans le creux de son bras et, d'instinct, les mains de Gilleis le calèrent doucement contre sa poitrine. Bientôt, au contact de son poids et sa chaleur, son front crispé se détendit.

— Si vous saviez comme je vous envie, dit Benedetta.

Elle se laissa tomber à genoux à côté du lit, la tête posée sur ses bras. Peu après, une main glissa sur la couverture et vint lui toucher la joue. Elle leva les yeux et s'aperçut que la tête brune de Gilleis s'était tournée vers elle, et que ses grands yeux étaient tendres et pleins de larmes.

Un messager vint le deuxième jour trouver John le Fléchier, lequel à son tour s'empressa d'apporter la nouvelle à Benedetta.

— Le garçon vient d'un village près de Parfois. Je m'étais arrangé avec lui avant mon départ pour qu'il vienne ici me prévenir s'il apprenait que maîtresse Gilleis était recherchée. Je savais que vous viendriez la chercher, elle et l'enfant, si c'était en votre pouvoir. Le garçon dit que tous les habitants de Parfois ont reçu l'ordre de découvrir le tireur qui a privé ce charognard de Gascon de son dîner, et tous les palefreniers de vérifier s'il manquait un cheval. En conclusion, ils connaissent maintenant les deux réponses et ils battent la campagne pour nous retrouver, moi et le cheval gris. Il paraît qu'ils ont relevé des traces près de la taverne de Walkmill et qu'ils se dirigent vers nous.

Benedetta avait bondi sur ses pieds avant même d'en avoir entendu la moitié.

— Walkmill? Donc, avant qu'ils approchent d'ici, nous pourrions descendre par la route de la vallée en direction de Shrewsbury, et il leur faudrait entièrement contourner Longmynd ou franchir le col avant de nous apercevoir.

— Très juste. Cela nous donne une bonne avance. Mais le cheval gris va porter deux personnes.

— Nous n'y pouvons rien. Selle les chevaux, John. Je vais prévenir Gilleis.

— Couvrez vos cheveux, maîtresse. Avec cette lumière, ils la verraient à un mile. Et même plus, du haut de la crête.

— Ils me croient morte, objecta Benedetta. Ce ne sont pas des cheveux roux qu'ils cherchent, c'est un cheval gris.

— Quand bien même, couvrez-les. Il suffit qu'ils les aperçoivent pour comprendre que vous êtes en vie. Il n'y a pas une chevelure comme la vôtre dans toute la Bretagne.

Benedetta se camoufla donc la tête sous le capuchon que lui avait donné le fermier de l'essart, et enfila de nouveau les chausses et la tunique en étoffe grossière. Ils n'avaient pas de déguisement équivalent pour Gilleis, mais elle s'enveloppa dans la cape brune de John, celle-là même qui emmaillotait Harry quand ils l'avaient transporté jusqu'à l'abbaye. Les adieux furent hâtifs et brefs. John se mit en selle le premier, et Benedetta offrit un genou pour aider Gilleis à se hisser devant lui. Celle-ci avait insisté pour monter en croupe et lui éviter d'avoir à la tenir, mais ils doutaient que sa force physique fût égale à sa force morale. Benedetta prit le bébé qu'on lui tendait et le plaça bien à l'abri dans les plis du manteau donné par les sœurs. Ainsi équipés, ils s'engagèrent sur le chemin d'herbe et louvoyèrent entre les collines pour rattraper la route directe de Shrewsbury.

Benedetta imposa une allure rapide. La vallée s'ouvrait devant eux, et la grande arête de Longmynd les surplombait sur la gauche. Plusieurs fois elle jeta des regards anxieux sur la pente lisse, plissant les yeux pour discerner la crête où courait une très vieille route. Un vent vif soufflait, qui tirait sur son capuchon trop grand quand elle tournait la tête, mais elle ne pouvait libérer une main pour le retenir.

Ils étaient presque à la hauteur des derniers plissements de l'arête lorsque, tout en haut de la crête, Benedetta entendit un aboiement qu'elle reconnut aussitôt. Consternée, elle leva la tête. Le vent s'engouffra dans son capuchon et le rabattit en arrière. Ses cheveux cascadèrent dans le soleil capricieux. Elle dégagea une main pour dissimuler toute cette rousseur dénonciatrice, mais trop tard. L'écho d'un cri claqua, lointain mais clair. Elle distingua une mince silhouette sombre s'élançant sur la pente, puis une deuxième, une troisième et une quatrième, six en tout, et une autre, couleur feu, qui étincelait devant, telle une flèche, sur le sentier à moutons.

— Soliman! s'écria Benedetta, en piquant des deux pour lancer son cheval au galop.

Au moins, s'ils étaient rattrapés, ce serait seulement par le chien, car il était capable de battre à la course la plupart des chevaux. Benedetta ne redoutait pas le chien lui-même, car le grand animal avait trop souvent dormi la tête sur ses genoux pour se retourner maintenant contre elle. C'était son aptitude à guider les chasseurs sur leur proie qui l'inquiétait.

— Plus qu'un mile jusqu'au gué! cria John, juste derrière elle. Là-bas on pourra suivre le cours d'eau.

Il connaissait bien le pays, contrairement à elle, et Benedetta avait besoin d'être guidée. Elle jeta un coup d'œil à l'enfant qui dormait aussi sereinement que dans un lit. Qui aurait cru qu'un être aussi petit possédait une telle résistance?

Derrière eux, Soliman aboyait, se rapprochait. Il avait pris de l'avance sur les chevaux dans la descente, et ne tarderait pas à les rattraper. Là-bas, la voie romaine plongeait dans les terrains boisés. Ils auraient pu y échapper aisément à des hommes, mais non pas à Soliman. Le jappement suivant parut à Benedetta terriblement proche.

— Je m'occuperai de lui au gué, cria John en tirant sa dague du fourreau.

— Non!

Elle savait trop bien lequel des deux aurait le dessus, et elle ne souhaitait de mal à aucun. Elle alla vers le gué et quitta le chemin à main gauche pour entrer dans l'eau, comme John le lui indiquait. Là, elle tira sur ses rênes et lui cria de prendre l'enfant.

— Le chien ne me touchera pas, John. Il vit auprès de moi depuis six ans et me reconnaît pour sa maîtresse. Même sur l'ordre d'Isambard il ne me ferait pas de mal. Je vais essayer de le renvoyer au château. Emmène-les! Je vous rejoindrai.

— Non, c'est à moi de...

— Emmène-les! coupa Benedetta en mettant l'enfant dans les bras tendus de Gilleis. Je vous rattraperai!

Et dans un jaillissement d'éclaboussures, elle fit demi-tour pour revenir au gué. Le bruit des sabots alla décroissant vers l'aval, puis se tut brutalement après un bief, étouffé par la berge broussailleuse. Ensuite, ce fut le silence. Benedetta tendit l'oreille, à l'affût de bruits de voix ou de sabots sur la route, mais elle n'entendit rien. Le chien n'aboyait plus. Il filait de son pas long et souple, la tête au ras du sol. Benedetta l'appela doucement par son nom. Il dressa ses oreilles rabattues, leva ses yeux d'ambre, mais son museau ne dévia pas de la piste qu'il suivait. Arrivé devant l'eau il s'arrêta, hésita, se redressa, remua la queue d'un air indécis.

— Non, Soliman! Rentre! dit Benedetta en descendant de cheval.

Elle s'approcha de lui dans l'eau et prit entre ses mains la tête fauve, large et pesante comme un heaume.

— Obéis! Suffit, maintenant. Assez!

Les yeux jaunes l'examinaient d'un regard sceptique. Il lui reconnaissait le droit de lui donner des ordres, mais détestait abandonner une poursuite commandée par une autre voix, une autre autorité.

— Suffit, Soliman. Fini. Rentre! A la maison!

Du doigt elle désigna non pas le chemin, mais l'ouest, la direction de Parfois. Soliman pivota lentement tout en la surveillant par-dessus son épaule frémissante, et quand elle réitéra son ordre il tourna également la tête et commença à partir sur la route au demi-trot.

— Non, Soliman! Pas demi-tour! A la maison!

Les oreilles soyeuses exprimèrent déception et réticence, mais le chien obtempéra et bifurqua au milieu des arbres. Sa décision enfin prise, il allongea le pas et pointa le museau en direction de Parfois. Lorsqu'elle l'eut perdu de vue, Benedetta remonta à cheval et rattrapa John le Fléchier en suivant le lit du Cound, avançant avec précaution au milieu des pierres.

— Soliman est parti, annonça-t-elle. Il rentre au château. Ainsi ils ne le renverront pas sur notre piste et nous ne le verrons plus de ce côté-ci de Parfois. A moins qu'il ne change d'idée en route. C'est une bête qui a conscience de son devoir et qui déteste renoncer. Mieux vaut chevaucher encore un peu dans l'eau.

Ils suivirent le lit rocailleux le plus loin possible, ne le quittant que lorsque ses méandres sinueux leur faisaient perdre trop de terrain. Au bout de deux miles, ils jugèrent préférable de revenir sur la route et traversèrent Condover à vive allure.

Ils n'avaient plus aperçu ni entendu leurs poursuivants de Longmynd, mais, à Bayston, ils faillirent tomber sur eux à l'improviste. Un groupe de villageois était massé devant la taverne. Tous regardaient dans la direction de Shrewsbury et parlaient avec animation. Benedetta se serait mêlée à l'attroupement pour découvrir la raison de cette effervescence si John ne lui avait saisi le bras pour l'entraîner dans une ruelle.

— De Guichet! chuchota-t-elle en reconnaissant au milieu de la foule les épaules massives et le grand cheval pie que John avait vus le premier.

Elle aperçut aussi le Grec, désormais inutile sans son chien, qui tournait son visage étroit et buriné vers ceux qui l'entouraient, avec ce regard aveugle des gens qui suivent une conversation dans une langue qu'ils ne comprennent qu'à demi.

Tous leurs poursuivants étaient là, entre Shrewsbury et eux. Tandis que les fuyards dissimulaient laborieusement leurs traces en restant dans l'eau, les chasseurs, abandonnés par leur guide Soliman, avaient sans doute suivi la route tout droit et ils étaient arrivés là avant leur gibier sans le savoir.

John referma son bras autour de Gilleis en la regardant d'un œil inquiet et poussa son cheval dans la ruelle en terre battue.

— La pauvre dame est à bout de forces. Reprenez le petit, maîtresse. Il faut nous tenir prêts à partir au galop.

Gilleis rouvrit les yeux pour dire qu'elle se sentait bien, mais elle redonna son bébé sans protester à Benedetta, qui l'enfouit à l'abri de son manteau et resserra la ceinture autour de ce berceau improvisé. Le bébé poussa un petit gémissement, à peine plus fort qu'un miaulement de chaton, qui lui déchira le cœur. A aucun prix il ne devait tomber aux mains d'Isambard. Il risquait la mort, mais plus encore d'être élevé de sang-froid comme la créature d'Isambard, dans l'ignorance de son père. Jamais, tant qu'elle serait en vie, cela n'arriverait.

Ils firent le tour du village par les champs, rejoignirent la route un peu plus haut, et s'élancèrent au galop sur le bas-côté où l'herbe était épaisse et moelleuse. Si les hommes attroupés devant la taverne n'avaient jeté des regards si fréquents du côté de Shrewsbury, les fugitifs auraient pu passer inaperçus. Mais à tout moment quelqu'un tendait le doigt dans leur direction, et le cheval pommelé, si pâle qu'il faisait une tache blanche sur le vert printanier, n'attirait l'œil que trop facilement. En se retournant, Benedetta aperçut le nuage de poussière de leurs poursuivants qui approchait sur la route.

A l'horizon, il y avait de la fumée. Elle s'élevait en colonne dans le ciel bleu, dispersée ensuite par le vent en un mince nuage qui stagnait au-dessus de Shrewsbury. A Meole aussi les habitants discutaient sur le pas de leur porte en pointant le bras. John se mit à beugler pour qu'on leur cède le passage. Un homme saisit sa bride.

— Fais demi-tour, l'ami, si tu as un peu de bon sens! Shrewsbury est en flammes, ne vois-tu pas la fumée? Les Gallois ont incendié le moulin, et les magasins de l'abbaye brûlent.

— Mieux vaut affronter un raid gallois que retourner en arrière, lança Benedetta en se frayant un passage à coups de genou.

— Ce n'est pas un raid, petit. Ils sont sur le point de prendre la ville, et il n'y a personne de ce côté du Gloucester pour les arrêter. Ils ont contourné la rivière pour arriver par l'est, où on ne les attendait pas. Un cavalier est passé tout à l'heure, qui a dit que le prince de Gwynedd est déjà sur le pont en train d'enfoncer la porte.

— Le prince de Gwynedd? s'exclama Benedetta dans un cri de joie. Merci de ton avertissement, l'ami! Et surtout répète-le à ceux qui nous suivent.

Benedetta poussa son cheval en avant et ils s'écartèrent pour la laisser passer, certains qu'elle avait perdu la raison.

Au-dessus de Shrewsbury, la fumée s'était épaissie. Benedetta jeta un dernier regard en arrière juste avant que Meole disparaisse de leur vue. De Guichet avait forcé la barrière de villageois surexcités, mais il s'était arrêté un peu plus loin, sur le bord de la route, indécis. Ses hommes ne voulaient pas le suivre. Ils étaient six et n'avaient pas reçu l'ordre de se jeter dans une armée galloise. Toutefois les fugitifs avaient plus d'un mile de route à parcourir avant d'atteindre le pont, et il était encore possible de les rattraper. De Guichet lançait des signes furieux à ses hommes. Deux, puis trois obéirent — et donc les autres, car ils n'auraient jamais osé rentrer seuls à Parfois. Benedetta fixa le ruban de la route devant elle et encouragea son cheval du genou, de la voix et de la main.

Au bas de la longue descente menant à la grande courbe argentée de la Severn, apparaissait déjà au loin, embrumée par le voile de fumée, la colline entourée d'un fossé et couronnée par ses remparts garnis de tourelles. Le chemin s'inclinait à droite pour suivre l'arrondi de la rivière, et la ville pivotait comme une roue à aubes sur son plateau, découvrant ses tours l'une après l'autre, puis les faisant disparaître une à une. Les tours du corps de garde apparurent, d'abord une, puis les deux, séparées par le guichet obscur et, en dessous, sur le pont-levis, une masse d'hommes ondoyante où étincelaient des éclairs d'acier. La fumée ne trouvait pas naissance dans les remparts. Elle dérivait, portée par le vent, depuis la rive la plus proche de la Severn, où se situaient l'abbaye et ses dépendances, les hospices, les logements des pieux pensionnaires qui avaient donné tous leurs biens à l'abbaye en échange du gîte et du couvert. L'église elle-même était intacte et le mur d'enceinte protégeait tout ce qui était à l'intérieur, mais le moulin était la proie des flammes, ainsi que les greniers et les maisons de bois groupées entre l'abbaye et la rivière.

Un carreau d'arbalète se planta dans l'herbe du talus. Benedetta se courba au-dessus de l'enfant et piqua des deux. Si leurs poursuivants tiraient leurs flèches maintenant, c'était qu'ils s'apprêtaient à battre en retraite. Elle entendit un second trait, tout proche, puis la fumée l'engloutit, lui piquant la gorge et les yeux. Elle saisit le bord du manteau entre ses dents pour couvrir le visage de l'enfant et fonça à l'aveuglette dans la mêlée, sur le pont.

Des hommes l'encerclaient, qui avaient saisi la bride de son cheval et braillaient en gallois et en anglais. Des têtes jaillissaient de la fumée, pour s'évanouir ensuite, leurs visages déformés par ses larmes. Elle se retourna une fois pour s'assurer que John la suivait, puis se força un passage dans la cohue, ruant des deux pieds pour se débarrasser des mains qui l'agrippaient. Quelqu'un saisit la pointe de son capuchon et le rabattit en arrière. Ses cheveux emmêlés se déployèrent sur ses épaules, emportés par le vent.

— Où est le prince de Gwynedd? Où est le prince de Gwynedd?

Maintenant elle était sur le pont. La masse compacte des Gallois la cernait, se ruant en avant, à pied pour la plupart, certains sur des petits chevaux de montagne, efflanqués et solides. Le vent venant de la rivière déchira une trouée dans la fumée, et Benedetta discerna l'entrée de Shrewsbury entre ses tours, un groupe de chevaux de haute taille avec des cavaliers en cotte de maille, et un jeune écuyer qui tenait un grand heaume cerclé d'une mince couronne d'or. Elle écarta les cheveux de ses yeux, d'un mouvement de la tête, et s'époumona de nouveau pour couvrir le brouhaha de sabots et de voix.

— Menez-moi au prince de Gwynedd! Où est le prince Llewellyn?

— Qui réclame Llewellyn?

Les hommes s'écartèrent et elle le vit, éclatant de toute sa gloire triomphante. Il avait la tête nue et l'épée au fourreau, car la ville s'offrait à lui sans qu'un coup eût été porté ou presque. La fumée avait souillé les épaules du surcot blanc qui couvrait son haubert, mais le dragon rouge dessiné sur son torse était bien net. Son cheval noir était grand et charpenté, comme lui, et il dominait d'une tête la plupart de ceux qui l'entouraient. Le visage de faucon, vif, tout d'ombres et de lumières autour des yeux intelligents, était empourpré par l'action et la chaleur du heaume. Il riait. Rire, colère, générosité, pitié, tout se lisait sur ses traits. Il ôta ses gants de maille pour les laisser pendre à ses poignets, et ce simple geste était plein d'ardeur et de vie.

— Qui cherche Llewellyn?

— Quelqu'un envers qui il a une dette, répondit Benedetta en se plaçant à côté de lui. Harry Talvace.

Le regard de Llewellyn l'enveloppa avec étonnement. Il vit les vêtements grossiers de paysan, le beau visage défait et souillé de la jeune femme, les longs cheveux roux, assombris par la sueur. Ce fut à ses cheveux qu'il l'identifia. Il était assez aisé de donner une description de Benedetta pour qu'on la reconnût sans équivoque.

— Talvace est ici?

Llewellyn cherchait avidement des yeux celui dont il avait entendu tant de louanges par deux êtres qui l'aimaient. Mais, ne voyant qu'un domestique grisonnant qui tenait dans ses bras une jeune femme, il revint à Benedetta avec un regard interrogateur.

— Où est-il? Qu'on me l'amène, il sera le bienvenu! Nous étions en route vers Parfois pour aller le chercher. Si c'est lui qui vient à nous, avec l'aide de Dieu, je suis encore son débiteur.

Benedetta délia avec précaution le manteau et montra l'enfant qui dormait avec confiance au milieu du tumulte. Llewellyn contempla avec surprise la petite tête au duvet noir et les minuscules poings serrés, puis il comprit.

— Voici Harry Talvace, fils de Harry Talvace, dit Benedetta. Et voici Gilleis, sa mère. Ils ont grand besoin de votre protection. Je vous la demande en son nom.

Derrière les yeux gris clair de Benedetta, Llewellyn perçut un vide douloureux, un néant que personne, pas même un enfant, ne pourrait jamais combler.

— Mort?

— Mort. Il y a sept jours.

Le visage sombre, Llewellyn regarda l'enfant.

— Je le regrette du fond du cœur. Nous espérions avoir plus de temps, sinon je n'aurais pas attendu que FitzWalter arrive à Londres. Là-bas, parmi mes hommes, il y a son demi-frère, qui sera bien affligé. Et chez moi, un jeune oison va beaucoup pleurer en apprenant la triste nouvelle.

Il secoua la tête, et ses boucles brunes, emmêlées et moites à cause du heaume, tombèrent sur son front.

— Nous espérions avoir plus de temps, répéta-t-il avec une colère accablée. Nous voulions le libérer par la force, ou l'échanger contre Shrewsbury.

Devant les portes de la ville, grandes ouvertes pour recevoir le conquérant, ses chevaliers observaient avec curiosité et étonnement cette étrangère et l'enfant sur son bras. Les chevaux, impatients, piétinaient et piaffaient. Le gouverneur de la forteresse restait dans l'ombre de la porte, devant les prévôts et les tenanciers du domaine royal, prêts à remettre les clefs de la ville.

— Nous faisons attendre les bons bourgeois, remarqua Llewellyn en jetant un coup d'œil rapide par-dessus son épaule. Venez, conduisons au moins la femme de Talvace en sécurité dans un lit. Restez près de moi jusqu'à ce que nous l'ayons menée au château, dit Llewellyn en posant un regard plein de tendresse sur Gilleis, très pâle sur l'épaule de John, les yeux fermés. La veuve de Talvace est ma parente.

Il effleura d'un large doigt le front de l'enfant et ajouta :

— Et son fils est mon fils.

Il manœuvra son cheval et cria des ordres en gallois. Les rangs se formèrent autour d'eux et tous avancèrent lentement vers les portes. Là, les chevaliers firent halte pour laisser leur prince entrer le premier, seul, dans la ville, mais Llewellyn saisit la bride de Benedetta d'une main impérieuse.

— Chevauchez près de moi avec l'enfant. Au nom de son père, il fera une entrée princière et dormira ce soir dans un lit royal.

Le cheval noir posa un sabot hautain et dédaigneux sur le seuil, sous la herse levée. Le vent qui s'engouffrait entre les tours souleva les moustaches soyeuses et les courtes boucles noires de Llewellyn, et fit flotter la longue chevelure de Benedetta en une cape de pourpre impériale autour de l'enfant qu'elle tenait. Ce fut ainsi que le prince et son fils adoptif pénétrèrent ensemble dans la ville captive.

Transcontinental
IMPRESSION
IMPRIMERIE GAGNÉ

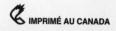

IMPRIMÉ AU CANADA